500万年のオデッセイ

人類の大拡散物語

ピーター・ベルウッド　河合信和 訳

青土社

The Five Million Year Odyssey

The Human Journey from Ape to Agriculture

Peter Bellwood

500万年のオデッセイ

目次

500万年のオデッセイ

人類の大拡散物語

本書を孫のイーサン、ハミシュ、レオ、イスラ、エレノア、そして人類の未来に捧げる

序章

　この数年来、家族と友人たちは、一般の人にも理解できるように書かれた、「五〇〇万年のオデッセイ」と私が言ってきた解説書をぜひとも書くべきだ、と私を説き続けてきた。その背景として、私は人生の大半を、専門研究者、つまりそう多くもない同学の人にしか理解されない考古学に関する専門的報告書の執筆者として過ごしてきたことがある。だから本書は、たとえ自著の一部が一般大衆によって広く読まれていたとしても、私にとって新たなチャレンジとも言える。

　チャレンジだからといって読者の知力を損なうような、単純な本を書こうとは思わない。ここで取り上げるテーマの中には、人間行動の複雑さにふさわしい、かなり込み入ったものもある。それでも私は、平易な言葉でそうしたテーマを表現しようと思う。恐れずに立ち向かわなければならない時は何度もある。本書の内容も、同学の人たち、特に考古学から離れた情報源を通じて人類史を研究する分野の人たちに興味をもってもらえるだろうと望んでいる。それを望めるのも、この時である。

　私は今は考古学の教授職から引退しているが、それまでの生涯は大学院生と学部生に世界中の過去の人類が達成してきた事柄を教えるのに費やしてきた。私は東南アジアや太平洋諸島での多くの考古学調査プロジェクトを担ってきたし、またそれ以外の地域でも考古学的な驚きに満ちた数多くの地を訪れられるという幸運に恵まれた。現下の新型コロナ・パンデミックでも、許されるならさらにもっと多くの地を訪れられる将来を期待している。

これまでの調査と旅の結果として、一般読者の興味を満たすこと、そして他の著作者によってまだ書かれていないことの何を、私は述べていくべきなのだろうか。その答えは、過去の、近代の、そして多くの場合、現在もなお存在している人類集団に関する長期的な視点だろうと思う。これら人類集団の起源、移住、そして一部の例で見られる絶滅を議論していく。まずは太古の類人猿から記述を始め、ほぼ西暦一四九二年に終わる古代文明の及ばなかった世界の多くの地の通覧で終える。その後の世界は、私の守備範囲を超える前代未聞の仕方で変貌した。本書は、コロンブス交換〔旧世界と新世界の間に起きた、動植物・人口・伝染病・思想などの劇的で広範囲に行われた交換〕とそれに引き続く植民地時代の影響を受ける前にあった世界について述べる。

また本書は、人類の過去はすべての人たちのものだという確信ばかりでなく、私自身の研究歴と関心を反映した個人的な解説でもある。考古学者という視点からだけでなく、功績については疑う余地はないが考古学だけでは人類の過去に対する幅広い理解には至らないだろうという気付きをしてきた者としても、私は本書を書く。私たちには骨、遺伝子、さらには人類史記録の後半部分では祖先たちの復元された言語会話も必要だ。私は、本書で取り上げる研究のあらゆる分野での専門家だと言うつもりはないけれども、何度も繰り返されてきた疑問――私たち人類はどこから来たのか、という疑問について意見を提示する一人の著者として、人間の知識にはなお空白部が残っていると固く信じてもいる。

一　考古学者として言語と遺伝子をどのように理解してきたのか

一九六〇年代の半ばにケンブリッジ大学で大学院生をしていた時、考古学を学ぶことによって自分の人生で将来の成長を遂げようと決めた。考古学は当時、理論と解釈の独自の全体構造を備え、歴史学と人類学の広い環境の中で独立した、実践的な学問分野として教えられていた。今日では考古学は、過去に対する科学的研究法のさらに幅広い学際的なネットワークの不可欠な部分となっている。その研究ネットワークは、人類の残した考古学的遺物・遺構、彼らの言語、彼らのDNAという観点から、人類集団の歴史を追跡するものだ。最近のパソコンやオンライン雑誌上では、多くの最新知識を支える、生者と死者の両方から得られたDNA分析はブームだが、それは一九六〇年代ではSFじみた未来の夢物語以上のものではなかった。

一九六六年、人類先史学界に関してその後の自分の立場を決める重要な決定を、私はくだした。「考古学研究所（ロンドン）」の考古学者クレア・ゴフ[1]に組織された西部イラン、ロレスタン州のテペ（古代都市跡の遺丘）の発掘調査で考古学指導教官を務めた後に、一九六七年、ニュージーランド、オークランド大学の考古学講師のポストを受け入れたのだ。同大と一九七三年以降にキャンベラにあるオーストラリア国立大学（ANU）で研究を積んだことで、私は他の世界――少なくともヨーロッパ、北米、私がケンブリッジ時代に焦点を当てていた中東の三地域外――を知ったのだ。オークランドとキャンベラの両大学で私は、社会人類学者、言語学者、自然人類学者の研究仲間を持ち、彼らと関心を共有する課題でいつも楽しく討論した。また、考古学を学ぶよりも教えるという幸運にも恵まれた。それは、考古学に関わるテーマについて本当に考えることを見つけ出したいと願うなら、不可欠だからだ。

ニュージーランドで私は、言語、社会人類学、人類学的多様性に富んだ東南アジア系と太平洋諸島系の先住民の人たちを知った。またニュージーランドで暮らす間、その地と様々な熱帯ポリネシア諸島、特にマルケサス諸島とクック諸島の両方の地での考古学調査をし続けた。しかし私の関心は、じきに古代の遺物からその背後にかつて存在した実際の人間集団に移っていった。これらの人たちはどんな集団であり、彼らの祖先はどこからやって来たのかを知りたかったのだ。

太平洋諸島は、二〇世紀の半ばから後半にかけて、人類の過去を研究するうえで刺激的な地域だった。過去に植民地であったという重荷を持つにもかかわらず、それぞれの社会を健全に機能させ、数多くの太平洋諸島民が今日まで存在し続けたことは、次のことを意味した。すなわちこの地域は、民族学(民族として人類の集団と社会の比較研究する学問)、考古学、言語史、人類進化(通常は「自然人類学」と呼ばれる)からの発見を組み合わせれば、集団の起源と移住に焦点を合わせた研究のフィールドとなるということだ。

事実、太平洋諸島は、一六世紀のスペイン人航海者からブロニスラフ・マリノフスキとマーガレット・ミードなどの二〇世紀の人類学者までの探検家と人類学者による観察と記録から成る豊かな伝統を生み出してきた。さらにまた多くの太平洋諸島の社会は、長い年月にわたる家系図と自ら祖先についての口頭伝承を保存していた。それらは、考古学調査で裏付けられる、興味深いレベルの正確さをしばしば備えていた。(2) 地域全体は、人類集団が無人の島に渡ってきて、その子孫は島に適応し、かなり短い時間軸で様々な社会に分岐した「研究室」に居る感覚を与えてくれる。ポリネシアとミクロネシアは、今日でもなおこの魅力を備えている。ただし西方のニューギニアとインドネシア周りのもっと大きな島々は、ずっと大きな年代範囲と人類定着の複合性を示すのだが。

一九七三年にオーストラリアに移住した後、私は研究領域をポリネシアから島部東南アジア(インドネシア、マレーシア領ボルネオ、フィリピン諸島)に広げ、ポリネシア人とそれ以外の太平洋諸民族の起源の探究に没頭した。両方とも東南アジア考古学とポリネシア諸語の属するはるかに大きなオーストロネシア語族の歴史の一部である。さらにまた研究の関心を、東南アジア本土、インド、中国の隣接地域の人類史にまで広げた。今では私は、五〇〇〇〜三〇〇〇年前の中国南部と大陸部東南アジアの、(現代クメール語とベトナム語を含む)祖先的なオーストロアジア語族と(現代タイ人を含む)クラ＝ダイ諸民族の諸活動を検証しつつ、ANUでベトナムの考古学についてベトナム人共同研究者と共に仕事をしている。

ポリネシアと東南アジアばかりでなく、この四〇年間、初期農耕民が食料生産民としての生活様式、言語、遺伝子をどのように広げてきたのかを問いつつ、世界全体の初期農耕民にも関心を集めてきた。一九八〇年代後半には、(ポリネシア人を含む)オーストロネシア語を話す民族の先史学と基本的理論との間の実践可能な結びつきを理解し始めていた。オーストロネシア語を話す諸民族は、自然からの狩猟と採集に依存せずに食料生産技術の採用に至る人口増で可能になった大航海移住の継承者だった。もちろん古代オーストロネシア語話者は、帆はもちろんアウトリガー(舷外浮材)を付けた船を持っており、海から魚介類を採るのに熟達していたが、栽培植物と家畜という持ち運び可能な食料生産民のレパートリーは、勇敢にも未知の海に漕ぎ出した創始者集団にとって水平線の彼方を漕ぎ進む多くの航海中、必須の支えであった。私が我が物にできた幅広い、基礎的な理論は、ただオーストロネシア語族民を超え、世界の他の多くの地域での食料生産技術の獲得、人類集団とその語族の拡散に集約された。

それでも本書の中身は、過去一万年の食料生産民の起源と拡大よりもずっと幅広い内容に及ぶ。たとえそうした拡大が今日の世界のほとんどを覆い尽くす人類学的、言語学的な複雑な絡まり合いのタペストリーを決定づけたとしても、だ。このオデッセイで、私は人類の五〇〇万年を追究する。私たちホモ・サピエンスや私たちにごく近い祖先の人類先史学だけでなく、(ヒトに似た)ずっと古い時代の、今は絶滅したヒト族（ホミニン）各種の中に私たちのルーツを探っていく。まずは五〇〇万年以上前に生きていたサルに似た生き物から始め、子孫がなお二一世紀の世界の基礎的構造を形成する植民地時代以前の人類集団で終えることにする。

多角的資料から過去を復元する

過去について、特に文字に書かれた記録が現れて歴史となる以前の過去について、深い地層から私たちは本当に何かを知ることができるのか？　壮大な遺跡・遺構──例えばギザの大ピラミッドとかローマのコロッセオ──を賞賛する時、そんな大昔の現実はどうだったかを想像しようとしているのではないか。現在、私たちが想像するもののほとんどは、メディア、特に興味をそそるほど詳しく過去を追体験させる大量のドキュメンタリー番組によって提供されたものだ。そうした番組には、ナレーター、俳優が出演し、信じられないほどの衣装、興奮させるほどのアクションが付く。もちろんエジプト人もローマ人も、歴史を文字で残してきた。だが、平均的な人間の生涯のある一日について、実際には私たちはどれだけ多くのことを知っているだろうか。そう、例えば五万年前のヒトでは？　その時代なら、文字で書かれたものは何も残っていない。

答は、年代の差次第で変わるだろう。文字で記録される以前の先史時代のずっと古い時代に関してはほとんどの情報を大地から一つ一つ抜き出さなければならないから、そんな時代の生活よりも、古代ローマ人の暮らしについての方を私たちははるかに良く知っている。サルのような祖先が熱帯のアフリカをうろついていた五〇〇万年前という太古なら、私たちはほとんど全く直接情報は持っていないから、化石と私たちのいとこである現生のチンパンジーとボノボとの遺伝子の比較を通じて「だったかもしれない事」を復元するしかない。このオデッセイを通じて私たちが進歩したように、関連する情報を引き出す手法も変身する。まず化石と石器から始め、現代世界の人類が織りなすタペストリーを構成している人類集団と言語で終わることにする。

こうしたすべてのことが意味するのは、人類の過去の復元は多くの専門分野にわたる学際的な作業となるはずだということだ。四つの核となる学問分野――考古学、古人類学、遺伝学、比較言語学――が、地球科学、植物学、動物学、人類学にまとめられる人類社会学からの情報で支えられるデータの中心的部分となる。

そもそもこの四つの学問分野は、何を研究しているのか？　考古学者は、古代人の文化的、経済的活動の残された痕跡を発掘し、それを記録することを通じて過去を推定する。実際には、埋没した考古遺跡を発掘調査し、残存している地上の記念物や人間行動の他の痕跡を記録していくということだ。考古学者は、過去の文化を明らかにするためにヒトが加工した遺物を利用し、また他の専門家たちの研究対象である多くの物質、例えば人骨、獣骨、植物遺存体、土壌試料、年代測定用の試料を回収する。彼らは様々な地質学的年代推定法を用いての編年に深い注意を払い、人工遺物の科学的検討に集中し、遺物の組成、出所、使用法を決める。

当然ながら考古記録は、時、風化、堆積という破壊を受けた後に残存した断片的なものでしかありえない。その結果、多くの考古学者は、比較を通じて物質的に不可視の古代社会を復元すべく、近世と現存する人類学的記録も利用する。

古人類学者は骨と化石（化石は地質学的作用で石化された骨）を分析し、私たち自身の種であるホモ・

サピエンスを含め、命名されたヒト族の種の多数の系列という観点から見解を述べる。こうした種の大部分は絶滅している。例えばアウストラロピテクス・アフリカヌス、ホモ・エレクトス、ホモ・ネアンデルターレンシスなどだ。だが彼らの遺伝子の多くは、後の章で論じるように、直接の祖先・子孫という系統を通じて、あるいは交雑を通じて、今日の私たちの中にも残っている。「種」や「絶滅」のような概念はヒト族の古人類学ではいつも確かでも揺るぎないものというわけではないのだ。

古人類学者と連携関係にあるのが、法人類学者である。彼らは、古代人類集団の生活様式、病理学、人口学的側面（例えば出生率、死亡時年齢分布など）に関連する古代人の骨からの観察結果を記録する。古人類学と法人類学は、通常は自然人類学というより大きな学問領域の中にまとめられる。

遺伝学者は、現生の人類集団の血液、唾液、毛髪から試料を取り、保存状態が良好であれば、古代人の骨や歯、そして水浸しになっていたり、極端に乾燥したりした条件にあった古代人の皮膚や毛髪でも試料にできる。今日では遺伝学者たちは、特定の現代人集団と古代人集団のDNAの側面から復元された祖先（核）DNAの全ゲノムの観点で見解を述べる。彼らは、祖先ゲノムの構造――遺伝子を構成する数百万のヌクレオチドの中から突然変異の位置を通じて表される――が空間と時間の中で位置づけられ、かつてどこに位置づけられていたかに深い注意を払う。彼らはまた、そうした祖先の構造の中で検出できる遺伝子混合も突き止める。もちろん集団の交雑は集団の歴史を照らし出すからだ。

言語学者は言語を、一般的に受け継がれた同じ語源の音、単語、文法上の特徴（「同じ語源の」とは共通の祖先から由来したという意味だ）から明確になる語族に分類する。それから彼らは、そうした語族の内部の歴史を研究し、注意深い比較研究によって語族内の密接に関連する言語の下位グループを定める。言語学者は、言語と語族の祖先が時間的、空間的位置づけも推定し、祖先となる同じ語源の単語とその意味の同定を通して古代社会と環境を復元できる。

「先史時代」に関して

読者は間もなく、本書の主要テーマが過去五〇〇〇年間の世界各地の様々な文字システムで記録された歴史からほとんど引用されていないことに気がつくだろう。そのテーマとは、もっと根本的なもの、すなわち私たちの文字出現以前の過去についてだ。文字記録以前の人類のこの在り方を「先史時代」と呼ぶことは当を得ていると思うし、今日、世界に暮らしている人たちの祖先はその時代を生きてきたのだ。

私は、一般的に人類の全期間を呼ぶのに「歴史」という用語を使用する時もあるが、本書は先史時代、すなわち古代文明による文字で書かれた言語使用以前の人類集団に焦点を合わせる。先史時代は、記述を五〇〇万年前まで遡らせるなら、地上にヒト族祖先が出現してからの歴史の実に九九・九%を占めている。その時までにヒト族祖先は、生物学的系統として現生の大型類人猿の祖先、特にアフリカのチンパンジーとボノボの祖先から枝分かれしていた。文字記録の便益を受けたという意味では、最後のたった五〇〇〇年間が歴史時代であった。しかもそれ以降も世界の多くの地域では、二〇〇〇年前、所によっては二〇〇〇年前というごく最近まで、なお先史時代であった。

「先史時代」という用語が倫理的な立場を求める人々にとってしばしば嫌悪されるものであることは承知している。読者の多くは、洞窟、ぶつぶつ言われる発語、作られたばかりの石の輪、大きな木の棍棒などといった形で先史時代の暮らしを描く娯楽漫画を思いつくだろう。だが「先史時代」とは、決して軽蔑的な意味があるのではない。先史時代は、原始時代だとも、特に大昔という意味でもない。また人々が自分たちの過去についての口頭伝承を全く持っていなかったという意味でもない。ホメロスの『オデッセイア』が、彼が執筆にとりかかるずっと前から伝えられた口頭伝承の物語として始まったことを忘れるべきではない。今日、世界中で暮らしている人たちはみんな先史時代の祖先を持っており、祖父母、曾祖父母は、私たちの知っている祖先としてはほんの断片みたいなようなものだ。先史時代の結末は、あなたの関心のある地域次第で変わりえる。文字記録は、エジプトと中東が最古であり、植民地時代後半に世界の残りものであることが明らかになった僻遠の地域——例えばニューギニア高地やアマゾン地域についてが最も新しい。

人類集団は、文字で残された記録が存在する昔、おそらくそれよりもずっと昔について、先史時代を含めて自らが共有する過去に強い関心を抱いてきた。ギリシャの歴史家ヘロドトス（紀元前五世紀）は、多くのケースでは文字が出現する以前に起こった出来事にも言及しつつ、あるがままに自覚して構成された本当の歴史として現在の私たちが記述するだろう事柄を書いた最初の執筆者だ、と認められている。世界中の古代の歴史的、宗教的文書の多くは、歴史の諸側面を抜き出し、一般的に歴史はいつも重要だからという単純至極の理由で先史時代をあれこれ想像した。ある民族がここに暮らし、別の民族があそこに暮らす理由、あるいはある特定の宗教がこの土地で支配的で、別の宗教はあの土地で優勢であるといった理由を記述した。時には広い意味で歴史（先史時代を含む）は、困窮、追放、戦争を美化してきた。また時には、歴史は諸成果を賞賛し、その説明であるばかりかさらに刺激することさえある。

過去五〇〇〇年間の文字で書かれた記録から編まれた人間の古い歴史は、支配者と彼らの王国に主に焦点を合わせてきた。しかし五万年前にアフリカから中東に移住した先史時代の狩猟採集民は、重要な時に重要な場所に単にいただけだが、エジプトのファラオやローマ皇帝と劣らないほどの人類の未来を決定づける重要な役割を果たしたのではなかったろうか。人間の集団の中のどんな個人でも、その重要性は政治的地位や軍事的な勝利の表れるものというわけではない。地球上のどこに住んでいようと、私たちの祖先は、すべて現在存在するものを創り出すうえで自分たちの役割を果たしたのだ。たとえ記録が時間と環境によって覆い隠されやすく、消えやすいものだとしても。

第一章　オデッセイの出現

ヒト族五〇〇万年の偉業

過去五〇〇万年に人類とそのヒト族祖先は、二足歩行（二本脚歩行）の類人猿から私たちがホモ・サピエンスと呼ぶ世界的な優越者の種へと進化した。私たちの種は、今や数千以上の民族で構成される八〇億人もの人口になっている。石器に代わって携帯電話が、これら数十億人の暮らしを支配している。そして植民地時代の始まり（西暦一四九二年）までに、私たちの祖先は少なくとも八〇〇〇もの様々な言語を話すようになった。そのうちの約六五〇〇言語が今でも残存している。人類の進化は、私たちをアフリカの類人猿から数多くの中間的なヒト族の種を経てホモ・サピエンスへ、さらに現代の技術革命の目がくらむばかりの高みまで至らせた。実際、私たちの全地球的支配は、最近、私たちの多くに大きな不安をもたらしている。

このすべては、どのようにして起こったのか？　過去五〇〇万年（あるいはもっとそれ以上前の）の出来事は、詳しく見ていけば計り知れないほど壮大であり、その細部の大半は私たちには永久に失われている。だが手がかりはある。二つの不可欠なプロセス、進化と移住が、地球上のすべての生命種の歴史を支えてきたのだ。進化は、既存の種から新種を創造するし、移住はそれら新しい種のメンバーを新しい環境の地に運んでいき、かくして進化を新しい方向に続くように促す。

進化、移住、そしてさらなる進化によって創り出される決して止むことのない再生産の流れは、通ってきた道と沈黙の目撃証人という途切れない痕跡を、それらを見つけ、解釈できる人々を忍耐強く待ちつつ、残してきた。それらの痕跡が、宇宙的規模での物語の筋である。

痕跡は、生物学的なものばかりではない。それには、人類の達成した、二つの大きな非生物学的な範疇が含まれる。古代人の生活様式を記録した考古学的文化遺物と過去にどのように人々がコミュニケーションを取ってきたかを記録した同類の言語から成る語族である。私たちの文化と言語は、先史時代が流れる過程で進化し、世界の隅々まで創造者と共に旅した。化石と遺伝子と共に、その二つは本書が構成される周りに組まれた基礎的な概念的足場を付け加えている。

類人猿から農耕へという人類のオデッセイは、私たちの主要な関心分野である。まず、私たち自身の種である現生人類とその近い祖先を含め、過去五〇〇万年間に存在した様々なヒト族が古人類学者、考古学者、遺伝学者によってどのように同定されてきたかを見ていく。最終的な一つの目標は、これら祖先集団が世界で私たち自身の地位の創造にいかに関与したかを示すことだ。ただしホモ・サピエンスを究極的な完成形という台座に据えることは、私の意図するところではない。多くの人たちは、私たちホモ・サピエンスはそうした表彰台にふさわしくはない、と言うだろう。

しかし、それでもなお次のように問うてもよい。ホモ・サピエンスは、実際にはオデッセイの中のどこに嵌まるのか、ということだ。私たちホモ・サピエンスは、たぶん出現期の形態を除くと、それと見分けのつく種は他のヒト族と分けられるから、五〇〇万年前には存在していなかった。ホモ・サピエンスは、その姿を現し、その後に世界へと流れ出て行き、新しい種になるという偶然のチャンスを待っている、古代型人類の遺伝子の宇宙の中の未分化のかすかな現れだったのだ。例えば彼らが今の私たちと同じだということが分かるような、後の姿形の詳細を述べていく。しかしこの導入部で強調されるべき主要な要点は、五〇〇万年のヒト族のオデッセイと比べれば、私たちホモ・サピエンスは非常に若い種だということだ。脳の大きさと形状という点で現生人類に近いと認められる最古の頭蓋化石は、やっと三〇万年前頃に現れるにすぎない。今日生きているすべてのヒトは、少なくとも世界中の現生人類集団の間でDNAを比較した結果から、これに近い古さの共通の遺伝的祖先の子孫である。

だがホモ・エレクトスとネアンデルタール人（ホモ・ネアンデルターレンシス）を含めたホモ属は――私たちホモ・サピエンスは、かつて数種類もいたホモ属の、その中の唯一の生き残りだ――、少なくとも二〇〇万年間は存在した。そして広い意味のヒト族なら、五〇〇万年間も存続した。独自の種としてのホモ・サピエンスのこの現代性は、年齢と健康さえ許せば、世界のどこの地域出身のパートナーとも自由に子どもを作れるという意味である。皮膚の色とか髪の毛の色といった個人的な身体特徴で私たちが知覚できる違いは、皮相的なものにすぎない。

さらにまたサハラ以南のアフリカでの私たちホモ・サピエンスの起源が新しいこととの意味は、この一世紀以上にわたって言語学者、歴史家、人類学者、民族誌学者に記録されてきた地球レベルの複合的証拠で、現生のすべての人間は言語を操り、文化と社会を創れる同じ遺伝的能力を持っているということだ。私たち一人ひとりは、望めば世界の誰とも言語を学び、話し、理解し合える。今日の人類集団を見渡して基本行動と知性という共通するこの特徴は、私たちホモ・サピエンスがアフリカで出現し、南アフリカから少なくとも五万年前にはオーストラリアまで、旧世界全体に拡大して以来の私たちの祖先の特徴でもあるに違いない。

したがって今でこそ全世界の人類は、種のレベルでは生物学的に単一だと言えるが、いつの時代もそうだったわけではない。アフリカ外にホモ・サピエンスが拡散していく本流の前、どの時代をとっても旧世界大陸にヒト族の様々な種が遊動していた。一〇〇万年前より前なら、アフリカに何種かの独自の属（近縁の種をまとめたグループ）のヒト族がいた。これらの属と種は、現生人類の生息年代の何倍もの長きにわたって互いに区別されてきた。したがって彼らは、今の私たちホモ・サピエンス全体で見られるよりもはるかに大きな違いを見せた。そのすべては、最終的に私たちホモ・サピエンスに至る依然としてはっきりしない遺伝的系統を除くと、結果的に絶滅した。それらサピエンス以前の種の一部、ことにヨーロッパのネアンデルタール人とアジアのデニーソヴァ人（第四章で取り上げる）は、私たち自身のホモ・サピエンスの祖先とも交雑した。今日の私たち自身の中になお残存する遺伝子の移動という過程を通して。

　五〇〇万年という時間軸から見て、一つの重要点を否定できない。ホモ・サピエンスとして、私たちは遠い祖先が達成したものの上で一生懸命に走り、最も成功し、五〇〇万年のヒト族の生物学的、文化的進化の今や唯一の相続人となったのだ。チャールズ・ダーウィンが一五〇年以上前に注目したように、「ヒトは、自らの身体に自分たちの低い出自という消せないスタンプを持っている」[1]。その五〇〇万年間という時間は、現生の大型類人猿、特に熱帯アフリカのチンパンジー属（パニン *panins*：チンパンジーとボノボがチンパンジー属のメンバー）の祖先と進化的に分岐した後に後続する[2]。分岐の後、ヒト族は直立二足歩行と膨張し続ける大きな脳を持つ霊長類の身体形態としてユニークな独自性を創っていった。チンパンジー属は、それとは違う彼らなりの独自性を進化させ、今日の熱帯アフリカに生息するナックル歩行するチンパンジーとボノボになった。

　私たちは、類人猿の遺産から由来する。もちろん自然界では大型類人猿が私たちに最も近いいとこだ。

かつてジャレド・ダイアモンドは私たちのことを「第三のチンパンジー」と呼んだが[3]、私たちの脳の大きさは類人猿の標準からははるかに大きく、私たちの文化創造も驚くべきものがある。私たちの祖先はついには全世界に広まる一方、現生の類人猿（チンパンジー属、ゴリラ属、オランウータン属）の祖先は熱帯アフリカと東南アジアに留まっていた。それらの環境は、今日でも厳しい生存条件に置かれている。私たちの現在の大きな人口数は、現在進行形で惑星地球へインパクトを与えているように、私たちに多くの懸念を起こさせている。進化という点では、私たちホモ・サピエンスはものすごい成功を収めてきたのだ。少なくとも、今までは。

脳、文化の創造、そして人口数

人類の全般的成功を、時間軸にそったヒト族の成してきたことの二つの面について、印象に基づいた図で示そう。第一が、過去三五〇万年間の脳サイズが化石記録で示されているように、チンパンジー（平均三八〇立方センチメートル）から現生人類（平均一三五〇立方センチメートル）までの脳容量の増大である（図一・一）。このスケールの脳容量の増大は——進化の時間軸では比較的短期間で三〜四倍も——、哺乳類の世界では他に類例がない。

第二の面は、文化と社会の複合性を増した人間行動にある。図一・二は、図式的で選択的だが、考古記録で認められる社会的、経済的組織の主要な発展の一部を選んである。こうしたものとして、技術の発達（例えば石器から金属器へ）、食料の調達（例えば狩猟採集から食料生産へ）、小さな核家族から成るグループから歴史時代初期の国家レベルの帝国への社会の組織化、がある。一万年前から後の食料生産の

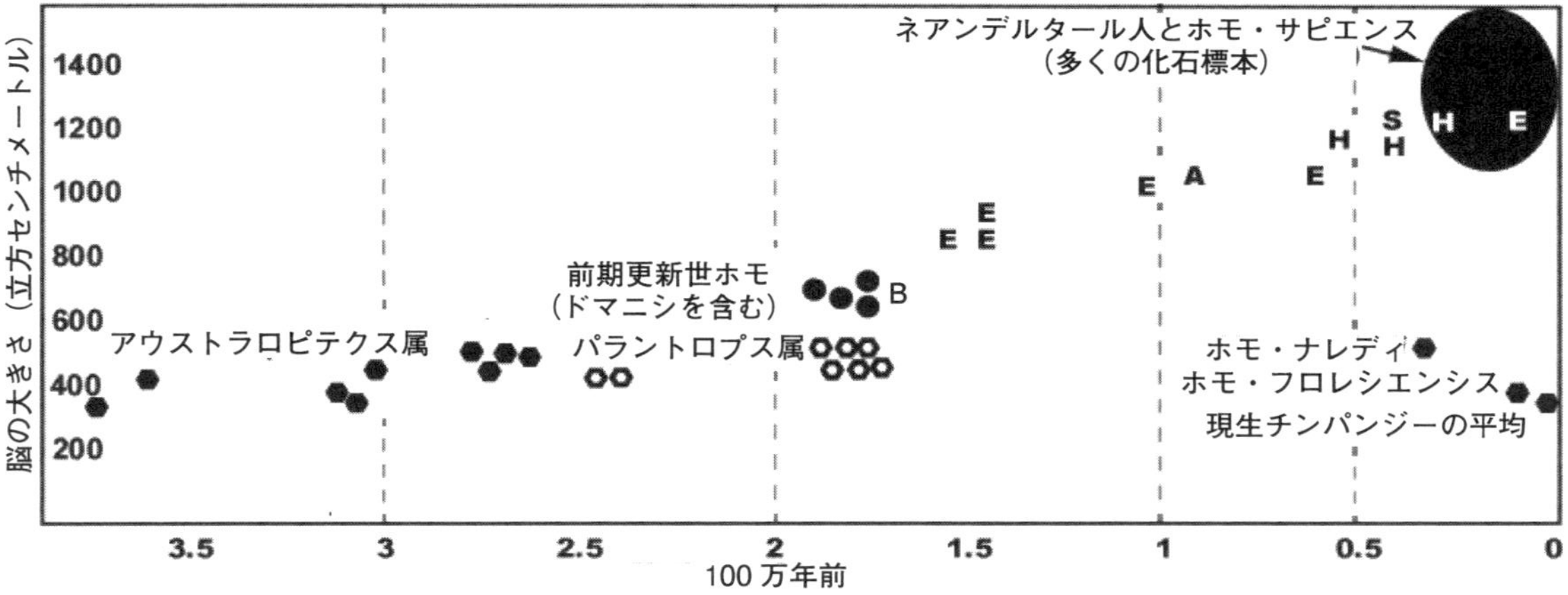

図1.1　ヒト族の経年的な脳容量（容積）の進化。A＝ホモ・アンテセソール、B＝ホモ・エレクトス、H＝ホモ・ハイデルベルゲンシス、S＝シマ・デ・ロス・ウエソス人（スペイン）の平均。ディーン・フォーク（S. レイノルズ、A. ギャラハファー編『アフリカ創世記』、ケンブリッジ大学出版、2012年所収「ヒト族の脳の進化」、145-162）より一部引用したデータ。

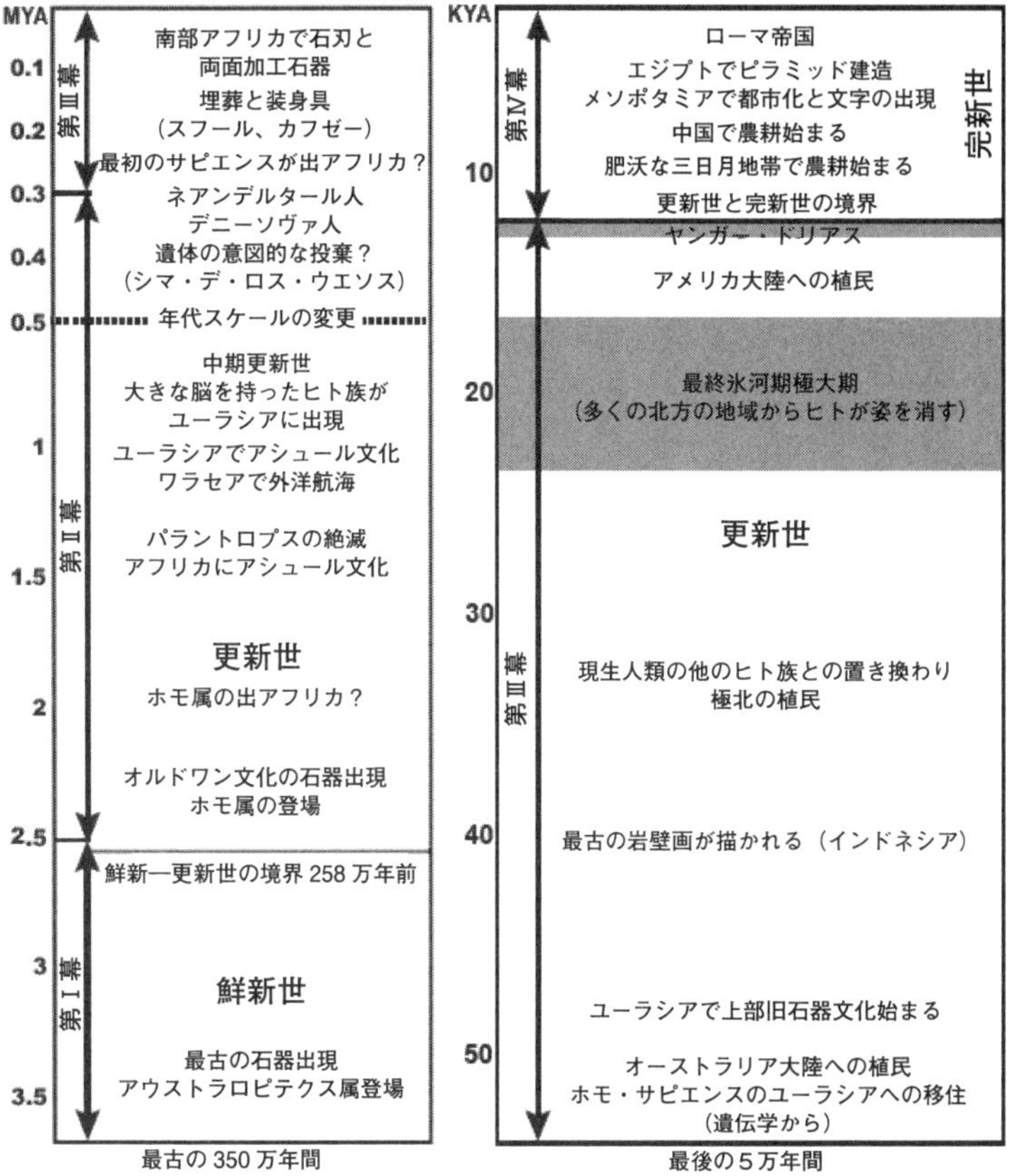

図 1.2　本書で述べられる 4 つの活動の時間軸に沿った 350 万年前以降のヒト族の文化の進化。第Ⅰ幕は 600 万年前に始まったが、その初期段階は文化活動として明確な痕跡を全く残していない。図は 2 枚の一覧表と下の左にスタート部分がある。垂直軸の年代スケールが変化していることに注意。KYA ＝ 1000 年前；MYA ＝ 100 万年前。

始まってからの急激な発展のテンポは明白である。

説明するのがはるかに難しい、人類の歴史の第三の面がある。すなわち推定人口の数の増大である。先史時代の人口は、例えば民族誌記録の人口密度からの比較、年代の異なる様々な地点の考古遺跡の面積と数といった間接的な情報源から推定できる。また、様々な古代と現在の集団のDNA配列間の突然変異頻度の遺伝学的比較からも推計できる。人口規模が大きくなればなるほど、ゲノムに起こったと推定できる突然変異イベントの頻度は大きくなる。そしてそうした突然変異イベントは、分子時計を用いて年代推定できる。しかし本書では、あまりにも多くの不確実性が伴うために、ヒト族の年代ごとの人口数の地域別の見積もりはしない。重要な点は、人類のオデッセイの過程で人口数は著しく増えてきたということなのだ。

最古のヒト族の人口は少なかった。そして一万二〇〇〇年前の世界の人口は、なお二〇〇〇万人に達していなかっただろう。一万二〇〇〇年前頃に始まる広範囲な食料生産の普及と共に、人口は空前のスピードで膨らみ始めた。二〇〇〇年前頃には、人口は世界中で推定三億人に達した。紀元一年以来、人口はロケットのように急上昇を始め、西暦一八〇〇年には一〇億人に、そして今ではほぼ八〇億人に達している。

もちろん人類の達成した事の前記三例での年代を通じての傾向は、同一ではない。私たち現代人の脳容量は、私たち自身の種であるホモ・サピエンスと絶滅した私たちのいとこであるネアンデルタール人を含め、五万年以上前の一部のヒト族の種で達成された。ほぼ同時代に文化的複合性（例えば芸術、装身具による身体装飾、死者の遺体の意図的な埋葬）の大きな発展があった。だが私たちの人口サイズは、実際のところは一万二〇〇〇年前以後の農耕の始まりと共に爆発的に増加し始めたにすぎない。国家、都市、そして文字記録は、やっと五〇〇〇年前頃以降に世界の一部地域で目立ち始めただけだ。これ以前の人類の大半は、身分差、格差のない平等で親族関係に基づいた小さな共同体に暮らしていた。

つまり人類のオデッセイの過去五〇〇〇年を超える私たちの進化は、氷河時代の到来や哺乳類の登場のような、大きな画期的変化に匹敵する規模で私たちの世界に衝撃を与えてきたのだ。地球科学者のサイモン・ルイスやマーク・マスリンが指摘するように、四五億年の地球史上初めて、単一の種が次第に自らの未来に影響を与えつつあるのである。[4]

四幕ドラマとしてのヒト族進化

ヒト族の先史時代に起こった出来事は四幕の連続として図式化できる。それは、以下のように簡潔に叙述できる（図一・二）。

- 第Ⅰ幕：ホモ属以前のヒト族（六〇〇万～二五〇万年前）。
- 第Ⅱ幕：ホモ・サピエンスの化石出現前のホモ属（二五〇万～三〇万年前）。
- 第Ⅲ幕：食料生産開始前のホモ・サピエンス（三〇万～一万二〇〇〇年前）。
- 第Ⅳ幕：食料生産の時代（一万二〇〇〇年前から現在まで）。

第Ⅰ幕（第二章で述べる）は、チンパンジー属からの分岐後に存在し、（現在の私たちのすべてが属している）ホモ属の登場以前に暮らしていたヒト族によって、アフリカで演じられた。それは、ほぼ間違いなくサハラ以南のアフリカでヒト族の原型の出現で特徴付けられた（ただしすべての人たちが究極的なアフリカ起源を信じているわけではない。第二章を参照）。彼らは、直立した姿勢をしていた可能性が高い小さな脳の類人猿的な祖先から生まれ、後には石器の製作と使用能力を発展させた。この原型のはっきりした化石は、まだ見つかっていない。第I幕のその後に出てくる配役には、今日の私たちに知られている者として絶滅したアフリカ産ヒト属であるアウストラロピテクス属とパラントロプス属が含まれた（第二章で「アウストラロピテクス属」として一緒に述べる）。

第I幕は、新たに登場したホモ属を明確化させる諸特徴が徐々に出現し、特に脳サイズの増加で幕が下りた。しかし古いヒト族は一つの属や種から別の属や種に一夜にして進化したわけではない。そうした過程には数十万年を必要とし、様々な特徴にはそれぞれ異なる速度で進んだ。例えば二足歩行は、脳サイズのどんなはっきりした増加より、そしてまた石器の製作よりもはるか前に発達し始めた。ホモ属が突然のように現れ、完全に形成された単一の年代は分かっていない。

二五〇万年前から三〇万年前にかけて第II幕（第三章と第四章参照）が、新属であるホモ属の中の種を配役として、地球という舞台で演じられた。第I幕の間、アフリカにいたアウストラロピテクス属の別の種が次第に姿を消していった。知られる限り、ホモ属の一種かそれ以上の種、特にホモ・エレクトスが、この二番目の幕が開いている早い段階の二〇〇万年前頃にアフリカから出て、ユーラシア大陸の棲みやすい土地に移住していった。

アフリカからのもう一つの重要な移住は、第II幕の後半部に起こったと思われる。この移住から、最終的にユーラシアに新しいヒト族の種が生まれた。一つの種がよく知られたネアンデルタール人であり、もう一つが最近、シベリアと東アジアで発見されたデニーソヴァ人である。アフリカに立ち戻って見ると、後に残った大きな脳を持ったヒト族の一部は、そこでホモ・サピエンスという別の種への進化を続けた。しかし彼らの骨を通してこの種の実際のメンバーに出合うには、第Ⅲ幕を待たなければならない。第Ⅲ幕（第五章、第六章）は、狩猟採集民である現生人類ホモ・サピエンスの祖先という新しい配役を中心に展開する。現在までに分かっている彼らの最古の化石標本は、三〇万〜二〇万年前に遡る。頭蓋の形態と古代DNAの比較から、サハラ以南のアフリカでこの種の遺伝的な始まりは、もっと古い、たぶん七〇万年前頃だったらしいことが示唆される。だがこのような古い時代からは、明確なサピエンス化石はまだ一つも見つかっていない。

アフリカの外で現生人類集団の祖先を創始したという点からのユーラシアへのホモ・サピエンスの明確な進出は、考古学と分子時計から見て、もっとずっと新しい、七万年前から五万年前にかけて起こった。第五章で論じるが、この話題の周りにはたくさんの謎がまとわりついている。しかし祖先的ホモ・サピエンスは、第Ⅲ幕の間でアフリカの中と外で共存したホモ属の他の種と時代的に重なり合い、時には交雑していたことが分かっている。こうした共存種の中には、ユーラシアのネアンデルタール人とデニーソヴァ人が含まれた。

ホモ属のこれらの非サピエンス種のすべては、第Ⅲ幕が下りる近くに絶滅した。たぶんもっと賢く、創造力に富んだホモ・サピエンス、つまり「知恵あるヒト」との交雑ばかりでなく、文化的、人口学的競争に敗れたためだろう。第Ⅲ幕では、アフリカとユーラシアを超えて（絶海の孤島を除いて）、世界の中でヒトの住める残りの地へのホモ・サピエンスによる植民を目にすることにもなった。そうした土地として、オーストラリア大陸、ニューギニア島、最終的には南北アメリカ大陸がある。

第Ⅲ幕の間の現生人類祖先は、特に五万年前以降は、それ以前のヒト族が遺したより、はるかに詳細な文化記録も遺した。考古学者たちは、これら発展し続けた文化伝統の諸側面を発見・回収している。例えば洞窟の壁に描かれた芸術や動産芸術、死者を装飾するのに用いられた赤いオーカー、石・骨・貝殻で制作されたビーズやペンダントを含めた身体装身具などだ。ホモ・サピエンス集団は、そのために特に掘った墓に、儀式に従って死者の遺体を埋葬した。そうした儀式には、ヒトの作った装身具とかその他の死後のための品々が副葬されていた。こうした文化的な特徴に加えて遠い外洋への航海能力、彼ら以前の古代型ヒト族が行けなかった極寒の土地への旅する基礎となった能力は、ホモ属の中のサピエンス以前の種には見られない、納得のいく、確かな偉業であった。

第Ⅳ幕（第七章以降）、すなわち今日の地球という舞台をなお占める最終幕は、中東で一万二〇〇〇年前頃に、そしてもっと新しい時期になると他の何カ所もの重要な農耕の故地で始まった。それは、最終氷河期に後続する一万八〇〇〇年前以降の世界的な温暖化という顕著な出来事と共に現れ、ホモ・サピエンスのみが関わった。他のすべてのヒト族は、この時までに別の、独立した種としては絶滅したからだ。

第Ⅳ幕の核心的な発展は、植物の栽培と動物の飼育を通じての食料生産であった。これは、新しい領域への移住を支えることができる運搬可能な食料生産経済を創出し、それは次には農耕が可能な地帯で著しい人口成長をもたらした。この人口成長の結果は、世界の多くの土地で都市と国家を生み出し、最終的には科学的革新と産業革命に至る社会的体制へと発展していった。こうしたすべては、現代世界の状況へとつながった。世界最大の語族は、この時期に拡大を経験した。これら大語族の多くは、初期農耕と遊牧民の集団の移住に伴うものだった。

先史時代人類の四幕の連続についてさらに深く考える人は誰でも、次のような明白な結論をすぐに引き出すだろう。それぞれの幕の継続時間は、その前の幕より短いが、人類の拡大と人口数という点では次第に目覚ましいものになったということを――。人類進化は、坂を転げ落ち、大きさを膨らませ、傾斜のきつい所ではスピードを上げ、より平らな斜面では勢いを失うものの確実に止まることのない雪玉に似ていた。気候学者は、人類の時代、「人新世」と呼ぶ第V幕の可能性を論じているが、その開始年代については、異論無く決まっているわけではない。農耕の始まり、産業革命、そして原爆の発明は、すべてが今のところ候補者なのだ。

人口成長と移住：なぜ問題なのか

現在までに知られているあらゆるヒト族の属と種の中で、たぶん三万年前以降の世界で、ホモ・サピエンスだけが進化戦争の最終的な勝利者として生き残った。私たちは現在、生存に欠かせない地球資源への不平等な利用権という危険を共有する激増し続ける人口の重荷を背負っている。

人口学者ポール・モーランドの書いた『人類の潮流（*The Human Tide: How Population Shaped The Modern World*）』（邦訳『人口で語る世界史』、渡会圭子訳、文春文庫、二〇二三年）[5]で、最近の人類史に対して力説されているように、現代の人類の出来事で、伸び続ける人口は、良きにつけ悪しきにつけ長い間、歴史を駆動する基礎的要因となっていた。増え続ける人口は移住を促し、新しい、豊穣な土地への移住は次にまた新たに人口増を促した。大規模な五〇〇万年のオデッセイを、特にホモ・サピエンスのケースで駆動したに違いない強力な相関関係である。移住は結局のところ、大型類人猿の進化の過程からヒト族のそれを分離させる主要要因の一つであった。私たちの祖先は、永久に故郷を後にしたのである。
一四九二年の植民地時代の始まりに先じて、現生人類ホモ・サピエンスはそれまでになかったような移住という二つの汎世界的な出来事を経験し、それが大きな人口成長につながった。最初の移住は、第Ⅲ幕後半部のアフリカからユーラシアへと向かった成功裏の移動だった。これは、五万年以上前に開始された、初めはアフリカ外に広がり、ユーラシアを経由し、オーストラリア大陸とニューギニアに至り、また最終的には一万五〇〇〇年前までに東北アジアからアメリカ大陸への進出となる一連の継続的な移住の道を開いた。この間、部分的には分布範囲が広がり、新しく植民した地域全土の食料資源という潜在力のために、人口全体は大きく増えた。

成長の第二の大きな出来事は、過去一万二〇〇〇年の間の食料生産による持ち運べる産物を伴っての集団的移住に由来した。彼ら農耕民と遊牧民の移住の一部は、たとえ完全に拡大し終えるのに数百年、数千年もかかったとしても、巨大な規模で達成したものもある。オデッセイでのこの第Ⅳ幕の移住は、多くの現存する民族集団と語族の起源と歴史と関連するから、現代の世界の数十億人もの人々に直接の関係がある。なぜイングランドとオーストラリアで英語が、トルコではトルコ語が、ニュージーランドではマオリ語が、アリゾナでナヴァホ語が話されるのかという疑問を一時休止すれば、その答えは十分なヒトの移住を伴うものであったことにすぐに気がつくだろう。

役者たちを紹介してきたが、この導入部でいくらか明らかにすることが必要な、まだ二つの重要な問題が残っている。舞台と時計だ。

舞台としての私たちの世界

人類進化は、不変の環境という背景に対抗して進んだわけではない。その背景には、更新世と完新世という地質時代（第三章でさらに述べる）の過去二六〇万年間に気候変動の規則的なサイクルを体験した地球表面と大気がある。それは、一方の端に氷河期、もう一方の端に温暖な間氷期の間で、およそ一〇万年の周期で変動した。後者の間氷期は、私たちの世界が享受し、また心配している今日の気候と似ている。それぞれの周期は、気温、降水量、三十五階建てビルの高さに相当する最大で一三〇メートルも変動する地球的な海水準の大きな振れを伴う。

世界の海水準は目下のところ一二万年のピークに近いことを思い出すなら、一三〇メートルの深さまでの海水が北極からニューヨークやロンドンのようなはるか南まで広がる巨大な氷床として閉じ込められた時、世界の海岸線がどのように見えるかを想像してみよう。広い海洋の海水準変化は世界中の現象だから、海面がかなり低下し、大陸の縁の周りで大陸棚が平坦な海岸平野として露出されていた時、世界中の大河のデルタはすべて狭く刻まれた川の水路になってしまっただろう。喜望峰から南米のホーン岬まで、川を渡る以外は、ほぼ完全に水の無い陸上を歩いて行くことができただろう。なぜならこの時、アジアは干上がったベーリング海峡を越えてアラスカとつながっていたからだ。ボルネオ島もバリ島も、マレー半島とつながり、ニューギニア島はオーストラリアと一体化した。これら陸橋の概略は、図三・一、図五・一、図六・一で見られる。

もちろん氷床が溶けた暖かい間氷期に、反対方向に、つまり一三〇メートルも海水準が上昇し、海浜部を水浸しにした時、何が起こったのだろうか、と想像してもよい。海浜部への影響は、移動、特に海面上昇が比較的急速に進んだ時、両方向に及んだだろう。私たちの祖先は、更新世の二六〇万年の間、そうした多数回に及んだ（おそらくは二〇回以上）氷河期から間氷期へのサイクルを通して生きてきた。氷床の縮小・拡大と海水準の上下が交互に現れた時、新環境への適応と移動を通して生き延びたのだ。

現代の人間活動は、私たちの多くに将来への疑いを引き起こしつつ、今の温暖な間氷期の気候を不確実な結果に向けて引き延ばし続けている。更新世の大きな気候循環から、私たちの現在の諸活動の結果を長期的視点から予測することができる。私は自分が気候科学者だとも政治家だとも公言していない。だが現代の気候のトレンドが過去数百万年の地球史で最も温暖な（暑い）段階へと地球を次第に向かわせている時、それについて多くの人たちとの懸念を共有していると私は述べなければならない。

どれくらい古いのか？ 過去の年代を推定する

読者がオデッセイへと向かう前に、説明すべき最後の事柄がある。私たちの過去を理解するには、これから知りたいと思っている多くの古人類と古代の出来事に対しての正確な年代目盛りが必要だということである。アウストラロピテクス、ネアンデルタール人、現生人類といった化石が二〇〇万年前か、二〇万年前なのか、それとも二万年前に過ぎないのかどうかは、大きな問題であるのは明らかだ。同じことは、石器の組み合わせ、さらに人類の過去から遺されたあらゆる物事についても言える。過去の解釈で混乱するのを避けなければならないとしたら、真実の年代を知る必要がある。

それでは、常に統計的範囲のラボのエラーがあることを念頭に置きつつも、「絶対」年代（すなわち太陽暦で何年前かというように数字で数えられる年代）はどこに由来するのだろうか？ 文字記録が存在する前の人間の過去の深いレベルを追究する調査担当者によって用いられる、ラボの方法と統計的補正という点も含めた年代測定法全部をここで説明する誘惑を、私は慎もうと思う。堆積物内に記録される地球の古地磁気の変化を利用して科学者がどのように年代を計算するのかを、あるいは科学者たちは（最近の文献で多用される技術的方法を挙げれば）放射性炭素年代測定法、カリウム・アルゴン法、ウラン系列法、電子スピン共鳴法、光励起ルミネッセンス法、宇宙線生成核種年代測定法を用いた様々な原子の粒子の変化する状態をどのように測定しているのか、そしてこうしたいろいろな方法がうまく使えるのにどんな時代が適しているのかを知りたいと思う読者は、ご自身で答を調べていただきたい。本書では、実際の結果だけを示すに留める。

さらに言えば、考古学が先史時代の絶対年代を探るただ一つの情報源というわけではない。遺伝学者は、関連し合う集団や種の、共通の起源から分かれて以来の過ぎた時間の年代幅を計算できる多くの異なる分子時計を利用してきた。言語学者は、個々の言語や用語が歴史記録の中でどれだけ速く変化してきたかを観察して、関連する言語の共通起源までの時間を求めるためのおよその年代を計算できる。しかし考古学的、地球物理学的年代推定法に関して言えば、これらの方法の多くは込み入っていて、またかなり統計的であり、本書は詳しくそれに立ち入っていかない。

ここでの私の主な関心は、問題がラボや計算のエラーの可能性ばかりでなく、古代の「背景」の一つだと認めて、科学者が先史学者に戻す年代値をどれだけ「信用」したらよいのかを考察することだ。ラボの測定能力によるエラー範囲やバラツキは、今では不確実性に関与する度合いが比較的小さいと分かっている。しかし古代の「背景」は、完全に根本的であり、それには二つの側面がある。遺物の堆積した背景と、年代測定される試料に関して、その年代は直接的なものなのか、それとも間接的なものなのか、ということだ。

最初の側面は、遺物の堆積した背景、つまり興味のある対象物が科学の光の中に現れる、埋納されていた場所にどのように達したかに関することだ。堆積層内への遺物の埋納には、一次的か二次的か、どちらもありえる。墓の中のすべての骨が関節していて、撹乱されていないヒトの骨格の背景は、一次的堆積である。その骨が五万年前以降なら、骨に炭素を含むコラーゲンが十分に残っている限り、その骨を放射性炭素年代測定法で直接年代測定できるだろう。しかし墓の中でその骨の隣にあった木炭片の背景は、埋葬参加者が葬送儀礼の間に意図的に火をつけたものであることを証明できないとすれば、必ずしも一次的堆積ではないかもしれない。そうでないとすればその木炭は、遺体が埋められる数千、数万年前に堆積したさらに深い層から墓掘り人によって掘り上げられて混入し、その後に墓に土をかけられた可能性もあるのだ。

もう一つの例として、例えば更新世の河成層内の堆積層で見つかった石器や化石頭蓋が、石器の使用者やその骨の当人によって活発に堆積し続ける氾濫原に直接入ったものだとすれば、一次的背景と言えるかもしれない。しかしその包含層が、オリジナルの包含層に堆積したずっと後に、自然の力で二次的に再堆積したものであったかどうかを考える必要もある。このように石器や頭蓋と堆積層は同一年代であるかもしれないし、ひょっとしたら数千年から数百万年も年代は離れているかもしれない。地形学的、層序学的本質の情報に通じた調査だけが、答を与えることができるだろう。

第二の問題は、直接年代測定対間接年代推定という問題だ。例えば放射性炭素年代を測定されるヒトの骨格から採った骨は、たとえ骨が撹乱された二次的堆積背景からのものだとしても、明らかに直接に年代測定されている。その年代を出したラボの計算が正しいなら、骨がどこで発見されたにしろ、その年代はかつて骨格を形成した人物の死亡した年代だと自動的に決めることができる。しかし骨格の隣で見つかった木炭に由来する年代は、その骨格に値を充てた時、前記したようにもちろん二次的な年代値である。木炭に対しては、それが直接に年代測定されたから、年代は正しい。しかし骨格の年代としては十分ではないのだ。

年代測定される資料が難問を生み出すこともある。通常、石器、土器、金属器といった人工品の年代値は、これら無機物が職人の手になる現実の製作物という点で、原素材としての地質学的年代に対抗して直接に年代測定するのは難しいので、間接的である。しかし直接的な年代測定法は、例えば骨や木炭などの炭素を含んだ有機資料だけでなく、放射性の鉱物を含んだ堆積層にも適用できる。古い年代測定用サンプルを回収した人々によって異議を申し立てられる年代の正確さをめぐる論争は、先史時代についての数十年間にわたる文献に溢れている。

間違った年代値が正しい年代のふりをすることがあった場合、特に裏付けとなる追加の発見がなければ、埋納背景の不明確さのために、時には科学者は、長期間、正しい道から外れることがある。しかし研究対象のテーマの周りで、続々と発見が続いた時、かつて主張された、不正確な年代値が、主な分布域から離れた異常値として、したがって説得力の無いものであることが明らかになることは、もっと頻繁にある。古代のヒト族と彼らが遺した文化遺物のものと主張される絶対年代は、十分に情報を持つことと同じく、慎重であることは常に賢明なことである。

第二章　オデッセイが始まる

本章で私は、一方でチンパンジー属（チンパンジーとボノボ）の祖先と、もう一方でヒト族の多数の祖先と分岐した後の数百万年のヒト族の進化を検討する。これは、最近の推定によれば、九六〇万～六五〇万年前に起こったと思われ、明らかに長期に及んだ分岐過程であった。かくて読者は、第一章で定義されたオデッセイ劇の第I幕に入る。それは、およそ六〇〇万～二五〇万年前へと続く物語だ。[1] ここでは、アフリカでアウストラロピテクス属とその後に続く私たち自身の属であるホモ属に含まれる初期の種の出現を述べる。

現在、単純に答えられない、興味をそそる二つの課題がある。すなわち祖先のヒト族はどのようにして最終的にチンパンジー属の祖先と別れた種となったのか、そしてアウストラロピテクスの系統から脳の大きな最初のホモ属集団が派生したのは、どこで、どのようにしてだったのか、という課題だ。

どのようにしてヒト族は誕生したのか？

この疑問に答えるために私は、三〇億年以上前に地球に生まれた最初の生命から始め、その後に辛苦して現在まで続いた生命種の化石の道のりを述べられれば、と一瞬は、考える。だがこれをすれば、長大な書物を作ることになる。そうではなく、もう少し新しい時代、地質時代の中新世の最終段階から始める。なお中新世は、二三〇〇万〜五三〇〇万年前までの時代である。

中新世末には、私たちユニークなヒト族のオデッセイがまさに始まりつつあった。私たちの祖先は、四足歩行の類人猿として暮らすのを徐々にやめ、他にはないヒトとしての諸特徴を発展させ始めたのだ。その当時、熱帯アフリカのどこかでヒト族とチンパンジー属の共通の祖先であった類人猿が暮らしていた。後者は、自然界で生きている、私たちに最も近いいとことなった。ゴリラ属の祖先はすでに、チンパンジー属・ヒト属の祖先の系統から分岐していた。両者の祖先は、年代的にもっと古いところで遺伝子プールを共有していた。

今日、チンパンジー属二種のうちチンパンジー（パン・トログロディテス *Pan troglodytes*）は、コンゴ川の北の中央アフリカと西アフリカに分かれて分布している。彼らが現在分布する地域をはるか先まで生きていたことを示す証拠はない。彼らは、地上に降りると前屈みの姿勢をとるが、巧みな木登り屋でナックル歩行者である。図二・一で示すように、彼らと近い関係にあるボノボ（パン・パニスクス *Pan paniscus*）は、コンゴ川の南という、さらに限られた地域で暮らしている。明らかにコンゴ川は、一七〇万年前頃にこれら二種を共通祖先から分岐させるに至った地理的障壁であった。[2] 両種とも、かなり賢い、社会性の動物である。チンパンジーは性的関係で雄優位の社会構造を持ち、ボノボは平等的であり、乱交的な行動を持つ。

チンパンジー属と異なり、初期のヒト族は——その中ではアウストラロピテクス属が最も著名な一員で、脳の大きさでは類人猿のような特徴を持つ一方で、時と共にヒト族の特徴である二足歩行、把握能力、歯列（顎）の形状と顔面を表しつつあった。第Ⅰ幕でも、古代のヒト族による目を見張るばかりのいくつかの地理的偉業を目にした。彼らは、遅くとも三七〇万年前までに、少なくともサハラ以南のア

図 2.1　ホモ属出現前のヒト族化石に伴った発見地と、現在のチンパンジー属の分布域を示したアフリカの地図

フリカでヒトの住めるすべての地に分布地を広げたようだ。反対に、チンパンジー属とゴリラ属というこいとこたちは、アフリカの西部と中央部の熱帯雨林の中の故郷の近くに留まった。

初期ヒト族とは何だったのか？

どのようにして類人猿がヒトになったのかという疑問に答えるには、特に私たちに最も近い近縁者であるチンパンジー属とゴリラ属と比較する時に、現在生きている現生人類としての私たち自身の身体的特徴について、まず考えるべきだろう。類人猿と分けてヒトというものを明確にするのには、五つのかなりはっきりした特徴を思いつく。

第一が、ヒトは二足歩行者だということだ。私たちは真っ直ぐに立ち、歩き、闊歩し、両手を自由にして走ることができる。たしかにチンパンジー属もゴリラ属も、直立はできるが、しかし彼らはいつもは地上で移動のために猫背の姿勢で指関節を突いて歩く。長距離を二足で走るなど、彼らのスキルには全くない。興味深いのは、ヒト族の二足歩行は、彼らの脳サイズが著しい増加を示すずっと前に進化したことだ。直立二足歩行は、地球上にヒト族が登場することを予言する大きな最初の身体的変化であったように思われる。ケニアで発見され、年代は六〇〇万年前頃と推定される、最古のヒト族らしく思われるオロリン・ツゲネンシス大腿骨破片化石は、二足歩行の姿勢を取っていたことを示している。しかしオロリンの脳は、おそらくチンパンジーの脳よりも大きくはなかった。

三五〇万年前のアウストラロピテクスの足跡が、タンザニア、ラエトリの硬くしまった火山灰層で発見された。そして三二〇万年前のアウストラロピテクス部分骨格が、エチオピア、アファール地方のハダールで発見された。いずれもはっきりした二足歩行の特徴を見せていた。また、南アフリカの最古のアウストラロピテクス骨格も同様だった。ルーシーは、人間のような骨盤を備えて直立して歩いていたが、脳容積はたった四〇〇立方センチメートルしかなかった。これは、チンパンジーの平均よりほんのわずか大きいだけだ。またアウストラロピテクスは、現代人の基準に照らすと、子どもほどの身長しかなかった。ルーシーの身長は一・一メートル、体重は推定二九キロだった（チンパンジーよりやや小さい）。図二・二は、約一五〇万年後に生きていた早期ホモ属女性と並んで歩くルーシーを示す。

第二に、チンパンジー属や他のすべての哺乳類と比べると、現代人は大きな脳を持っている（図一・

ー と図二・三）。脳の大きいことは、絶対値ばかりでなく、体重と比較した場合にも言える。チンパンジーの体重は人間の平均体重の約七五％だが、現代人の脳容量の約二五％しか持たない（チンパンジーのおよそ三五〇立方センチメートルに対し、現代人は約一三五〇立方センチメートル）。しかしヒトの脳サイズの増加のほとんどは、過去二〇〇万年間のホモ属の出現から起こったことだ。ヒト族で彼らより古い時代のアウストラロピテクス属とパラントロプス属は、チンパンジーの脳サイズにはるかに近い脳に留まっていた。このように脳の大きさは、進化の時期という点で二足歩行よりずっと遅れていたのだ。

第三に、私たちは親指を手のひらの他の四本の指に対向させることができる。これにより、石器から心躍るような芸術作品までの素晴らしい物を掴むことが可能になっているし、難しい楽器を演奏することもできる。一方、チンパンジーを含む類人猿は、物を掴むこの精密さを欠いている。しかし両手と両足を使って木の枝を掴むことには秀でている。大きな脳のように、ヒトの手の正確な把握も、二足歩行の最初の出現のかなり後に進化したと思われる。ただその能力は、ルーシーの復元に見られるように、アウストラロピテクスの時代の初期に存在していた。

第四に、ヒト族は私たちが言葉と呼ぶ複雑な音声の連続を呟くことができる喉頭を発達させてきた。カール・マルクスの有名な協力者で、政治的、社会的理論家のフレデリック・エンゲルスにとって、直立した姿勢と対向できる指（エンゲルスの言葉によれば「自由になった手」）と共に、発話と労働がサル的な状態から人間へと解き放った解放者であった。[3] 一八八四年にエンゲルスがそれを述べたように、意思伝達活動が進化しつつある人間が互いに言語を用いて言いたいことのあることを意味したように、自由になった手が労働へと導いた。その結果、私たちは人間、特に現代人のもう一つ別の基本的特徴を持った。身体、大きな脳、両手の先に、数千人、あるいは数百万人との会話を通じて、協力して、社会と文

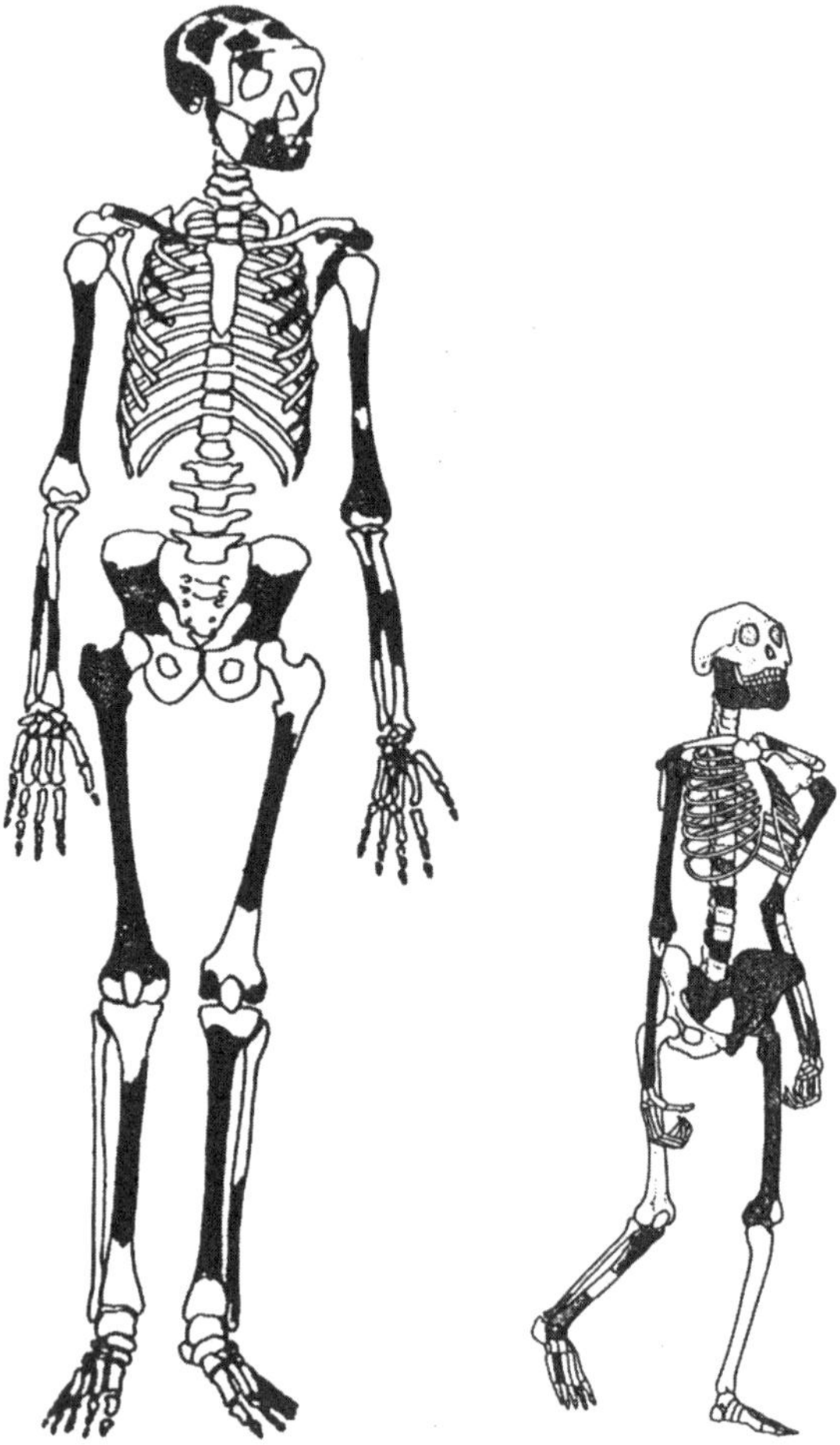

図 2.2　エチオピア、アファール地域のハダールで発見された 320 万年前のメスのアウストラピテクス、「ルーシー」の復元骨格（右）、それと並べて 170 万年前頃と年代測定されているケニア、トゥルカナ湖東岸、クービ・フォラで発見された前期更新世ホモの女性〔ER1808：彼女はビタミン A 過剰症にかかっていたらしい〕の復元骨格（左）を示す。黒く塗りつぶした部分は、実際に保存されていた骨。ミルフォード・ウォルポフとマグローヒル社の厚意による。この図は、ミルフォード・ウォルポフ著『古人類学（*Paleoanthropology*）』第 2 版出版の図版 136 から（マグローヒル大学、1999 年）。

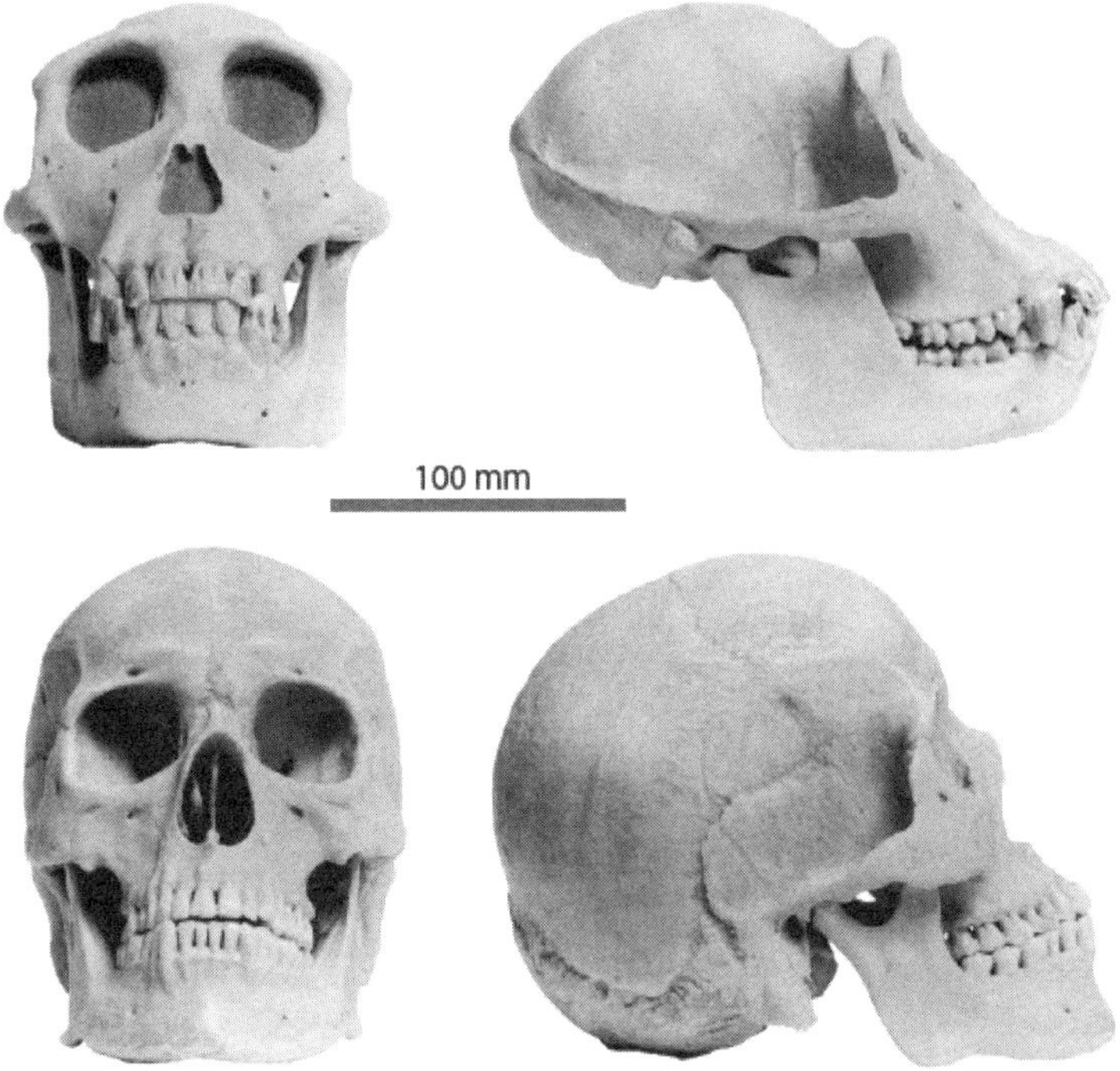

図 2.3　現代人の頭蓋と比較されたチンパンジーの頭蓋。現代人は、大きくて、高く、丸みを帯びた脳頭蓋を持ち、眼窩上隆起は無く、平らで後方に引っ込んだ顔面を持ち、犬歯は小さく、頤は発達している。オーストラリア国立大学、考古学・人類学部のコレクションの模型。マギー・オットー撮影。

明、人類学者の業界用語である「文化」を創り出すのだ。アフリカで見つかっている、ある意思のもとに製作していた最古の石器と時代的に重複することを考えると、アウストラロピテクスはたぶん文化を創った最初のヒト族だったろう。

　第五に、現代人は他の霊長類と比べると、驚くほど無毛である。私たちの体毛に棲むケジラミとアタマジラミそれぞれの異なった進化史から、一部のヒト族、あるいは少なくともホモ属へと至る直接の祖先は、チンパンジー属の系統との分岐時期より十分に新しい三〇〇万年前頃から体全体の、厚い体毛を失い始めたと推定される。体毛の喪失は、熱帯アフリカの日中の気温のもとで発汗を通じて体温を効率的に冷やせるようになったことを推定させた。二足歩行のヒト族は、無毛の体で直射日光を受けながらも地上を歩き回ることができただろう。しかし頭髪で覆われた頭で、太陽放射は避けられていたはずだ。これは、次に日中の暑熱の中でも安全かつ効率的に動物を狩り、死肉をかっさらうことを可能にした。その間、他の大型獣捕食者たちは昼寝を貪っていたのだ。

上記のヒト族の特徴すべては、どのように、何から発達してきたのかだろうか？

失われた環《ミッシング・リンク》、そしてヒト族とチンパンジー属の謎の共通祖先

一般の人の心には、「失われた環《ミッシング・リンク》」という考えは、人類進化の中で常にいちばん興奮させられ、謎に満ちた側面の一つであった。少なくともヒトは類人猿のような祖先から進化したとするダーウィンの見解の事実と受け入れる人たちにとっては。ほとんどの古人類学者たちがミッシング・リンクの可能性が高いとアウストラロピテクス属と彼らの祖先をみなしたことは、初期の発見史が不祥事に染められたことがあったにもかかわらず、偉大な到達点であった。

ミッシング・リンク探しの役割に応えようという最初の応募者は、一八九一年に現れた。この年、オランダの解剖学者ユージン・デュボワは、中部ジャワ、トリニールのソロ川河畔で最終的にはピテカントロプス・エレクトス（今のホモ・エレクトス）と命名する頭蓋冠を発見した。小さな脳の「ジャワ原人」は、その当時は結論が出ない大論争を巻き起こした。その後、一九一二年に新しい発見が発表された。その年、大きな脳を持った頭蓋と類人猿のような顎が、イングランド南部、ピルトダウンの砂利坑

で見つかった。この発見は、即座にミッシング・リンクの地位にふさわしい競争者と宣言された。この「ピルトダウン人」から見ると、ジャワのピテカントロプスと違い、初期人類は大きな脳を持っていたと考えられた。しかしその当時は、ピルトダウン人は偽造品――現代人の頭蓋に一部修整が加えられたオランウータンの顎――だということをほとんどの人たちは知らなかった。

驚いたことに、注意深い法医学的分析を経て、科学者たちがペテンの蓋を開ける（一九五三年）まで、実に四一年もかかったのだ。彼らが化けの皮を剥がした時、世界中の古人類学者たちからはっきりと耳にできるほどのため息が起こったはずだ。一九二四年に南アフリカのタウングで最初のアウストラロピテクス属頭蓋が発見されて以来、ピルトダウン人の大きな脳と原始的な顎の組み合わせが疑わしいものであることは、だんだんはっきりしてきていた。デュボワのピテカントロプスのように、アウストラロピテクスは小さな脳しか持たなかったが、明瞭なヒト族の顎と歯を備えていたのだ。それらは、初期人類になりすましていたピルトダウン人の頭蓋と顎と全く違っていた。そうやって、ピルトダウン人は舞台から消えていった。

しかしアウストラロピテクスは、第Ⅰ幕のヒト族物語の後半部を私たちにもたらしているだけだ。残念ながらこれまで誰も、チンパンジー属とヒト族双方の直前の共通祖先の骨を見つけていない。そしてまたチンパンジー属の祖先の明確な化石もまだ無い。現生類人猿と化石類人猿、そしてヒト族の諸特徴の熟考を通じて、共通祖先を想像できるにすぎない。どのような確かな候補者も、ナックル歩行のチンパンジー属と二足歩行のヒト族の双方へと進化していけたはずの身体的特徴を持っていたに違いない。二〇〇年前、古人類学者のミルフォード・ウォルポフは、木登りする小型のアフリカ産霊長類をヒト族とチンパンジー属の共通祖先の可能性を持つものだと提唱した。彼らの体重は約三五キログラムで、現代のチンパンジーの平均よりもいくぶんか軽く、たぶん大きさはルーシーのようなアウストラロピテクスに似ていただろうという。[5] この霊長類は、今のチンパンジーやゴリラのように、テナガザルとオランウータンのような枝の下での腕渡りではなく、枝先沿いに移動していただろう。

驚くべき偶然の一致により、二〇二〇年に私がこの章を書いていたまさにその時、ネイチャー誌は、ドイツ南部の粘土坑で小型類人猿の化石の報告を掲載した。年代は、一一六〇万年前頃、中期中新世と推定された。[6] ダヌヴィウス・グッゲンモシと命名されたこの古代霊長類の推定体重は一七〜三一キログラムだった。発見者によれば、足と手の両方を使ってうまく枝を掴み、上手に木登りもできただけでなく、木の枝の上で歩くのに適した比較的フラットな足で直立二足姿勢もとれたという。したがってダヌヴィウスは、ヒト族とチンパンジー属の両方の特徴を備えていた可能性がある。報告者らは、この種の能力を「拡大された四肢登攀性」と述べ、ここから最終的にヒト族とチンパンジー属が生み出された一種の祖先かもしれない可能性があると評価した。実際、ドイツの古人類学者でダヌヴィウスの発掘者であるマドレーヌ・ベーメは、ヒト族の二足歩行の進化は、アフリカではなく主にユーラシアで、七〇〇万年前より前に起こったとさえ、推定している。[7]

ダヌヴィウスについての考えは挑戦的で、他の古人類学者たちは、それは樹上性の類人猿のもう一つの種だと述べて、二足歩行という立場への主張には異議を唱えている。[8]「適切な」時代——九六〇万〜六五〇万年前——のチンパンジー属とヒト族の実際の共通祖先はなお研究者たちを避けているのだ。

チンパンジー属／ヒト族の分岐に関して

以下、私の推定は、古人類学者大多数と一緒でヒト族はアフリカで進化したというものだ。結局のところ、特に五〇〇万年前以降、この大陸での証拠の集中ぶりは、他の大陸を圧倒している。それでは、チンパンジー属祖先とヒト族祖先がついに分岐し、もはや遺伝子プールの交換を行わず、かくて新種形成へというそれぞれ独立した過程をたどるまでに至ったのは、どのようにしてなのだろうか？

一番単純な答えは、熱帯アフリカの後期中新世の森で、チンパンジー属とヒト族の共通祖先のある集団が、近縁グループと物理的に隔離されるようになったというものだろう。たぶん彼らの一部が、ちょうど一七〇〇万年以上前の乾燥した時代が長引いた時にコンゴ川を何とか渡りきってチンパンジーとは別の新種を形成したように[9]、幅の広い川を何とか渡ったのだ。チンパンジーは、水中をほとんど泳がない。最初のヒト族も、同様に泳がなかったとすれば、この推定は十分確かな説明になるだろう。突然変異、自然淘汰、遺伝的浮動[10]を伴った進化の過程は、隔離された集団の間で、ついには次の世代を産める子どもの繁殖を遺伝的に不可能にしてしまうだろう。たとえ彼らの子孫の一部が、ある日再び出合うことがあったとしても。こうして交雑による繁殖が不可能になった二つの種は、共通祖先の一つの種から誕生することになっただろう。

共通の起源から別れた二つの中間サイズの種はいったいどれだけの時間で、完全に、あるいは（ラバとケッティ――ウマとロバの不妊の子ども――のように）第一世代の不妊という形で相互に繁殖不可能になるのだろうか。哺乳類化石の比較と分子時計データなどを寄せ集めた結果を鑑みれば、一〇〇万年から二〇〇万年というのが妥当な推定値だろう[11]。しかしチンパンジーとボノボは、両種の場合の前記のような推定隔離時間にもかかわらず、飼育下ならなお完全に異種交配できる。

事実、サピエンスを除けばそれ以外のホモ属のすべての種が今や絶滅しているから、ヒト族が完全な種分化を遂げるのにどれだけの多くの時間が必要なのか、正確には分かっていない。私たちは、比較のできる現生のヒト族のいとこを持っていない（チンパンジー属を別にすれば。ただし彼らはヒト族ではない）。しかしこの点に関して古代DNAの研究から、共通祖先からの少なくとも七〇万年、ひょっとすると一〇〇万年を経たホモ・サピエンスとネアンデルタール人の遺伝的隔離（第四章で詳述する）も、この二種間で不妊に至る交雑ができないような能力を消し去ることはなかった。一部のネアンデルタール人遺伝子は四万五〇〇〇年前のような新しい時代にユーラシアでの交雑を通じて現生人類集団に受け渡され、これらのネアンデルタール人遺伝子は、今日の現生人類集団の中にもほんのごく一部がなお残存している。こうした事実は、これら二種間の交雑個体は繁殖可能だったことを示している。人類進化の物語は、少なくとも私たちが分かる範囲外では、厳しい種の境界をもうけていない。しかし後に読者が見ることになる小型ヒト族は、この点に関して長い遺伝的隔離のために他のヒト族に対して例外となるかもしれない。

ヒト族祖先とチンパンジー属祖先の一度だけの分岐がたまたまあった可能性は一般には低いと考えられ、環境上の障壁が熱帯アフリカの景観を通じて現れたり消えたりして、むしろ遺伝子プールの分離と断続的な遺伝的再混合が交互に起こる出来事の長期に及ぶ繰り返しがあっただろう。切れ間のないテリトリー内でのそうした「同所性の」種分化過程の中で、隔離と再交雑のたぶん一〇〇万年以上にわたる連続があり、一つから、二つ、または三つ以上の繁殖上の分離された遺伝子プールが間欠的に作られ、生殖障壁が堅固になるのに十分に長かったために遺伝的混合がもはや不可能になった時に、ついには交雑できない分離に至ったのだろう。それゆえ上述のようにヒト族とチンパンジー属の分岐にはおよそ三〇〇万年間（九六〇万〜六五〇万年前）がかかったと推定している。そう推定できるのは、最近の遺伝的、統計学的モデル化のおかげである。

巣から出て：最初のヒト族の出現

化石記録によれば、祖先のヒト族集団は、遅くとも五〇〇万年前までには大型類人猿のいとこと明確に分岐していた。地質時代の鮮新世の初め頃だ（鮮新世は、年代にすれば五三〇万〜二六〇万年前）。同定された最古のヒト族たちに関しての最も基本的な知識は、熱帯の東アフリカの、特に五〇〇万〜三五〇万年前の時期に由来する。三七〇万年前までには、南アフリカにもヒト族は現れていた(13)。東アフリカのヒト族化石は、東アフリカ大地溝帯の堆積層の露頭から出土している（図二・一参照）。大地溝帯は、大陸のプレート運動で起こされた地殻変動によって造られた長さ三〇〇〇キロに達する深い断層帯である。大地溝帯は、レヴァント地方南部のヨルダン渓谷に始まり、紅海沿いをアファール地域（アファール三角地帯）へと走り、アフリカとアラビア半島との間のバブ・エル＝マンデブ海峡の側面に達する。さらに大地溝帯はここで南転し、東アフリカ湖沼地帯を通って、ザンビアとマラウィに至る。大地溝帯の東アフリカの部分には、多くの巨大湖が含まれる。その食べ物の豊富な湖岸には、古代ヒト族がたびたび訪れていた。ヒト族を引き寄せる潜在性を備えたあらゆる景観の特徴の中で、いつも得られた真水が最重要の資源の一つだったのは確かだ。

大地溝帯は、火山活動に関する多くの歴史も持っている。それが意味するのは、化石を包含する地層がカリウム－アルゴン法やその他の地球物理学的な年代測定法を用いる地質学者によって年代を測定できる火山灰層で挟まれているということだ。アフリカの人類史前期の基本的な年表をもたらしてくれるものこそ、この火山編年学である。この景観の中の太古の河川と湖沼の作用で積み重ねられた地層中に、二足歩行のヒト族化石数種が発見されている。ヒト族クラブの祖先の最初のメンバーの可能性のあるのが、後期中新世の二種、サヘラントロプス・チャデンシスとオロリン・ツゲネンシスである。両種は、それぞれチャドとケニアで五〇〇万年以上前に暮らしていた（少なくともそこは、今までヒト族の化石が発見されてきた所だ）。化石は断片的であり、人類進化における彼らの役割は多少とも論議を呼んでいる。ただそれでもサヘラントロプスもオロリンも、残っている骨の形態から、多くの古人類学者によりチンパンジー属の祖先よりもヒト族祖先に近いとみなされている。

舞台に登場する次の役者は、引き続く中新世後期と鮮新世の二つの属、アルディピテクス（二種のうちの古い方）とその後のアウストラロピテクスである。最初に出現したアルディピテクス属（種としてカダッバとラミダスの二種）は、その化石がエチオピアの遺跡から報告されていて、巧みな木登り屋であった。ただすべての古人類学者が、アルディピテクス属がヒト族だったと認めているわけではない。彼らを東アフリカ産のアウストラロピテクス属の祖先の可能性があるとみなす古人類学者もいる。アウストラロピテクス属は、化石点数が大量に見つかっているので、理解が良く進んでいる属である。アウストラロピテクス属は、その後に続くホモ属の起源についてすべての論争の中心となった。

鮮新世の祖先たち：アウストラロピテクス属

アウストラロピテクス属の化石は、これまでに大量に見つかっている。東アフリカの最古のものは、四五〇万～四〇〇〇万年前である。彼らは、遅くとも三七〇〇万年前には南アフリカに、さらにまたもう少し後に現在のサハラ砂漠である土地にも拡散していた。三六〇〇万～三〇〇〇万年のアウストラロピテクス・バーレルガザリの歯と顎の破片が、チャド北部のティベスティ山地の真南に位置するコロ・トロから（そしてサヘラントロプスが発見された場所からも遠くはない）見つかっていて、この区域が現在のサハラ砂漠にあるだけに、特に興味深い。大半のアウストラロピテクス属は、温暖で湿潤な鮮新世の中間期に、植生のある景観に食物を求めて彷徨い歩いていたのだろう。その時期、アフリカの夏のモンスーンの降雨限界は、今よりもずっと北にあった。

アウストラロピテクスの広範囲の分布状況は、このヒト族がエチオピアから南アフリカまでの、さらに西の今日のサハラ砂漠中央部となる地域まで、開けた、そして森林の茂る環境の両方の広大な範囲で暮らしていたことが示唆されるので、特に印象的である（ただ現在までのところ、サハラ砂漠より北方まで生息していた明確な証拠はない）。二足歩行の姿勢と長距離を歩けたスタミナにより、彼らは生存に不可欠な水源、特に乾期中の水源を遠くまで探索して歩くことができたのだろう。[14]（確かではないが）彼らが肉食をしていたのだとしたら、二足歩行のおかげで狩りや死肉漁りの好機会を求めて動物の群れを遠くまで追跡もできたことだろう。

東アフリカと南アフリカで広範囲に化石が見つかっているのに、アフリカの他の多くの地域、特に西アフリカと中央アフリカからは、現在までのところヒト族化石は全く見つかっていない。化石の保存性に問題があるからなのかもしれない。一部地域の環境が化石の保存と見つかりやすさという点で、他地域より良好であるのは明らかだ。湿潤な熱帯雨林帯は、最も保存されにくく、また見つかりにくい。その一方、広範囲に化石包含層が露頭している乾燥して森に覆われていない景観、例えば東アフリカの大地溝帯のような地域は、最も化石が見つかりやすい所の一つである。

景観も、時と共に変わる。特に地層の侵蝕や逆に地層が堆積していったりして、景観は変容する。洞窟の中で堆積土や崩落岩が積もるので、洞窟の可視性にも影響を与える。その結果、現代の洞窟地表面下に積もった堆積層深くに化石を埋めることになり、したがって発見は運次第となる。古人類学記録上で有名な化石を包含する多数の古代の洞窟群——例えば南アフリカ、ヨハネスブルク近郊の洞窟群、中国、北京近郊の周口店の洞窟群、スペイン北部、アタプエルカの洞窟群は、ブレッチャ（角礫岩）と呼ばれる岩石と土壌の堆積物で埋められていた。そのずっと後に、考古学者たちが化石を発見したのだ。アタプエルカ洞窟群は、化石を包含する石灰岩の丘に開けられた鉄道の切り通しを鉱山会社が掘っていた時に、やっと姿を現したに過ぎない（第三章で詳述する）。

こうした要因を考慮すると、現在までに発見されている化石の存在から、遅くとも三七〇万年前には、おそらく林冠で覆われた熱帯雨林と水の無い砂漠を除いて、事実上、サハラ以南のアフリカ大陸にヒト族が住んでいたということが暗示される。これは注目すべき見解である。それは、この時までにヒト族は、彼らのどの類人猿のいとこの分布範囲をもはるかに超えて拡大していたことを示すからだ。彼らはすでに遊動生活に成功していたようだ。では、なぜ？

この疑問に対する答えは、アウストラロピテクス属の化石に表されているヒト的な身体と脳をわずかずつ発達させていたこと、類人猿的な行動から少しずつヒト的な行動を強めつつあったという漸進的な移行の証拠にあるのは確かである。例えば、新たに報告された、エチオピア、アファール地域のウォランソ＝ミル発見の三八〇万年前と年代推定されたアウストラロピテクス・アナメンシス頭蓋は、なお脳容量はたった三七〇立方センチメートルしかなかった[15]。しかし三六〇万年前頃の南アフリカ、ステルクフォンテイン出土のアウストラロピテクス頭蓋は、四〇八立方センチに達していた[16]。二五〇万年前には、一部のアウストラロピテクス（あるいは初期ホモ属）の脳容量は、四五〇立方センチにも達していた。その数値は、現生のチンパンジー属の平均三五〇立方センチを十分に上回っている（図一・一参照）。脳容量はまだ急激な増加を見せていないが、一部の後期アウストラロピテクス属が進化し、ホモ属の最初のメンバーになるにつれ、少なくとも脳生長は一貫して上向きになっていた。

アウストラロピテクス属は、腕よりも長い脚で闊歩する完全な二足歩行者でもあった。ただし足の形態には多くの変異があった[17]。彼らの手は、私たちのものと非常に良く似た形をしていて、私たち現代人的な精密な把握に徐々に近付く能力を発達させていた[18]。しかしそれでも彼らはなお、手と足の両方とも類人猿のように物を掴む能力を維持していた。その能力は、木登りの際に彼らを補助し続けていただろう。ルーシーの復元図において、このことは特にはっきりとしている（図二・二）。

アウストラロピテクス属で継続していたもう一つの類人猿的な特徴は、オスの体重がメスの体重よりもずっと上回り続けたことである。このことは、体サイズの性的二形の度合いが、現生チンパンジーに見られるオスとメスの間の違いと同じ程度だった（たぶんずっと大きかった）ことを示す[19]。アウストラロピテクス属のメスの身長はほとんどが一・二メートル以下だったが、大きなオスなら一・五メートルに達していたかもしれない。二〇〇万年後にホモ属の登場と共に、このオス－メス間の身体サイズの違いは減少し始めた。多くの古人類学者に、オスとメスの協力関係の、特に繁殖と子育てでレベルが上がりだしたことの反映と考えられている傾向である。

「石器製作者《マン・ザ・ツール・メーカー》としてのヒト」

　後期のアウストラロピテクス属の間で見られるようになった一つの明確なヒト的活動は、おそらく石器の製作だった。しかし最古の石器は、最後のアウストラロピテクス属か、それとも最初のホモ属か、はたまたその両方の手になるものなのかは、なお不確実なままである。ケニア、トゥルカナ湖近くのロメクウィという遺跡で、最古の石器群の一つが出土した。それらの石器の年代は、三三〇万年前頃だと主張されている。その年代が正しければ、石器がアウストラロピテクス属によるのはほぼ確かだ。

　石器の初めての恒常的使用は、二六〇万年前頃の考古記録に現れた。例えばエチオピアのボコル・ドラ1遺跡とゴナ遺跡だ[20]。ゴナから出土した動物骨の一部には、肉を引き剥がしたことを示唆する剥片石器で付けられたカットマーク（切り傷）が見られる。興味深いのは、ケニア、ロカレレイのような遺跡である。ロカレレイから出土した剥片石器は、実際に接合して薄片が打ち欠かれた元の石核に復元できた。そうした「接合」の最近の研究から、教える者と教えられる者による実験と複製品作りが必要な石器製作技術の伝達を可能にしていたことを推定させる[21]。

　石器使用に関して、鋭利な刃のついたナイフとして使われた剥片石器は、骨から肉を切り取りたいと願ったヒト族にとって明確な必需品であっただろう。しかし最初の石器は、ナイフとしてよりもハンマーや打器であった可能性が高いとするジェシカ・トンプソンらの推定もある。石器製作者は、動物の骨と頭蓋を石器で打ち付けて中の脂肪と蛋白質に富んだ骨髄を抽出するのに使っただろうという[22]。

ヒト族の最初の石器使用の理由が何であったにしろ、私たちはチンパンジーがハンマーや打器としての礫を含む自然のままの石の道具と有機質素材を使って、食物やその他の彼らが望む物を抽出するのに役立てていることが観察されてきたことも忘れるべきではない。[23]チンパンジー属とオランウータンは、実験室では報酬を得るためにどのように石の薄片を使うかを教えられてきた。しかし野生状態で恒常的に石を打ち欠いて石器を作る行動は、どの類人猿でもまだ観察されていない。ヒト族だけがこれを行った。したがって「石器製作者としてのヒト」という言い古された古い考えは、なお核心を突いているのかもしれない。[24]私たちはもう少し後で、そのことに立ち返る。ヒト族の石器と大きくなった脳は、発展・発達の過程で関係づけられていたかもしれないからだ。

二五〇万年前以後の大きな歩み：初期ホモ属

二〇〇万年前以降、古人類学の分類上はアウストラロピテクス属は徐々に姿を消していった。一部はさらに進化してホモ属になる一方、少しずつ絶滅へと向かったものも多かった。最も新しいと思われるアウストラロピテクス属の中に、南アフリカのマラパ洞窟で一緒に見つかった、家族と思われる部分骨格群がある。彼らは二〇〇万年前より新しい時代に暮らしていて、古人類学者たちにアウストラロピテクス・セディバと呼ばれている。

最も化石の残った絶滅種として、「頑丈型」アウストラロピテクス属の数種がある。それらは、アウストラロピテクス属とは別属のパラントロプス属に帰属替えされた。彼らは最終的には、東アフリカと南アフリカで一〇〇万年前頃には絶滅した。おそらく後にホモ属を分岐進化させたと思われるずっと骨の構造が軽やかなアウストラロピテクス属と比べると、これらの頑丈で重量感のある骨の構造をもった種は、大きな顔面と巨大な歯という点で違っていたし、また頭蓋の頂部、前後に沿って筋肉が付着するための突き出た骨稜（矢状隆起）も備えていた。それは、硬い食物を噛み潰す大きい顎と大臼歯を動かすために強力な筋肉が必要だったことを示す。体格や外観、食性、さらにおそらくは性行動と繁殖上の相性が異なっていたので、彼らは別の種として存在を保ちつつ、頑丈さを欠くアウストラロピテクス属のいとこばかりでなく早期ホモ属のすぐそばで競争しながら暮らしていただろう。彼らの絶滅には、気候変動も重要な役割を果たしたかもしれない。アフリカ南東部の乾燥の深化のために、食物になる植物種の変化が南アフリカの頑丈型の種であるパラントロプス・ロブストスの絶滅を導いたのかもしれないとする最近の推定がある。[25]

二〇〇万年前頃にヒト族の諸特徴は、古人類学者たちが満足するレベルで一致して認める後期アウストラロピテクス属の中に十分に表されるようになっていた。それは、より類人猿的なアウストラロピテクスの祖先から私たち自身の属であるホモ属の出現を私たちが目にしつつあるものだった。突然の、はっきりした進化的変化が伴っていたわけではないけれど、二〇〇万年前頃に起こった変化は、その前の三〇〇万年間の変化よりも急激だった。これが起こった地域に関しては、東アフリカと南アフリカの両地域が双璧であった。

最近の古人類学者は、東アフリカと南アフリカの約二六〇万～一六〇万年前に生息していた早期ホモ属の中に、いくつかの種を認定している。それにはホモ・ルドルフェンシス、ホモ・ハビリス、ホモ・エルガスター、ホモ・エレクトスが含まれる。これら全部が、互いにどのような関係にあるのかは、正確にはまだ確定していない。だから以下では、私はこれらをすべて「前期更新世ホモ」と呼ぶことにする。図二・四で、前期更新世ホモの進化を図化して提示し、図二・五では主要サイズを明示し、それを確認する違いを表すために、選抜したヒト族の頭蓋の前面観と側面観を示す。

図二・四で分かるように、最古のホモ属メンバーは、二〇〇万年前以前にアウストラロピテクス属と年代的に重なり合い、徐々にそれらと置き換わっている。だが祖先としての系統関係は、正確には同定されていない。前期更新世ホモは、三〇％ほど大きな平均体サイズと平均脳サイズを持つことにより、アウストラロピテクス属と区別された。二〇〇万年前頃、ホモ・ハビリスとホモ・ルドルフェンシスと呼ばれる種のメンバーは、脳容量を五一〇立方センチから八〇〇立方センチまでの増加を経験した。これは、後期アウストラロピテクス属の平均を大きく超えるものだ。なお今、私たち現代人の平均脳容量は、個体差に大きな幅があるけれど、約一三五〇立方センチである。

現在、ホモ属の可能性があると言われている最古の化石は、エチオピアで発見された二八〇万年前の年代の下顎骨である〔レディ・ゲレラ出土。訳者後書き四一九ページ参照〕。したがって私たちは、はっきりしないけれどもホモ属の出現を前期更新世よりも後期鮮新世ということにして折り合おう[26]。この発見は、ホモ属の出現を画すると思われる二〇〇万年前頃に明確化する脳サイズ増加トレンドより古い。しかし新しい属を明示する特徴は、必ずしもある日、ある場所で、単一の集団に全部が現れるわけではなく、ある重要な突然変異の結果として現れ、次に集団内に広がったのだという一部の古人類学者の見解は支持されるだろう。反対に、彼らはしばしばモザイク的と呼ばれる類の進化、すなわち後期アウストラロピテクスの間で始まり、アフリカという広大な領域を通じて五〇万年以上にわたったかもしれない連続的変化の中で、ここに初期の特徴、あそこに初期の特徴などといった具合に入り交じった進化をしたのかもしれない。既に述べたように、ヒト族とチンパンジー属はたぶん、それ以前の数百万年前に同

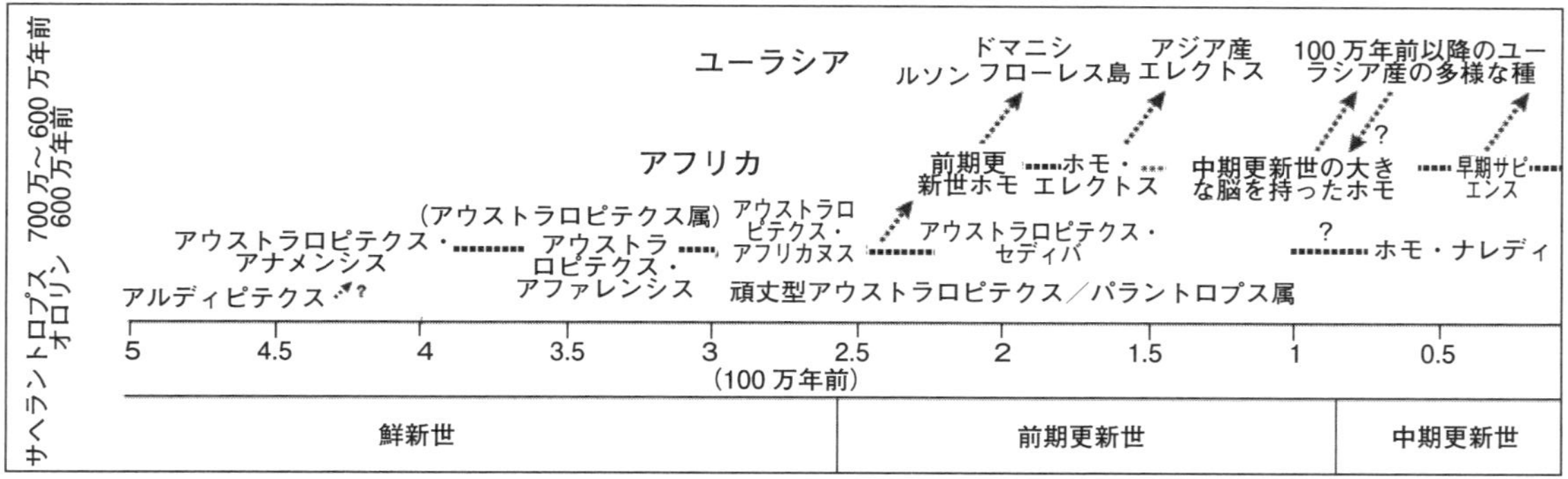

図 2.4　アフリカのヒト族各種とユーラシアへの移住。この図は多くの出典を基に描いているが、スーザン・アントンらの『初期ホモの進化（Evolution of early *Homo*）』（*Science* 345(2014)：1236828)、倪喜軍らの「中国東北地方ハルビン出土の頑丈な頭蓋（Massive cranium from Harbin in northeastern China)」（*The Innovation 2*（2021）：100130 の図を参照。

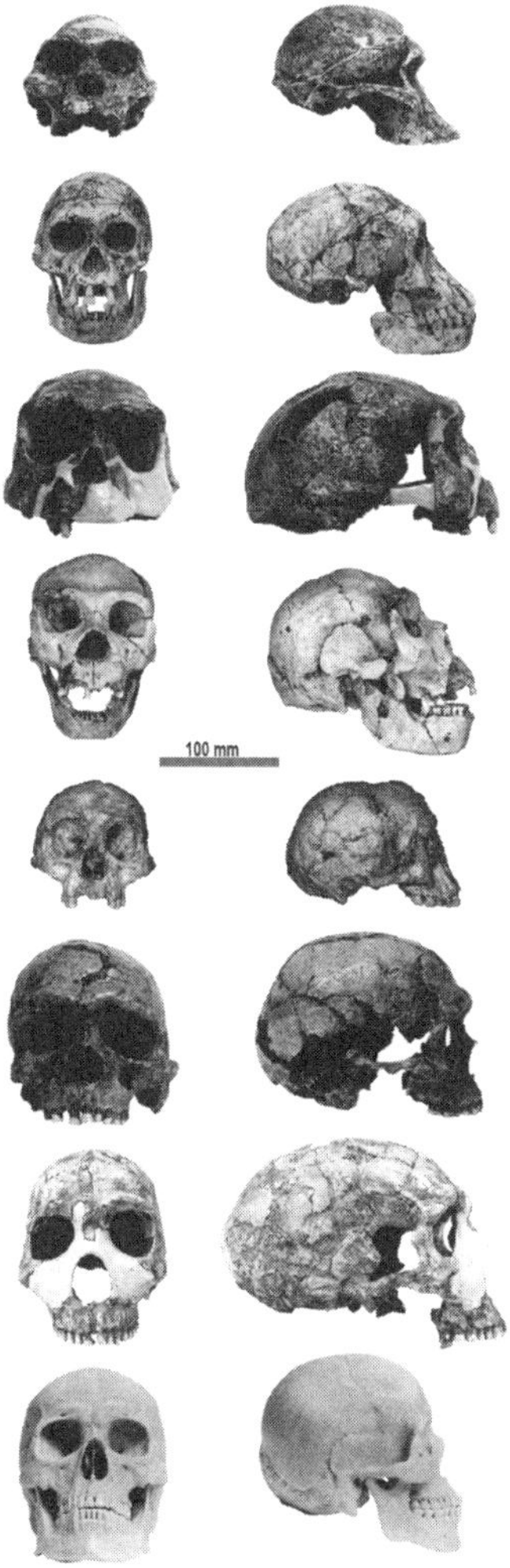

ステルクフォンテイン５号、
南アフリカ、
アウストラロピテクス・
アフリカヌス、200 万年前頃

ドマニシ３号、ジョージア、
前期更新世ホモ、
170 万年前頃

サンギラン 17 号、ジャワ、
ホモ・エレクトス、
50 万～ 100 万年前？

アタプエルカ５号、
スペイン、シマ・デ・
ロス・ウエソス、
初期ネアンデルタール、
43 万年前頃

リアン・ブア１号、フローレス島、
インドネシア、
ホモ・フロレシエンシス、
10 万年前頃

カフゼー６号、イスラエル、
早期ホモ・サピエンス、
10 万年前頃

アムッド１号、イスラエル、
後期ネアンデルタール、
５万 5000 年前頃

現代ホモ・サピエンス
（東アジア産）

図 2.5　アウストラロピテクスから私たちの種までのヒト族の進化系列。頭蓋の横の文字は、出土地、種、およその年代。また配置は、系統樹を表したものではない。ほとんどの頭蓋模型は、オーストラリア国立大学、考古学・人類学部のコレクション。マギー・オットー撮影。ホモ・フロレシエンシスはオリジナル標本で、リアン・ブア調査団（マット・トチェリとトマス・スティクナ）の好意で複製。ドマニシ３号とアタプエルカ５号の模型は、© ボーン・クローンズ、www.boneclones.com の好意により複製。アムッド１号の模型は、オーストラリア博物館の好意により複製。アブラム・パウエル撮影。

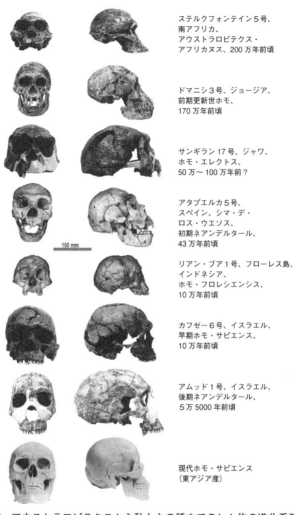

じようにモザイク的進化をしつつ分岐していった。確実に言えることは、アウストラロピテクスでないと分類できるだけの大きな脳を備えたヒト族は、遅くとも二〇〇万年前には進化していたということであり、アウストラロピテクスのままに留まっていた集団、特に頑丈型は、大きな脳の集団とは独立して存在し続け、やがて一〇〇万年前には最終的に絶滅しただろうということだ。

アフリカの前期更新世ホモの保存された中の最高の例は、ケニア、トゥルカナ湖西岸のナリオコトメで発見された十代前半の少年のほぼ完全な骨格である。約一六〇万年前の年代の「ナリオコトメ・ボーイ」とか「トゥルカナ・ボーイ」として知られるこの個体は、やや小柄な現代人男性のように成人で約一・六五メートルまで成長しただろう〔成長したら一・八メートル超になったという推定の方が一般的〕。彼は、完全な直立二足歩行者であり、そのまま生存したらアウストラロピテクスの脳容量のほぼ倍の成人脳容量を持つに至っただろう。体重に対する脳重の比率も、アウストラロピテクスの推定平均値の約一・二%からナリオコトメ・ボーイでは一・五%超に増大していた。現代人では、この比率は約二・七五%である。(28) 図二・二には、トゥルカナ湖東岸出土の別の前期更新世ホモ〔ER1808〕の骨格復元図を示した。こちらは、ナリオコトメ・ボーイと違って女性だ。

このようにナリオコトメ・ボーイは、比較的に大きな脳と大きな体格をした、ホモ属出現期の若者であった。ただ古人類学者によっては、これをホモ・エルガスターにするとかホモ・エレクトスに位置づけるとかというように、分類は様々だ。この若い陸棲二足歩行者に象徴されるが、かつてアウストラロピテクス属の特徴となった数多くの類人猿的な身体形質を減じたことで、前期更新世ホモは十分な発展段階に至りつつあった。

ヒトの行動の起源

なぜ脳の大きさは、前期更新世ホモの集団で増え始めたのだろうか？　一九九五年にレズリー・アイエロとピーター・ウィーラーによって示された重要な点は、肉か骨髄を食べるようになったことが脂肪と蛋白質から直接にエネルギーを得られるようになり、脳の拡大を促した――それは、果実、木の実、塊茎、草の種子だけを食べていたのでは不可能だった――だろうということだ[29]。他の研究者たちも、ずっと前にこの可能性は考えていた。再びエンゲルスを引用させていただければ、一八八四年に彼はこう書いている。「しかし肉の食事のいちばん重要な効果は、脳に現れた。脳は、滋養と発達に不可欠な食材の、以前よりもはるかに豊かな流入を今や享受したのだ[30]」。

それに代わって（あるいはそれが組み合わさる形で）ヒト族の脳の増大したサイズは、ヒト族集団の中で意思伝達と社会化のレベルを上げるのに影響があったのだろうか？　脳の大きさが増えたことは、個人と大きくなった社会的共同体との間のネットワーク連携が大きくなることと一致したのだろうか[31]？協力し合う群れが大きくなれば、捕食者や敵に対しての防御が厚くなっただろう。それは、開けた環境の地上で二足歩行する生活により、完全に樹上で暮らしたならあり得なかったはずの危険な肉食獣に初期ヒト族が間違いなく晒されただろう時、有益であったのは間違いない[32]。協力し合う群れは、ホモ属の初期メンバーの間での社会化を大きく増進させることになったはずの主な要因である子育てをも助けることになる。社会的相互作用の増え続ける需要は、個人間の親族関係の認知とひょっとしたら初歩的言語と共に、個人間の意思疎通のレベルを上げることにつながっただろうと予想できる。

これが全部ではない。物質文化、特に石器の使用がホモ属の初期の脳の大きなメンバーを創り出す助けになったかもしれないという魅力的な考えも、強い支持者を集めてきた[33]。このことは、肉を切り取り、骨髄を抽出するために石器を使用することを（そしておそらくは火の使用も）通じてばかりでなく、助けを得られない赤ん坊を運ぶために繊維の抱っこひもの使用を通じても、このように幼児の脳を母親の子宮の外で安全に発達できるようになったことを通しても起こったかもしれない。現代人の脳の大きさは誕生から十分に成長するまでおよそ三五〇立方センチから一四〇〇立方センチに、すなわち四倍に増える。人間の幼児は、これを考えれば、乳児の脳が大きすぎるために発達過程の早い段階で母親の骨盤を通過して生まれなければならない。したがって人間の幼児は、大型類人猿の幼体よりも長期に及ぶ、十分な物質的な世話が必要なのである。

単純な石器とは別に、この年代の深さからまだほとんど何も直接の証拠もないけれども、理屈の上では重要な問題である別の技術的な進歩もある。人の手、腕、肩を使ってかなりの正確さで放てる、木の柄を付けたような飛び道具は、地中にある塊茎やその他の美味な小食物を掘り出すための掘り棒と共に、群れに以前より多くの食物をもたらす助けとなっただろう。また食物や水を運ぶための獣皮製の容器も、重要だったろう。食物を以前より入手しやすくなったことは、母体の保健を改善させ、したがって妊娠の成功率と頻度を高めて、出生率の向上を促したに違いない。

火を起こす能力については既に述べた。それにより、必要とされる素材とその扱い方を一度理解すれば、比較的容易に使いこなせる。火の扱い方を知ってさえいれば、容易に火を絶やさないようにすることもできる。残念ながら木炭は、大半の堆積層中では比較的簡単に分解・消失される。したがって実際の炉址遺構を太古の考古層位で識別するのは難しいことがある。焼けた骨なら、火の使われたことの手がかりになり得る。しかし肉を口当たり良くするために調理することは、必ずしも骨が焼ける結果にならないかもしれない。

進化生物学者のリチャード・ランガムは、火は前期更新世ホモに使用されたと推定してきたが、多数の考古学者は一〇〇万年前より後の証拠しか認めない[34]。古いヒト族は、調理しないでも塊茎や肉を食べやすくするために、塊茎を突き潰し、生の肉を切っていたと推定していたからだ。しかしランガムも指摘するように、大きな犬歯を持たず、比較的小さく平坦な表面の人間の歯と短い腸は、焼いた肉や澱粉質の植物を含む調理済みの食物を食べ、消化するのに適応している。私たちは生肉を食べる肉食獣ではないし、その歯列からもヒト族祖先のどの種にもない。調理は食物を消化しやすくし、次に脳の生長のための蛋白質と炭水化物のエネルギーを摂りやすくする。火はまた、暗くなった後、野営地の火の周りで肉食獣に追い詰められることなく食物を食べられるようにする。こうして社会化がさらに促された。さらに適度な焚き火は、寒い夜にヒト族を暖かく保てただろう。

実際の群れの大きさに関しては、民族誌記録での狩猟採集民集団は、五〇人から一〇〇人までの在地グループでしばしば集まっていた。民族誌記録を二〇〇万年前の人間行動の解釈にそのまま当てはめることはできないが、少なくとも可能性についてなにがしかの考えを与えてくれる。考古学者のジョン・ゴーレットは、前期更新世ホモの群れのテリトリー面積は、考古遺跡で使われた石器の石材の移動を基に、おそらく八〇〜一五〇平方キロほどだったと推計した[35]。多数の考古学者も、石器と廃棄された獣骨の集積を通して認知できる、居住地での集まりの配置はこのテリトリー内に存在していたと考えている。

そうした配置の一例と推定される考古遺跡が、ケニア、トゥルカナ湖東岸のクービ・フォラＦｘＪｊ50である。その遺跡に、再接合できる石器と、おそらくヒト族によって壊された羚羊類の再接合できる上腕骨が残されていた[36]。遺跡に残された獣骨は、大半が中型から大型の動物だった。もしヒトが直接彼らを狩猟していたとすれば、腐った肉を食べなければならないのを避けるため、六、七人ですぐに新鮮な肉を分配し合う必要があっただろう。食物分配を通じた協力が、肉を得る報酬だったに違いない。

実際、初期人類が投げ槍を用いて直接、動物を狩猟したのかそうでなかったのか、腹いっぱいになった肉食獣が昼寝をしている日中に肉食獣が倒した死肉に近づいて死肉漁りをしなければならなかったのかについて、多くの論争がなされてきた。残された証拠から、上記二つの行動モデルを簡単には区別できないし、両方のケースがいずれもなかったという明白な理由もない。私はそれでも、考古学者のグリン・アイザックの見解に同意する方向に傾いている。彼は、クービ・フォラでの自分の経験からベース・キャンプとそれに伴った行動について、一九八一年に次のような一つの仮説を提示した。

（初期ヒト族の）食物分配仮説は、重要なこととして、次の事項を予測していいだろう。すなわち石器、食物の運搬、肉の消費、植物食の採集、分業、そして一つの社会グループのメンバーが少なくとも一日かそこらで再結集し、廃棄される石器と食物ゴミが集積する場所の存在、である。オルドゥヴァイ（タンザニア）とクービ・フォラ（ケニア）で観察された考古学的な配置は、こうした予測の多くに適合している。(37)

この見通しから分かる、ヒト族、特にホモ属の成功の背後にある非生物学的な重要点は、彼らの日常活動を支援する石器使用の意義の高まりだけでなく、群れレベルでの協力と食物分配であった。前期更新世ホモが投じて報われたもう一つの技術は、並外れた距離を超えての移住の成功であった。

第三章　アフリカから出て《アウト・オブ・アフリカ》

これまでを要約すると、一部のアウストラロピテクス属は二〇〇万年前頃のアフリカでより脳を大きくしたホモ属へと進化した。そうした進化は頑丈型アウストラロピテクス属（すなわちパラントロプス属）を含むヒト族全体には起こらなかった。パラントロプス属は、他のヒト族とは独立した遺伝子プールとして最終的に絶滅した。新しい属――ホモ属――が発射台に乗り、離陸は目前に迫っていた。脳が大きく、完全な直立二足歩行をし、正確な物の把握、石器製作文化、新しく、はるか離れた環境へ今すぐにも移住できる能力――文字どおり世界の別の大陸への移住――を備えた初期ホモは、急速に他の種を圧倒する存在になりつつあった（図二・四と図三・一と図三・二）。次に、何が起こったのかを見ていこう。

本章で私は、オデッセイ劇の第Ⅱ幕の最初の場面を取り上げる。この時、前期更新世ホモはアフリカを旅発ち、中東を越えてジョージア、中国、ジャワのあたりまで移動した。たぶんアフリカを発ったのは、一回だけではなかっただろう。やがてある時点で、小型のヒト族が、海を渡ってさらに移動を続け、インドネシア東部のフローレス島とフィリピン諸島のルソン島に達した。彼らはそこで、五万年前頃についにホモ・サピエンスがやって来るまで、孤絶したまま生存し続けた。本章の記述は、ホモ・サピエンスとネアンデルタール人の祖先種を含む、大きな脳を持った中期更新世ヒト族がアフリカ大陸とユーラシアに広がり始めた時である一〇〇万年前頃で終える。

以下を理解していただくために、まず更新世の年代区分を紹介しておく必要がある。

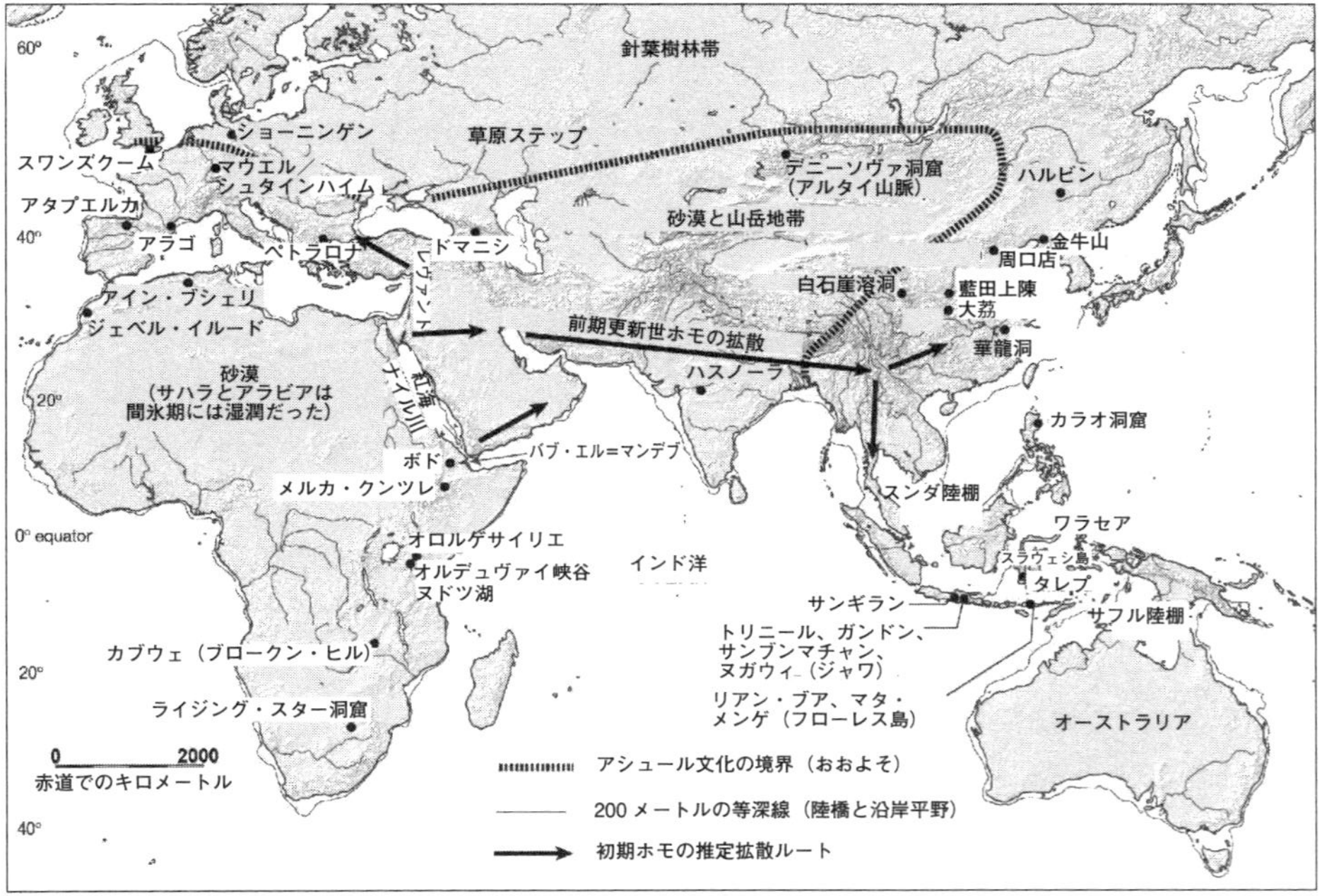

図 3.1　考古学的遺跡とホモ属と関係するヒト族化石発見地を示したアフリカとユーラシアの地図。アシュール文化の境界線は、A・P・デレヴィヤンコの『ユーラシアの 3 つのヒトの地球的移動、第 4 巻』の「アシュール文化と両面加工石器インダストリー」(ロシア科学アカデミー、2009)、769 ページに基づき作成。

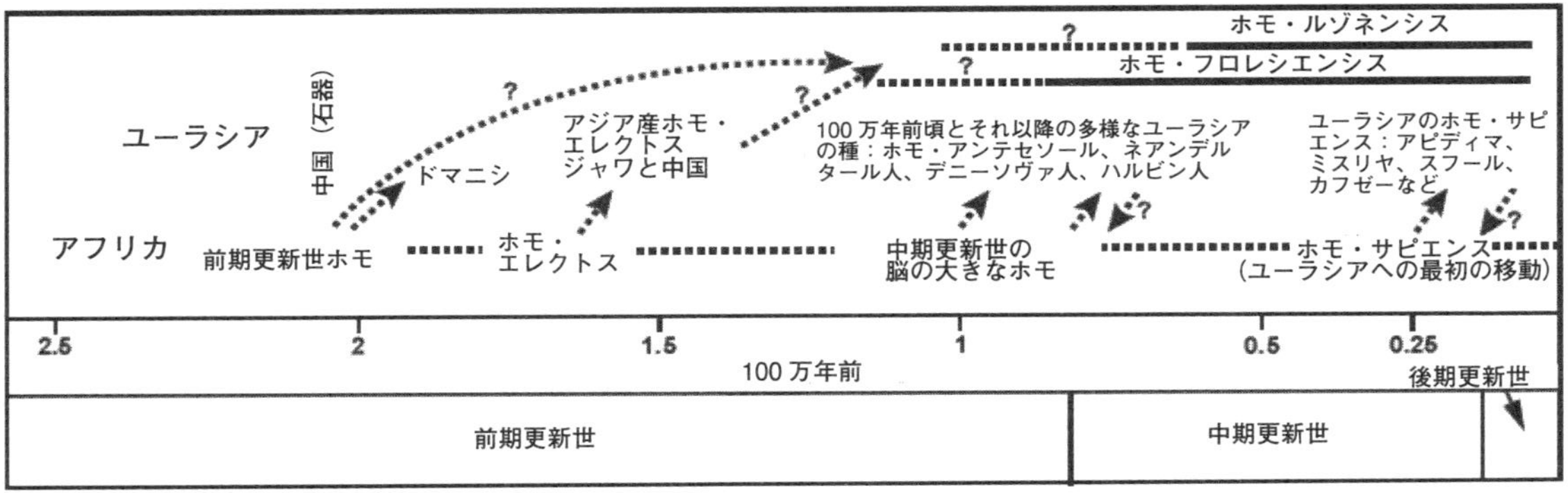

図 3.2　ユーラシアの前期更新世と中期更新世のヒト族の種と、彼らとアフリカの祖先との推定系統関係。200 万年間の時代幅以上の間に、アフリカから出て、またアフリカに戻った実際の移動の回数は、まだ不明だ。特に大きな脳を持った中期更新世の種については、分かっていない。

更新世の編年：主要ポイント

第一章で強調しておいたように、正確な編年はヒト族の過去への知識を整理するうえで、最重要の意義がある。同様に重要なのは、更新世に起こった地球環境の長期的変動についての知識だ。特に周期的な出来事と自然の諸現象によって引き起こされた長期的変動に対する知識である。そうした周期が、更新世の氷河時代とその間の間氷期を決定した。

一九世紀以来、科学者たちは、地球史を様々な地層と生命形態によって分けた「世」に区分した。そしてその最も新しい二つの世が、更新世と完新世である。読者は、第二章でそれに先行する中新世と鮮新世を見た。更新世は、地質学者によって二五八万年前に始まったと認められており、それはしばしば繰り返された氷河期サイクルだけでなく、地中海のプランクトン生物相の種の組成によって画された。更新世は、古気候の研究者たちにヤンガー・ドリアスと呼ばれる、最後の、そしてごく短期間の、氷河期的環境の復活が終結した頃である一万一七〇〇年前まで続き、その間、温暖な間氷期を挟みつつ多数回にわたる高緯度での氷河拡大のサイクルが繰り返された。ヤンガー・ドリアスの後に続いたのが、私たちが現在過ごしている間氷期である完新世である。しかし実際のところ完新世は、もう一つの更新世間氷期、多数回起こった更新世間氷期の単なる最も新しい間氷期に留まらない。それは、人間活動の結果である地球温暖化を通じて、活発に規模を広げているのだ。

進化上の、そして考古学的目的のために、更新世を、不均等な年代幅だが、大きく前期、中期、後期の三期に分ける。その中に、ヒト族化石と石器の記録を組み込むことができる（図二・四と図三・二）。

前期更新世は、二五八万年前から七八万年前まで続いた。新しい方の年代は、地球磁場の方向の逆転と関連付けられている。そうした磁極の逆転は、多くの堆積岩と堆積層で追跡できる。前期更新世では、アウストラロピテクス属の最終的消滅とホモ属の登場と拡大を目にすることになった。

中期更新世は、七八万年前から一二万九〇〇〇年前まで続いた。終わりの年代は、最後から二番目の間氷期の始まりで画される。中期更新世は、(第四章で取り上げることになる)ネアンデルタール人やデニーソヴァ人などのような何種もの脳の大きなホモ属の種の時代であった。中期更新世は、アフリカでホモ・サピエンスの勃興も見ることになった(第五章で詳述する)。

ホモ・サピエンスが一躍注目を浴びる後期更新世は、一二万九〇〇〇年前から一万一七〇〇前まで続いた。後者の年代は、前述したようにヤンガー・ドリアス亜氷期の終わりで画された。後期更新世には、最後から二番目の間氷期が含まれる。その間氷期は、一二万九〇〇〇年前から一一万八〇〇〇年前までの約一万一〇〇〇年間、続いた。その時代、地球の平均気温は現在よりも二度ほど高く、海水準は今よりも九メートルほど高かった。その後、最終氷河期(有力メディアが言うところの「氷河時代」)へと向かう長い、寒冷な傾向が続いた。それには、二万五〇〇〇年前から一万八〇〇〇年前までの最寒冷期も挟まった。最終氷期極大期(LGM)と呼ばれる環境条件下で、今日と比べると、山岳雪線は垂直方向で約一キロ下がり、海水準は約一三〇メートルも低下し、熱帯の海洋表面温度は平均で三〜五度も冷たかったのだ。[1]

更新世の氷期 - 間氷期サイクルとヒト族のアジアへの移住

二六〇万年前頃の更新世の開始以来、今日まで引き続き、太陽の周りを周回する地球軌道と地軸の傾きにおける「ミランコヴィッチ・サイクル」と呼ばれる動きを通じて、地球は多くの旋回を経験してきた。このミランコヴィッチ・サイクルは、太陽系内の他の惑星の重力効果を反映している。そしてこのサイクルは、一方で寒冷で乾燥した氷期的気候条件（氷河時代）、そしてもう一方で例えば現代の私たちが享受しているような温暖で湿潤な間氷期の気候条件の間での気候の振動を引き起こすのだ。

科学者たちは、時代によって酸素の二つの同位体間で生じる変化の比率から、こうした気候変動の図を描く。この作業を行うのに必要な酸素試料は、深海底堆積層から引き抜いたコア中に含まれる海棲プランクトンの炭酸カルシウムの殻、石灰岩洞窟に吊り下がる炭酸カルシウム鍾乳石、グリーンランド、ヒマラヤ山脈、南極大陸の氷床中に閉じ込められた古代大気の小ポケットに封入された二酸化炭素から採取する。

こうした古気候の記録は、ホモ属の時代である二〇〇万年間に氷期から間氷期へ、そしてまた氷期へと少なくとも二〇回以上の多くのサイクルのあったことを明らかにしている。さらにこのサイクルは、更新世が進むと共に振れを徐々に大きくした。最後の九〇万年間、サイクルはそれぞれ約一〇万年くらい続いたが、直前には四万年の小さな振幅のサイクルが起こっていた。

半面、氷期と間氷期は、そのサイクルに生き、遊動していたはずの太古のヒト族社会に様々な状況をもたらした。古代のヒト族は、変化するサイクルに応じて対応した。例えば氷期中は拡大する氷床や砂漠から引き下がり、間氷期にはヒトを誘うような草原と疎林の生えた原野へと前進拡大した。それは、以前の氷期の景観への再移住であった。両方の極値はヒト族の移動を促したが、ただそれには様々な理由がからみ、方向の異なる移動であった。

本章で述べている前期更新世の間のこうした氷期から間氷期への振れを、ヒト族の先史時代の中の特別な出来事に、例えばどの振れがこれと、細かく正確に関連づけるのは難しい。記録が乏しすぎるのだ。ここで述べることができるのは、アフリカを出た最初のヒト族は前期更新世の間、南からサハラ砂漠やアラビア半島を縦断できる最適な気候に合わせてアフリカを出たということ、これがすべてだ。その後は、地中海東岸沿いに北上し、以前には無人だったレヴァント地方へ移動していっただろう。

しかし気候変動それ自体は、降水量と気温に関してはヒトの移住を促した自然の要因の一つにすぎなかった。第一章で注意を向けたように、更新世の世界規模での引き続く気候循環のそれぞれで、最大一三〇メートルまで海水準も変化した。氷河期の間、大陸と巨大島の周りの大陸棚は、乾いた陸地として現れていた。

こうしてインドネシア西部の巨大島嶼（ジャワ島、バリ島、ボルネオ島、スマトラ島）は、今日は南シナ海の海底となっているものの海面低下期には陸化してスンダ陸棚になった陸塊で東南アジア大陸部と陸続きとなった。オーストラリア、ニューギニア島、タスマニア島も、北はサフル陸棚（現在はアラフラ海の海面下）、南はバス海峡を通じて一つの大オーストラリア大陸へと連結された。アラスカとシベリア北東部のチュクチ半島は、ベーリンジア陸橋で繋がった。そこには、氷河期の間、ツンドラを好むカリブー、ジャコウウシ、マンモスの大群が生息していた。

当然ながら、初期ホモ属も時にはこうした陸橋をうまく利用し、移住した。例えば彼らは、東南アジア大陸部からジャワとボルネオへという陸化した土地を越えて移動した。後にはシベリアからアラスカへ、ヨーロッパ大陸からイギリス諸島へも移動した。一部の初期ホモ属は、狭いが決して陸化したことのなかった海峡を突破し、隣の島に渡ることもできた。特にインドネシア東部とフィリピン諸島に。このようにホモ・サピエンスの渡来に先駆けて初期ホモ属がサフル（ニューギニアとオーストラリア）に到達したかどうかは、興味深い謎である。そのことを短く第五章で取り上げる。なお現在までのところ、両米大陸にサピエンス以前の人類が渡ったことを支持する証拠はない。

故地を脱け出す

ほとんどの古人類学者は、アジアに達するためには前期更新世ホモは、アフリカから、ナイル河谷から容易に到達できるシナイ半島を抜けてレヴァント地方南部に入ったか、紅海南端のバブ・エル＝マンデブ海峡と呼ばれる狭い海の通路を泳いでか、筏に乗って今のイエメンに達したかした、と考えている（図三・一）。この海の通路の幅は、現在は二九キロあるが、氷河期の海面低下で海面が最も低くなった時はもっとずっと狭まっていたか、短期的には陸化していたかもしれない[2]。

逆説的だが、更新世の氷河期に海水準が低下し、バブ・エル＝マンデブ海峡が十分に狭まっていた時、周辺の陸域の気候は、世界の水蒸気が氷床に捕らえられていたため極端に乾燥していた。そうした時期なら、シナイ砂漠のみならずサハラ砂漠もアラビア砂漠も、ヒト族の通り道としては適さなかっただろう。反対に、間氷期の高多雨条件の時にはこれらの砂漠が緑で覆われ、動物に魅力的になったが、その時はバブ・エル＝マンデブの海の通路は、容易にヒトが渡れないほど幅広となった。

バブ・エル＝マンデブ海峡の海水準が高い時でも、ヒトがある種の浮遊体、海に浮かぶ丸太だけでも備えていたら、問題はなかったかもしれない。この考えは、一〇〇万年前にホモ・フロレシエンシスの祖先がずっと海に囲まれていたフローレス島に到達したことを考えると（この後の章で取り上げる）、ばかげたことのようには思えないだろう。しかしフローレス島に関しては、二〇〇万年前のアフリカとアジアを関連づけるそうした出来事の背後の正確な環境については推測しかできない。

初期の出アフリカ：何回か？

ホモ属の先史時代、ミランコヴィッチ・サイクルで強制された多数回の更新世気候変動循環があったため、この間に、前期更新世と中期更新世のヒト族は、アフリカを出て、レヴァント地方やユーラシアの他の地域に遊動できたし、その逆もあったかもしれない。だから、次のように問うてもよいだろう。いったい何回、実際に初期ヒト族は出アフリカをして、あるいは同じルートで舞い戻ったのだろうか？[3] ヒトと哺乳類の進化についての化石記録も分子記録も、特に高頻度の移住のあったことを示してはいない。ただ、記録にはたくさんの欠落があるので、確実に知ることはできない。ヒト族化石だけにこだわるとすれば、多くの古人類学者により、ヒト族は二、三回しかアフリカを出て行っていないと言われるだろう。更新世全体で、ミランコヴィッチ・サイクルが示唆するかもしれない二〇回以上ではないしかし部分的で分散している化石記録は、それよりはるかに大きな複雑さから成る記録を平均化している可能性はあるのだろうか？ アフリカからアジアへというヒト族の移住、そしてその逆向きの移住は、更新世間氷期の間、現在明らかになっているよりはるかに多数回あったのか？

この疑問に対して、二つの相反する可能性のある回答がある。そしてこの段階で私は、どれが正しさに最も近いか誰かが分かるのかに疑問を持つ。一つは、直接の証拠はないがヒト族の先駆者は、前期更新世の間、特に湿潤な間氷期に、ナイル渓谷を下る経路を通り、サハラ砂漠を通り抜け、シナイ半島を渡って、あるいはバブ・エル＝マンデブ海峡を突破し、アフリカからアジアの熱帯地方と温帯地方に、多数回の移住をしただろうという可能性を受け入れることができる。アフリカ起源のハイエナ、カバ、羚羊類、バッファローの中期更新世と後期更新世の化石が、イスラエルとアラビア半島の古代湖の近くで、ヒト族のかなり新しい種の手で作られた石器と共に見つかっている。それらの化石は、そうした動物の移動がしばしばなされていたことを物語る。ただし彼らは、遠いアジアへの進出はしていなかったようだ。[4] しかし早期ヒト族に対しては、化石記録は確実さを与えるほど十分には詳細ではない。そして移住の間のそれぞれの間隔は、ヒト族の頭蓋と顔面で何か重要な進化的な変化をうかがうにはあまりにも短すぎて、古人類学者の目にはたぶん検知できないだろう。

出アフリカでの多数の移住というこの楽観的な見方に対して、注意を喚起させる二つの反対意見がある。第一は、前期更新世のヒト族は、たった一回だけ移住したようにしばしば思えることだ。[5] 例えばジョージア、ドマニシ――このすぐに後に述べる重要な遺跡である――の一七〇万年前のヒトは、一緒に移入した動物であるアフリカの動物よりもアジア原産の動物の方と共存していた。二番目の重要な課題は、他の動物との競争という問題だ（競争的排除）。ヒトを含む哺乳類は、競争相手となる可能性のある種がテリトリーに入ってくることを容認してくれるなら、もしくは移住者が一定の遺伝的な、あるいは行動上の長所を持っているのなら、新しい地域に腰を落ち着けられるだけだ。アフリカからアジアへというシナイ半島の陸路は、狭い瓶の首でもあり、移住者になるつもりのヒト族にいつも魅力的な土地だったわけではない。特に乾燥した氷河期なら、そうである。

競争相手という要因は、アフリカを後にした最初のヒト族移住者にとって問題ではなかったかもしれない。なぜならアジアには他のヒト族競争者がいなかっただろうからだ。さらにアジアの動物たちは初めは人類に無防備であったろう（言い換えれば、見慣れない二足歩行の捕食者に直面した時も、逃げるのに適していなかった）から、ヒト族移住民の食料として簡単に殺されてしまっただろう。しかしこの利点は、先行者より遺伝的に長所を高めた後続の移住者たちが到着したとすれば、損なわれただろう。例えばそれは、ユーラシアに侵入してきたアフリカ起源のホモ・サピエンス移住者は、最後には後期更新世にユーラシアに土着化していたネアンデルタール人と置き換わった時に起こった。ただ前期更新世に関しては、この可能性はあまりなかったように思われる。だが考古学的証拠は、私たちに何を教えてくれるのだろうか？

前期更新世ホモが北アフリカとアジアに到達

サハラ以南のアフリカにいて、そこから脱け出たホモ属の最古のメンバーに移動については、まだ学ぶべきたくさんのことが残っている。だがそれでも、彼らが出アフリカしたことは分かる。二、三の重要な発見が、このことをはっきりさせる。

第一に、何者かが南からサハラ砂漠を縦断したのだ。サハラ砂漠を超えた、アルジェリア、アトラス山脈の北端にあるアイン・ブシェリ遺跡（図三・一に位置を示してある）の河成層の二四〇万～一九〇万年前と年代推定される地層から、石器と肉を切り離す際に付けられたカットマーク付き獣骨が出土している。(6) 石器は、サハラ以南のアフリカの同時代の遺跡で見られるのと同じ「オルドワン」石器インダストリーに属する。この名前は、タンザニア、オルドゥヴァイ峡谷の考古学的地層で発見された多くの石器出土地にちなんで命名された。オルドワン石器は、石核を打ち欠いて、一方の端かその周囲に真っ直ぐな刃か鋭く尖った刃を作り出した基本的には大型の石器で構成される。これらの礫石器は、製作途中に石核から打ち剥がされた、切るのに役に立つ鋭い刃の付いた大量の剥片と共に見つかる。ヒト族のテクノロジーと骨から肉を切り取っていたことの最初の証拠として、これらの石器はヒト族のある種（アイン・ブシェリ遺跡ではまだヒト族の化石は見つかっていない）が、現在の砂漠のサハラを通り抜けた道を示している。この移動は、アウストラロピテクス属後期から初期ホモへの移行の間に起こった。しかしこの時期に、直接、アフリカから地中海を抜けてヨーロッパに入ったことを示すヒト族による移動の証拠は全く無い。ジブラルタル海峡は、更新世にはいつも少なくとも一〇キロはあったし、今では一四キロもある。

アジアには、もう一つの物語があった。二〇〇万年前より前に、ヒト族は事実上、中国北部の北京辺りの高緯度に到達していた。シナイ半島を通り抜け中央アジアの人を寄せ付けないような砂漠と山岳地帯を通過する、気が遠くなるほどの八〇〇〇キロメートルの道程を突破して。その証拠は、陝西省藍田県にある黄河に近い上陳遺跡で出土していて、その年代は二四〇万〜二一〇万年前である。アイン・ブシェリのように、この遺跡からもオルドワンに似た石器群が出土しているが、やはりヒト族化石は全く出ていない(7)。

今日の北京は、冬の真っ最中ならほとんど暖かくもないし、心地よくもない所だが、上陳遺跡の発掘調査者は、この一帯の早期ヒト族は比較的温暖な気候の時代にここに暮らしていたと推定した。たぶん彼らは寒さから逃れたい時には南方に避寒したか、体を動物の生皮（毛皮の内側）を自らの体をくるんだかして、おそらく火を焚き、避寒所として洞穴を利用して寒さに耐え、食に十分な脂肪、骨髄、炭水化物、ビタミンを摂って生存を確保したのだろう(8)。私は、彼らはその両方（南方への避寒と寒さに耐えたこと）を行ったのではないかと思う。好みの獲物動物を追って、南方に移動していっただろう。

上述したように、最初のユーラシアへの移住者が肉を得るためにいつも狩りをしていたとすれば、土着のユーラシアの獲物動物がヒト族に対して無警戒であったというさらなるメリットを享受しただろう。[9] ユーラシアへの最初の植民者たちは、この状況にうまくつけいることができ、新しい景観の土地をすばやく通過し、たやすく獲得できる肉という食資源の幸運を享受することにより人口増を促せただろう。その後の植民者たちは、初期移住者のような順当な旅ではなかったかもしれない。サハラ以南のアフリカとユーラシアの双方の哺乳類は、腹を空かしたヒト族の存在に慣れていたので、この点で隙を見せるようにはならなくなっていたに違いない。最初のアジアのヒト族は、おそらく比較的短命の大当たりをしたのだろう。

アイン・ブシェリと中国の黄河河畔の遺跡での上記の発見は、ヒト族の先史時代で出アフリカの最初の移動がどれだけ早くなされたのかについて私たちの目を開かせた。しかしこれら二つの遺跡のどれからも、ヒト族の骨が出土していない。石器製作者の骨については、私たちは時間にしておよそ五〇万年間、新しい方向に繰り上げなければならない。その遺跡は、ジョージアのドマニシで、木々に覆われた緑のコーサスの景観の中の、廃墟となった修道院の壁に囲まれた中に刺激的な形で位置していた。

二〇一七年、私は妻のクローディアとともにこの遺跡を訪ねることができた。目的は、発掘調査者が肉食獣によって骨が集積されたとみなす五体のヒト族の頭蓋の見つかった場所の正確な位置を確認するためだ。そのヒト族は、愚かにも彼らが犬歯ネコ、オオカミ、ハイエナのそばで暮らしていたことから考え、ひょっとすると死肉漁りをしていたのかもしれない。[10] それらの頭蓋は、一八〇〇万年前頃に流れ出たデコボコした玄武岩溶岩流の表面の直上にある火山灰層から発見された。したがって、彼らは一七〇〇万年前頃に生きていたと推定されている。

五点のドマニシ頭蓋は、注目に値する。彼らの脳容量は、みな小さく、五五〇〜七三〇立方センチしかない。この点で、彼らは東アフリカと南アフリカの二〇〇万年前頃の年代の最古のホモ属化石と似ている（図二・五、第二列）。大きく突出した顔面と眼窩上隆起を備える彼らは、発掘調査者たちによって前期更新世ホモの単一の種に帰属するとみなされた。そして様々な古人類学者によってホモ・エレクトスともホモ・ゲオルギクスとも様々に呼ばれた。頭骨以外の骨から、ドマニシ人の身長は、ほぼ同時代のアフリカのトゥルカナ・ボーイの類縁の成人男性よりやや短身長の一・五メートルくらい、と考えられている。アフリカと中国の同時代者のように、彼らも動物の骨から肉を切り取るためにオルドワン型石器を用いていた。しかし彼らの口腔衛生に関しては素晴らしいとはとても言えない。ある個体は、完全に歯を欠いていて、おそらく柔らかい（調理済みの？）食物しか食べられなかっただろう。

ドマニシ頭蓋は、アルジェリアと中国から出土した最古の石器と主張されるものよりたぶん五〇万年は新しいので、この集団をサハラ以南のアフリカから出た最初のヒト族を直接代表していると見るのは軽率かもしれない。しかしそれでも彼らは、最初の出アフリカした移住者がどちらかと言うと小さな脳を持ち、短身長であったことを強く訴えている。彼らは、サハラ以南のアフリカから得られたこの時代の記録をしのぐ豊かな化石記録を代表しているのだ。

ホモ・エレクトス：中国とジャワに到達して

現在のところ、ドマニシを通り過ぎた地の最古のヒト族化石は、ヒト族の遺物が驚くほど豊富に残る地域である中国にある。その最も有名なホモ・エレクトス化石、すなわち「北京原人」として誰もが知る化石は、古ければ八〇万年前に遡り、北京近郊の周口店の角礫岩で埋まる洞窟から出土している。これらの化石は、平均で一〇〇〇立方センチの脳容量を持つ。大きな脳を持った中期更新世ヒト族（第四章で詳述する）のそれに匹敵する。

しかし中国からは、さらに古いヒト族化石が出ている。陝西省の藍田出土の、おそらく一六〇万年前頃の年代の前期更新世頭蓋が、その例だ。そこは、黄河中流域に近く、上述した上陳遺跡から遠くない。この頭蓋は、通常はホモ・エレクトスとされる。しかし七八〇立方センチしかない脳容量は、ほんのわずかに古いドマニシ人骨のそれとぴたりと合う。ほぼ一〇〇万年も年代的に離れているが、藍田と周口店のヒト族は、ホモ・エレクトスの持続版にすぎないのだろうか？　それとも両者は、別種なのか？　この疑問については、後でまた立ち戻る。

インドネシアの南半球のジャワに達した最初のホモ・エレクトス集団（「ジャワ原人」、すなわちウジェーヌ・デュボワの見つけたピテカントロプス）は、深い熱帯雨林の広がる赤道を縦断してジャワにたどり着くことができた。[11]そこは、食料を収集する狩猟採集民にとって必ずしも暮らしやすい環境ではなかった。なぜなら大半の食資源は地上より高い所に存在するからだ。しかしもっと新しい一部の人類集団は、これらの環境条件に適応し、繁栄した。ただし罠猟技術を備えていれば、だが。だからやって来た初期ヒト族は、開けた土地を好んだと思われる。

ジャワは、現在は島である。しかし氷河期にはスマトラを経由してアジアと繋がっていて、陸化したスンダ陸棚となっていた。もし最初の移住者たちが氷河期の低海水準期を待ち、陸化したスンダランドに歩いて渡っていたとしたら、乾燥した気候条件により熱帯雨林の中に開けた草原の通廊をうまく利用できたのだろう。[12]そうした景観は、野牛、ステゴドンのようなゾウの仲間、シカといった大型動物を狩猟できる好機をもたらしたと思われる。しかしジャワの考古記録は、保存条件の悪さのためにヒト族化石とヒト族に狩られた動物たちとを直接関連付ける証拠が見られない。

ヒト族が初めてジャワに到達した年代も、不明確である。中部ジャワ、サンギランの化石包蔵地に対する最も最近の年代推定図式では、ヒト族の到達年代をせいぜい一三〇万年前頃に置くが[13]、他の遺跡の年代を基に一八〇万年前のようにはるかに古く遡らせる古い年代値を主張する意見もある。ジャワのホモ・エレクトスに関しては、年代系列とジャワでなされた数多くの発見の不正確な層位学的状況という問題がある。

図三・一で、前期更新世ホモ、特にホモ・エレクトスのアジアを通る一般的な移動方向について最も確かだと私が考えている図式を示した。しかし疑問は、依然として残る。一〇〇万年前より前にどれだけ多数回のヒト族の出アフリカ移動が起こったのか、だ。一回、二回、それとももっと多くか？　マルシア・ポンス・ドゥ・レオンらは、脳の頭蓋内鋳型の輪郭を基に、ドマニシ集団はジャワのホモ・エレクトスよりも原始的な前頭葉組織をしていた、と推定している[14]。この状況を説明するには出アフリカの二回の移住が必要ではないか、と彼女たちは問う。一回目はたぶん二〇〇万年前頃、そして後のもう一回は一六〇万年前頃に起こったのではないかという。この可能性を、私は図二・四で示した。そしてその余波はホモ・エレクトスばかりでなく、フローレス島とルソン島の小型ヒト族にも及ぶので、それを図三・二で展開している。それでは、フローレス島とルソン島のヒト族に話を進めよう。

フローレス島の謎

初期人類は、スンダランドの東端に達し、バリ島とボルネオ島の向こうの陸橋のない海に直面した時も、特に遠くの島々の水平線上に頭を出す火山の頂上を遠望できた時は、停止しなかった。それでもジャワの先を超え、インドネシア南東部のヌサ・トゥンガラ諸島にあるフローレス火山島にたどり着くのは、陸化していたスンダ陸棚を横断するよりずっと難しかったに違いない。これは、フローレス島への到達は、アジア大陸からは海洋を渡ることが常に二回以上必要だったろうから、だ。海面が低下していた氷河期の時でさえも、それは必要だった。

しかし何らかの形で、ともかくこの航海はなされた。可能性も含めて一〇〇万年以上も前に。フローレス島は、アジアとオーストラリアの間のワラセア（Wallacea）として知られる生物地理学的な島嶼地域にある。ワラセアとは、チャールズ・ダーウィンと同時代者である一九世紀の博物学者アルフレッド・ラッセル・ウォーレス（Wallace）にちなんで命名された。ワラセアは氷河期にも決して陸橋で繋げられることはなく、またその全体は火山列島の地殻変動で海底から突き上げられた島嶼と列島で構成されている。そしてそれらの島々は、深海によって隔てられている。

二〇〇四年、フローレス島西部のリアン・ブアと呼ばれる洞窟で、完全に近い、しかし小さなヒト族骨格の発見についての最初の報告が公刊された。その骨格は女性のもので、明らかに水たまりに顔をつけて亡くなった。彼女の骨格は、オルドワン類似の石器と主に若いピグミーステゴドンから成る獣骨群と共に発見された。その骨には、肉を切り剝がしたことで付けられたカットマーク（切り傷）が付いていた。ステゴドンは、現生ゾウに似た鼻の長い動物で、インドネシアでは後期更新世に絶滅していた。

フローレス島で彼らは、小さな島の環境の中で、食資源の限られる世界中の多くの小さな島で大型の哺乳類に影響の及ぶことが知られている過程を経て矮小化したようだ（しかしネズミのような小型哺乳類は、より大きくなる）。

その骨、ホモ・フロレシエンシスが初めて発見された時、洞窟内の放射性炭素年代測定法で、彼らは一万二〇〇〇年前頃まで生存していたと考えられた。発掘調査者たちは今では、その年代はリアン・ブア堆積層序の当初の解釈を間違えたと考えている。その地層は、浸食の後に続く再堆積の過程を通して、洞窟内で不連続的に堆積されたのだ。その後、放射性炭素年代測定法とは別の地質学的方法で年代推定する計画により、二個体以上（そして洞窟内で発見された別のヒト族の骨から考え、おそらくは八個体という多数で構成されていると分かったので）、ホモ・フロレシエンシスはリアン・ブアで一九万五〇〇〇年から五万年前に暮らしていたことが明らかにされた。そしてその後、彼らは絶滅した。[15]

フローレス島中部のマタ・メンゲのような開地遺跡での最近の調査で、さらに小型のヒト族の骨（小さな下顎骨を含むが、頭蓋部分はない）が発見された。おそらくリアン・ブア集団の祖先なのだろう。それと共に、石器とステゴドン、コモドオオトカゲ、ジャイアントコウノトリなどの多くの骨も見つかった。これらは、一三〇万〜七〇万年前と年代推定された地質学的包含層から出土している。今のところこの島で、この年代より古いヒト族の存在の印は見つかっていない。[16] ホモ・フロレシエンシスとその祖先の可能性の高いヒト族は、かなり高い確度で他のすべてのヒト族の暮らしから隔離され、フローレス島でおそらくは一〇〇万年以上暮らしていた。このことは、その小さな脳サイズからも明白である。例えばホモ・エレクトスなどの脳の大きなヒト族と遺伝的な交雑が行われていれば、脳サイズはもっと大きくなっただろうからだ。

ホモ・フロレシエンシスの存在に対して、その極端に小さな身長、体重、脳サイズ（それぞれおよそ一〇六センチ、二八キログラム、四二〇立方センチ）、そして骨盤、手（特に手根骨）、長い脚――そのすべてはリアン・ブアのヒト族の比較的新しい年代から想定されるヒト族像とかなり外れている――から、二通りの説明が思い浮かぶ。古人類学者のデビー・アーグらが支持する一つの説明は、リアン・ブアのヒト族の祖先は、ホモ・エレクトスとは別の、脳の小さい前期更新世ホモ起源集団から派生し、彼らはフローレス島の孤絶の中で、一〇〇万年以上にわたって小さな脳を維持したというものだ。[17]

この説明は、ヒト族の足の骨についての最近の研究によると、可能性が高いように思われる。ホモ・フロレシエンシスの足の骨は、形がエチオピアのアウストラロピテクス・アファレンシス（例えば「ルーシー」）とドマニシ集団を含む前期更新世ホモの中間形だったことを推定させる。[18] しかし最初のヒト族がジャワ島とフローレス島に一三〇万年前より後に到着したことを示す、両島のヒト族の最近出された年代証拠が正しいとすれば、アウストラロピテクス属はこの時までにおそらく絶滅していたので、その年代は、アウストラロピテクスの祖先からの直接の子孫にしては新しすぎる。

第二の説明は、スンダランドのどこかから渡って来た大きな体躯をしたホモ・エレクトス植民者が上陸した後に、ステゴドンの例のように、子孫であるホモ・フロレシエンシスはフローレス島で身体と脳を全体的に矮小化させたというものだ。この説明は、赤道を超えて南半球にヒト族が渡ってきたとする一三〇万年前という年代に整合するだろう。だがこの推定は、長くなった脚という特徴が、先行するアウストラロピテクスの状態に戻る進化の逆行として説明できないとするなら、その特徴を説明できない。

すぐ後で見ることになるように、第一の仮説、すなわちフロレシエンシスはアウストラロピテクス的な諸特徴を残した小さなヒト族の早期の渡来とその後の長大な時間幅でワラセア内での遺伝的孤立が続いたことを物語ることを裏付けると思われる新しい証拠がフィリピンからもたらされている。もしこれが正しければ、ジャワとワラセアのヒト族渡来年代を一三〇万年前より十分前に置くことができそうだ。上述のように、脳の頭蓋内鋳型に基づいて、上記のようにアフリカからユーラシアへの二つの移住があり、最初の波はドマニシ集団を生み出し、二番目がジャワのホモ・エレクトスとなったかもしれないという最近の推定も述べた。図三・二でほのめかしたように、最初の波のその後はフロレシエンシスの説明となるかもしれない。しかしこの課題に関して確実なことは言いにくい。

もう一つのフローレス島の謎は、ピグミーステゴドンに関するものだ。島にいた彼らの祖先は、フロレシエンシスと共存していた集団よりも体が大きかった。したがって彼らの矮小化は、インドネシア東部の海に守られた島への明確に局地的な適応であった。しかし、おそらくステゴドンの肉を食べていたと思われるフロレシエンシスは、島の狭さと一〇〇万年間ものヒト族―ステゴドン共存を考慮すると、なぜすぐに彼らを絶滅させなかったのだろうか？　ホモ・サピエンスなら、ほぼ間違いなく彼らほどステゴドンに思いやりは持たなかった。

興味深いことに、アフリカとインドネシアの大型草食獣の絶滅についての最近の研究成果は、そうした絶滅に早期ヒト族は必ずしも常に責任があったわけではないこと、気候変動は草食獣の植物性食資源に影響を与えたので気候変動こそずっと重要だったことを示している。(19)たぶんフロレシエンシスは、気弱な狩人か、肉という主要な食資源であったはずの動物を殺し尽くさないほど賢かったかなのだ。直接にステゴドンを狩猟したか、コモドオオトカゲによって殺された個体の死肉漁りをしたか、いずれかであるにしろ。

だがあらゆる謎の中でも最大の謎は、これらのヒト族がどうやってフローレス島にたどり着けたかという疑問である。フローレス島は、ジャワやアジア大陸のいずれとも陸橋で直接に繋がったことはない。そのことは、フローレス島の更新世の考古遺跡で発見された獣骨中に、シカ、イノシシ、野牛、サイ、トラなどジャワの陸棲動物が存在しないことを見ても分かる。ステゴドンは、本当のゾウ（本当のゾウが偶然にフローレス島にたどり着いたことはない）のように、自分の鼻をシュノーケルのように使って、泳いで海を渡れた。古人類学者のマドレーヌ・ベーメは、小型ヒト族はたぶん島の間を泳ぐステゴドンの背に乗って渡海しただろうと推定した。想像力に富むシナリオだが、残念なことに、その検証は誰にとっても容易ではないのだ。[20]コモドオオトカゲは、地質時代のはるかに古い時代に、オーストラリア大陸の切れ端の大陸移動を通じてインドネシア東部の火山列島に到達した。

だから前期更新世に、かつて誰一人としてジャワ島やバリ島からフローレス島に歩いて渡った者はいなかった、と結論づけねばならないし、その件に関しては、どんな時でも陸橋は存在したことがなかったのだ。ヒト族は、フローレス島にはともかくも舟で行かねばならなかった。小スンダ（ヌサ・トゥンガラ）列島間の北から南への海路は、強い海流が流れているので、考古学者たちは現在は、ホモ・フロレシエンシスは北方のスラウェシ島を経由して到達した公算が最も大きいと考えている。更新世の低い海水準期に陸化していた中間の島々の間の海路を渡って、フローレス島に到達したのだろう。

しかし、スラウェシ島それ自体もワラセアにあり、スンダ陸棚とは同様に乾いた陸地で繋がったことがないと分かれば、話はさらに謎めいてくる。スラウェシ島に達するには、フロレシエンシスの祖先は、スラウェシ島をボルネオ東部から隔てるマカッサル海峡という常に海峡として存在していた所を渡る必要があった。現在、スラウェシ島には、タレプという遺跡で二〇万〜一〇万年前の年代を持つ石器群により人類の居住を示す証拠がある。だがヒト族の化石は、ここからは未発見である。

フロレシエンシスの英雄伝説は、今もなお謎に満ちている。たぶんこの小さな人類は泳ぐことができ、彼らの軽い体重のために、ホモ・エレクトスのような体重の重いヒト族よりも丸太か植物の分厚い重なりの上に乗ることを可能だったのだろう。謎の答えが何であろうと、一〇〇万年前より前にフロレシエンシスが何らかの形でフローレス島に到達したことは、ホモ属の前期更新世の歴史上、最も傑出した出来事の一つとして存在しているのである。[21]

ルソン島、フィリピン諸島

東南アジア島嶼部の小型人類についての物語は、これが終わりではない。フロレシエンシス発見よりさらに後に、やはりワラセアの一部であるフィリピン諸島での発見が報じられた。見つかったのは、アウストラロピテクス的な諸特徴の残るもう一つの小型ヒト族に由来する数点の骨の破片と歯から成る。これらの遺物は六万年前より前という推定年代であり、したがってフローレス島ルアン・ブア骨格とほぼ同時代の後期更新世のものということになる。これらの骨は、ルソン島北部カガヤン渓谷のカラオ洞窟で発見された。洞窟遺跡は、以前の私の学生であるフィリピン大学のアーマンド・ミハレスによって発掘された。[22]フローレス島とスラウェシ島と同様に、フィリピン諸島（パラワン島を除く）も東南アジアの大陸と陸橋によって繋がったことはない。ルソン島には、海を漕ぎ渡ることでしか到達できなかった。

カラオ洞窟の洞窟基盤の水成堆積層中のヒト族の骨には、石器は伴わなかった。だが人骨にはシカ、イノシシの少量の骨が伴い、野牛の一種の骨には石器で付けられたカットマークが付いていた。これらの骨は、まだ位置が突き止められていない洞窟外の場所から洞窟内に水で流されてきた。興味深いことに、ホモ・ルゾネンシスの残った足の骨から、ホモ・フロレシエンシスのように彼らもアウストラロピテクスのような足の把握能力と木登り能力をある程度維持していたように見えることだ。そのためたぶんこの種も、出アフリカの早期の移住の波の子孫で、フローレス島のヒト族を生み出したのと同一のヒト族だったかもしれない。

フローレス島のようにルソン島も、カガヤン渓谷の他の遺跡で、カットマーク付きの動物の骨（だがヒト族の骨は出ていない）を伴う七〇万年前頃の年代の、カラオ洞窟よりはるかに古い中期更新世ヒト族の存在の痕跡を残している。残された獣骨として、絶滅した中期更新世のイノシシ、シカ、野牛、サイがある。[23] これらの大型哺乳類は、フローレス島には到達していなかったが、ゾウほどではないが、全種とも短距離なら泳げる。これらの動物は、ボルネオ島東部からパラワン島を経由して一時期は狭くなっていた海峡を泳いでルソン島に達した可能性が高い。

ワラセアの小型人類の祖先は、重要なメッセージを伝えている。彼らは、どのようにして海を渡ったか正確なところはまだ分かっていないが、ともかくも短距離なら海路を渡ることができた。そうした壮挙で彼らは、一〇〇万年前かそれ以前かに明らかにフローレス島、スラウェシ島、ルソン島に到達できたのだ。[24] しかし明確に一〇〇万年間維持された、これら集団の小さな体格は、そうした渡海がたびたびなされたものではなかったことを推定させる。彼らは、スンダランドの大型ヒト族のいとこと直接の相互接触をほとんどもたず、遺伝的に際だって孤立していたように思われるのである。

ホモ・エレクトスとその同時代者の石器

本章で取り上げたユーラシアの前期更新世ヒト族のすべての種について一つの重要点は、彼らの骨に上述したオルドワン型石器インダストリーを伴うことである。ホモ・ルゾネンシスの骨にはまだ石器の共伴は報告されていない。だがルソン島カガヤン渓谷の他の遺跡からの考古学的な発見物は、彼らがオルドワン型に類似した石器を持っていたことを推定させる。

そのようなオルドワン型の石核と剥片石器（あるいは一部のロシアの考古学者に従えば「ドマニシアン」石器）は、アフリカとユーラシア両大陸の多数の考古遺跡で九〇万年前という比較的新しい時代まで、なお主役として製作されていた。オルドワン型石器の製作は、実際に決して止むことはなかったし、更新世末、そして世界各地で農耕民集団が出現するまで、より新しい、もっと複雑な形をした石器と並んで、なお製作され続けた。明らかにオルドワンは、ヒト族が行うのに必要な仕事をこなすことができる完全に機能的な石器インダストリーだったのだ。根気とスタミナを備えた二足歩行のヒト族は、両足で長距離を移動する能力を得て、これらの石器を持って彼らが望むように狩猟と採集を行った。ヒト族各種がユーラシアに進出した時に起こった陸上の行動範囲の大きな広がり——霊長類の他の種によって達成された行動範囲をはるかに超えた——は、オルドワン型石器の使用と関係があったのだろうか？　私はそうだったと推定する。

これにもかかわらず、根源的なことが、一〇〇万年前頃のアフリカとユーラシアのヒト族各種の石器製作技術に変化が起きようとしていた。石器の製作技術に関しては、次章で前期更新世ホモが一〇〇万年前より以前にアフリカを発ってから考古記録に現れた最初の大きな製作パターンの転換、アフリカとユーラシアの大きな部分で見出された変化を見ていく。考古学者たちは、この新しい石器製作技術をアシューリアン（アシュール文化）と呼称する。それは、人類の現代化への進化という次の主な舞台の間、かなり重要になった。いよいよ中期更新世にアプローチし、大きな脳を備えたヒト族各種という新たな配役を舞台に上げる時である。こうしたヒト族には、ネアンデルタール人、デニーソヴァ人、中国北部の新しく発表されたハルビン人といった大きな脳を備えたユーラシアの祖先、そして特に重要なのは私たちのような現代人にとっての推定されるアフリカでの祖先が含まれている。

第四章　新しい種の登場

本章では、オデッセイの第Ⅱ幕の第二部を考察する。中期更新世のアフリカとユーラシアの主役となった脳の大きなヒト族の出る舞台だ。遺伝子の証拠は、アフリカからの拡大の主要なものがホモ属の中で起こったに違いないことを明らかにしている。それは、究極的にホモ・サピエンス、ユーラシア西部のネアンデルタール人、アジア東部のデニーソヴァ人を出現させるに至ったことを説明してくれる。DNAと年代の分かっている頭蓋の形態的特徴の比較に基づいた最新の年代計算は、主な上記三種の共通祖先を、新しく見ても六〇万年前、たぶん一二五万年前という古い時代まで遡らせる（図四・一）[1]。

しかしこの三種で、話が終わるわけではない。私が本章を書いている時でさえ、ホモ・サピエンス、ネアンデルタール人、デニーソヴァ人という三つの人類も、全貌がよく分かっていない氷山の一角でしかないことがますます鮮明になりつつあるのだ。古人類学者は、主にわずかで断片的な化石骨から知られているだけの、この年代頃の他の数種のヒト族も論じている。それらに含まれるものとして、スペインのホモ・アンテセソール、ホモ・ハイデルベルゲンシスと呼ばれるアフリカとユーラシアに広範囲に分布するたくさんのグループ、中国北部から新しく発表された「ハルビン人グループ」、そしてイスラエルから報告されたおそらく別の種（それについては第五章で述べる）などがある。後の二つは、私がこの章の最後の仕上げに取りかかっているまさにその時に文献で発表された。素晴らしく洒落た絵として私たちが見ているだろうことが、ある日新しい発見でその絵が急速にぼやけたものになりかねないこと

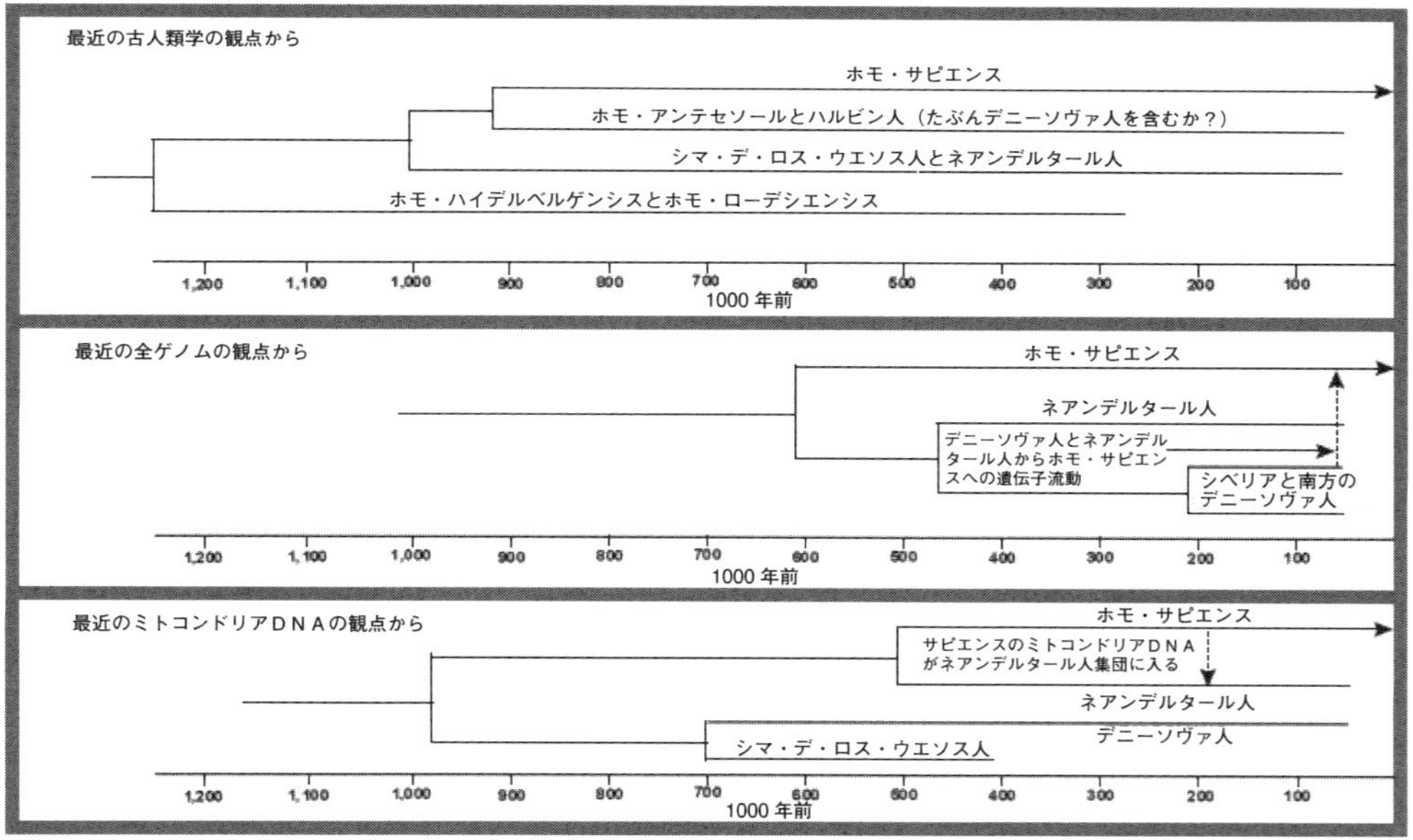

図 4.1　ホモ・サピエンスとユーラシアの脳の大きな中期更新世と後期更新世の同時代者との進化的関係。（上）古人類学（頭蓋形態）の観点から、ホモ・アンテセソールとハルビン人／デニーソヴァ人とホモ・サピエンスのクラスター。（中央）全ゲノムによる観点から、デニーソヴァ人などとのクラスター。（下）ミトコンドリア DNA の観点から、ホモ・サピエンスとのネアンデルタール人のクラスター。この図の出所については、本章の注 1 を参照。これらの図は、誤差の範囲を示さずここに提示されているので、年代はおよそのものと受け取っていただきたい。

を例証したのだ。

前期更新世後葉と次の中期更新世は、両時代が一緒になって人類進化の研究に困難で複雑な時代となっている。完全な骨格の欠如、関連する化石の多くが断片的という特質、特に年代に関して驚くほど変転する推算によって、研究がより難しくなっているのだ。可能性のある上記七つの種のリストが問題の最終的な決着をもたらすと期待して望む人たちに対して、後期更新世に十分に入った、たぶん五万年前というつい最近まで、東南アジアがホモ・エレクトス、ホモ・フロレシエンシス、ホモ・ルゾネンシスの各集団の隠れ場となり続けていた。その時にホモ・サピエンスは、その時点で暮らしていたヒト族の世界全体を本格的に支配することに取りかかった。実際まだ、南部アフリカにホモ・ナレディと呼ばれるもう一つの脳の小さな種もいた。現在、私たちは少なくとも一一種ものヒト族がいた可能性に直面しつつあるのだ。ある者たちは他の者たちよりもうまく生き延びた。そしてすべての種が中期更新世のある時点で生きていたのだ!

どの種がどの種の母体となったのか? その謎は、現代古人類学の難題として立ちはだかる(アレクサンダー大王の崇拝者は、この隠喩を理解するだろう〔ギリシア神話に登場するフリギアの王ゴルディウスによって結ばれた結び目 the Gordian knot を解くという難題をアレクサンダー大王が剣で両断して解決したという故事に基づく〕)。最初から私が指摘しなければならない要点は、次のことだ。印象論だが、ホモ・サピエンス、ネアンデルタール人、デニーソヴァ人の共通祖先の約一〇〇万年という時間幅は、ホモ属の約二五〇万年という時間幅よりははるかに短いということだ。これは、ホモ・エレクトスの時代が新しいヒト族の種の拡大によりアフリカとユーラシアの大部分で終止符を打たれたということを私たちにはっきりと教えている。

私は図四・一で、現在の状況についてある考えを提示しようと努めてきた。それは、主な出演者を時代と空間という枠組みに位置づけ、現在、彼らが知られている限りの相互の関係を示すことだ。その図式の情報は、複雑な統計的方法で処理された三つのデータ源によって与えられる。すなわち頭蓋の形態的変異、ホモ・サピエンスと絶滅ヒト族との全ゲノムの比較、そしてミトコンドリアDNAハプログループの同様の比較、である。

この三つの情報源は、似た結果をもたらすが、決して同じ結果とはならない。一つの困難な問題は、おそらくユーラシアでホモ・サピエンスの初期集団との交雑の結果、ネアンデルタール人が一七万年以上前にミトコンドリアDNAのハプロタイプを変えられてしまったらしいことだ。これは、ミトコンドリアDNAではネアンデルタール人はサピエンスとクラスターを作るが、全ゲノムでは彼らはデニーソヴァ人とクラスターを作らないということを意味する。形態的な比較から導き出された年代は、遺伝子からのそれよりもいくらか古くなることも明らかになっている。人類の祖先・子孫関係は、決して単純ではなかったのだ!

第Ⅱ幕の後半部に舞台に登る出演者たちすべての検討に取りかかる前に、人類進化の素敵で汚れのない系統樹を好む人たちに対してはっきりしない状態である課題を紹介したい。古人類学者たちによって古代の骨から作られた分類区分の命名という観点で、正確に「種」とは何だったのか? ヒト族の種とは、種という境界の内部だけで純粋に繁殖する排他的な一種のクラブだったのか? それともその境界は突破されやすいものだったのだろうか?

人類進化の過程の理解

人類の先史時代に関する限り、全般的に二〇〇〇年より後の発展である古代DNAの回収と解析が進む前、古人類学者と考古学者は人類進化をどのように解釈すべきかに関して、二つの陣営に分かれる傾向があった。その対立は、次のような大きな疑問に関係していた。人類の過去を、どのようにしたら最も良く理解できるか――すなわちいかなる時代にあっても化石人類集団は地球全体で単一の種にまとめられるのか、それとも彼らを多数の種に分けるべきなのか、という問いだ。

つまりこういうことだ。いつ、いかなる時でもヒトは一種だけしかいなかったというヒトの住んだ世界全体での地域的連続モデルによって、五〇〇万年の人類のオデッセイを最も良く説明できるのか？それともその反対に、幾度もの種分化と、その後に種によっては最終的な絶滅に至る、人類集団間で繁殖の隔離を伴ったモデルの方が、証拠にうまく合うのか？

ミシガン大学の古人類学者ミルフォード・ウォルポフと彼の同盟者であるオーストラリア国立大学のアラン・ソーンにより、一九九〇年代にはっきりと表明された地域的連続（すなわち多地域の）説は、アフリカとユーラシアの人類の居住した地域を通して、いかなる時代でもホモ属はただ一種のみが存在していて、一般的には古人類学者に「遺伝子流動」と呼ばれるが、各地域の人類集団は通婚によるネットワークで結び付いていた、と主張した。彼らは、多地域の集団は種分化しておらず、どれも絶滅しなかった、と信じていた[2]。ホモ・エレクトス、ネアンデルタール人、ホモ・サピエンスは、亜種レベルでの地域的な変異はあるとしても、ある集団から別の集団へという進化上な祖先・子孫関係の途切れない線を構成していたという。

今日、ほとんどの古人類学者は、地域的連続説が確かに機能するのに不可欠の遺伝子流動が南アフリカからジャワとフローレス島まで広範囲に繋がっていたなどあり得なかったということに賛同するだろう。[3]もし遺伝子流動があったとしたら、地域的連続説と正反対に、中期更新世に一一ものヒト族の異なった種があったと私たちは考えなくてもよいことになりはしないか。隣接する集団間の繋がりも、最終的には距離的に遠く離れての生物学的発展に至ると予期してよいだろう。特に自然淘汰で左右される可能性のある繁殖の成功度という点で有利さを持つのなら、なおさらだ。

地域的連続説は、インドネシア、フィリピン、南アフリカの脳の小さなヒト族という障害に直面もする（最後のヒト族については後述する）。彼らの存在については、一九九〇年代に振り返れば、まだ知られてもいなかったし、想像さえされていなかった。これらの種は、極端に小さな脳を持っていた。それなのに、比較的新しい時代まで生存していたのだ。彼らのどれも、遺伝子流動のなかったのが確実な、一〇〇万年から二〇〇万年間にさえ及ぶかもしれない遺伝的な隔離を想像させる。もし大きな脳を持った集団との度重なる遺伝子流動があったのだとすれば、これらのヒト族の脳はどうして非常に小さいままに留まっていられたのか。

ホモ・サピエンスの起源について、最近の議論で支配的になっている、地域的連続説と対立するモデルは、うまく生き延びられた集団が周期的に拡散していき、物理的に先行者と置換したと推定する。ホモ・サピエンスの場合では、置換説はしばしば「アフリカのイヴ」という考えと結びつけて考えられる。アフリカのイヴとは、一五万年前頃にアフリカに住んでいて、すべての現生の人々はそのミトコンドリアDNAを受け継いだというホモ・サピエンス女性に与えられた愛称だ。[4]分子時計でアフリカのイヴに付けられた比較的若い年代は、古代DNAとゲノム（全核ゲノム）解析が登場する前に、彼女のミトコンドリアの遺産は遺伝的混合もなく、特に最近の年代推定では六万〜四万年前に起こったアフリカを突破したホモ・サピエンス拡大の爆発の間に、先行するヒト族のすべての種と置き換わった、と多数の古人類学者に確信させたのだ。

しかしこの置換説も、特に中期更新世と後期更新世に起こった各種ヒト族の間の交雑についての古代DNAからもたらされた比較的新しい知見によって修正を余儀なくされている。遺伝子流動が、種の境界を超えて、特にネアンデルタール人、デニーソヴァ人、ホモ・サピエンスの間で確かに起こっていたのだ。そのことは、後でもう一度もっと詳しく取り上げる。さてこの三種は、現生の東南アジア先住民、西部ユーラシア人、サハラ以南のアフリカ人、アメリカ先住民、オーストラリア先住民が現在のホモ・サピエンス集団の一員であるのと違い、単一の種の地域的集団ではなかった。前記三者は、現生の人々よりはるかに多様性に富んでいた。彼ら古代的な種の間の差異は、数万年どころか数十万年という隔離の時間の長さの反映であった。それにもかかわらず、彼らの間の種間交雑の歴史は、遺伝子流動と絶滅の両方ともが一緒に起こり得たことを示すのである。

だから私たちは、地域的連続説対大規模置換説という二極化したモデルを捨て去らなければならない。遺伝子流動と相互交流は、例えばアフリカ大地溝帯、レヴァント地方で、海岸周辺、主要河川沿いのようなコミュニケーションの回廊地帯で集団を結びつける。しかし東南アジアと南アフリカの脳の小さいヒト族のケースでのように、地理的に、あるいは行動面で隔離された状況下ではそうはならなかった。彼らについては、種の混じりけのない隔絶と究極的な絶滅が、最良の説明になる。

分類に関心を持つ一考古学者として鍛えられた私の見解を言えば、ホモ・サピエンスとホモ・ネアンデルターレンシスといった種名は、どのヒト族化石も前期更新世以降のホモ・サピエンスと単純に分類するよりも、一貫性という大きなレベルで人類進化を説明する助けになる。古代のヒト族の種とは、時には種の境界を突破しやすく、時には境界を封鎖された、ややもすると融通の利く概念であったことを銘記しなければならない。

命名された種と新種の可能性のある種の長大なリストを、いよいよ検討する時が来た。そして第Ⅱ幕の舞台にまさに入ろうとしている。あるものは現物の骨から命名されているし、またあるものは、特にアジアのデニーソヴァ人は、主に古代DNAからその存在が知られている。

ヨーロッパのホモ・アンテセソール

ユーラシアで登場する最古の新種の一つは、そのとおりに適切に命名されたホモ・アンテセソールだった〔ラテン語で「開拓者」の意味〕。年代は、八五万年前頃であり、断片的な人骨化石がシマ・デル・エレファンテ（象の洞窟）とグラン・ドリナという洞窟で発見された。両者とも、スペイン北部のブルゴス近くの、アタプエルカという目をみはるような洞窟群の中にある（図四・二）。ホモ・アンテセソールの身長は一・六メートルほど、ヨーロッパのヒト族としての資格を与えられた最古の化石で、一〇〇〇立方センチの脳容量を持っていた——ほぼ一〇〇万年ほど古いドマニシ人の脳よりもかなり大きかった。このヒト族は、ホモ・エレクトスではなく、新しい人類の先触れであった。

ドマニシの時と同様（第三章参照）、スペインの考古学者ロベルト・サラと連れ立って二〇一一年、私はアタプエルカにも訪れることができた。大きな石灰岩の山塊に開いた、多数の角礫岩で満ちた洞窟で進行中だった発掘を見学するためであった。堆積物の詰まったこれらの洞窟は、かつて開削されていて、

図 4.2　スペイン北部、アタプエルカのグラン・ドリナのかつての洞窟の発掘。堆積層が顔をのぞかせる鉄道建設で開削した一部が、はるか右側に見える。びっしりと詰まった堆積層の上に、元の石灰岩洞窟の屋根も見える。写真は筆者。

一九世紀後半に元の鉱山会社によって掘り出された、今は放棄された鉄道の断面の両サイドを露出していた。それは、科学上はなお未発見である更新世の大量のヒトの居住地を含むに違いない考古学上の金鉱をもたらした。シマ・デル・エレファンテとグラン・ドリナから得られた記録は、ヒト族居住者が一〇〇万年前頃までウマ、野牛、マカク属のサル、サイといった比較的温暖な気候を好む動物を狩猟し、オルドワン伝統の石器で獣骨にカットマークを残していたことを明らかにする。さらにおそらくはカニバリズム（人肉嗜食）にも関与していたことも分かった（一部のヒト族の骨そのものにもカットマークが付けられていた）。しかしヒトの遺物と遺体が豊富にあるにもかかわらず、二つの遺跡からまだいかなる火の使用の痕も見つかっていない。

最も興味深いのは、アタプエルカから出土したホモ・アンテセソールの化石の顔面の特徴は、後でまた検討する中国から出土した、新たに分析されたいくつかの中期更新世ヒト族化石（ハルビン人グループ、図四・一の上を参照）のものと同様に、究極的にはホモ・サピエンスに進歩していくものと似た顔面の特徴を有することだ。(5) しかしアンテセソールは、直接、ホモ・サピエンスへとは進化しなかったと思われる。グラン・ドリナで発見されたアンテセソールの大臼歯から抽出した蛋白質の最近の分析で、この種は、私たちへと繋がる直接の祖先ではなく、姉妹系統に位置づけられている。(6)

それにもかかわらず、アンテセソールと一般にアフリカ起源と考えられているサピエンスの顔面の類似は、ヒト族がユーラシアで進化させた新しい生物学的特徴を持ってアフリカに舞い戻った時があったのではないかと私たちに思わせる。古人類学者たちは、そうした類似性に少しずつ気づくようになっている。しかし正確な理解にはまだ至っていない。(7)

謎のホモ・ハイデルベルゲンシス

ホモ・ハイデルベルゲンシスという名称は、アフリカとユーラシアから見つかっている多数の中期更新世ヒト族化石に言及する際に一部の古人類学者によって用いられてきた。しかしその大部分は、年代が大ざっぱにしか推定されていない。その最初は、（一九〇七年に）ドイツのハイデルベルク近郊のマウエルから出土したものだ。逆説的だがハイデルベルクは、これらのヒト族がアフリカから移住していったとしたら、彼らがたどり着いた最後の場所の一つであっただろう。しかし私たちはその不調和感を受け入れるしかない。

別のホモ・ハイデルベルゲンシスの候補者（いくつかを図三・一に載せている）の可能性の高い化石は、残念ながら完全な骨格を欠くが、エチオピアのボド、ザンビアのカブウェ（ブロークン・ヒル）、タンザニアのヌドゥツゥ湖、フランス南部のアラゴ洞窟、ギリシャのペトラロナ洞窟、イングランド南部のスワンズクームとボックスグローヴ、そしてあまり確かではないがインド中央部のハスノーラ、中国中部の大茘《ダーリ》から出土している。アフリカの標本は、旧称の北ローデシアから出土したカブウェ頭蓋にちなんでホモ・ローデシエンシスとも呼ばれる。なおカブウェ頭蓋は、最近では三〇万年前と年代推定されている。(8) 全グループの全般的な推定年代は、たぶん一〇〇万年前から三〇万年前の間に収まるだろう。しかしかなりの不確実性がある。

ハイデルベルク人グループについて、何が分かるのか？　このグループは、長くて低い脳頭蓋、切れ目なく連続する突出した眼窩上隆起を共有するが、その他に彼らの頭蓋と骨格の特徴に大きな変異があるので、現在、大半の古人類学者は単一種としてのハイデルベルク人グループの一体性に疑問を呈している。しかし上記に例示した化石は、一種であろうとなかろうと、男性の体重は九〇キロはありそうな大力感溢れる体構造を見せている。それは、体重と身長でネアンデルタール人と現代人とに似る。また大きな顔面と平均で一二〇〇〜一三〇〇立方センチになる脳の大きさでも類似する――その数値は私たちホモ・サピエンスよりさほど小さくはない。エチオピアのメルカ・クンツレで保存された足跡は、一部の古人類学者にハイデルベルク人個体に属すると考えられているが、完全な二足歩行の姿勢を示している。

アフリカからユーラシア西部という、ハイデルベルク人グループの広大な分布から考え、彼らのメンバーの一部は、アフリカの最古のサピエンス集団だけでなくユーラシアの祖型的ネアンデルタール人とデニーソヴァ人に関連があったか、たぶんそのメンバーでさえあった可能性がある。これら三種の年代は、ハイデルベルク人グループの化石記録の五〇万年前よりすべて若い。したがってこの問題を解明するハイデルベルク人の資料から取られた古代DNAがまだ無いとしても、三種の起源がハイデルベルク人グループの幅広いばらつきの中の集団にある可能性は高そうだ。彼らの骨から古代DNAか蛋白質が回収できるようになるとしても、たぶん年代からハイデルベルク人とされるグループは、ネアンデルタール人、デニーソヴァ人、ハルビン人グループ（間もなく彼らについて述べる）、ホモ・サピエンスの各祖先と融合することだろう。今少しここに留まって、見なければならない。

アシューリアン（アシュール文化）

アフリカとユーラシアのほとんどに分布域を拡大し、明らかに先行者であるホモ・エレクトスと置換した、今まで述べてきた脳の大きなヒト族が明白に成功した鍵になるものは何だったのだろうか？　ハイデルベルク人グループは、彼らに自由に遊動・移住できるようにさせたある種の文化的長所があったのだろうか？　彼らの石器については、どうなのか？

グラン・ドリナ（ホモ・アンテセソール）を除いて、上記で述べてきた遺跡の大半から、考古学者がアシューリアン・インダストリー（アシュール文化）と呼ぶ文化に属する石器が出土する。フランス、ソンム川下流のサンタ・シュールで一九世紀に発見された石器に基づいて名付けられたアシューリアンは、たとえオルドワンの基本的な礫器と剥片石器の多くが新しい石器モデル（アシューリアン）と並んで作られ続けたとしても、先行したオルドワン文化とはコンセプトが異なっていた。大型の卵形もしくは梨形の石片、すなわち石器技術上の石核と大型剥片の両方がある石器は、今や両面からエッジのほとんどすべての周りの剥片を打ち欠いて成形され（すなわち両面加工された）、考古学者が「ハンドアックス」――ほぼ万能の目的のために使用された握り拳大の石器――と呼ぶ石器を作出した（図四・三A）。以前のオルドワン石器は、その後半の段階で一部両面加工されたが、アシューリアンのスケールには及ばない。

ハンドアックスは、大量に発見されると即座に石器だと分かる。そしてこれは、アフリカ、ヨーロッパの大半、そしてアジアを通り抜けてインド、トルクメニスタン、カザフスタン、モンゴル（図三・一の分布を参照）のような東方まで広がる、中期更新世の前半部を特徴付ける石器である。[9] ただハンドアックスは、東アジアと東南アジアの旧石器遺跡にはほとんど見られない。しかしジャワ、中国南部、韓国からは、いつかの例が報告されている。こうした地域では、オルドワン石器技術をなお使い続けたホモ・エレクトス集団から、受容に何らかの抵抗に遭っていたと思われる。二〇世紀の半ば、考古学者たちは、インド東部の先のハンドアックスの広がりの境界を示す「モヴィウス・ライン」（アメリカの考古学者ハラム・モヴィウスにちなんで名付けられた）のことを書いた。このモヴィウス・ラインは、今ではいくつもの場所で破られたように思われる。ただしアシューリアンの主な分布域は、原則的には中央アジアと南アジアで打ち切りになったと今も考えられている（図三・一参照）。アシューリアンの石器製作者は、ヒト族の住む世界全部に植民を果たしたわけではなかったのだ。

アシューリアンは、石器製作技術で大きな飛躍的進歩があったのか？　私は疑わしいと思っている。

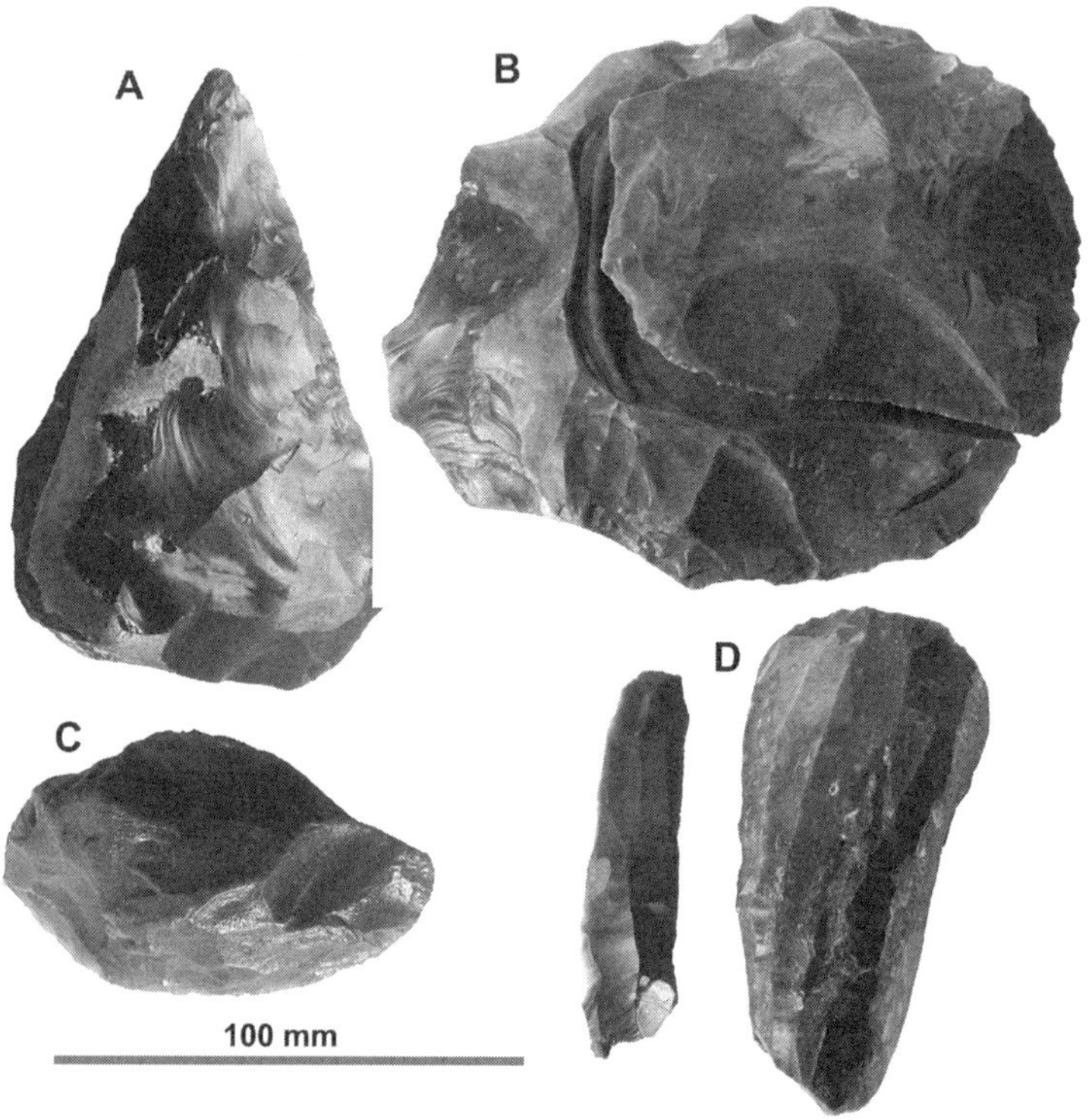

図 4.3　旧石器時代の石器。（A）イングランド、テムズ川の遺跡から出土したフリントから作られたアシューリアンの両面加工ハンドアックスの片面。（B）大きな剥片が剥ぎ取られたイングランド産フリント製のルヴァロワ「亀甲形」石核のレプリカ。（C）フランス、ドルドーニュ県、コンブ・グルナル洞窟から出土の分厚い剥片で作られた（下部に細部調整された掻き取るための刃を持つ）ムステリアン型サイドスクレイパー（掻器）の模型。（D）イングランド産フリントで作られた上部旧石器時代のプリズム形石刃石核と石刃。すべてオーストラリア国立大学の考古学・人類学部のコレクションから。B は、1972 年にマーク・ニューカマー氏（ロンドンの考古学研究所）により製作された。C は、故フランソワ・ボルドから寄贈された。写真は、マッギー・オットー撮影。

アシューリアンのハンドアックスは、オルドワンの礫器よりも物を切ったり、叩き割ったりするのに、必ずしも効率的というわけではなかったし、両方の石器インダストリーとも、似たような剥片石器の使用を維持した。だがアシューリアンのハンドアックスは、刃から細片を打ち欠いて刃をもう一度鋭利に再生するのは容易だったろう。そしてアシューリアンのハンドアックスは、それと認識できる様式と形を持っていた。過去二世紀にわたってそれらハンドアックスを数千も発見してきた考古学者たちには、確かに一目瞭然なのだ。言い換えれば、アシューリアン・ハンドアックスは、たまたま出来た産物というわけではなく、こだわりが持たれた文化的伝統とみなすことができる。[10] それらは、新しいヒト族が分布を拡大した間に発展させた、メンバーの一員であることを示すバッジだったのだろうか？　たぶん、そうだ。直接の立証には影響はないとしても、早期ヒト族集団の間での一体感とグループとしての自覚の重要性は、軽く見るべきではない。

アシューリアンはどこが起源地だったかは、まだ分からない。しかし私は東アフリカに賭けてもいい。今までのところ、東アフリカで見つかった石器に信頼できる最古の年代が与えられているからだ。しかし――そしてこれは、大きな「しかし」だ――、証拠は、アフリカ起源を強く主張してはいない。その地は、ユーラシア、レヴァント地方や南アジアのような地域であった可能性もある。そこでもアシューリアン石器が大量に発見されているのだ。

現在のところ、一七〇万～一〇〇万年前に、東アフリカ（例えばオルドゥヴァイ峡谷で）、レヴァント地方、インド南部でアシューリアン石器を使用していた集団が存在していたという主張がある。こんなわけで、前期更新世に出現していたことは確かで、可能性としては早期ホモ・エレクトスが登場した時ということもある。しかしアタプエルカのグラン・ドリナでアンテセソールの居住した厚い層の中の八五万年前という若い層にハンドアックスが存在しないことが、少なくともアフリカとレヴァント地方以外では、その年代について警告を呼びかける。東アジアの大半のホモ・エレクトス集団と同様に、一七〇万年前のドマニシ人もオルドワンを使い、アシューリアン石器は用いていなかった。結局のところ、一〇〇万年前より前のアフリカの外でアシューリアン石器製作技術の広範囲な広がりの強力な証拠を私はほとんど見つけていない。

相互関係は完璧ではないが、述べたばかりの大きな脳を持った、エレクトスではないヒト族集団の出現とアフリカ外でのアシューリアン石器とが年代的に重なることは、偶然ではないように思われる。しかし中期更新世前半部の間のそのメリットが何であったにしろ、アシューリアンは、これから検討を始めようとしている三つの種が選択した石器インダストリーではあり続けなかったのだ。

中期更新世後葉の「重要な三つ」の種

私たちは、今や本書が取り組む大きな謎の一つに近付きつつある。すなわち、ホモ・サピエンスはどのように出現したのか、だ。それに答えるために、私たちは広範囲に分布し、中期更新世後葉のアフリカとユーラシアの大半を支配した、密接に関連する三つの種を検討する必要がある。そして次のように問う。『彼ら』はどこから来たのか？」と。これら三種のどれも、早期ホモ・サピエンスのゲノム上、古人類学上の起源に関する論争に極めて大きな重要性を持つ。

目下の関心事である主要三種は、ヨーロッパと西アジアのネアンデルタール人、シベリアと東アジアの謎めいた「デニーソヴァ人」、そして化石記録とDNA分子時計によれば初めてアフリカに現れた早期ホモ・サピエンスである。実際には、中国で新しく発表されたハルビン人集団という四番目の種もいたかもしれない。だが、ハルビン人についてはは後にまた立ち戻る。差し当たって当分は、私は「重要な三種」だけで通すことにしたい。彼らに関しては、人類進化の過程で初めて古代DNAが、祖先・子孫関係と集団の交雑に関しての心躍るような情報をもたらしている。

三種間でのDNA比較に基づいた分子時計の計算によると、広い編年の許容範囲内だが、彼らがたぶん頭蓋の形態比較による見方からの推定よりもいくぶん古い、七〇万〜五〇万年前に生息していた共通の祖先集団の子孫であったことを明確だ（図四・一）。共通祖先の道で最初の遺伝的分岐は、ホモ・サピエンスとネアンデルタール人／デニーソヴァ人共通系統とを分けた。おそらく後者がアフリカから出て行き、ユーラシアに入っていった一方、サピエンスの祖先はアフリカに留まったからだ。その後、ネアンデルタール人とデニーソヴァ人の共通祖先は、ユーラシア大陸に広がっていくにつれ、二種に分岐した。

考古学の観点では、サピエンスと未分化のネアンデルタール人／デニーソヴァ人との二方向のゲノムの分岐は、アシューリアンの後に現れ、そこから発展したと思われる石器インダストリーと関係があった。これらは、ルヴァロアジアン（ルヴァロワ文化）とムステリアン（ムスチエ文化）として知られ、以下でさらに詳しく論じることにする。

ネアンデルタール人

これまでかなり頻繁にネアンデルタール人(11)に言及してきたが、いよいよ彼らについてもっと詳しく紹介する時である（図二・五の上から四番目と七番目、そして図四・四を参照）。イギリスの古人類学者クリ

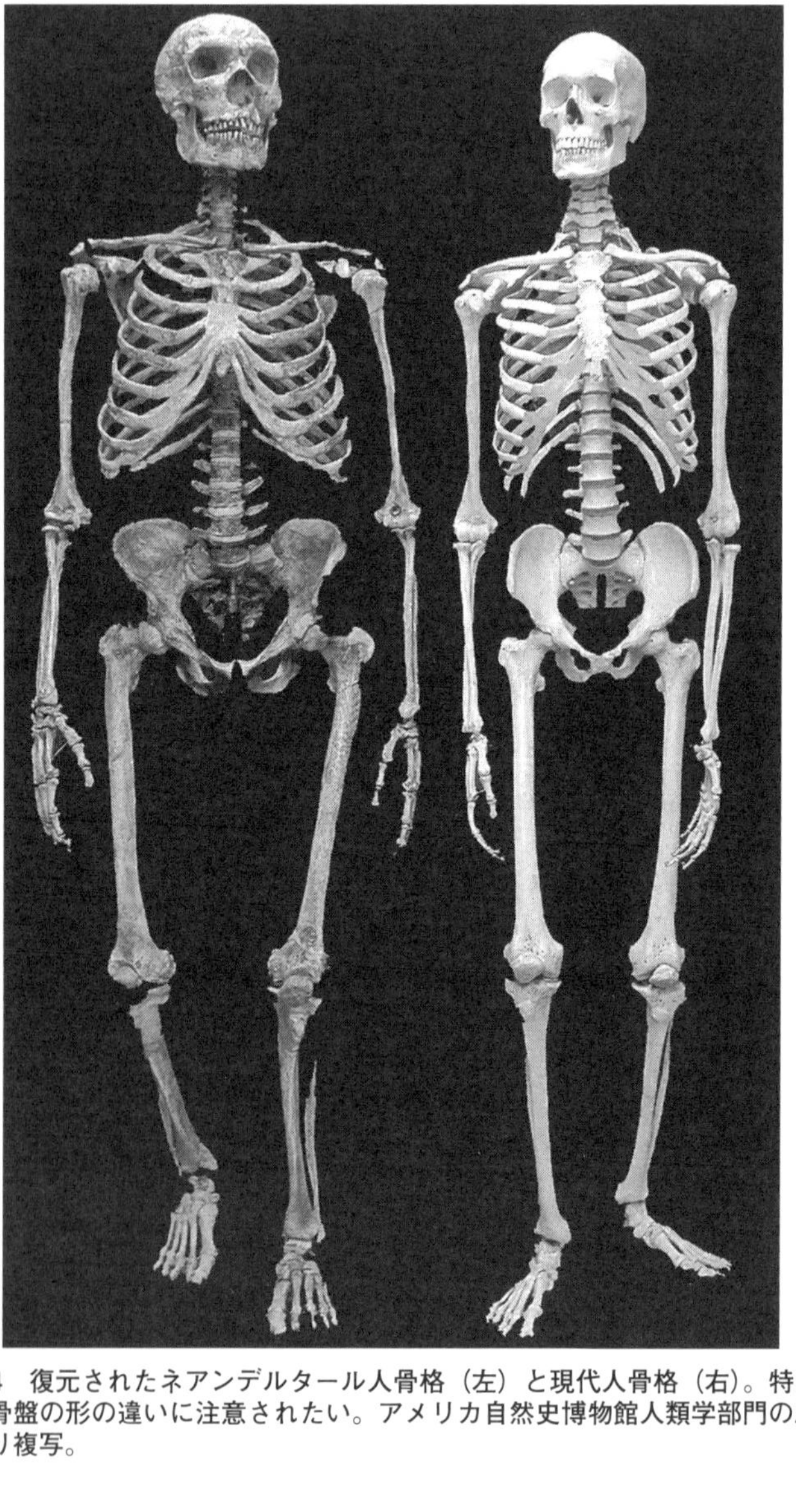

図 4.4　復元されたネアンデルタール人骨格（左）と現代人骨格（右)。特に胸郭と骨盤の形の違いに注意されたい。アメリカ自然史博物館人類学部門の厚意により複写。

ス・ストリンガーは、彼らについて次のように述べている。

ネアンデルタール人は、大きくて突出した鼻が目立つ大きな頭を持ち、短躯で、ずんぐりした体型をしていて、その一方、頬骨は後方に延びていた。大きな前歯は、食物や道具製作、皮鞣しのための「やっとこ」として利用していたように思われる。眼窩の上にはよく目立つ眉弓があり、それは中央部で非常によく発達していたが、両端で退縮していた。頭蓋冠は長く、低いが、非常に幅広で、後方から観ると、ほとんど円形である。……ネアンデルタール人は――そして子どもでさえ――筋肉がよく発達していた。彼らの身体プロポーションから判断すると、……寒冷な環境条件下での暮らしに適応していたのかもしれない。(12)

既に述べたようにネアンデルタール人は、七〇万〜五〇万年前頃にユーラシア西部全体に広がっていたヒト族集団から進化した可能性が高い。そしてその過程で、さらに東へと移住するデニーソヴァ人から分岐したのだろう。「典型的」ネアンデルタール人は、ストリンガーに指摘されたように、二五万年前頃とそれ以降には登場していた。しかしこの系統のさらに古い一団が、驚くべき発見から知られている。

スペイン北部のアタプエルカ洞窟群には、既に述べたシマ・デル・エレファンテ洞窟とグラン・ドリナ洞窟の他に、シマ・デ・ロス・ウエソス、すなわち「骨の洞窟」と呼ばれる一三メートルの深い縦坑がある。その底で考古学者たちは、全身が縦坑の中に投げ込まれた少なくとも一三個体分から成る五〇〇〇点以上ものヒト族の骨を発掘してきた。年代は、骨を含む方解石層のウラン系列年代測定法によると約四三万年前である。これら一団の骨は、明らかにネアンデルタール人の祖先の種に属していた。そして彼らが（ミトコンドリアDNAを除いて）デニーソヴァ人のゲノムよりもネアンデルタール人のそれと類似していることが古代DNA解析で確認された。[13] シマ・デ・ロス・ウエソス集団は、舌骨の残存した、ヒト族進化史の最古の例でもあった。舌骨は、首のところにあるU字形の遊離した骨で、舌を支え、ヒトが会話するのを可能にしている。シマ・デ・ロス・ウエソスのヒト族は、少なくともある程度まで、たぶん私たちと似たような範囲の音声を作り出すことができただろう。

シマ・デ・ロス・ウエソス人は、一一〇〇〜一三九〇立方センチ（平均一二五〇立方センチ）の範囲の脳容量を持っていて（図二・五の四列目）、典型的ネアンデルタール人と早期ホモ・サピエンスの脳容量範囲をほんのわずか下回るだけだった。彼らの身長は、大柄の男性では一八〇センチにまで及んだ。体重は、一〇〇キロにも達しただろう。運のいい個体は、三五歳くらいまで生きた。シマ・デ・ロス・ウエソス人の歯は、かなりの摩耗を見せているが、ホラアナグマの骨を別にすれば、食生活を推定させる植物遺存体も動物骨も縦坑からは全く発見されていない。ホラアナグマは、洞窟の中で自然死したのだろう。石器も見つかっていない。例外は、遺体が縦坑内に集積していく時に坑の中に投げ込まれたアシューリアンのハンドアックス一点だけである。

シマ・デ・ロス・ウエソスは、明らかに居住用の場所ではなかった。そして証拠から多くの考古学者たちは、四三万年前の、人の住めない（そしてたぶん彼らには近づけない）子宮のような縦坑に、ある意図のもとで遺体を投棄したと推定した。投棄した遺体には、ハンドアックス一点を意図的に供えた。ある個体は、葬送される前に頭蓋を意図的に打撲を加えられて殺されていた。しかし骨には、カニバリズムを示すカットマークは認められなかった。[14] この洞窟には、誰一人、ヒトが住んだことはなかったたし、食事もしていなかった。しかしシマ・デ・ロス・ウエソス人は、五感によって直接分かる世界の外側に存在する何物かへの信仰のような考えに触発されただろう行動に対する驚くべき証拠を私たちに提示したのだ。

二五万年前以降、ヨーロッパとアジアの氷河で覆われない土地の多数の遺跡に典型的ネアンデルタール人の遺体が現れるようになる。それは、東西八五〇〇キロ、南北二五〇〇キロに渡る広大な地域に及んでいた。ネアンデルタール人は、イギリス諸島からジブラルタルまで生息していた。そして図五・一で示したように、彼らはユーラシアを横断して、フランスから東欧を越え、イスラエル、イラクのクルディスタン、コーカサス地方、ウズベキスタン、さらにシベリアのアルタイ山脈まで居住域を拡大した。彼らの骨を通して、広大な地図上の領域にわたる、きっちり定義できる単一種の拡大を私たちは目にできる。それらは、少なくとも七〇カ所から、完全なものを含む骨格を伴い、一九世紀以来発掘された骨はほぼ三〇〇個体分に達する。意図的か安置されたかどうかはともかく、部分的には風雨を避けられた洞窟内で遺体が保存されたために、ネアンデルタール人は古人類学者、考古学者、遺伝学者たちの金鉱となった。

ネアンデルタール人の分布した「世界」は、どこに境界が引けるのだろうか？　南は、地中海と荒涼としたシナイ半島が彼らのアフリカへのアクセスを遮断していた。だからか、中期更新世にその大陸に彼らの存在した痕跡は無い。それればかりかアジアの熱帯地域全域でも、まだ見つかっていない。最終氷期極大期（LGM）以来、ネアンデルタール人の遺伝子は、ユーラシアからの現生人類の移住者によって北アフリカに運ばれたが、これらは一種の「引き波」であって、アフリカにネアンデルタール人が元から居たことを示すものではない。[15]実際、サハラ以南のアフリカの現生集団の多くは、ネアンデルタール人の遺伝子を全く欠いている。[16] 北方の、北緯五五度より北は、寒さが彼らを遠ざけていたと思われる。しかしウラル山脈の北端に近い、ロシア西部の極北沿岸に彼らの一部が達していたかもしれないという考古記録からの反論となる示唆が得られている。他の地域では、化石記録とDNA記録が競争者――ジャワには生き残りのエレクトス集団、そしてシベリアからインドネシアの地域の大半に謎のデニーソヴァ人――の存在を明らかにしている。

デニーソヴァ人とハルビン人集団

二〇一〇年、ライプチヒのマックス・プランク進化人類学研究所の遺伝学者たちは、シベリア南部のアルタイ山脈中にあるデニーソヴァ洞窟から発掘された少女の指の骨から古代DNAが抽出されたと発表した。そのDNA解析結果は、その少女がネアンデルタール人と関連するが彼らと同一種ではない、これまで知られていなかったヒト族の新種に属することを示した。その後の解析で、フィリピンの狩猟採集民、オーストラリアとパプアの先住民を含む一部の現生人集団が、おそらく五万〜四万五〇〇〇年前頃に起こった交雑の結果として、今日でもなおデニーソヴァ人DNAを最高で三%保持していることも示した。[17] 現生人類がデニーソヴァ人よりずっと西方にいたネアンデルタール人と交雑できたように、明らかに現生人類とデニーソヴァ人は異種交配ができたのだ。

その後も、別々の四個体に属するさらに多くのデニーソヴァ人の骨の破片がデニーソヴァ洞窟で同定された。デニーソヴァ洞窟では、ネアンデルタール人が同時代に存在していた証拠も見つかった。ゼノビア・ヤコブスらによる最近の洞窟内堆積層のルミネッセンス年代測定法と、カテリーナ・ドウカらによる放射性炭素年代測定法、さらに堆積層中からの古代DNAの抽出も合わせて、デニーソヴァ人は、ネアンデルタール人と二〇万年前頃から重複し合いながら、二五万〜五万年前に居住していたことが明らかになっている。[18] 両集団とも、アシューリアン石器ではなく、私が次の節でさらに詳しく述べるルヴァロアジアンとムステリアンの範疇に入る、似たような「中部旧石器」を用いていた。

最大の驚きは、デニーソヴァ洞窟の十代の少女のものである骨の破片から抽出されたDNAが少女の母親はネアンデルタール人で、父親は数世代前にネアンデルタール人の祖先を持つデニーソヴァ人だったことを示したことだった。[19] この驚くべき発見は、ほぼ五〇万年前に分岐して以来、別々の進化をたどることによりおそらく区別されていた二種の人類の間で交雑が起こっていたという現場を物語るものだ。ともかくも九万年前頃、ネアンデルタール人とデニーソヴァ人はシベリアのこの寒冷な一角で共存していた——デニーソヴァ洞窟の気温は、一年の大半を通じてセ氏〇度前後で変動していた。

今のところデニーソヴァ人は、主にデニーソヴァ洞窟から見つかっている数点の骨と土壌堆積層内に残存する古代のデニーソヴァ人DNAで存在が知られている。それに加えて、堆積層中のたくさんのデニーソヴァ人DNAとともに、一六万年前のデニーソヴァ人下顎骨片が、中国、甘粛省、チベット高原の標高三二八〇メートルの所に開口する白石崖溶洞から見つかっている。この下顎骨は、化石から抽出された蛋白質のアミノ酸配列から、デニーソヴァ人と密接な関連があると同定された。下顎骨には古代DNAは含まれていなかった。[20]

白石崖溶洞は、アルタイ山脈から南東に約三〇〇〇キロに位置する。その高度の高さから、デニーソヴァ人は酸素濃度の低い（低酸素の）大気の所に住める能力を持っていたことが推定されている。このように白石崖溶洞のデニーソヴァ人は、彼らが生きていた時、地上で最も高度の高い所に住むヒト族集団の一員だったのかもしれない。そして標的に選んだ獲物の動物を追って、かつてなかった高度にまで到達したのだろう。

デニーソヴァ人の骨の総量がまだほんの少しなことは、骨を正確に記載し、二名法による（リンネ式の）学名をこの種にまだ与えることはできないことを意味する。しかしデニーソヴァ人という遺伝的集団が二つ以上いて、彼らとは別の種さえいた可能性もある。その証拠は、島嶼部の東南アジア人とメラネシア人を含む現在のアジア人の染色体中に残るデニーソヴァ人DNAの残存する断片への新しい研究から出ている。現生人類と複数のデニーソヴァ人集団との間の交雑の可能性の高そうな三つの例が示されている。それは、南アジア、アルタイ山脈地域、ニューギニアを含む島嶼部東南アジアで別々に起こったようだ。[21]最後のケースの場合、ホモ・サピエンスとデニーソヴァ人との交雑は、ほぼ更新世末まで続いた可能性があるようだ。

東アジアのデニーソヴァ人たちは、人類進化における最大の謎の一部を私たちに提示する。謎の一部は現在までデニーソヴァ人がほんのわずかな骨片と下顎骨一点だけで、骨の記載をできていないためだ〔二〇二二年、ラオス北部のコブラ洞窟でデニーソヴァ人の若い女性の大臼歯が発見された。三例目となる〕。東アジアのホモ・エレクトスと同定された化石の骨のどれも、デニーソヴァ人に帰属させることはできないように思える。その逆も同様だ。その理由は、ホモ・エレクトスもデニーソヴァ人も、一〇〇万年という時間のあいだの、ユーラシアへの別々のヒト族の移住に明らかに起源を持つからだ。これが意味するのは、この二種は中期更新世に出会う時までに形態的、遺伝的に大きく異なっていたに違いないということだ。

もっと可能性のあるデニーソヴァ人の身元の古人類学上の候補者は、この章の最後の仕上げに取りかかるちょうどその時にステージ上に登壇した。中国が中期更新世のヒト族資料の大量かつ強い印象を与える収蔵品を退蔵していることは長い間、よく知られていた。西側の研究者がそれら化石資料にアクセスすることは、今日まで難しかった。そのため周口店や他の遺跡から発見されたホモ・エレクトス以外、これらの資料が世界の研究者の分析の主役になることはめったになかった。その図式は、中国と西側の古人類学者の共同研究による新しい論文発表で大きく変わってきた。

中心的な報告で「ハルビン人集団」と呼称された――だが全員中国人の著者である付随報告では、大胆にも「ホモ・ロンギ（「竜人」）」と呼ばれた――大きな脳を持った中期更新世のものらしい新しい種は、新聞などで大きく報道された[22]。黒竜江省、ハルビンで発見された竜人の主要証拠品は、侵入してくる日本軍から守るために、発見者によって一九三三年に井戸の底に埋められた。その主要証拠品は、眼窩上で二つに離れた骨隆起を持った頭蓋である。脳容量は一四二〇立方センチあり、ウラン系列法の年代推定では一五万年前を超える。これと似た中国の人類標本は、大茘、金牛山、華龍洞を含む他の遺跡からも報告されている（図三・一の位置を参照）。

ハルビン人集団は、おそらく白石崖溶洞出土のデニーソヴァ人下顎骨の姉妹種であったろう。だがデニーソヴァ人は主にその古代DNAから知られており、他方のハルビン人集団は頭蓋だけしか知られていないので、確かなことは分からない。竜人がデニーソヴァ人だったと疑いなく言うことはできない。だがその明白な可能性は、解説者たちに否定されなかった。

北緯四五度に位置するハルビンは、アルタイ山脈とデニーソヴァ洞窟と似た緯度にある。ハルビンの冬の温度は、セ氏〇度をはるかに下回る。ネアンデルタール人、そしてアルタイ山脈と白石崖溶洞のデニーソヴァ人のように、ハルビン人集団も極寒に耐えられたか、火と暖かい毛皮の衣服を利用していたかしていた。たぶん冬の間は南のもっと暖かい地域に逃避する能力も持っていただろう。ハルビン人集団についてのもっと興味深い観察結果は、その頭蓋形態がスペインのホモ・アンテセソール（図四・一の上）に近いということだ。なぜそういうことになっているのかの理由は、将来、解決されなければならない。

世界の古人類学が竜人について最終的に決めることは、まだ明らかではない。しかし『サイエンス』誌のライターのアン・ギボンス[23]と同じく、私の考えは、デニーソヴァ人とハルビン人集団はいずれ一つの種として認定されるだろうというものだ。ではそれは、何と呼ばれるのだろうか？　中国の学者たちは、すでにホモ・ロンギという学名を提案している。ロシアの学者たちなら、「ホモ・アルタイエンシス」と呼ぶかもしれない。その種も、はるか西のホモ・アンテセソールに含まれるのだろうか？　私たちはまだ静観して待つべきだろう。

ネアンデルタール人とデニーソヴァ人：寒さに挑戦し、壁面に絵を描く？

ネアンデルタール人化石の分厚い集積と二五万～四万年前の考古学的な年代推定は、ヒト族生活様式について古人類学者と考古学者に目を見張るばかりの推定像をもたらしている。それは、明らかに意識を持ち、人間的な推定像だ。だがホモ・サピエンスの行動の直接の先駆とならないデニーソヴァ人とハルビン人集団については、関連する骨の証拠と考古証拠が少量に留まっているので、まだ多くのことをとても言えない。しかしネアンデルタール人もデニーソヴァ人も、アジアの様々な場所で子孫を残せるほどに交雑できた。私たちは、私たち自身の種であるホモ・サピエンスについての奥深い先史時代を照らすために、次の章で再びこれらの例に立ち戻る。

生活様式に関しての良好なデータは、ネアンデルタール人に限定されている。長年をかけて考古学者たちは、復元されたネアンデルタール人の行動を早期ホモ・サピエンスの特徴である複雑な行動、特に言語能力と概念的思考と象徴行動の能力に関するそれと比較してきた。驚くことではないが、一部は現生人類がネアンデルタール人と置換したという理由で、たぶんネアンデルタール人は不利な形での比較結果になりがちだった。しかし時には、ネアンデルタール人も彼らに共感した論評記事を享受することもあった。

例えば最近では、ネアンデルタール人はホモ・サピエンスのような行動ができ、私が第五章で論じることになる、いわゆる上部旧石器的な石器と骨器を製作できたという推定もなされるようになった。例としてヨーロッパの様々な遺跡から、時にはネアンデルタール人は上部旧石器型式の石刃石器を使っていたし、赤色オーカーの顔料を口から両手と広げた指の周りに吹き付けることによって製作された手のステンシルで洞窟の壁を装飾できたという証拠がある（いろいろ議論の余地はあるけれど）。象徴行動のために鳥を狩ってワシの羽を使ったり、洞窟内と開地遺跡に円形に石とマンモス骨を配置した遺構を造ったという証拠も存在している。[24] ホモ・サピエンス的なものに近付いていたのかもしれないというネアンデルタール人の狩猟、生業、芸術行動の高水準の複合性についての雄弁な申し立てが、最近、考古学者レベッカ・ウラッグ・サイクスによってなされた。[25]

後期のネアンデルタール人は時には現生人類の文化習俗を採用するか模倣したのだろうか？　実際に模倣したという説を裏付ける例は、数ではほとんど無い。しかしごくごく稀だったとしても、ネアンデルタール人がホモ・サピエンスの模倣をし、それを発展させることができたとしたら、そうした行動によるよる彼らのパターンは、私たち現生人類のものとそう大きくは違っていなかったということを意味するはずだ。ネアンデルタール人の行動の複合性について、ここでの思考の役に立つかなりの資料がある。

実際、中期更新世の知性的な脳の大きいヒト族クラブのメンバーとして、ネアンデルタール人にはまだ望みはある。私たちのように、彼らは会話言語のための舌骨を喉に持ち、また現生人類で会話能力と関係の深いFOXP2と呼ばれる私たちとはいくらか異なるバージョンの遺伝子も持っていた。これらを持っていたからといって、必ずしもサピエンス並みの会話能力と感情を保障するものではない。しかし数体のネアンデルタール人部分骨格が、なお関節した姿勢を保った骨という形でフランス、イスラエル、シリア、イラク・クルディスタン地方の洞窟で発見されている。これは、ある意図のもとで埋葬されたことを示している。

ネアンデルタール人は、大型草食獣を狩る中位の狩猟民、火の使用者であり、利用可能な食資源が氷期から間氷期へ著しく変動したはずのユーラシア中緯度地帯に主として住んでいた。ヨーロッパでは、トナカイ、ジャコウウシ、ケサイ（毛深サイ）が氷期中は生息し、間氷期にはダマジカ、野生ウシ（オーロックス＝原牛）、野生ヒツジのような温暖な気候を好む動物が暮らしていた。ネアンデルタール人の骨の最近の研究では、ネアンデルタール人男性は旧石器時代ホモ・サピエンスの男性狩人の骨に見られるものと同じ怪我をしばしば負っていた跡が見つかっている。これは、狩猟中の勇敢さを実証していたホモ・サピエンスと似た習わしを推定させる。[27]

狩猟技術を発展させたことを推定させる有機質遺物もある。例えば三〇万年前頃のものと推定される、トウヒとマツから作った長さ二メートルの先端を尖らせた木槍八本が、絶滅したウマの骨と共に、ドイツ、ショーニンゲンの褐炭鉱で見つかっている。[28] 早期ネアンデルタール人がこれらの槍の製作者で使用者だった可能性が高いだろう。このような狩猟具は、この集団が大量の肉の供給を積み重ねることを可能にし、こうして多数で共同生活し、力を合わせあう社会的集団の食を支えることができただろう。火が使用されたことは今では考古学的に実証されているので、肉が、特に火で焼いた肉が容易に食べられる機会が増えたことは、少なくともネアンデルタール人集団が没落に向かう最終局面に至る前までは母体の健康を向上させ、したがって出生率を高めることができただろう。なおネアンデルタール人の最期については第五章で述べる。

石器技術の発展に関して、ネアンデルタール人とアルタイ山脈のデニーソヴァ人には、考古学者がルヴァロワゾームステリアンと名付けている石器インダストリーが伴っている。ルヴァロワゾームステリアンは、部分的にアシューリアンとつながる。このアシューリアンの系統を引いていた。特に小形のハンドアックスを継続的に使う点で、アシューリアンとつながる。この石器インダストリーには、考古学者がルヴァロワ技法と呼ぶ新しい種類の剥片剥離技術の出現も見られる。ルヴァロワ技法とは、こうして製作された石器が初めて認識されたパリの郊外の地名にちなんだものだ。今また、フランスの地名が出てきたが、多数の主要旧石器インダストリーが、フランスの地名を持つ。フランスの考古学者たちが初めてこれらインダストリーの意義に気がついたからだ。ムステリアンの由来となるル・ムスチエも、フランスのドルドーニュ地方にある。

ルヴァロワ技法は、最初は石核を盛り上がった亀甲形になるように成形し、その後に一方の端に加撃点を調整し、最後に予め想定した形と大きさを持つ大形剥片を剥離することにより、予め設計した剥片を剥離するのが基本だ。石核は、考古学者にしばしば「亀甲形石核」とか「調整石核」と呼ばれる（図四・三B）。この技法は、フリントのようなきめの細かい石材に良く合う。そして多くの考古学者たちは、この技法を大きな意義のあるものとみなしているが、実のところそれは先行するヒト族に既に良く知られた技術の進歩に過ぎない。加撃される石核が必要とされる形にもなるとすれば、望ましい形と大きさの鋭利な剥片が、最も容易に製作されるだろう。

石核から剥片を剥離して調整することは、約三〇万年前以降のアフリカとユーラシアに広く見られるが、ルヴァロワ技法の源流となった地域は分かっていない。その地域は、アフリカだった可能性が高い。アフリカでは、古い時期から似たような調整石核石器がケニアのオロルゲサイリエとモロッコのジェベル・イルードで見られるからだ（「ルヴァロワ」の用語は、サハラ以南のアフリカで一般的に使われることはない）。またあるいはレヴァント地方、さらに東のアジアの可能性もある。最近になって、ルヴァロワ技法の存在は、アルタイ山脈、中国、コーカサス地方、インドなどの遠く離れた地方のアジアでも検出されてきている。[29] しかしアシューリアンと同じように、ルヴァロワ技法は東南アジアでは花開くことはなかった。東南アジアでは、オルドワン技術が更新世末まで引き続き、エレクトスに好まれた。

調整石核技法は、アフリカ、ユーラシアといった広い地域を通じてネアンデルタール人、デニーソヴァ人、早期現生人類の共同体に伴って見つかるので、どの種が実際にその技法を発明したかを問うことはたぶん無意味だ。いったん発明されると、接触を取り合い、時には交雑した、脳の大きな中期更新世集団を通じて自然に広がっただけの有益な着想としてルヴァロワ技法の概念について考えるのが適切なのかもしれない。

他の中期更新世ヒト族についてはどうか？

三〇万～一二年前の中期更新世後半に他に何が起こっていたのだろうか？　東南アジアでは、フローレス島とルソン島の小さなヒト族が、たぶんジャワのホモ・エレクトスと同様に、ホモ・サピエンスの到来まで生存し続けた。アジア大陸のホモ・エレクトス集団がいつ頃、デニーソヴァ人とかハルビン人集団とかに取って代わられたかは明らかではない。しかしインドネシアのエレクトス（「ソロ人」）は、なお生存していた。今や彼らの脳の大きさは一二〇〇立方センチに近付いていて、中部ジャワのソロ川近くで一〇万年前という新しい時代まで生存していた。ソロ人集団は、おそらくは五万年前頃にホモ・サピエンスに置換されただろう。[30]

ジャワのエレクトスの脳サイズのこのような増大は、固有のプロセスを反映したものなのか、それとも大陸アジアの他のヒト族との交雑の結果なのかは、分かっていない。しかしアシューリアン・ハンドアックス伝統の痕跡は東アジアとジャワで時折見られるけれども、既に述べたように、ジャワの長く生き延びていたエレクトス集団は主にオルドワン型石器を使い続けた。[31] このことは、ジャワの脳サイズの増加は、ユーラシアの他の地域の脳の増大とは無関係に起こったのかもしれないと推定させる。

一方、旧世界の反対側のアフリカ南部で、三〇万年前頃まで何とか生き延びていたホモ・ナレディという名の謎の種が、もう一種いた。[32] ホモ・ナレディの少なくとも一五個体分の骨が、南アフリカ、ヨハネスブルク近郊のライジング・スター洞窟群の二つの深い縦坑の中で比較的完全な状態で発見されたのだ。だが、石器は一点も見つかっていない。死肉漁りの大型肉食獣も近づけない、深い、人の寄りつかない洞窟縦坑にこれほど多くの個体が集積していたことは、考察の材料をたくさんもたらす。シマ・デ・ロス・ウエソスのそれのように、ヒトの葬送行動のもう一つの例を、親族関係という概念へのある程度の気付きを反映したものを、私たちは目にしているのだろうか？[33]

ホモ・ナレディは、小さな脳サイズ（四六〇〜六一〇立方センチ）のために、この点でも謎である。一〇〇万年前よりはるかに古いドマニシの脳よりもさらに小さいのだ。その小さな脳は、脳サイズよりは正常な（しかしかなり小形であることに変わりはない）中期更新世の身体の上に載っていた。身長は平均一・五メートル、体重は四〇〜五五キログラムくらいで、ホモ属の他の種のような二足歩行の姿勢と両手を備えていた。

ホモ・ナレディは、ワラセアのホモ・フロレシエンシスとホモ・ルゾネンシスのような、普通でない、長期に遺伝的に隔離された種であることの顕著な特徴を持っている。こんなことが、アフリカ南部のヒト族の明白なホットスポットでどのようにして起こりえたのだろうか？ そんなことは、ありそうもないように思える。年代推定は、不正確ということはないのか？ これも、ありそうもない。彼らは、サピエンスと脳がずっと小さい古型のヒト族の間の混血種なのか？ どんなヒト族の種であれ、三〇万年前という新しい時代までアウストラロピテクス的な十分に小さな脳を持った種がなおアフリカで生き延びていたという証拠は存在しないので、これもまたありそうもない。ホモ・ナレディは、脳が二倍も大きい、アフリカの早期現生人類集団と明らかに同時代者でもあった。

一つの結論しか残されていないと私は考える。フロレシエンシス、ルゾネンシス、ナレディという脳は小さいが新しい時代まで生き残ったヒト族は、その機会が起こった時に、生殖的に隔離され、ひいては形態的に異なる種を形成し、それを維持して生き延びられたことを物語っている。ナレディの場合、そうした機会が何であったかは正確なところは分からないかもしれない。今述べた脳の小さな三つの種は、おそらく絶滅し、ホモ・サピエンスには何の遺伝子も伝えなかっただろう。ただし現時点で、このことを証明できる古代DNAを、彼らのどれからも回収されていない。

たぶん古代のヒト族の種が、たとえ種間の交雑ができたとして、遺伝的な証拠がない限り、いつも熱心に通婚していただろうと想像するべきではない。身体的な外観、文化的違いと食習慣の差、そして他の行動上の特徴が、更新世ヒト族の種を分化させたかもしれない。私たちが今日のサピエンス集団間で目にする混血についての偏見のない状況から生まれたのとは奇妙にも似ていないパターンを、それは十分に創り出したのだ。古代型ヒト族にとって、移住の途中で数十万年間もの分離の後にバラバラになった種が元通りに出会った時でも、全く混血しないという選択も、時には選択肢の一つであっただろう。

第五章　謎の新参者

オデッセイ劇の第Ⅲ幕は、いよいよ私たちをホモ・サピエンスの時代に誘う。私たちの遺伝的な祖先は、今生きている現代人集団に存在するDNAによれば、少なくとも二五万年前のサハラ以南のアフリカに遡ることができる。サピエンス、ネアンデルタール人、デニーソヴァ人の間のDNAと頭蓋形態の比較の結果、第四章で述べたように（図四・一も参照）、私たちの共通祖先ははるかな古さの、たぶん七〇万年前を超す古代にまで押し下げられる。しかしこのはるかな遠古の時代のホモ・サピエンスは、古人類学と考古学の背景では他のヒト族と別個な形としてまだ目に見えていない。

舞台に上がったホモ・サピエンスは、移住にのんびりとはしていなかった。本章では、これ以降、実際にはまだ不確かな年代のユーラシアとオーストラリアの植民へと続けていく（図五・一）。ユーラシアへの移住は七万～五万年前のどこかというところが、現時点での最良の賭けだが、あるいは六万～五万年前だったかもしれない。誤差の範囲は、そうした年代幅ではかなり揺れ動く。実際には、考古学者、古人類学者、遺伝学者によって出された見解は、出アフリカした最初のサピエンスの移住の時期でも、またオーストラリアへ侵入した時期でも一致しないことが明らかになるだろう。現時点で、ホモ・サピエンスの起源は考古学、古人類学、遺伝学で最も議論の多い課題の一つである。本章で、なぜそうなのかを説明する。

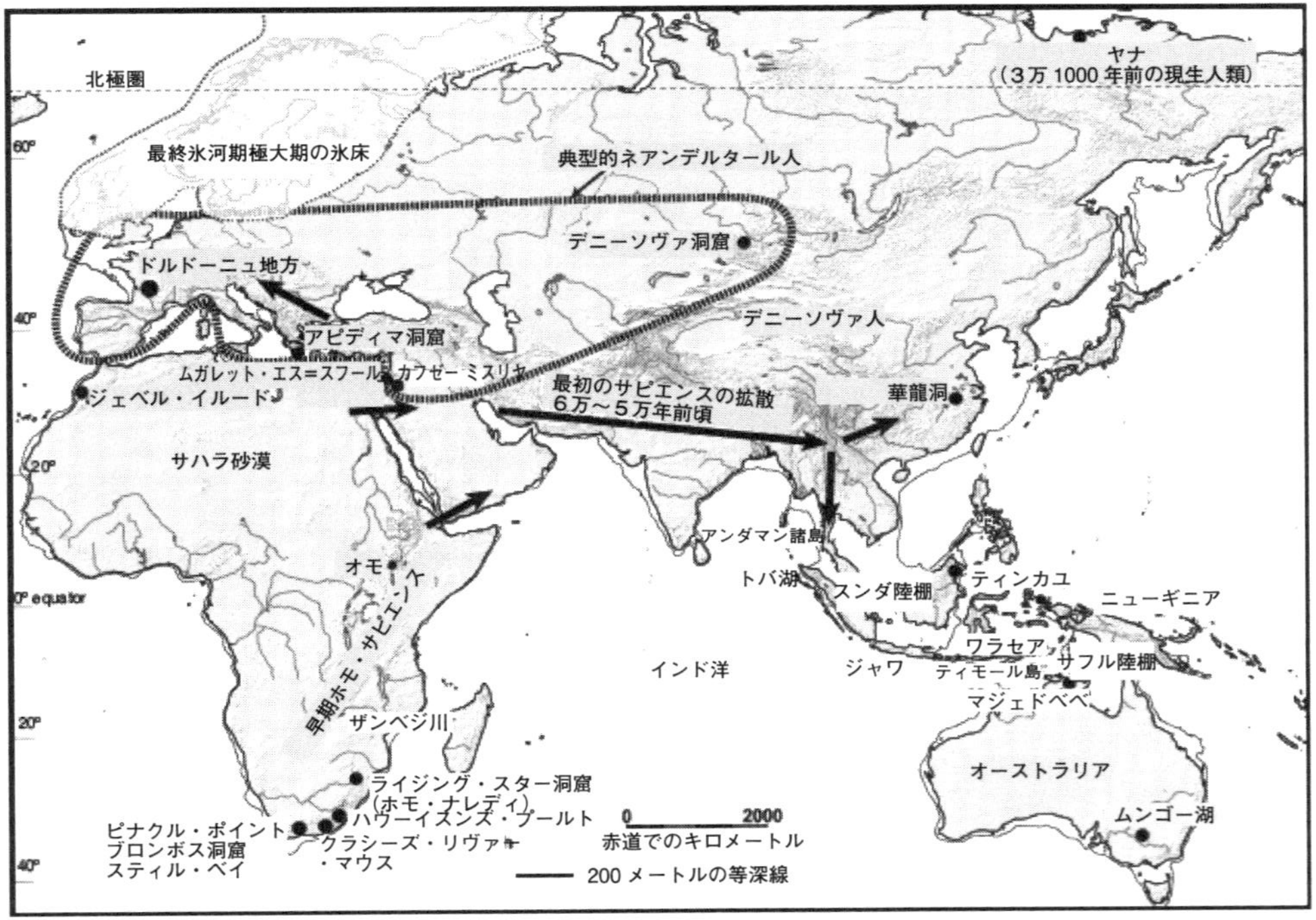

図5.1　ホモ・サピエンスのアフリカでの出現とユーラシアへの拡散に関連した遺跡を示したアフリカとユーラシアの地図

ほら、ここにホモ・サピエンスが

私たちの種であるホモ・サピエンスの起源について大学院生に講義をする時はいつも、私は亡くなった友人のコリン・グローヴスの研究室を訪れ、頭蓋の模型のいくつかを借り出したものだ。その一部の写真は、図二・三と図二・五に載せている。テーブルの上にそれらを一列に並べ、チンパンジーとゴリラ（もちろんそのどれもヒト族の直接の祖先ではなかったが）から、アウストラロピテクス属、前期更新世ホモ、ホモ・エレクトス、脳の大きな中期更新世ホモ、ネアンデルタール人、そしてホモ・サピエンスに至るまで、彼らがどんな種であり、なぜ進化したのかを学生たちに説明した。

ホモ・サピエンスが他のヒト族とどのように違うかについて、演習に取りかかるに際して私は、三点を強調した。眼窩上の顕著な骨の隆起よりもむしろ真っ直ぐな額を持つこと、引っ込んだ顎でなく突き出た頤《おとがい》を持つこと、後方から見た時に頭蓋の耳の上で平行面となる高いプロフィールとなることだ。後者は、ほとんどの絶滅ヒト族では耳のところで最も幅広になっていた。言い換えれば、サピエンスの脳頭蓋は、高くて丸い（球形）のだ。そしてこれは、東アフリカのサピエンスの大半の古いメンバーが持つ主要な、はっきりした特徴なのだ。他の絶滅ヒト族の頭蓋は、長くて低い。

ホモ・サピエンスを示す他の特徴として、比較的小さな顎と歯、絶滅ヒト族と違って前方に突出しない顔面、完全な直立姿勢を示す所に位置する大後頭孔（脊髄に脳をつなげている頭蓋底部の孔）、丸い後頭部（頭蓋の後ろの端）などがある。[1] こうした特徴の一部は、図二・三と図二・五ではっきり見られる。

これがホモ・サピエンス、すなわち「解剖学的現代人」なのだ。もし現代人頭蓋と並べてヨーロッパの洞窟から見つかった典型的ネアンデルタール人の頭蓋を前にしたら、その違いは明瞭だ（図二・五の下の二つ)。

別のクラスに対しては、石器やそれ以外の人工品を並べて見せる。第三章と第四章で述べた絶滅ヒト族の作ったカテゴリー、特に「下部旧石器時代」のオルドワン・インダストリーとアシューリアン・インダストリー、そしてネアンデルタール人と共伴した「中部旧石器時代」のルヴァロワ・インダストリーとムステリアン・インダストリーのものだ(図四・三C)。一端の周りだけ加工された礫器、両面加工のハンドアックス、亀甲形石核、そして皮鞣しに役に立つ細部加工された(すなわち頻繁に使われたり、意図的に刃を潰されたりした)スクレイパー(掻器)が、机上を飾ることになる。

それから、石器の列にはっきりした際立った変わり目が来る。少なくともヨーロッパのホモ・サピエンスは、手工芸品という面で絶滅ヒト族よりもはるかに興味をもって製作した。そうした物として、円筒形に加工された石核から剥離された長い石刃(図四・三D)、丁寧な両面加工の施された石製のナイフと槍先(図五・二と図六・四)、そしてしばしばマンモスの牙から作られた「ヴィーナス」像、さらに稀だが逆棘の付けられた骨製尖頭器と骨製の針、があった。ホモ・サピエンスの商標登録品と主張される他の創造物として、洞窟の壁に刻まれたり彩色された壁画、副葬品を伴い赤色オーカーを振り撒かれた入念な埋葬、さらに貝殻や骨で作られた穿孔されたビーズとペンダントも含まれた。

ホモ・サピエンスがどこで、どのようにして進化したのかという見方に関係なく、ホモ・サピエンスが上述の最新の「上部旧石器文化」人工品の組み合わせの真の製作者であり、所有者であったということは、私の学生時代と研究者人生の大半の間、信じられていた。上部旧石器文化が起源地がどこであったかは明らかではなかったが、その意義はヨーロッパ、特にフランスとイギリスでは常にはっきりしていた。この両国で、旧石器考古学は一世紀以上前から発展していたからだ。

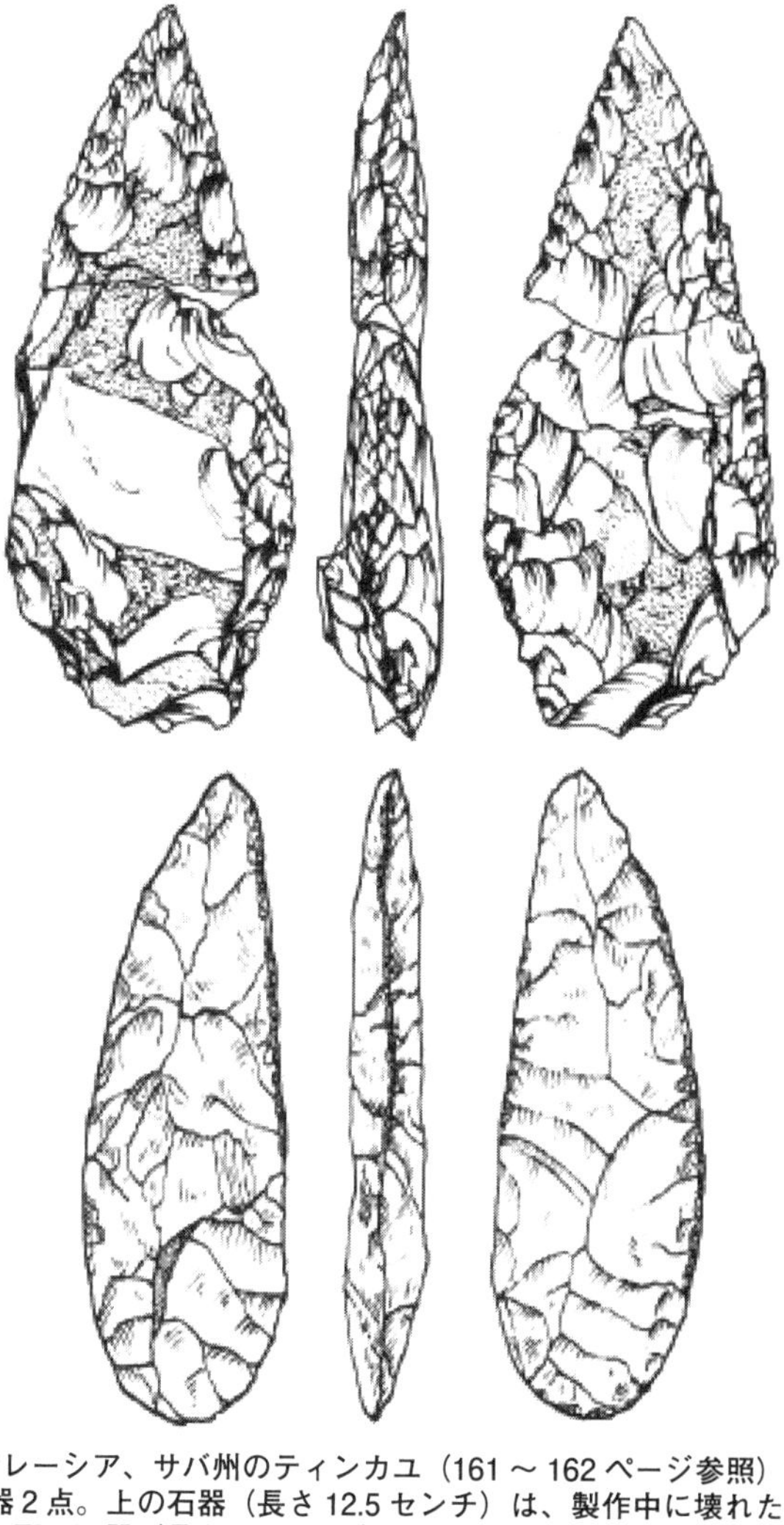

図 5.2　マレーシア、サバ州のティンカユ（161 ～ 162 ページ参照）出土の両面加工石器 2 点。上の石器（長さ 12.5 センチ）は、製作中に壊れたので未製品である。下の石器（長さ 11 センチ）は、刃部にダメージがあることから尖頭器ではなく、ナイフとして使われたように思われる。図 6.4 の日本と北米で見つかっている似通った両面加工石器と比較されたい。マレーシア、サバ州博物館のラキム・カシム筆。

今日、多くの新発見は、この古い見識を覆しつつある。特に西ヨーロッパよりはるかに遠くの地域で。多数のサピエンス集団が四万七〇〇〇年前以降に上部旧石器文化を伴っていたにしても、少なくとも石器に関してはホモ・サピエンスは、ユーラシアの上部旧石器文化の単なる添え物ではなかった。じきに目にすることになるように、早期ホモ・サピエンスの文化的なルーツは、もっとはるかに古かった。問題は、こうしたルーツを解明することは、決してたやすいプロセスではないということだ。さらに先に進む前に、その状況の概要を述べることにしよう。

早期ホモ・サピエンスについての難題

ホモ・サピエンスは、三〇万年前より前にアフリカで進化した。そしてある時点で、この大陸を離れ、ユーラシアとオーストラリアに植民した。これは、答えるのが簡単な疑問のようにも思えるが、実はそうではない。古代の頭蓋から得られた記録は、ある種のホモ・サピエンスは二〇万年前にアフリカを出たかもしれないと暗示している。遺伝子による分子時計は、この可能性と矛盾する。それは、成功した出アフリカの移住の集団に代わって、七万~五万年前に、おそらくほとんどはこの年代幅の新しい方の端に、アフリカを抜け出た現存する人類集団の祖先がいたことを指し示している。

上部旧石器文化の石器の考古記録において、アフリカ内とアフリカ外の両方で、その石器の出現と最古のホモ・サピエンス頭蓋との間に一〇〇%の関係があったとしたら、この問題を解決できるだろう。ああ、ところがそうした関係はないのだ。その代わりに東南アジアとオーストラリアから見つかっている最古の現生人類の頭蓋資料は、ネアンデルタール人、デニーソヴァ人、その他の非サピエンスのヒト族によって作られた石器とよく似た中部旧石器の石核と剥片石器と共伴するのだ。最古の現代的なサピエンス骨格に遍く伴う上部旧石器文化の石器という署名は存在しない。

ここでこれ以上、こうした点を徹底的に論じることはしない。一つ一つ、証拠を検討する時が来たのだ。

ホモ・サピエンスの出現：頭蓋と遺伝子

アフリカ、ユーラシア、オーストラリアの考古学的遺物のコレクションには、私たち現代人の種であるホモ・サピエンスに属する数百点もの後期更新世頭蓋が含まれる。その頭蓋の解剖学的特徴から完全に現代的だと言える例のすべては六万年前より新しいし、ほとんどはずっと新しいのだ。しかし六万年前より古くに、特にアフリカ――化石記録と遺伝子の比較の両方からサピエンスの故郷と同定されている大陸――で、何が起こったのだろうか？　アフリカで、より古いルーツを確実に見つけるべきだ。

古人類学者たちは、モロッコ、スーダン、エチオピア、タンザニア、ザンビア、南アフリカの遺跡から、頭蓋と顔面にサピエンス的な特徴を持ち、三〇万～九万年前の年代の一〇セット以上の化石骨を同定してきた。ここから完全なサピエンスの出現するずっと前に、頭蓋の現代化が起こっていたことが分かった。この古い時代の、多少とも多様なグループの中のどこかに、今日生きている全人類の祖先が生きていたのだろう。ただ、人類化石そのものは、しばしば断片的であり、年代も不明確だ。多くの化石は、頭蓋プロフィール、大きな歯、突き出た眼窩上隆起に、非サピエンスのヒト族と重なり合う印を見せる。

近年の遺伝子研究は、古人類学から得られた見方にさらに多くのことを付け加えている。この前の章で述べたように、分子時計はサピエンス、ネアンデルタール人、デニーソヴァ人との進化上の分離の年代を七〇万年前頃まで遡らせている。しかし現生の人類集団のDNA多様性に適用された分子時計は、南部アフリカの集団と世界の他の地域に住む民族との間の全ゲノムとミトコンドリアDNAを比較した関係で、今日生きている私たちすべての共通祖先にせいぜい三〇万年前頃にしか遡らないというはるかに若い年代を与えている。(2)

こうした分子時計の年代は、古代の頭蓋から推定されるサピエンスの三〇万年前という年数とおおむね合致する。この年代より前に、まだ古人類学者も遺伝学者もホモ・サピエンスの起源に対してはっきりした想像図を描けていなかった。祖型となるサピエンス集団は、三〇万年前より前にサハラ以南のアフリカのどこかで暮らしていたに違いない。だが、どこに? そもそも起源地は一カ所だったのか? それともサハラ以南のアフリカのあちこちにいた祖先的集団の間の交流から出現したのか? 今日、多くの古人類学者と遺伝学者は、これが実際に起こったことだと考えている。

その故郷を照らし出せる可能性のある現生集団への遺伝子による観察結果は、サハラ以南のアフリカの、多数の古くからの土着的集団にスポットライトを当てる。そうした集団として、以前はブッシュマンと呼ばれていた南西アフリカ、カラハリ砂漠のサン族狩猟採集民と彼らと近縁のコイコイ族遊牧民がいる。さらに北方には、タンザニアのサンダウェ族とハッザ族狩猟採集民(図一二・一)、さらにコンゴ川流域、熱帯雨林の少人数の狩猟採集民グループもいる。これらの集団は、今日ではバンツー語を話す農耕民に囲まれた少数派となっている。なおバンツー語を話す農耕民の祖先は、三〇〇〇年前頃から西アフリカからサハラ以南のアフリカ全体に拡大を始めた(第一二章)。

前記の非バンツー系集団についての印象的な観察結果は、彼らミトコンドリアDNA系統における遺伝子突然変異がアフリカ内とアフリカ外の他の人類集団のそれよりもずっと大きな古代性を持つということだ。このことは、一九八七年に発表された現生人類の集団史を調べたDNA調査の最初の大発見だった。世界中の現生すべての人類のミトコンドリアDNA系統は、大衆的メディアで「ミトコンドリア・イヴ」とか「アフリカのイヴ」と広く伝えられた一人の女性に関係した突然変異にまで遡る。[3] 私たちすべては、少なくとも母親から娘へと伝えられるミトコンドリアDNAという点で、一六万年前頃に生きていたこの輝ける母親の子孫だった。L0(Lゼロ)と呼ばれる、イヴの起源的なミトコンドリア系統のグループは、今日のサン族やコンゴ川流域の狩猟採集民たちの中になお存在している。そして他の多くのアフリカ人集団の中にも受け継がれている。

彼らのミトコンドリアDNAと核DNAによる限り、彼ら非バンツー系集団は、世界でも現地に在住したままの最古の集団を代表している。[4] しかし誤解を招かないように、私は一つの点を強く強調しなければならない。この文脈の「最古」とは、ただ彼らアフリカの集団の祖先が最低限、先史時代に移住していたということを単に意味しているだけだ。別の言い方をすれば、彼らは最も長く郷土に留まっていた。そしてそれ以後、自らのゲノムの中に最古の追跡可能の突然変異を維持したのだ。

全体として人類の遺伝子の歴史の観点から見ると、サン族とハッザ族はサピエンスの生物学的集団として他のどの集団よりも「古代的」だというわけではない。サン族とハッザ族を含めて私たちすべては、アフリカのイヴの基礎のハプログループから出た広い系譜としてアフリカ内とアフリカ外で突然変異をしたミトコンドリアDNA系統を共有しているからだ。私たちの多くは、アフリカから遠くまで移住して行き、生存に成功し、ミトコンドリアDNAの突然変異という比較的年代の若い出来事を経験した祖先を持った。しかし一部のアフリカ人はそうではなかった。彼らの祖先は、そのままアフリカの郷土に留まった。いずれにしてもアフリカに土着した集団、ユーラシア人、オーストラリア先住民、アメリカ先住民はみんな等しく現生人類なのだ。

一九八七年以来、今日生きている全人類の最も新しい共通祖先の起源地を求める探求は、急速に進んできた。遺伝学者のエヴァ・チャンらによって最近発表された報告によると、現在のボツワナ北部に当たるザンベジ川の南の湖沼と湿地の広がる地域で二四万〜一六万五〇〇〇年前にミトコンドリアDNAでの起源のあることが推定されている。(5) この推定は、強い批判を受けている。(6) そしてマーク・リプソンらによる別の調査計画は、二〇万年前までにサハラ以南のアフリカで少なくとも三つの地域的サピエンス集団に分岐したとする推定に支持が集まっている。(7) 最近になって全ゲノムとミトコンドリアDNAとの比較から導かれた年代とも類似した二五万年前という年代も、全人類のY染色体――男性を通じてのみ受け継がれる――の系統の共通祖先に対して計算されている。(8)

こうした分析から導かれた年代（分子時計）の結論にいくぶんかの違いがあるが、三〇万〜二〇万年前にサハラ以南のアフリカにホモ・サピエンスが現れていたという同一とみなせる推定は、古人類学者によっても推定されているように、確かなように思える。正確にサピエンスの起源がどこだったか、その前に何が起こったのかは、なお論争中である。

アフリカを脱して、謎と共に

ハーヴァード大学のデイヴィッド・ライヒによれば、アフリカからのサピエンスの主要な出発は、現生と古代のユーラシア集団間のゲノムによる分子時計比較に基づくと、五万四〇〇〇~四万九〇〇〇年前という年代的にはかなり遅くに起こった。それは、やがて起こるホモ・サピエンスとユーラシア・ネアンデルタール人との交雑の年代で裏付けられるという。[9] 別の何人かの遺伝学者たちは、この主要な出アフリカの移住に対してライヒよりいくぶんか幅のある六万五〇〇〇年前にまで遡る年代を与えている。しかし分子時計は、出アフリカの移動に関する限り、一般にこの年代の近辺で線を引く。出アフリカの六万五〇〇〇年前より古い移動は、少なくとも遺伝的に見れば、本当のホモ・サピエンスではなかっただろう。アフリカ内でなら、年代はもっと古くなる。

しかし大きな問題は、遺伝学者に提示された出アフリカ年代範囲よりはるかに古い年代値を持つユーラシア出土の早期ホモ・サピエンス頭蓋年代群があることだ。最古の例の一つは、二一万年前頃の年代で、ギリシャのアピディマ洞窟から見つかっている。[10] アピディマ洞窟より年代はやや若いが、レヴァント地方には早期ホモ・サピエンスのいた、さらに多くの証拠がある。イスラエルのミスリヤ洞窟でルヴァロワ技法で製作された石器を共伴するサピエンスの上顎（上の顔面）は、一九万四〇〇〇~一七万七〇〇〇年前と年代推定されている。一二万年前頃の最後から二番目の間氷期の時までに、早期ホモ・サピエンスは、レヴァント地方で、特にイスラエルのムガレット・エス゠スフールとカフゼーの両洞窟で保存されていた人骨群という形で確固たる存在になりつつあった。[11]

スフールとカフゼーの人類遺体には、何体もの入念な埋葬のなされたものがある。その中で最も目を引くのは、カフゼー洞窟で見つかった、足下に六歳の子を伴った若い女性の複葬骨で、両者とも屈曲位で埋葬されていた。[12] これらスフールとカフゼーの人類遺体の一部には、赤色オーカーが骨に振り撒かれていた。さらに中には、穿孔された小形の貝殻製ビーズを伴った埋葬もあった。[13] カフゼー出土のある個体は、胸の上に一対のシカの角が副葬されていた。

これらスフールとカフゼーの早期ホモ・サピエンスの埋葬は、注目に値する例に他ならない。これらの埋葬は、洞窟堆積層の地球物理学的年代推定法により一二万〜九万年前頃に一括してなされたと考えられる。スフールとカフゼーと時代と重複するネアンデルタール人のように、彼らもネアンデルタール人のムステリアンとルヴァロワ技法に関連した石器群を用いていた。レヴァント地方の上部旧石器文化は、明らかにまだ発明されてもいなかったし、外から導入もされていなかった。だがオーカーや貝殻製ビーズ、さらにある意図による副葬品を伴った彼らの埋葬習俗は、たぶん世界のそうした習俗の中でも議論の余地のない最古の例である。ホモ・サピエンスの故郷と考えられるアフリカでさえ、今まで分かっている、ある意図のもとのヒトの最古の埋葬は、ケニアで見つかった少年のもので、年代は七万八〇〇〇年前頃に過ぎない[14]。

アピディマの頭蓋のように、スフールとカフゼーのそれは、明らかにホモ・サピエンスである。だが彼らの頭蓋には、絶滅ヒト族の種と重なり合う突き出た眼窩上隆起などの一定の特徴も備えている（カフゼー出土の頭蓋は図二・五で見られる）。これら以外の他の種として、ネアンデルタール人が含まれる。彼らは、スフールとカフゼー両洞窟で埋葬が行われていたまさにその時代に南西アジアに広く分布していた。それればかりでなく、新しく発表された、イスラエル中部のネシャー・ラムラから見つかった熱い論争中の類似した種の一二万六〇〇〇年前のヒト族もいる[15]。スフールとカフゼーのヒト族は、こうした他の中期更新世ヒト族集団と交雑していたのか？　この状況にさらに光を投げかける古代DNAがまだ回収されていないとしても、その可能性はありそうだ。

アフリカ外で見つかっているアピディマ、ミスリヤ、スフールとカフゼーのような早期ホモ・サピエンスのこれらの骨資料は、ホモ・サピエンスの出アフリカ移動に対するゲノムの年代よりはるかに古く、まさに謎である。何が起こったのか？　現在まで、早期ホモ・サピエンス資料はギリシャとレヴァント地方に局在しており、さらに古いと主張された中国出土の早期ホモ・サピエンスは、[16]今では疑問視されている。たぶんもっと重要なのは、今日アフリカの外で暮らしている現生の人々のゲノムに、こうした古代型サピエンス集団の痕跡が全く残存していないのはなぜなのか、ということだ。

逆説的だが、一七万年前以前のものと年代推定できる、ユーラシア内でネアンデルタール人とサピエンスの交雑があった一部の証拠が実際にある。しかしそれは、図四・一で示したように、サピエンス遺伝子のネアンデルタール人への一方通行の交雑に由来する。現生のサピエンス集団に追跡できるその逆の影響はない。[17]あたかも七万年前より前に出アフリカした一部の早期ホモ・サピエンス集団がユーラシアに移住し、そこでネアンデルタール人と交雑し、その後に遺伝子の面で消滅しただけのようだ。スフールとカフゼーでの人類行動の複合性から見て、これは私たちの祖先の系譜の中での最大のミステリーの一つだ。

たぶんホモ・サピエンスの出現は、現在明らかになっている以上に複雑な過程をたどったのだ。この件について、多くの可能性を持つ最近の見方が、古人類学者のリンダ・シュローダーから出されている。「単一起源仮説はなお維持されているが……、アフリカとユーラシアからの寄与を伴う遺伝子移入の多重的な出来事、アフリカ全体の集団間の広範囲の交流、そしてアフリカの外への早い段階での移住を含む現代人起源のシナリオは、現在では最も支持できるモデルであるように思える[18]」。

ホモ・サピエンスの出現：考古学

考古学者が上部旧石器文化を論じる時は、考古記録で大きな役割を果たし、異なる諸文化と明確に区別するのに用いられる特徴的な石器を重視する傾向がある。アフリカにおける最古のサピエンス化石に考古学的に伴っていた石器は、私たちの種の文化的進化が私が第四章で述べたルヴァロワ技法の調整石核と剥片石器技術にしっかりと根ざしていたことを示す。イスラエルのミスリヤ、スフール、そしてカフゼーの石器も、このタイプから成り、隣で出土したネアンデルタール人とネシャー・ラムラ集団によって製作された石器に類似する。オルドワン的な先行石器群に近く、典型的なルヴァロワ的調整石核を欠いた、それらよりもっと基礎的な石器インダストリーは、中国南部、東南アジア、オーストラリアに進出した出アフリカしたホモ・サピエンス移住の主流の波と共に広がった。

アフリカの温帯地域、そしてユーラシア西部と同北部の調整石核と剥片石器のインダストリーは、現生人類が高緯度の寒冷な地域に侵入した時に、特徴的な石刃と両面加工石器と共に上部旧石器インダストリーへと変化したようだ。そこでは、縫製された毛皮、暖かな小屋、効率的な狩猟具の需要が高かったはずだ。驚くことではないが、サハラ以南のアフリカのホモ・サピエンスの起源に対する遺伝子証拠を考えると、そのような石刃と両面加工尖頭器製作技術の世界最古の出現が、現在までに温帯南アフリカの洞窟で記録されている。

ここで、ユーラシアの上部旧石器文化に似た石器製作技術の発展は、五万年前より十分前に起こった。だが南アフリカではそれは、ユーラシアよりも年代的にはるかに早く、最終間氷期の少し前まで遡る。この発展は、完全なサピエンス水準の石器と骨器の製作技術の表われが出現したという最古の考古学証拠を示してくれる。しかしある意図の下の埋葬に伴ったオーカーと身体装飾の使用を含めた文化と芸術という関係で言えば、前述したイスラエル出土の現生人類行動の最古の例も見逃せない。古代型ヒト族に対して早期ホモ・サピエンスの行動を特徴付けるようになったものは、必ずしもすべてがアフリカで初めて現れたわけではなかったのだ。

とはいえ南アフリカの証拠は、それでもなおユニークであり、かつ刺激的である。握るためなのか何かを取り付けるためなのかは分からないが、一端を刃潰しした石刃と剥片（「刃潰し石器」、あるいは「峰付き石器」）、両面加工の剥片製の槍先、小形・円形のダチョウの卵殻製のビーズ、赤色顔料を作るために用いられたオーカーの線刻片などが、そうである。アフリカからではないが、そうした刃潰し石器と両面加工石器に似た例は、図五・二と図一二・二で見ることができる。こうした石器と芸術作品は、スフールとカフゼー出土のものを含む先行した考古学的一括遺物よりも技術的に複雑化しているが、一部のより古い人工品は新しい人工品と一緒に作られ続けた。こうした石器を作ったヒトたちは、弓矢の利用を知っていたという推定もなされている。

南アフリカの考古学者たちは、南アフリカの海岸周辺の多数の著名な洞窟で、これらの石器一括遺物を発見してきた。例えばハウーイスンズ・プールト、ピナクル・ポイント、ブロンボス洞窟、クラシーズ・リヴァー・マウスなどだ（位置は図五・一を参照）。最後に挙げた洞窟で発見された人骨破片は、早期ホモ・サピエンスとされている[19]。

測定で得られた推定年代は、こうした石器インダストリーの主に製作された時期を七万五〇〇〇～六万五〇〇〇年前に置く。ヨーロッパとレヴァント地方の上部旧石器文化の始まりよりほぼ二万年も古く、アフリカ外へのサピエンスの主な移住の波よりも十分に早い。このタイプのインダストリーは、この時期のアフリカの他の地域では、一般的ではなかった。ただ、有茎の（柄を付けるために中子の付けられた）槍先のいくつかの例は、北アフリカに存在し、東アフリカでは六万年前頃に刃潰し石器も一部作られた[20]。それにもかかわらずアフリカ大陸全土でもアフリカ外の地域でも、そうした石器類型が突然に拡大した証拠はない[21]。

ではそうした発展はなぜ起こったのか？　私が採用する説明は、こうだ。熱帯起源の生き物であるホモ・サピエンスは南方に移動し、比較的冬の寒い南部アフリカ地域に移住した。その過程で例えばホモ・ナレディのような他の在地のヒト族と遭遇した。他のヒト族との単なる競い合いは、これらの新しい種類の人工品を創造したことの有効な説明ではなかったかもしれない。だが寒い冬をしのぐのに必要となる追加の適応が、情勢を変化させたのだろう。発見された人工品の中にある骨製錐と針は、冬季の暖を保持するために縫製した毛皮の衣服を製作したり、飾り立てをしたりするのに有益だったに違いない。貝殻製ビーズと赤色オーカー顔料は、その衣服への装飾に彩りを添えただろう[22]。効率的な投擲用槍先は、南部アフリカの冷涼で乾燥した後期更新世気候に暮らす大型獣の群れを狩猟するのに役立ったはずだ。

別の考古学者の中には、これら南アフリカの人工品の一括遺物は、冷涼ないしは寒冷な気候への必要な適応だったという考えを支持する者もいる。例えばスタンレー・アンブローズは、これらは七万四〇〇〇年前頃のスマトラ島のトバ山大爆発によって引き起こされた厳しい寒さの続いた数千年間に発展したと推定する[23]。トバ山噴火は、過去五〇〇万年間で最大規模の爆発の一つで、噴出した火山灰は、数百年、ひょっとすると数千年間も空を暗くさせただろう。だが地形学者たちは、その正確な結果をめぐって意見が一致していない[24]。それにもかかわらずアンブローズの見解は、後期更新世を通じた南部アフリカの考古記録の分析により強化されている。考古記録は、衣服とそれを作るのに必要とされた道具の利用を反映する身体装身具の量が地域的な気候記録の最寒冷期に最多となったことを物語る。そしてその最寒冷期の一つは七万五〇〇〇年前頃にあった。[25]

アフリカと同じようにユーラシアでも寒冷な気候とネアンデルタール人とデニーソヴァ人とのヒト族の競い合いは、ホモ・サピエンス集団を、南部アフリカとは別個に、たぶん複数の機会に、上部旧石器の刃潰し石器と両面加工石器の発明に向けて駆り立てたのかもしれない。ただしユーラシアでは、それは四万七〇〇〇年前以降に過ぎなかったが。そうした発展は、東南アジアの熱帯の気候では起こらなかった。そこでは、寒冷な気候は重大な問題にはならなかったのだ。

ユーラシアの上部旧石器文化

ヨーロッパで過去一世紀以上もの間、考古学の教科書で支配的な記述だった上部旧石器インダストリーの「典型的」系列は、それに先行する旧石器文化段階のように、フランスの特定の考古遺跡名にちなんで命名されている。上部旧石器文化については、その名称はフランス中南部のドルドーニュ地方に位置する石灰岩洞窟群に由来する。これらのインダストリーは、その石器と骨器の差異によって定義される。石刃石器を有する最古のインダストリーの一つが、オーリナシアン（オーリニャック文化）だった。オーリナシアンは、四万五〇〇〇年前頃にヨーロッパとレヴァント地方で始まる。これに先行する短期の「上部旧石器草創期」もあった。ルヴァロワ的な石器要素を引き継ぐもので、ブルガリアで四万七〇〇〇年前頃と認識された。[26]

上部旧石器草創期とオーリナシアンの後には、グラヴェティアン（グラヴェット文化）が後続する。グラヴェティアンは、三万五〇〇〇年前頃にヨーロッパ全土で刃潰し石器に重点を置いて始まった。この後に、美麗な作りの両面加工の槍先を備えたソリュートレアン（ソリュートレ文化）が続く。ただソリュートレアンは、二万年前頃の最終氷期極大期（LGM）のフランスとスペイン北部に限定される。この時、この北のヨーロッパ大陸の大半には、ヒトが居住していなかった。LGM後の温暖期の始まりと共に、洞窟壁画と彫刻像で有名なマグダレーニアン（マドレーヌ文化）が、一万七〇〇〇〜一万二〇〇〇年前にヨーロッパのほとんどの地域に広がった。古代DNAの証拠が示すところでは、これらの人類集団のすべてが現在までDNAを伝えたわけではなかった。このことは、氷床の前進と後退に応じて異なる集団が移動した時に集団の置換があったことを推定させる。[27]

高緯度地帯で上部旧石器インダストリーの石器群を作っていた集団は、最終的にユーラシアのほぼ全土に広がった。これらの石器のおかげで、人類は四万二〇〇〇年前にはシベリアと中国北部に、三万八〇〇〇年前には日本に、そして一万六〇〇〇年前には最終的に両米大陸に進出できた。次の章で私は、こうした驚くべき大拡散に立ち戻る。そうした石器は、南アジアと熱帯のスリランカにも到達した。そこでは、四万年前になってすぐ、小形の刃潰し石器が洞窟内に現れるようになった。[28]

もう一つ、強調しておきたい点がある。特定の種類の石器だけでなく、他にもホモ・サピエンスと関連づけられる多くの生活の側面があることだ。例えば目を見張るばかりの洞窟壁画と動産芸術、入念に行われ、時には高度な装飾のなされた埋葬、身体を飾る装飾品、皮革衣服、そしてたぶん存在したはずの織物による衣服の製作などである。最近、壁画を包み込んだ石筍の表層をウラン系列法で年代測定し四万四〇〇〇年前と発表された、狩りの場面を描いた世界最古の洞窟壁画が、インドネシアのスラウェシ島――アフリカでもフランスでも、さらにスペインでもない――から報告されている。[29] それには、上部旧石器文化の石器を伴っていない。ある意図的な埋葬と身体を飾る装飾品も、既に述べたがイスラエルのスフール洞窟とカフゼー洞窟で少なくとも九万年前の中部旧石器文化を背景にした地層から報告されている。

実際、考古記録でホモ・サピエンスのものと同定されている上部旧石器文化の石器製作技術の膨張する重要性は、民族誌記録の集団――例えば近代のニューギニア高地人――を考える時、いっそう明瞭になっている。ニューギニア高地のケースでは二〇世紀に入ってもまだ先史時代だったが、この島には、ずっと上部旧石器文化的な石器器種が存在しなかった。しかし私たちはニューギニアの民族誌記録の信じられない豊かさを観察すると、熱帯という立地で石刃石器を欠くことがどれほど取るに足らないものかを理解せざるをえない。

ヨーロッパ人と接触し、人類学者によって記載されたニューギニア高地の社会は、社会組織、祭祀活動、芸術と身体装飾品、農耕、磨製石斧の製作という点で驚くばかりの複雑さを見せていた。さらにその上、この文化的な多彩さは、土着の後期更新世に根を持ち、ニューギニア内で発展した。断じて外部から移入されたのではなかったのだ。私たちは現実的である必要があり、様々な上部旧石器インダストリーを生存と、大部分の寒冷な地域に早期ホモ・サピエンス集団が定着するに際しておそらく集団のアイデンティティーを作りあげるのに必須であったもの、と考える必要がある。だが現生人類の生物学的、文化的進化において完全に新しいレベルの複雑さの製作者とみなすべきではないのだ。

ホモ・サピエンス、そしてネアンデルタール人の絶滅

ユーラシアの寒冷な高緯度地帯へのホモ・サピエンスの上部旧石器文化の拡大、そこから起こる話題がもう一つある。ネアンデルタール人の身に何が起こったのか、そしてデニーソヴァ人の身には？　ということだ。ネアンデルタール人は、最終的に彼らに置き換わった現生人類よりもはるかに人口が少なかったと考えられる。フランスの上部旧石器文化を備えたホモ・サピエンスの人口は、同時代のネアンデルタール人口のおそらく一〇倍を超えていただろう[30]。このことは、後期のネアンデルタール人は小さな家族数しかなく、出生率も低かったことを示唆する。ユーラシアの上部旧石器ホモ・サピエンスの骨の中のネアンデルタール人DNAの比率が一般に一〇％に届かず、時と共に少なくなっていく理由の一つだろう。

科学記者のティム・フラナリーは、一万四〇〇〇年前より前の上部旧石器ヨーロッパ人をネアンデルタール人とサピエンスの混血と書いている[31]。その多くは、間違いなかっただろう。分析された古代の骨の点で、ネアンデルタール人DNAは一〇％近くは含まれているのだ。だがこの二種間の遺伝的交雑が全体的にうまくいったかに関しては、疑問がある。特に交雑個体の生存率が比較的に低かったとすれば[32]。例えばルーマニアで発見された上部旧石器文化の一個体は、放射線炭素年代での測定限界に近い四万二〇〇〇～三万七〇〇〇年前のいつかに生きていて、四～六世代前にネアンデルタール人と交雑した祖先を持っていた〔ペシュテラ・ク・ワセ（骨のある洞窟）の下顎骨のこと〕。何らかの理由でこの個体は、現生人類集団のどの集団にもDNAでは直接の寄与することはなかったのだ[33]。

この点で、ネアンデルタール人の遺伝子が祖先の現生人類の中に移された時、いつも生存の上でプラ

スになったわけではなかったのは明白だ。例えば、私がちょうど本書を書き終えつつあった時、私たち人類はネアンデルタール人との遠い類縁者を通じてCOVID-19への感染しやすさを得ていたのかもしれないという驚くべきニュースが報じられた(34)。

しかし交雑個体の強さに関する見解は、いろいろだ。チャールズ・ダーウィンは、交雑の強さを強力に支持した。そして一部のネアンデルタール人遺伝子が現生人類集団の中に移転された時、生存に有利になったかもしれないとするポジティブな推定もなされている。たぶんネアンデルタール人遺伝子は、低線量の紫外線放射に適応する助けになったし、体の震えを防ぐために、寒い夜の安眠時に酸素消費の低下を通じて代謝率を下げる遺伝子も備えていたかもしれない。

ホモ・サピエンス集団がネアンデルタール人の縄張りに侵入した時、ホモ・サピエンス集団は特定の技術的長所を何か活用できたのだろうか？　ネアンデルタール人より巧みな狩猟能力が、頭に浮かぶ。おそらく弓矢もあり、それを含めてネアンデルタール人より進歩した投擲狩猟具を備えていただろう。ホモ・サピエンスは、火の管理と調理の巧みさ、寒さに対して効果的な衣服と避難所、そしてネアンデルタール人よりも強い社会的団結力と強く協力できる集団の大きさを備えていたかもしれない(35)。言語の効率的な使用も、もう一つの要因であっただろう。競合圧の高まりと縄張りからの追い立ての圧力をネアンデルタール人が集団として察知した時、彼らの出生率は低下したと予想できる。それは、オーストラリアと南北アメリカでヨーロッパ人との接触後の植民地時代に起こった状況だ。そこで、ヨーロッパ移民は、多数の家族成員を持つようになったが、土地から追い出された土着先住民は、深刻な人口減に見舞われたのだ。

ネアンデルタール人集団は、最終的な絶滅に先立って、内部で出生率の低下に見舞われつつあった直接的な遺伝的証拠がある。例えば父親から受け継ぐY染色体は、後期のネアンデルタール人で多様性の低下を見せる。あたかも集団内で繁殖能力の高い男たちの数がゆるやかに低下していたかのようなのだ。ネアンデルタール人では異父きょうだい・異母きょうだい間の近親婚が一般的に行われていたようで、骨に先天的な（遺伝性の）異常が残っている証拠もある。[36) ホモ・サピエンスとの交雑は、次の疑問を呼び起こす。すなわちネアンデルタール人は、暴力による絶滅ではなく、交雑を通じてホモ・サピエンスのはるかに多い人口の中に吸収され、最終的には四万年前に絶滅したのか？[37] その可能性はかなりあるように思われる。

ホモ・サピエンスのユーラシア東部への拡散

二〇〇万年前頃に最初のヒト族がアフリカを出てユーラシアに入っていったように、アジアの主要部へのホモ・サピエンスによる後期更新世の移住でも、荒涼とした砂漠と人を寄せ付けないような山岳地帯に彼らは対峙しなければならなかった。だから最初の移住は、おそらくこうした恐ろしい景観の地は避け、その南方を選んだだろう。その後にオーストラリアへとつながる熱帯が続く。しかし私が後で述べるつもりだが、オーストラリアにサピエンスがかなり早い時期に到来した可能性はあったとしても、それを証明する明確な証拠は無い。だが比較的新しい時代の熱帯アフリカに起源を持つホモ・サピエンス集団なら、暖かな衣服の助けがありさえすれば、砂漠と山岳部の障壁の立ちはだかる北のアジアに移住できただろうと想像できる。防寒用の衣服なら、上部旧石器テクノロジーを使えば頼りにできただろう。ただ四万二〇〇〇年前頃までは、東北アジアで衣服の製作技術のあった証拠は無い。[38]

それでも、西方からだけでなく南方からも数多くの遊動によって、最終的にこれら北方地域にホモ・サピエンスは定着した。一万二〇〇〇年前頃の更新世末までに、東北アジアの祖先的な現生人類は、東南アジア、オーストラリア、ニューギニアの同時代者と、ゲノムと身体の外観で異なるようになった。現代のシベリア住民、中国人、アメリカ先住民の祖先となる集団は、寒冷な東北アジアに適応して独特な身体的特徴を発展させたのだ。一方で、現代のアンダマン諸島民、オーストラリア先住民、パプア人の祖先となる集団は、南方の熱帯に合ったそれとは別の身体的特徴を発展させた(39)。

八〇〇〇年前以降の東アジアで広がった食料生産経済の完新世に、北方の集団は、徐々にその重心を南方へ移し、東北アジア大陸とその島々に進出し、最後にはそこからさらに遠く離れたポリネシアの島々へと移住した。こうした移住が、今日の東アジアとオセアニアに見られる人類分布パターンを作った。このことについては第一二章で取り上げるが、この時点ではまずオーストラリアとニューギニアへと向かう最初のサピエンス移住者を追っていく必要がある。

サフルへ進む

後期更新世のほとんどの間の海水準が低下していた時、現在は別々の陸塊に分かれているオーストラリア、タスマニア島、そしてニューギニア島は、サフルと呼ばれる単一の大陸として陸続きとなっていた（図五・一）。仮にこの大陸に、デニーソヴァ人のようなサピエンスより古いヒト族ではなく、ホモ・サピエンスが最初に定着したとしたら、その居住の最古の考古年代は、出アフリカをしたホモ・サピエンスの拡大に最低年代を与えるはずだ。では、その年代はどうなのか？

ここで二つの問題がある。第一は、サフルへの最初の移住についての年代に曖昧さのあることだ。その年代は、地球物理学的な年代測定法の半減期の現実を反映したものだ。端的に言えば、考古学的な発見の連続は、具合の悪いことに放射線炭素年代測定法が機能しなくなる年代の近くにまさに始まる。有機物質内に残った放射性の炭素14の量があまりにも微量になり、年代測定の目的のために測れなく時が、これだ。この測定限界は、試料の質とその放射性を測定するのに使われるラボの技術にもよるが、六万〜五万年前にある。その結果、最古級のオーストラリアの考古年代は、大部分が堆積層内の石英と長石の発光(ルミネッセンス)を分析したものが基になっている。時には、この技術には方法論的な困難さがつきまとう。ルミネッセンス年代測定法は人工品や骨を直接に測定をせず、堆積層中の鉱物の粒しか測定しないからだ。

第二は、オーストラリアとニューギニアに到達した最初のヒト族が実際にサピエンス、すなわち最初のヒトが現生のオーストラリア先住民とパプア人の直接の祖先であるホモ・サピエンスであったとは必ずしもはっきりしていないことだ。ニューサウスウェールズ州旧ムンゴー湖湖畔から四万二〇〇〇年前頃と年代測定された、オーストラリア最古のヒトの埋葬は、確かに完全に現代的なサピエンスである。一例は明らかな火葬が行われていて、これは、これまでに発見された世界の遺跡の中で最古の例であり、もう一例はオーカーを振り撒かれた埋葬である。しかしこれ以前には、十分な年代の測られた骨格化石はない。それにもかかわらず、現在、六万五〇〇〇年前のようなはるかに古い年代まで遡ると主張されている石器が発見されている。以下で、それを論考する。

残念なことに、東南アジアとサフルの大半の更新世遺跡で発見されている剥片石器は、ヒト族の種を推定する研究に対して、あまり役立たない。石刃石器も、ルヴァロワ技法さえ一般に欠いている。(40) 後期更新世のオーストラリアとニューギニアで発見されているものに似た「中部旧石器」的な剥片石器インダストリーは、インドネシアのホモ・エレクトス、西アジアのネアンデルタール人、アフリカとユーラシアの早期ホモ・サピエンスによっても作られた。[41] いずれにも、石器類型と、サヘルよりさらに西方の地域、例えばアラビア半島や南アジアに種の同定可能なヒト族化石との間に、明瞭な関連性は存在しない。アジア南部のこうした地域の、年代測定されたサピエンス頭蓋と特定の石器インダストリーとの間の直接の関連性は、全く存在しないのだ。

したがって現代のオーストラリア先住民集団の祖先が到達する前に、特にホモ・フロレシエンシスやホモ・ルゾネンシスによってなされた古い時代の外洋航海を考えれば、デニーソヴァ人やさらにはホモ・エレクトスさえ、サフルにやって来ていた可能性はある。現時点では、この問題に決着を付ける化石も遺伝子証拠も存在しない。しかし一部の古代オーストラリア人頭蓋は、デニーソヴァ人、ホモ・エレクトスとの交雑を示唆する可能性のある特徴を持っている。その交雑は、オーストラリア本土ではなく、アジアで生じたのだろう。[42] 古代DNAと現代DNAの両者の記録から、ホモ・サピエンスの到来以前にオーストラリアとニューギニアにデニーソヴァ人がいた可能性を排除できない。[43] オーストラリアとニューギニアとは、後期更新世の大部分の間、トレス海峡とカーペンタリア湾も含めて海水の漬かっていない陸によって繋がっていたので、ニューギニアに到達したヒト族なら、オーストラリアにも極めて容易に到達できただろう。

いつオーストラリアに植民したのか？

オーストラリアでの方法論の限界にある放射線炭素年代測定法に関する問題は、先述した。したがって人類の植民の年代が現代オーストラリア考古学で最も熱い論争の的になっているトピックスの一つであることは、全く意外なことではない。最近、こうした論争で最も白熱しているのは、オーストラリア北部、アーネムランドのマジェドベベ（以前はマラクナンジャと呼んでいた）という名の一洞窟からの発見に関係した問題だ。その洞窟からは、人類の遺体を伴わない最初のヒトの居住が、洞窟堆積物から得られた砂粒をルミネッセンス年代測定して六万五〇〇〇～五万三〇〇〇年前の年代と推定された(44)。この年代は、少なくとも堆積層については確かである。発掘調査者は、堆積層は深さと共に古くなり、攪乱の印も全く見られず、正確な順序で堆積している、と述べているからだ。

しかしこの年代範囲は、マジェドベベ堆積層の一部がシロアリの巣により嵌入された可能性があるという理由で、多くの反論を受けている。それによって、全体の層位の中で遺物は下方へと動いたということだ(45)。年代を直接に測定できない人工品そのものにも、疑問が起こっている。なぜなら遺跡の最下層に、刃部の磨かれた長さ二〇センチにも達するたくさんの石斧が埋まっていたからだ。これらマジェドベベの刃部の磨かれた石斧は、世界ではこの種のものとして最古の可能性があり、その年代範囲はユーラシアの上部旧石器文化の開始年代よりほぼ二万年も古く遡ると主張された。この種の刃部磨研石斧は、日本を別にすれば、世界の上部旧石器文化の背景では他のどこにも存在していなかった。日本では、三万七〇〇〇年前頃に九州と本州に初めてヒトが定着した。それについては第六章で取り上げる。日本の局部磨製石斧の年代は、ほぼ三万年前で、なおマジェドベベの年代範囲より若い。

この例で、マジェドベベの最下層に、デニーソヴァ人のような先サピエンスのヒト族が住んでいたと私たちはとても主張できない。なぜならかつて石器の刃を磨いていた、そうしたヒト族が他地域にいたことは、これまで知られていないからだ。マジェドベベでは、少なくとも石器による限り、サピエンスの存在していたことは確かに確認されつつある。しかしそれなら、いつ洞窟に最初にヒトが住んだのか？　それは、謎だ。

オーストラリア北部の他の二、三の洞窟から、四万年前に遡ると信じられる刃部を磨いた石斧の破片が出ている。だがこの大陸の南の三分の二の地域では、完新世までそうした石器は見つかっていない。この状況には多くの不可解な特徴がある。マジェドベベの刃部磨研石斧の主張されている年代は正しいのだろうか？　埋納の背景には、重要な課題が残っている。オーストラリアに六万五〇〇〇年前に本当にホモ・サピエンスが定着したのだろうか？　それとも五万五〇〇〇年前により近い時期にか、さらには一部の遺伝学者や考古学者が支持する四万五〇〇〇年前に(46)？

マジェドベベの石斧について、これ以上、言うべきことは私にはないが、サフルへのサピエンスの渡来年代として五万五〇〇〇年前の年代を受け入れるのに、オーストラリアとニューギニアの両地域から放射線炭素年代測定法の限界に近い、これより年代の遡るたくさんの確かな放射線炭素年代が出ていることから考えれば、問題のないことは明らかにしておきたい。オーストラリアとニューギニアの両方に、遅くとも五万五〇〇〇年前には現生人類の居住のあったことを裏付けるミトコンドリアDNA分子時計の情報もある。おそらくそれは、二つの別々の集団によるものだったろう(47)。たぶんここに、異なる見解の間でいくらか調整の余地がある。しかし正確にいつ、オーストラリアに初めてヒト族がやって来たのかをめぐる論争は、たぶん容易《たやす》い解決策などないまま、まだ確実に続くだろう。

オーストラリアにはどのようにして植民したのか？

オーストラリアはホモ・サピエンスによってどのようにして植民されたのか？　オーストラリアはずっと海に囲まれたワラセア（インドネシア東部）の島々を通って到達するしかできなかった島大陸だったことを考えれば、その疑問が起こる。しかも陸影を見られずに少なくとも一回の航海、おそらく最低九〇キロメートルもの外洋航海が必要だった。たとえ一部の研究者が島と島の間の距離とその間の可視性を基にあれこれ推察するのを好むとしても、ワラセアの多くの島々の間を縫った正確なルートはうかがうことができない。ティモール島かニューギニアを経由してオーストラリアへ近付いたことは、純粋に地理的な見通しからも最も可能性が高いのは明らかだ[48]。

五万五〇〇〇年前に利用できた航海手段の種類については、民族誌記録からオーストラリア先住民の祖先は丸太の筏か葦の束を用いただろうと推定できる。一部を木で造った航海手段は、マジェドベベの刃部磨研石斧が少なくともそれを造れる機能を与えている。蜂蜜を採取するため木に登る助けに木に穴を開けることは、石斧のもう一つの役割だったろう。

オーストラリアに向かう移住民が利用できた食料源について、後期更新世のインドネシア東部のワラセラ孤島群は、スンダ陸棚上の当時は陸橋で繋がっていたスマトラ、ジャワ、ボルネオに比べれば、供給能力が貧弱だった。特に陸棲の大型哺乳類については、そうだった。第三章で見たように、スンダランドに生息していたイノシシ、シカ、水牛などは、小スンダ列島には一度も渡ったことはなかった。ごく少数のアジアの哺乳類が人類到達以前に自然分散を通じてフィリピン諸島とスラウェシ島に確かに渡っていたが、完新世にヒトが彼らを連れて行くまでは、少なくとも小スンダ列島には大型哺乳類はいなかった。その代わりとして海での漁労と海老・カニ・貝類の採捕への関心が、インドネシア東部の一部の島で遅くとも四万年前までには発展したようである。そこからは、いくつかの世界最古の貝製釣り針が発見されている（図六・四）[49]。

しかしいったんヒト族／現生人類がオーストラリアとニューギニアに到達してしまえば、陸棲の食料源、大型有袋類と飛べない大型陸鳥が、再び目の前に現れただろう。デニーソヴァ人であれホモ・サピエンスであれ、どんなヒト族が最初に到達したにせよ、植民者たちは、二足歩行の捕食者と一緒にいる人擦れしていない獲物という景観を体験するになっただろう。そしておそらくは乱獲の結果、こうした大型有袋類と飛べない鳥は、一部が急速に絶滅するに至った。少なくとも一部の古生物学者によれば、そうである（人間活動による絶滅の問題についての意見はいろいろと異なるし、しばしば強い対立となっている）[50]。オーストラリアには恐ろしい肉食有袋類がいたが、狩猟民たちが温和しい草食性の獲物を殺戮し、草食獣を支えてきた季節的に乾燥化する環境を火を使って管理し始めたので、これら肉食有袋類も急速に個体数を減少させた。

人類が五万年以上前に到達した時に存在したオーストラリアは、一八世紀末にヨーロッパ人の到達する前夜に存在したオーストラリアとほとんど似ていなかった。葉食性の大型有袋類の絶滅は、乾燥地を進むための食料の荷が増えることを意味した。これは、野火と人間による着火をさらに頻繁に行わせる結果となった。するとその後で、火に抵抗力のあるユーカリとバンクシア属（硬葉植物）の森の拡大を招いた。これらには、人間の食べられる有用な植物性食料源は何も無かった[51]。ホモ・サピエンスがオーストラリアに到達した最初のヒト族だったと仮定すれば、彼ら最初のサピエンス移住者たちなら、豊かに暮らせたに違いない。彼らが第六章で述べる最初のアメリカ人のようであったとすれば、移住した最初の数千年間でこの大陸内で人口を何倍にも増やしたかもしれない。

最初のオーストラリア人はどれくらい居たのか？

繁殖力についてだが、最初のオーストラリア人は、繁殖上の運の悪さ（例えば生まれた子で男児が多すぎ、女児が少なすぎるなどの性の偏り）や孤絶した状態ではしばしば絶滅に至ることがあり得る近親交配の恐れを免れて生き延びられるだけの十分な個体数を確立するには、どれだけの人数が必要だったのだろうか？　拙著『*First Migrants*（未邦訳：最初の移住民）』で述べたように、五万五〇〇〇年前の狩猟採集民は、絶え間なく自然淘汰にさらされ、医学的な治療法も何も無かったことを考えれば、今日の私たちより遺伝的にはるかに壮健だったと思われる。慢性疾患や目に見えるほどのかなりの身体障害を引き起こす有害な遺伝子を持つ個体は誰でも、理論上、繁殖のチャンスを弱めただろう。したがって障害を起こす遺伝子は、その集団内で速やかに排除されたかもしれない。遺伝的な原因の無い身体の良好な健康となると、話は変わってくる。間違いなく多くの人たちは、現代の基準から見れば貧弱な治療しかなくとも酷使や重作業に耐えられる身体を備えていた。しかし近親者との近親婚がしばしば見られる状況で、遺伝的に成功する形で繁殖が進むかが、ここで問題となる。しかし自然淘汰で良好な遺伝子だけが存続できたとしたら、生命を危険にさらす遺伝的疾患を持つ子を育てる機会を軽減させただろう[52]。

この点を考慮に入れて、人口学モデルの最近の推計で、更新世のサフル大陸の最初の定着後に将来の生き残りを保証するのに男女合わせて一三〇〇人～一五五〇人の創始者集団が必要と推定されたことは驚きだ[53]。そうした多数の移住民は、多くの（おそらく数百の？）航海手段を使ってでしか到着できない。

それは、明白な目的を持った外洋航海行動があったことを否定しようのないものにする。だが別の調査チームは、現生のオーストラリア先住民に存在するミトコンドリアDNA系統の多様性を検討して、前者の試算よりかなり低い数字を弾き出している。それによると、七二人から四〇〇人の到達が推定されるという[54]。こうした試算のすべては、民族誌のデータ、現代の遺伝子データでの解析が行われている。疑問となっている古い時代から直接導き出されたデータ（例えば古代DNA）ではない。

こうした数字の最少のものでも、もしこれが正しければ、多数の航海手段による遠征がオーストラリアに到達させたに違いないと推定させるほど、十分に大きい。だがすべて一度に来たのか、それとも長い時間をかけて広がってきたのかは明らかではないし、たぶん決して明らかにはならないだろう。しかし数万年後のポリネシアへの移住のように、水平線の向こうに新しい陸地があるという知らせが広がると――それは一部の人たちが故郷に戻ってその話を伝えたということを意味するが――、あふれるほどの関心がその後に続いたと考えてもよいかもしれない。

そうした膨大な時間の経過後にどれだけの人数の最初のオーストラリア人が上陸したのか、正確には分かっていない。だが、右に引用した人数の最高予想数については、私は疑いを持っている。実は、だいぶ前にオセアニアのある島を念頭に置いて別の人口学的推計が行われ、出産可能なたった三組の夫婦でも、完全に孤立した状態であっても五〇％の可能性で長期間の存続をしつつ、持続可能な人口の基礎を築くのに十分という結論になったのだ[55]。さらに世界の他地域の最近の人口記録から、食料の豊富な新しい環境に侵入した少数の人数でも、孤立した状態で信じられないほどの再生産率――一世代で倍増、三倍増――も可能であったことが分かっている。

一例として、九人の男性イギリス人、六人のタヒチ人男性、一二人のタヒチ人女性、それに一人の女児で構成された二八人から成る一団が、一七九〇年にポリネシア東部の無人島のピトケアン島に到達した例を挙げよう。彼らは、タヒチでの反乱後に、報復の念に燃えるイギリス官憲からHMSバウンティ号の船で逃亡し、島に隠れたのだ。彼らは最終的に、一八〇八年に発見された。その年までに、彼らの数は三五人に増えており、その多くは子どもたちだった。一八三〇年までには島には七九人がいて、一八五〇年にはほぼ二〇〇人に増えていた。このように人口は、六〇年で七倍にも増えていた。その間、数人の死者はあったが、島外からの移住者は居なかった。確かにピトケアン島民は農耕民であり、狩猟採集民ではなかった。だが人間とは望むなら極端なまでに数を増やせることを、彼らの例は教えてくれる。ことに疫病もなく、危険な捕食者もいない環境に到着したとしたら――たぶん同じ集団に属する他のメンバーから襲われたのを別にすれば（最初の頃、ピトケアン島では数人が殺された！）――、そうである。[56]

健康を保ち、豊かな新しい狩りの場所に来た最初のオーストラリア人が、ピトケアン島民と異なっていた理由は何もないように思える。私はオーストラリアには比較的に少人数が到着し――たぶん二回以上の移住があった――、上陸したら急速に人口を増やしたのではないかと思っている。六〇年以上前、生物人類学者のジョセフ・バードセルは、次のように試算した。オーストラリアは、「一握りの移住民」に植民され、その「一握り」が世代ごとに人口を倍増させ、たった二二〇〇年後に三〇〇万人の狩猟採集民で「飽和」人口に達したという。[57]彼は正しかったのではないか、と私は考えている。

アフリカの外へのシナリオ

こうしたことすべてを、どのようにまとめたらよいだろう? 本章の初めで述べたように、早期ホモ・サピエンスの気ままなバンド(狩猟採集民の血族で構成された集団)がたぶん二〇万年前に小規模でスタートして出アフリカを始めたことは分かっている。彼らはヨーロッパとレヴァント地方でネアンデルタール人集団と顔を合わせ、その一部と交雑した。この時期の間、七万年前より前にアフリカ外に定着した早期ホモ・サピエンス集団が旧人類に対して何らかの特別な文化的優位性を持っていたことを推定させる証拠は無い。そして現生の人類集団が旧人類から直接にDNAを受け継いだことも実証されていない[58]。

七万年前より後であるのは確かな、ユーラシアへ出アフリカした主流の移住は、最初の波よりずっと後に起こった。それは、最初は熱帯と温帯に限定されていたように思われる。日常的に縫製した服を着たり、何かを身にまとっていたりする必要が必ずしもなかった、熱帯アフリカ起源で、体毛を欠き、黒い肌を持ったヒトにとって、それは好都合であった。最近では現生人類が六万五〇〇〇年前の早期にオーストラリアに到達したと主張されているが、その証拠とされるものにはヒト化石が直接に伴っていないので、今後の検証を待つことにしたい。

出アフリカしたばかりの熱帯の移住者たちは、西アジアのルヴァロワ技法の調整石核技術を持った同時代のネアンデルタール人集団の石器と似た石器を手に遊動した。なおその石器製作技術は、東南アジアとオーストラリアでは、ずっと型式的ではない「馬蹄形石核」によって徐々に置き換えられた。彼らは、石器と共に、骨と貝殻の装身具、世界最古の岩壁画(最近の例ではスラウェシ島とボルネオ島)、埋葬と火葬習俗、さらに外洋航海をする能力――実際、上部旧石器文化の文化的、芸術的指標の多く――を携えていた。後期更新世の東南アジアとサフルには、ユーラシア西部と北部の多数のサピエンス活動を特徴付けた細長い石刃、両面加工の尖頭器、刃潰し（峰付き）石器は不在だった〔後にマレーシア、サバ州のティンカユで両面加工石器の例についての記述がある〕。

温帯と寒帯への移住は、なお時間が必要だった。初期の熱帯からのホモ・サピエンス移住民は、南部アフリカを除いたサピエンス的行動の新しい要素であったと思われる文化要素を備えた彼ら自身の到来を体験する前のことだった。既に述べたように南部アフリカでは、刃潰し（峰付き）ナイフと両面加工尖頭器が七万五〇〇〇年前という早期に現れていた。これは、世界の他のどの地域より、約二万五〇〇〇年も早かった。しかしこれらの石器類型は、レヴァント地方の洞窟内での埋葬と赤色オーカーの使用というさらにそれより早い時代の行動を除けば、その時代にはアフリカを越えて外へと広がることはなかった。最終的にユーラシアの上部旧石器文化の大半の特徴となる石刃インダストリーがアフリカ外に現れ始めたのは、やっと五万年前より後のことにすぎない。それが、いつも寒い高緯度地方への人類の進出を助けた。最終的に、一万六〇〇〇年前頃に上部旧石器人たちは、アメリカ大陸に到達したのだ。

長く残る謎：個人的な話

両面加工尖頭器は、東南アジアではこれまで発見されたことが無かった、と少し前に私は述べた。これは、全面的に正しかったわけではないかもしれない。

長い間、中部旧石器と元をたどればオルドワン文化の刺激を受けた剥片石器インダストリーが、東南アジア・サピエンスの先史時代にずっと維持されていたということは周知のことであった。その状況は、新石器時代の開始まで、オーストラリアの場合は完新世半ばに入るまで続いた。しかしすでに見てきたように、オーストラリア北部のマジェドベベから出土した刃部を磨研した石斧は、このような一見した限りは変化のない状況について、いくばくかの不確実性を生み出している。実はそうしたことは、例の無いことではない。

一九八〇年代初め、コタ・キナバルのサバ博物館の同僚と一緒に、サバ州（マレーシア領北ボルネオ）南東部のティンカユにある遺跡で、私は発掘調査に従事していた。図五・一に図示したこの遺跡は、フリント状の岩石であるチャートで製作された注目すべき両面加工尖頭器と同ナイフの製作工房だった（図五・二）。ティンカユでは、他の石器は作られていなかった（例えば、石刃も刃潰し石器も、刃部磨研石斧も見つからなかった）。例外が、両面加工石器と多くの剥片であって、剥片は両面加工石器の製作中に廃棄された石屑だった。考古層位は、現代の地表に近い硬く締まった粘土層中にあった。木炭や骨といった有機質は残存していなかった。したがって私たちは、遺跡の放射線炭素年代を測定して、その年代を明らかにすることはできなかった。[60]

だが私たちは、ティンカユ川が溶岩の流出で堰き止められた時に形成されたかつての広大な湿地か浅い湖沼に突き出た岬に、ティンカユ遺跡が位置していたことを知った。そうした湿地（今日ではアブラヤシ農園となっている――数千年前に堰き止められた所を川が流れるようになり、湿地は排水されていた）なら、動物を狩り、植物を採集するのには望ましい所だっただろう。私たちは何とかして、川を堰き止めた溶岩の流れを突き止めた。それは、現在はかつての湿地の水を排水している排水口の溝の側面になお露出していた。溶岩の下の焼けた植物から木炭の層を検出し、それを放射線炭素年代で測定した。その結果、溶岩が川を堰き止め、湿地が形成されたのは三万三〇〇〇年前頃という年代となった。石器の年代はこれより若い可能性があるが、この年代値は、おそらく石器の最も古い限界の年代を与えている。

ティンカユ石器は、次章で述べるように日本と北東アジアで広く見られる型式の典型的な上部旧石器の両面加工尖頭器（一部はナイフとしても使われただろう）である。しかしサバ州に、それらが完全に孤立して存在している。東南アジアと中国南部での数十カ所の考古遺跡での一世紀に及ぶ発掘でも、いまだかつてこれと似た石器インダストリーは発見されたことがない。完新世にオーストラリア北部で作られた尖頭石器（「キンバリー尖頭器」）と、そして特にシベリアと日本の上部旧石器時代の尖頭器とそっくりなのだ（第六章）。だが、こうした類似の石器は、互いにかなり距離が離れて見つかっている。だから仮にこれらが関連性があるとしても、これらの遠く離れた場所とボルネオとの間に人類移動のあったことを示す中間の痕跡が全く無い理由に首をかしげざるをえない。

ティンカユの両面加工石器が、孤絶し、独立した創造の爆発だったかどうか、あるいはまたどういうわけか台湾とフィリピン諸島を迂回し、ボルネオの北部海岸にたどり着いた（たぶん）日本からの外洋航海の驚くべき例の反映なのかどうかは分かっていない。仮にそれら両面加工石器が上部旧石器時代の日本とのある種の海を介しての接触を物語っているとすれば、類似した移動が日本からさらに北方へと向かったかもしれないという推測の有益なヒントになるだろう。そしてベーリンジア陸橋の先での発見を待ち望みながら、その方角にあるものを推測することにしよう！

マジェドベベのように、ティンカユについては多くの謎がある。私は、今もそれを説明できない。考古学は楽しいが、しばしば腹立たしい思いもする。私たちの遥かなる祖先の活動について分からないことがものすごく多い。さあ、寒い土地に立ち戻る時である。

第六章　境界を広げる

オデッセイ劇の第Ⅲ幕で北東アジアと南北アメリカ大陸で起こった劇的大事件を、これから検討する。現生人類集団がステップ地帯と山岳地帯を越えて、日本への渡海、そして最終的に一万六〇〇〇年前までに舟に乗ってかベーリンジア陸橋を渡ってかで北極圏を抜け北米大陸に到達したことを含め、アジアの北部地域にどのように拡大していったかを検証する（図六・一）。この移動は、南極大陸を例外として地球の全大陸へのサピエンスの定着を完了させた。後に残されたのは、完新世の移住者たちが到達するのに完全に真っ新な景観としての、マダガスカル島やニュージーランド、数多くの小さな島々――特に太平洋の――のような大陸から遠い島嶼だけだった。

寒冷地域に勇敢に挑戦する：北東アジアと北米大陸

二万五〇〇〇～一万八〇〇〇年前の最終氷期極大期（LGM）に、湿気の多かったヨーロッパ北部の広大な氷床は、イギリス諸島からバレンツ海のノーヴァヤ・ゼムリャ島まで拡大した（図五・一を参照）。北極圏のシベリアは、広大な氷床のために大部分が乾燥化して、陸地を形成した。その代わり、地表は一年中凍結して永久凍土となった。現代の地球温暖化の環境下で永久凍土の融解は、溶けて崩れ落ちた植生から抜け出た大量の温暖化効果ガスのメタンを大気中に放出している。

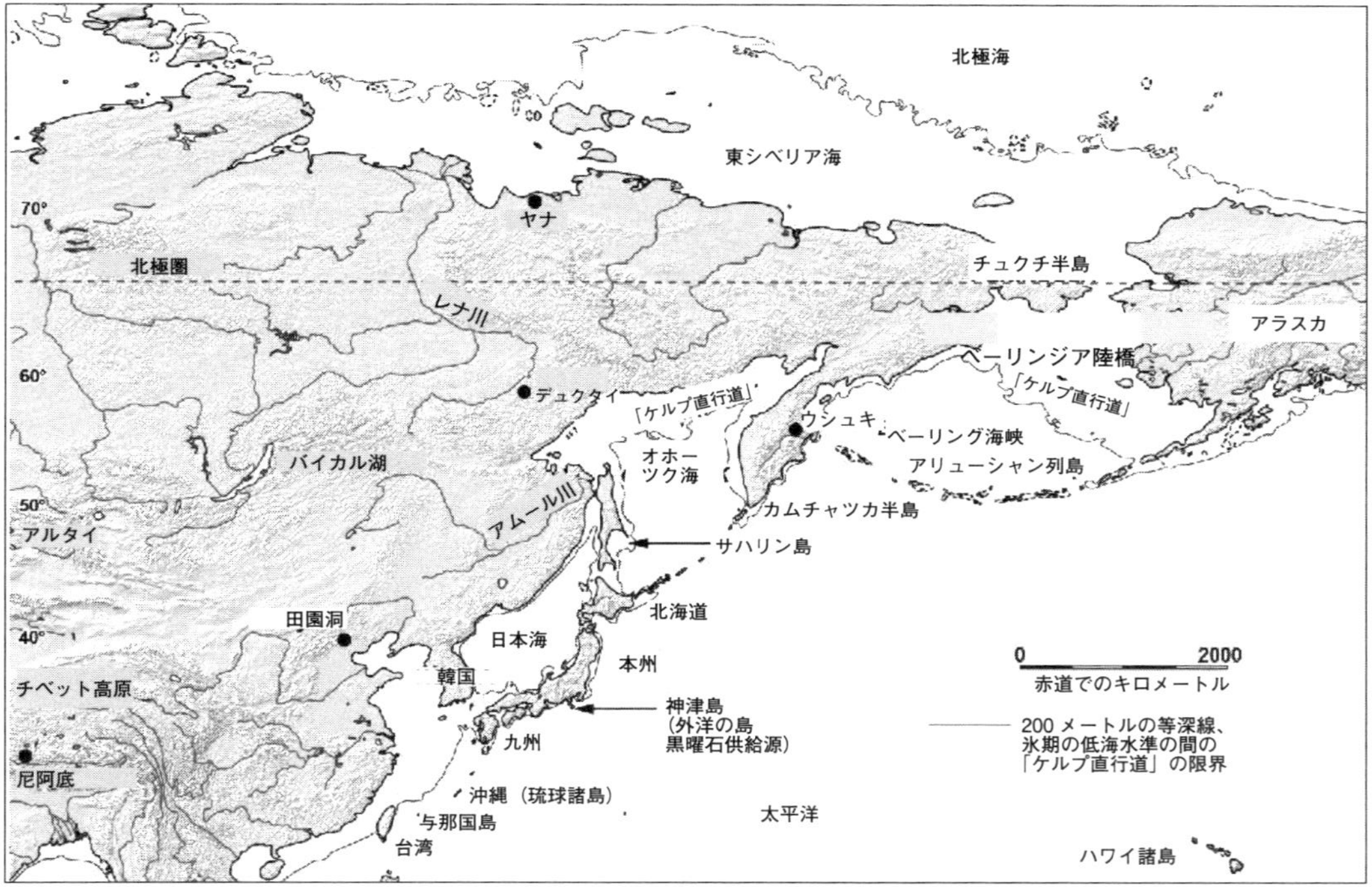

図 6.1　上部旧石器遺跡と「ケルプ直行道」を含むベーリンジアへの道を示した北東アジアの地図

後期更新世の間、永久凍土帯は、北緯六〇度以北、西はウラル山脈から東のベーリング海峡陸橋（「ベーリンジア」）までのロシア北部の草と灌木のツンドラ景観の下に延びていた。ベーリンジア陸橋は、LGMの間、北から南まで最大で幅一八〇〇キロも現れていて、氷床に覆われていなかったアラスカまで伸びていた。人類は、気候条件が許せば、西と南から開けたシベリア領域を横断することができた。アラスカを越えたばかりの所に広がる北米の広大なコルディィレラ氷床とローレンタイド氷床に遭遇するまで、彼らの行く手を塞ぐ大きな氷床は存在しなかった（図六・二を参照）。気候は寒冷だったが、マンモス、ジャコウウシ、ケサイ、トナカイ、サイガアンテロープの群れがいたので、狩りには良好な条件だった。

四万年前までに、おそらくはホモ・サピエンスだったと思われるヒト族（ただしヒト族の正確な正体はまだ不確実のままだ——ヒト族はネアンデルタール人だったかもしれない）は、北極海沿岸に近いウラル山脈北部付近の北極圏ツンドラ景観に到達した。[1] さらに東のアルタイ山脈と中国北部に、上部旧石器を作った人々は、四万二〇〇〇年前には到達していた。ホモ・サピエンスは遅く見ても三万年前までにシベリア東部の北極海沿岸のヤナ遺跡に達した。[2] その後、気候と全球的な海水準の劇的な低下が続き、二万五〇〇〇〜一万八〇〇〇年前のLGMへという気候の落ち込みに至った。[3] 北緯五五度以北のアジア北部の大半は、この時期に無人となった。

北東アジアの最初の現生人類集団は誰だったのだろうか？ 最古のサピエンス個体が、この地域で発見されている。北京近くの田園洞で発掘されたもので、年代は四万年前頃である。この個体は、多数の東アジア人に今日もなお存在しているミトコンドリアDNA系統を持っていた。[4] 田園洞人のゲノムは、ヨーロッパの最初の上部旧石器集団の一部、最初のアメリカ人、さらにニューギニア、オーストラリア、

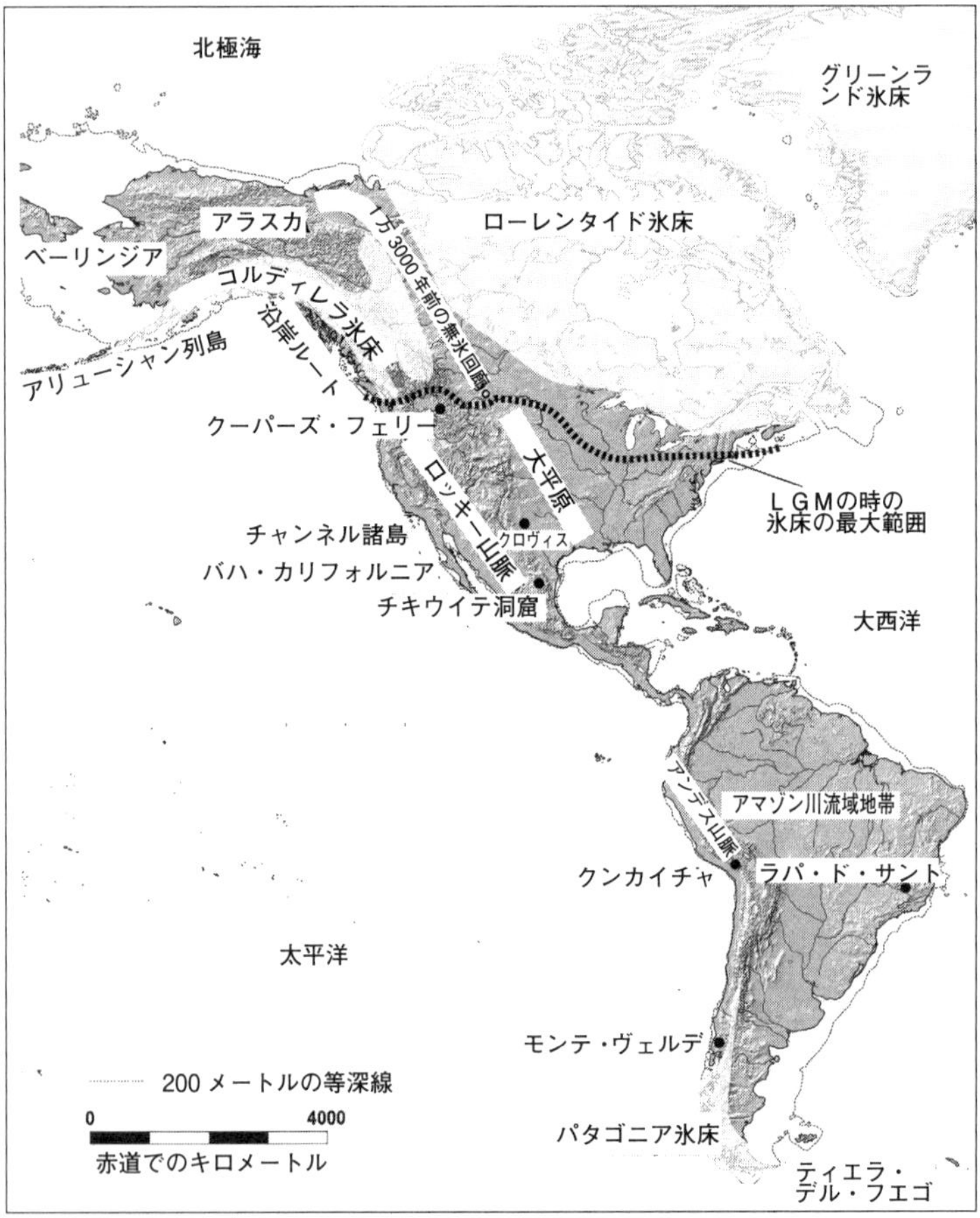

図 6.2　最初のアメリカ人の時期の南北アメリカ大陸

アンダマン諸島の現代人と、核内遺伝子も共有していた。

このように田園洞人は、前章で述べたような、更新世末までに東アジアで進化していた寒冷適応し、かつ熱帯適応していた集団の祖先の地位をある程度、備えていた。おそらく田園洞人の祖先は、南方から現在の中国北部に移住してきたのだ。LGMの間、この田園洞人と関連のある早期サピエンス集団は、たぶん日本を含む沿岸避難地へ待避していた可能性が高い。

中国東北地方の黒竜江省から得られた古代DNAへの最近の研究で、一万九〇〇〇年前以後の再び気候が温暖化した時に、ロシア極東地域にあるアムール川流域の全般的地域におそらく起源を持つ別の集団がこの地域から拡大したことが分かった。[5] 数千年後、このアムール集団は、アメリカ大陸への移住にある程度の遺伝子流入に寄与し、第一一章で述べるが、今日の北東アジアになお多くの子孫を持っている。

三万年前より前のある時点で、東アジアのサピエンス集団は、中期更新世のデニーソヴァ人先住者に張り合うようにチベット高原へと向かった。チベット高原の標高四六〇〇メートルにある(このように北緯三〇度程度に過ぎないが、高い標高の)尼阿底(図六・一に位置を示す)と呼ばれる開地遺跡から上部旧石器が見つかったという最近の報告は、サピエンスがこの時までにある程度、低い酸素レベル(低酸素)に抵抗力を備えるようになっていたことを明らかにしている。遺伝子の研究によると、低酸素に耐えられるこの能力は、同様に寒冷適応したデニーソヴァ人との交雑を通じて獲得されたかもしれない可能性が推定されている。[6] おそらくデニーソヴァ人のように、早期ホモ・サピエンス集団も、狩猟可能な潜在性によってこの高高度に引き寄せられたのだろう。

シベリア北東部の極北海岸沿いに現生人類が定着したことを示す最古の直接証拠は、北緯七一度のヤナ川デルタに近い「ヤナ川サイの角」遺跡から出土している。そこは、北極圏内に入り、ロシアの東シベリア海の沿岸に近い。三万一〇〇〇年前のヤナの埋葬遺体から得た古代DNAの最近の分析で、三万八〇〇〇年前頃のユーラシア北部の他のサピエンス集団とは遺伝的に異なっていたことが明らかになっている。この三万八〇〇〇年前という年代は、北アジアへのサピエンスの拡大を示した別の年代値とも符合する。(7)

ユーラシア西部の別の旧石器集団と関連を持つヤナ人の古代DNAから、南方からではなく明らかに西方からヤナ川サイの角にヤナ人はやって来たが、(8)そこで彼らは極北ツンドラの動物たち――マンモス、ケサイ、バイソン、トナカイ、ウマ、クマ――を狩猟し、これらの動物の牙と骨、特にマンモス牙に彫刻を施し、槍先と装身具を作った。その一部には、点と線刻の興味深い組み合わせのあるものがある。ああ、だが残念ながら今では私たちにはその意味を理解できない。マンモスの重要性は、明らかだ。それほど重要性が大きかったので、考古学者のロビン・デンネルは、アジアの極北旧石器遺跡を「マンモス経済」下にあったと記述した。(9)興味がそそられるのは、発掘者に発見された多数のホッキョクウサギの完全骨格であった。それらは、おそらく肉を得るためではなく毛皮を目的に狩猟されたのだ。ウサギの毛皮を縫製した暖かい服は、北極圏では際だって必要不可欠なものである。そこでは、冬季の気温は、氷点下よりはるか下まで低下するのだ。

ヤナ川サイの角以降、シベリアの大部分で人間活動の証拠は、LGMの気候による圧力を受け、減少、または消失した。人類は、極寒の気候条件が過ぎ去るまで、避難所圏でじっと待っていた。そうした避難所は、おそらくアルタイ山脈、バイカル湖、ロシア東部のアムール川周辺、朝鮮半島、そして特に温暖な海洋性気候の日本列島が含まれただろう(図六・一)。一部の遺伝学者と考古学者もLGMの間、彼らは氷床の後退で北米に入れるようになった時にすぐに行けるように待ちながら、氷床の無い南寄りの地域であるベーリンジア陸橋そのもので生き延びていたと推定している。[10] しかしこの見方を裏付ける説得力のある考古証拠は、まだ無い。今までのところ、アラスカを含むベーリンジアで石器インダストリーを持った最古の考古遺跡は、やっと一万四五〇〇年前頃になるに過ぎない。[11]

最初のアメリカ人は、ベーリンジア陸橋を移動し、その後はアラスカから南下した――初めのうちはカナダ西部の後退しつつあったコルディレラ氷床の海側の縁の周辺にいた――アジアの旧石器人を先祖とした人々であったことは、遺伝的、考古学的な調査から明白である（図六・二）。出発したその時は、一万七〇〇〇～一万五〇〇〇年前のいつかであったろう。[12] では、彼らはどこからやって来たのか？三万一〇〇〇年前頃に定着していたヤナ川サイの角遺跡は、アラスカのはるか西でフルに二五〇〇キロもあるし、そこの古代DNAは最初のアメリカ人の源流になる可能性を示していない。最も可能性のありそうな直接の源流は、ことに近付きやすさに関して、アジアの北東太平洋岸――チュクチ半島とカムチャツカ半島、オホーツク海周辺、アムール川下流流域、そして日本のうちのどこかだろう。いつ頃、ホモ・サピエンスはこうした沿岸地域に初めて侵入したのか？　明らかな出来事は、図六・三に要約しておく。

上部旧石器時代の日本

三万八〇〇〇年前までに現生人類は日本列島に到達していた。この時期の海水準は、現在よりも八〇メートルほど低下していただろう。それが意味するのは、北の島の北海道は陸橋でサハリン島に繋がっ

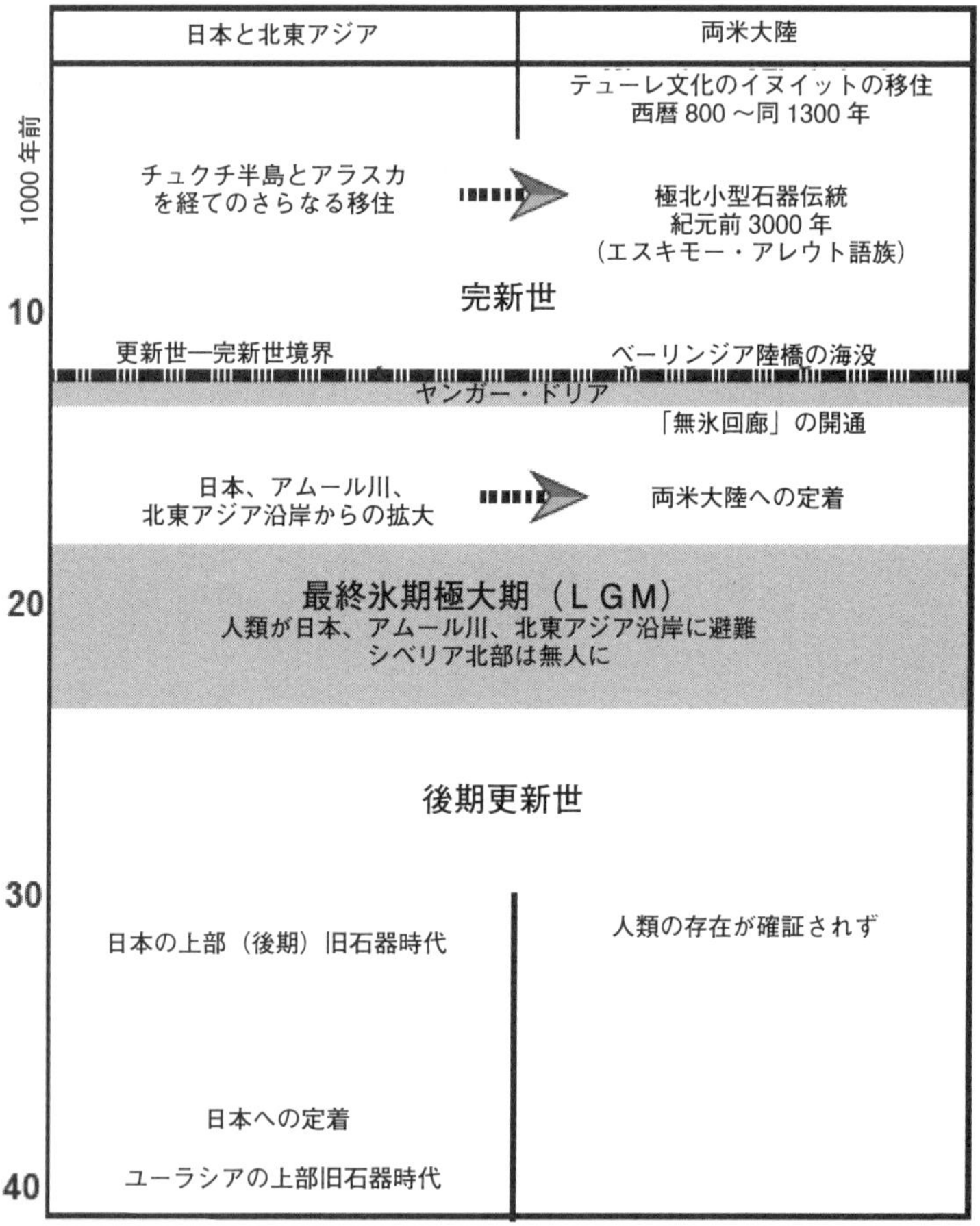

図 6.3　北東アジア、日本、両米大陸の前農耕個体群の歴史に起こった主な出来事の一部を示す年代図（1000 年単位の尺度）。

ていて、ロシア東部のアムール川の河口近くのアジア大陸と直結していたということだ。だが日本の大半、すなわち本州、四国、九州の大きな島は、研究者に古本州島と呼ばれる単一の島を形成していた。古本州島は、北海道と朝鮮半島から、狭い海峡で隔てられていた。古本州島への最初の人類の渡来は、この二つの海峡のどちらか、あるいは両方を渡って来たに違いない。最も可能性の高いのは、朝鮮半島南端と九州との中間に位置する対馬を経由して南の海峡から、というものだ。

現在の日本は、台湾の間にある沖縄島を経て南に延びる琉球諸島を領有している。これらの島々は、東アジア大陸棚の先に位置しているから、島に着くには最大一四〇キロの外洋航海が必要だっただろう。直接、年代測定された琉球諸島から出土した人類化石が示すところでは、そうした外洋航海は遅くとも三万年前頃までには行われていた——陸影を視認できない、過去最長の旧石器時代航海に光を当てるかなり重要な見解である。二〇一九年に行われた一つの興味深い、成功のうちに終わった実験航海は、北へと流れる黒潮を横断する二〇〇キロの海を五人乗りの丸木舟を櫂で漕ぎ、(氷河期の低海面期には中国大陸と陸続きだった)台湾から琉球諸島の与那国島にたどり着く、四五時間の旅だった(図六・一)。この実験は古代人がかつてこんな具合にそのような航海をしたということを証明したわけではないが、その一つの可能性を示唆し、古代航海が意図して行われたことを推定させるものだ[13]。

旧石器時代の本州に海路でやって来た最初の人たちは、また本州沖の現在の東京の南に位置する神津島という小さな島へも、四〇キロの外洋を航海していた。目的は、彼らが使う石器を作るのに必要な黒曜石の採取だった。最初の移住の頃の航海手段はまだ日本では発見されていないが、一万六〇〇〇年前頃に土器製作が始まった日本考古学で言う縄文時代には、この長期間に一六〇隻もの驚くほどの数の丸木舟が製作された。それらは、水浸しの状態の堆積層から多数の磨製石斧と共に見つかった。縄文人は、確かに河川や海を渡る術を知っていたのである。

東アジア先史時代に関して、日本は非常に重要な場所である。最終氷河期に日本は、北緯三五度に位置し、熱帯太平洋西部から北に流れる暖流の黒潮と対馬海流に洗われていたので、シベリア内陸部の寒さから逃れる温暖な避難所を提供していた。[14] 先史時代人にとって日本は、狩猟と採集で得られる食料源に富んだ落葉樹と常緑樹の森に覆われた土地だった。LGM期のシベリアの冬から逃れるのに好都合な所が、特に旧石器時代に磨製石斧で丸木舟の作り方を知っている人々にとって、どこがあったろうか?

日本は、その先史時代について多くのことが分かっているので、それもまた重要である。現代日本は、緊急発掘調査と考古学調査にかなりの資源を投入している。その結果、日本列島は世界の他の地域には例をみないほどの高密度の考古遺跡を持つようになっている。日本にヒトが住み着いた最古の数千年間だけでも、既に五〇〇〇カ所以上の遺跡が知られており、三万八〇〇〇年前から最古の縄文土器の出現で画される画期である一万六〇〇〇年前までの上部旧石器時代〔日本では「後期旧石器時代」という〕とみなされる遺跡は一万カ所を超える。この高い密度の上部旧石器遺跡――それに先行する中部旧石器時代遺跡で、確信できる例は無い――は、旧人先行者ではなく、ホモ・サピエンスこそ渡来した最初のヒト族であった可能性を高めている。

ただ残念なことに日本列島は、現生人類の居住した記録に関する限り一つの問題を抱えている。北海道と（現本州と四国、九州を合わせた）古本州には万を超える考古遺跡があるが、そこからは旧石器人の骨格と頭蓋の化石が見つかっていない〔本州の唯一の旧石器人骨として、根堅遺跡の「浜北人」骨が出土している〕。理由の一部は、ほとんど洞窟が無く、ヒトの骨がうまく残らないからだ。洞窟内なら、日本の多数の開地遺跡を覆う酸性の火山灰土壌に対しても中性なので骨は残りやすい。このことは、日本ではヒトの化石から抽出できる上部旧石器時代のDNAも皆無だということも意味する。他地域、特に両米大陸から得られた古代DNAと比較できないのだ。対照的に琉球諸島は、多数のアルカリ性石灰岩フィッシャーに恵まれている。沖縄島、宮古島、石垣島などには、三万年前まで遡るヒトの骨が埋まっている。ところがヒト化石に対して、情報の豊富な考古記録がほとんど無い。だから現在まで、更新世の全ゲノムDNAの報告も無い。

三万八〇〇〇年前の最初の日本人は、古本州にかなりユニークな物質文化をもたらした。[15] オーストラリア北部と同じように、刃部磨研の石斧が存在するのだ。しかし日本の場合、誰もその古さを疑えない良好に年代推定された背景で、これらの多くが見つかっている（合計九〇〇点超）。たぶんこれは、アーネムランドとキンバリー地域で見つかっている後期更新世オーストラリア産の刃部磨研石斧についての主張を受け入れるのに有利になる重要な点だろう。しかし最古のオーストラリア産の標本の実際の年代――六万五〇〇〇年前か五万年前かはともあれ――は、これとは別の課題である。

日本の考古遺物の系列の基底部に、いわゆる台形石器も存在する。鋭利な刃が横走する、槍先か矢尻に使ったと思われる石器だ。日本にはヒトが渡来した時、シカとイノシシを含む土着の動物たちがいた。これらの動物の一部を、台形の先端を持ったこの投擲狩猟具を使って狩人は徒歩で狩猟したが、それだけでなく興味深いことに、意図的に掘られた落とし穴の罠にかかっていたとも思われる。

それでは琉球諸島はどうだったか？　ここではヒトの骨格は見つかっているが、石器はほとんど無い。最高に保存の良い骨格の一つに、沖縄本島の港川石灰岩フィッシャーから見つかった成人男性の骨格がある。年代は二万年前頃で、ミトコンドリアDNAハプロタイプを持つ（が、全ゲノムDNAは保存されていない）。そして頭蓋と顔面の特徴は、東南アジア、オーストラリア、ニューギニアといった他の後期更新世人のそれと関連付けることができる。[16] 港川個体はおそらくは狩猟民だった（沖縄本島に居たシカとイノシシは矮小化した種だった）。そして同じ沖縄本島のサキタリ洞窟から出土した港川人の同時代者は、小さな円形の貝殻製釣り針を使って漁労をしていた。

これらの釣り針は、インドネシア南東部で発見された後期更新世の貝殻製釣り針と形が似ている（図六・四を参照）。そしてまた最初のアメリカ人がメキシコ北部のバハ・カリフォルニア沖合にある小さな島にたどり着いた時に彼らによって使われていた釣り針とも似ている。[17] これは、こうした人々のいたのが沿岸という立地の関係による完全な偶然の一致というわけではないないだろう。釣り針の使用は、小さな島での陸棲資源の乏しさと代わりの海棲資源の捕獲に集中する必要性を間違いなく反映していたのだ。

最初のアメリカ人は日本起源か？

全般的に見て、上部旧石器時代と縄文時代の日本で得られた証拠は、琉球諸島のヒトの骨格と共に、三万八〇〇〇年前の人々が少なく見ても四〇キロの外洋を航海できる海洋関連技術を利用可能にしていたことを確かなものにしている。オーストラリアの古い時代のヒトの居住証拠は、そこに至るために用いられたルートがどんなものであったとしても、これと似た含意を持つ。「最初のアメリカ人はどこから来たのか？」という激しい疑問に対しては、それには旧石器人が住んでいた北東アジアのすべての地域を、その候補地として認める必要がある。この時、アメリカ大陸にはおよそ一万六〇〇〇年前に実際にヒトが住んでおり、LGMの後の日本列島はどの時点でもその候補地に合致する。

図 6.4　東アジアとアメリカ大陸出土の人工品。（上右）直径 2.9 センチの貝殻製の釣り針。インドネシア東部、アロール島のトロン・ボン・レイ洞窟出土。これと似た後期更新世／前期完新世の釣り糸の留め具のつまみや溝を持たない釣り針は、ティモール島、琉球諸島（日本南部）、メキシコ、バハ・カリフォルニア西岸沖合の島々、南米西岸でも発見されている。（中央）しっかりと柄に合う中子付きの投槍用尖頭器。（左）クーパーズ・フェリー出土、アイダホ州（長さ 6.5 センチ）、年代は 1 万 6500 ～ 1 万 5000 年前。（右）上部旧石器時代の上白滝遺跡出土、北海道、日本（長さ 4.8 センチ）。アロール島の釣り針は、スー・オコーナーとソフィア・サンパー・カーロの厚意による。両面加工尖頭器は、ローレンス・デイヴィスと『サイエンス』誌の厚意により複写。

例えば上部旧石器時代の日本は、立証されている海洋関連技術と最初のアメリカ人の持っていたものと対応する石器製作技術を備えていた。古本州島と北海道で作られた両面加工石器と細石刃（特殊な種類の小形の石刃、この後で詳述する）がそれで、北米で発見されているものと驚くほどの類似性を持っていた。両面加工石器も細石刃も、人類が初めてアラスカに達した時に日本では広く知られていたので、その年代は良く一致する。[18]日本はまた、人口でも印象的なほどの密度を持っていた。たぶんLGM後の気候条件が改善した時、寒冷の束縛から逃れるべく必死にもがいた結果なのだ。目下のところ大きな問題は、この集団から古代DNAが得られていないことだ。しかし港川人、縄文人、現代日本人のミトコンドリアDNA系統の突然変異年代についての最近の研究は、一万五〇〇〇〜一万二〇〇〇年前に日本列島の人口数が顕著に増加したことを示した。[19]たぶんこれは、偶然の一致ではない。

考古学者ジョン・アーランドソンらに二〇〇七年に提唱された興味深い「ケルプ直行道」仮説も、アメリカ大陸への定住に果たした日本の大きな役割評価に完全に適合する。[20]一万八〇〇〇年前より後、LGM後に海水準は上昇し、日本からカリフォルニア周辺、そしてさらに南の南米沿岸まで、北太平洋の大陸棚を水没させ始めた。この一帯は、以前のLGMの時は、海面の上に顔を出していた平坦な広大な陸地が広がっていた。暖かな浅い海中で、沿岸のケルプ（大形の昆布）の森はよく育ち、海棲哺乳類、魚類、エビ・カニの類といった豊富な食料資源に隠れ場を提供した。日本は、うまい具合にこのケルプの森の南西限界近くにあった（図六・二）。そして問題となっている時代に、日本の人類集団には舟の用意があった。海岸も、今日のように、南からの黒潮の暖流に洗われていた。大量の食物が、より寒冷な気候に進出できる人たちのために溢れていたのだ。

アメリカにたどり着く

もちろんアジアからアラスカへとベーリンジア回廊を渡った移住者たち誰もが日本を起点としたわけではなく、最初のアメリカ人の故郷についての見解は、絶えず流動的である。この問題は、世界の先史学で最も集中的に調査されている分野の一つ、多くの人々に多大な興奮をもたらす話題である。これが先史時代人類の最初の大陸規模での移住だと研究者たちが本気で理解できると考えるのは、つい最近のことでもあった。オーストラリアとニューギニアには、かなり古い過去に人類が移住したので、深く理解するにはその記録はあまりにも乏しい。だがアメリカ大陸は、細かく区分された上部旧石器時代の石器伝統、たくさんの古代DNA、本書『オデッセイ』で初めて取り上げるが比較言語の証拠を精査できるほど、年代的に十分に新しいのだ。

それでは、最初のアメリカ人の移住、その時期、起源、全般的な方向の解明に利用できる学際的な証拠にじかに当たっていくことにしよう。始める前に、すべての読者は一つの重要な考古学的観察に気づく必要がある。最初のアメリカ人がアラスカに一万五五〇〇～一万五〇〇〇年前には到達していたことは、つい最近、推定されるようになった[21]。驚くべきことに彼らは、南緯四〇度より南のチリ南部にあるモンテ・ヴェルデという場所に、遅くとも一万四〇〇〇年前にすでに到達していた。このことは、最初のアメリカ人は急速に、おそらく北から南まで数世紀という短さで移動したことを推定させるのだ。

最初のアメリカ人は、両米大陸への定着の最初の三〇〇〇年間で、南米南端への移住につれて六〇倍も人口数を増やしたというとする最近なされたミトコンドリアDNAの観察結果は、この成功の背後にある、それと関連した重要な要因として大きな脚光を浴びつつある[22]。最近発表されたゲノムに関する別の論文は、この最初のアメリカ人の人口急成長は「現生人類の人口史で最大の人口成長のエピソードの一つ」と記述している。[23] 放射線炭素年代の新しい分析でも、北米では一万五〇〇〇～一万三〇〇〇年前、南米では一万三〇〇〇～九〇〇〇年前に顕著な人口成長を同定している。[24] こうした年代は、前述したLGM後の日本の人口拡大の年代ともかぶさる。両米大陸の定着は、遠い人類の過去における最大の人口学的成功物語の一つであるのは確かだった。

最初のアメリカ人の証拠

考古学、言語学、最後は遺伝学の情報源を基にした最初のアメリカ人の状況に関する概要から、まず始めよう。この提示順序は、最近の例で最もうまく機能するようだ。

まず最初が考古学だ。人類活動に明白に伴う石器一括遺物の絶対年代を、考古学がもたらしているからだ。現在までに知られている考古記録は、ベーリンジアのシベリア側で一万七〇〇〇年前に始まった。そしてアラスカの場合は、たぶんもう少し後になる。ヤナ川サイの角でのヒトの居住の停止後、LGMを通してこれら高緯度での居住が廃絶されたらしい後だ。[25] たくさんの年代測定された遺跡が、この見解を一致して裏付けている。

しかし本章で記述するように、これへの異議申し立てが現れた。チキウイテ洞窟は、メキシコ中央部の標高約三〇〇〇メートルの高地に位置する。したがってアラスカからかなり南に位置する。[26] この洞窟からは、二万六〇〇〇～一万九〇〇〇年前と間接的に年代推定された両面加工尖頭器インダストリーが出土している。もしこの年代を石器の年代だと直接当てはめることができれば、確実にLGMの最中になる。チキウイテ洞窟は、この標高、この年代から、寒冷な場所であっただろう。しかし洞窟内で発見された獣骨は、狩猟が行われ、また植物食の採集も行われていたことを推定させる。

チキウイテ洞窟の年代値（放射線炭素年代とルミネッセンス法による値）は、本当に正しいのだろうか？　もしそのとおりなら、メキシコに到達するには、当時のカナダ西部を覆っていた広大な氷床を人々はどのように迂回したのだろうか？　私には分からない。しかしチキウイテ洞窟の人類の存在は現在のところは孤立した主張だ、と私は考えている。それは謎であり、考古学者の中にはすでにその主張を退ける者もいる。[27]徹底的な発掘調査がなされた、他の多くの最初のアメリカ人遺跡はすべてはるかに若いことを考えれば、両米大陸でチキウイテ洞窟と同じ古さを示す明確な遺跡が他になぜ無いのか？

現在のところ、北米の考古学者は、両米大陸の人類の居住の年代が二万六〇〇〇年前を超えて過去に押し下げる必要があるとするチキウイテ洞窟の推定を評価する暇はほとんど無いと言っていい。本章の残りのページでは、LGM後に居心地良く収まる、一万六〇〇〇年前以降の人類居住について広く受容されている年代を追究していくことにしたい。ブリティッシュコロンビア州の海岸沿いの氷床の後退で南へのルートが開いたが、ベーリンジアそのものは海面上昇によって完全に海没した時――現在のところ一万二〇〇〇年前頃に起きた出来事――に、最初のアメリカ人は年代のかなり狭い窓をすり抜けるようにベーリンジアから北米に横断したのではないかと私は思っている（図六・二）。もちろん彼らがアラスカからずっと舟を利用していたとすれば、陸橋は必要なかったかもしれないが、これについては私たちは確認できない。

渡来の正確な年代はともかくとして、二つの異なる石器製作技術が、両米大陸への移住の過程に伴った。一つは（チキウイテ洞窟で主張されているもののような）両面加工の投槍用尖頭器の製作に集中する技術伝統、別の一つは楔形（あるいは「船底形」とも）の石核（これらはチキウィテ洞窟には不在）という特殊な類型の石核から細石刃を製作していくことに集中する技術伝統だ。この石器類型の二つとも、LGMの間とその後の日本で、そしてその後の北東アジアで、例えばレナ川河畔のデュクタイ洞窟やカムチャツカ半島のウシュキ・レイク遺跡群で広く作られた（図六・一）。[28]

アラスカで、最初の人類移住をなし遂げた人々は、両面加工尖頭器技術の方を好んだと思われる。この人々は、さらにアラスカから南へ進み、ティエラ・デル・フエゴまでの両米大陸で最古の石器を作り上げた人たちだったからだ。細石刃技術は、北米北部と北米西部から先に必ずしも広がったわけではない。そのことは、細石刃の到来は二番手であり、最終的に次の節で論じるエスキモー・アレウト語族話者集団とナ・デネ語族話者集団の各祖先に関連するものとなったかもしれないことを示している。

氷床の先についての現在の考古学的観察結果は、両米大陸にはアラスカから二つの主なルートを通って定着したと推定している。一万六〇〇〇年前頃には氷の無くなった西岸ルートは、中子を持った木の葉形の両面加工尖頭器と三日月形石器と呼ばれる小形の刃潰し（峰付き）石器の道具箱を携えた人々によって、まず使われたと思われる。最新の論文で指摘されているように、これらの石器は、ほぼ同時代の日本のものとかなり似ている（図六・四）。これらの一部は、カリフォルニアの沖合にあるチャンネル諸島にも見られるので、アメリカに舟で運ばれたことも分かっている。[30]これらの島には、ケルプ直行道の海路を渡ることによってしか到達できない。

一万三〇〇〇年前頃までに、カナダ内陸部のローレンタイド氷床とコルディレラ氷床の間の、北から南へ通じる二つ目のルートである無氷回廊が開いた（図六・二）。そして人類はおそらくそれを通って南へ移動し、合衆国東部と中央部の、現在はクロヴィス文化（ニューメキシコ州にある遺跡名に因む）と呼ばれる文化を発展させた。それは、基部に樋状の溝を持つ素晴らしい作りの投槍用尖頭器だ。一部の考古学者は、似ているがあまり洗練されていない両面に剥離の施された投槍用尖頭器がアラスカにもあることを考え、樋状の基部を持つ尖頭器は別方向に向かったものかもしれないと考えている。

しかし最有力の要点は、テキサスの遺跡の中にはクロヴィス型式の石器の下層に中子のある尖頭器を持つものがあり、したがって中子のある尖頭器の方が古いということだ。かつてクロヴィス文化は両米で最古の考古学文化だったと考えられていたので、このことは重要である。今や私たちはそうではなかったことを知っているのだ。

言語と最初のアメリカ人

これから私は、本書で初めて言語学を紹介する。なぜなら世界中の異なる言語の比較研究が人類の過去について驚くほどの情報を明らかにできる時代幅に、私たちは入りつつあるからだ。

一九八七年、スタンフォード大学の言語学者ジョセフ・グリーンバーグは、『両米大陸の言語』(*Language in the Americas*)という本を出版した。[31]その本の中で彼は、両米大陸の土着言語のすべてを三つの主要区分に分類した。すなわちアメリンド語、ナ・デネ語族、エスキモー・アレウト語族である。ここで私たちがすぐに関心を惹くのは、アメリンド言語集団である。その言語集団には、北米の北方地域と西地域の言語であるエスキモー・アレウト語族とナ・デネ語族は別にして、両米の言語と語族のすべてを含んでいる。このうち最後の二つは、比較的限定された範囲の完新世の人類移住で広がった。この二つについては後でまた取り上げる。興味深いことに、後のこの二つの移動には両面加工尖頭器よりも細石刃を使った人々か関係していた。

グリーンバーグの意見は、アメリンド諸言語は、祖型で両米全土に広がった最初のものだったということを示した。ここで私たちは、相互関係の手立てが整う。アラスカの考古記録によれば、両面加工尖頭器は一万四五〇〇年前より前に北東アジアからもたらされ、その後にカナダ西部海岸を南下し、合衆国と両米の他の地域に広がった。このようにしてアメリンド語の祖先は、両米大陸全体にアメリンド語が広がっていることから、これと同時に広がった可能性が高い。

グリーンバーグは、様々な言語間で共有されている語彙とその意味を用いた、いわゆる多変量比較という彼の方法論の点で、他の言語学者たちから多くの批判を受けた。しかし歴史的、文化的現実性の点で、彼の結論は正しかったのではないか、といつも考えてきた(32)。残念ながら、最初のアメリカ人の移住は、言語の歴史という点では非常に古い過去になされたので、言語学者は誰一人として初期アメリンド語社会の本質と起源について分かること復元できなかった。言語の復元は、年代が古くなればなるほど困難になる。事実上、一万年前頃は不可能となる。たとえ共通祖先語のかすかな二、三の痕跡がその年代限界を超えて残存できるとしても、だ。

したがって、すべてのアメリンド諸語がただ一つの祖先言語に由来するということは、決して確信できるわけではない。だが私は、アメリンド語の諸語を話す人々の祖先が一万六〇〇〇年前頃に広がっていった現実を疑う理由を見いだせない。それは、北東アジアのどこかで始まり、アラスカを経て、残りの両米大陸全土へと移動していったのだ。

遺伝学と最初のアメリカ人

それでは、第三の関心事の話題、古代DNAと現代人のDNAに目を向けよう。この研究分野は、二〇一四年以来、一つの革命が進行中だ。この年、モンタナ州のアンジック遺跡出土の一万二五〇〇年前のクロヴィス文化の幼児のゲノムの解析から、このゲノムが多くの現代中米先住民と南米先住民のゲノムの祖先とみなせることが発表された。したがってクロヴィス尖頭器と関連する両面加工石器の広がりとアメリンド語諸語の祖型との間の、先に推定された相関が裏付けられた。[33] クロヴィスは北米最古の考古学的な文化ではなかったが、そのゲノムによる印は両米大陸への大きな集団の移動の明白な一部だったのだ。

二〇一四年以来、洪水のように古代ゲノム関連の文献が出され、それらは両米大陸の過去と現在の先住アメリカ人の大多数が北東アジア起源の単一の最初のアメリカ人集団に属するという結論を繰り返し強調した。[34] ジョセフ・グリーンバーグによってアメリンド語話者集団から別の言語集団だと同定されたナ・デネ語族話者集団とエスキモー・アレウト語族話者集団は、第二波の移住と密接に関連するが、遺伝的には互いに区別される言語使用集団の子孫である。エスキモー・アレウトの場合、五〇〇〇年前頃に新しく出来た無氷のカナダの北海岸沿いに広がったのだ。

遺伝子証拠によれば、最初のアメリカ人の祖先集団はどこから来て、どのルートをたどってアラスカにやって来たのだろうか？ その祖先の可能性のある一つの集団が、LGMの前と後の両方の年代の、ベーリンジアから四〇〇〇キロも離れたシベリア中部、バイカル湖湖畔の古代DNAを出した埋葬で同定されている。[35] しかしバイカル湖は、ヤナ川サイの角のように、直近の起源地にしては離れ過ぎているように思われる。そして二遺跡とも、最初のアメリカ人のDNAに最も合致すると認められる二集団のDNAプロフィールを出していない。最新の遺伝的解析によると、最初のアメリカ人の故郷は、アジアの東海岸にかなり近くの、LGMの間、アムール川下流からサハリンを経て、北部日本の北海道へと至る陸橋からさほど遠くなかったロシア極東のアムール川周辺に集まっていたと推定される。[36]

この点で、いくつもの調査チームは、現存のシベリア民族集団の祖先と先住アメリカ人集団の間のゲノム分岐時期を示す分子時計が、北米そのものへの移住時期とされる一万六〇〇〇年前頃ではなく、LGMよりも古く、二万四〇〇〇年前頃の年代ということに注目している。[37] このことは、祖型的アメリカ人集団が極寒から身を避けて比較的孤立して出番を待っていた時に、たぶん八〇〇〇年間という長期の停滞があったことを示唆している。その待合室がどこだったかということで私が選ぶのは、北部日本とそれに隣接する北東アジアの沿岸だ。しかしこの示唆を裏付けられる、現在の日本からの上部旧石器時代DNAが欠如していることは、その立証を困難なままにしている。

アムール川流域と日本列島北部が最初のアメリカ人の起源の地だったとすれば、どうやってそこから人々はアラスカにたどり着いたのだろうか？　ケルプ直行道の水産資源を使って北部日本とロシア極東地域からオホーツク海の沿岸沿いを行く海岸ルートは、最も可能性が高いように思われる。カムチャツカ半島の狭い地峡を越えるが、そのカムチャツカ半島の年代が一万六〇〇〇～一万三〇〇〇年前のウシュキ遺跡は、その途中の居住を表しているのだろう。[38]

Y人類集団か？

最初のアメリカ人の遺伝的な祖先には一つの不可解な面がある。現生の二、三の南米の集団は、現生のオーストラリア先住民とパプア人とのゲノムでの祖先の痕跡を共有しているのだ。そしてこの謎には、現生の集団のDNAよりもさらに多くの謎がある。古人類学者のノレーン・クラモン＝タウバデルらは、古代サフル（オーストラリアとニューギニア）頭蓋形態といくつかの前期完新世の南米頭蓋との類似性を同定できるとも示唆している。[39]

ブラジル中東部、ラゴア・サンタ地域のラパ・ド・サント洞窟で発掘された一万四〇〇〇年前の骨格群から、少なくとも二つの研究チームによれば、そうした形態的類似性を備え、古代サフルの祖先の（六％以下の）痕跡を持つ古代DNAが現実に検出された。[40] ここには屈曲位、蹲踞位、ねじられた姿勢の二〇〇個体もが埋葬され、一部は手脚を切断されたり骨を取り去られたりしていて、さらには首を切られた遺体も一体あった。こうした葬送習俗は、中国南部と東南アジアの旧石器時代後半の埋葬遺体、さらに日本の一万六〇〇〇年前以降の年代となる縄文時代埋葬に見られた習俗と似ている。[41] 南米と東南アジアの両地域の埋葬遺体とも、副葬品を伴わず、地中に安置された。

これは偶然の一致か？ 先住アメリカ人にサフルの遺伝子サインを注入した人々は、「祖先」を意味するアマゾンのトゥピ族の言語の用語「ウピクエラ（*Ypykuéra*）」に因んで遺伝学者たちに「Y人類集団」と呼ばれている。[42] しかし更新世シベリア集団の古代DNAにはY人類集団のサインという遺伝的痕跡は見られないし、古代アメリカ人集団の大半、ことに北米やカリブ海地域にも無い。[43] さらに南北アメリカ全体を見ても、これまでとは別個のY人類集団の移住のあったことを示す考古学と頭蓋形態学からの証拠も無い。第五章末で述べたティンカユ遺跡の異常データが現在明らかになっているよりも重要な存在だった場合を除いて、旧石器東南アジア集団とサフルの集団は、アラスカに移動した両面加工尖頭器も細石刃も用いなかったのだ。

Y人類集団のサインは何を表しているのだろうか？　私見では、出アフリカし、東アジア、オーストラリア、ニューギニアに向かった初期の現生人類集団から由来した遺伝子サインが両米大陸での小人数の残存していたことを表している可能性がある。北京近郊で発見された、前に述べた四万年前の田園洞個体は、初期オーストラリア移住民とパプアの集団のゲノムに関連するゲノムを持ったこの集団の初期のメンバーだった。大昔の死者の古代DNAの解析は、そのサインについて最も興味深い陳述をしてくれる。

四万年前頃にアジア大陸に住んでいた田園洞個体は、いくつかの南米集団との類似性を持っている。その類似性は、パプア人やオンゲ族（アンダマン島民）に観察されるものと同じくらいか、あるいはいっそう強い。このことは、今日のパプア人やオンゲ族だけでなく、田園洞個体に関連した集団は、かつて東アジアに広がっていたことを示している。この集団とこの集団に関連するもう一つのアジア集団は、少なくとも両米大陸への植民まで存続し、一部の先住アメリカ人集団のゲノムに関与したのである。(44)

中国南部、広西壮族自治区のレッド・デア（アカシカ）洞窟で発掘された一万四〇〇〇年前の骨格も、田園洞人よりも多く、先住アメリカ人と遺伝子の一部を共有していた。これらの遺伝子はまた、私が前述したバイカル湖集団に見られなかった(45)。これは、温帯の東アジアに、田園洞人個体の人生のずっと後の両米大陸に初めて人類が定着した時点で、最初のアメリカ人の遺伝的類似性を持つ集団がなお生き残ってたことを暗示する。最初のアメリカ人は、シベリア内陸部ではなく、(ロシア極東地域、中国、日本を含む)温帯東アジアだけから来たとは証明されていない。しかし、たぶんまだよくわかっていないY人類集団のように、その地域から来た人々の中に、両米大陸への移住の役割を果たした集団がいた可能性は強くなっている。

氷床の南

アラスカの先の二つのアメリカ大陸に、例えば前述したメキシコのチキウイテ洞窟のように、たとえ人類の移住にもっと古い年代を当てる擁護者がいたとしても、一万六〇〇〇年前よりずっと前にヒトが移住した可能性は乏しい。なぜ私はそう考えるのか? 氷期最寒冷期(LGM)の氷床が少なくともその後の暖かくなりつつある気候により溶け去るまで、カナダの西海岸と北岸の周りの道は全面的に封鎖されていたが、それは別にしてもその主な理由は、次のようなものだ。二つのアメリカ大陸には、一万六〇〇〇年前かそれより若い年代の何層もの考古記録を包含する数百カ所もの洞窟がある。しかし(おそらくチキウイテ洞窟を例外にすれば)納得のいくさらに古いものは無い。私は厳しく言って疑問と思うのだが、これらの洞窟すべてがやっと一万六〇〇〇年前に形成されたのでないとすれば、この状況は古代型人類や現生人類がはるか前に到来した可能性をほとんど残していない。南北アメリカ大陸のように食物の豊富な地へLGM前に到着した人類が単純に絶滅しただけだと考えるのは困難だ。特にLGM

後以降の人口トレンドはその反対方向に急激に増大したのだから。

いったん最初のアメリカ人がやって来てしまうと、彼らは急速に移動した。一万五〇〇〇年前には、彼らはすでに氷床の南に居た。アイダホ州のクーパーズ・フェリーという遺跡に、である。彼らはここで、基部の周りが剥離された、柄を付けるための中子を備えた長い両面加工尖頭器を作った。これらは、前述したように、上部旧石器時代の北海道から見つかっている有茎の投槍用尖頭器と驚くほど似ていた(図六・四)[46]。植民する一団は、マンモス、マストドン、バイソン、ウマ、そして他の大型動物を狩猟し、罠にかけながら北米を経て拡散していったので、彼らの作る投槍用尖頭器の形状は、多様になり始めた。クーパーズ・フェリーから出土した石器のような「西部有茎の」投槍用尖頭器は、木の葉形尖頭器と小形の刃潰し(峰付き)石器、そして時には貝殻製釣り針と共に、北米大陸西側の南で発見されている。ロッキー山脈の東側と南米では、他の型式の石器が発展した。

一万三〇〇〇年前以降、合衆国の中部と東部の集団は優美なクロヴィス尖頭器を専門に製作するようになった。クロヴィス尖頭器は、木製の槍の柄に挟み込むのが目的の樋状の基部を備えていた。様々な形状の両面加工の投槍用尖頭器も、南米の最古の考古遺跡を特徴付けるものだった。その一つが、チリ南部の南緯四二度に位置する、一万四六〇〇年前の水に漬かった遺跡のモンテ・ヴェルデである。アジアと共通する大型哺乳類が北米の狩猟民を常に忙しくさせている一方、南米の同時代人たちはオオナマケモノ、アルマディロ、(リャマやアルパカと関係のある)ラクダ科、サイに似た動物など、それとは別の動物群を相手にしていた[47]。

最初のアメリカ人は、アジアからの移住を助けた舟運の伝統を失わなかった。遅くとも一万二〇〇〇年前には、彼らはカリフォルニア海岸の沖合の小さな島々に行くために、貝殻製釣り針を手にオールで一〇キロ幅の海峡を航海していた。そこに彼らは、三〇〇キロも離れたカリフォルニア東部を供給源とする黒曜石製石器を持ち込む時もあった[48]。しかし私を悩ませる一つの謎は、六〇〇〇年前頃まではカリブ海諸島にヒトが渡った証拠が無いことだ。南米やメキシコからカリブ海諸島の島々まで、最短の海路で約一五〇キロだが、途中はどこでも暖かい熱帯の海だ。東アジアの人類は、それと似た距離なら琉球諸島に達するために遅くとも三万年前には海を渡っていたのだ。

アメリカ大陸に彼らが初めてやって来てからカリブ海諸島に到達するのに、なぜ一万年も必要としたのだろうか？　カリブ海諸島へのヒトの定着の重要な証拠がまだ発見されていないだけなのか？　私にはさっぱり分からない。ここには、将来の考古学調査にとって大きな課題がある。

最初のアメリカ人の航海能力を巡って謎が残るが、彼らは一万三〇〇〇年前には標高四五〇〇メートルを超えるアンデス高地のクンカイチャ岩陰に住んでいた。ここで彼らは、南米南部で広く見られる石器器種である「魚尾形尖頭器」でシカとヴィクーニャ（アルパカの野生の祖先）を狩っていた[49]。酸素が不足する環境のこの高度順応という偉業は、デニーソヴァ人と上部旧石器ホモ・サピエンスによるチベット高原へのずっと古い高高度への達成という、それと全く独立した行動に匹敵するものだった。

最初のアメリカ人の中にはシベリアからイヌを連れてきた者たちもいた。シベリアで、オオカミが最初に手懐けられ、家畜化された可能性が高い[50]。今日私たちの飼うイヌのすべての祖先は、ユーラシア産オオカミである。遺伝子データから、野生のアメリカ産オオカミは、決して家畜化されたことはなかったのだ。両米大陸に初めてやって来たイヌは、後世の先住アメリカ人文化に伴うイヌを生んだ。ああ、極北で使役される橇犬（ハスキー）を除けば、すべて今ではすべて絶滅してしまい、ヨーロッパの植民地時代に連れられて来た旧世界原産の血統に置き換わってしまったのだ。

極北カナダの完新世の移住：古イヌイットとチューレ文化イヌイット

無人の景観地に入った旧石器ヒト族のオデッセイは、今やその結末に近付きつつある。両米大陸への移住は、南極を別とすれば世界の全大陸が狩猟採集民によって到達され尽くしたことを意味した。しかし北米のすべての地域にヒトが定着し尽くしたわけではない。カナダの北方海岸は、図六・二に示したように、中期完新世の温暖なピーク期まではまだ海氷下のままだった。

カナダの極北沿岸とグリーンランドを含めた島々に初めて定着したヒトは、現代イヌイットを含めた現代エスキモー・アレウト語族話者の祖先だった。更新世の氷床が退いた時、ユーラシアの北極海沿岸のようにこの海岸地帯は、樹木の無いツンドラと海氷が広がり、そこで狩りができる人々には良好な生計手段を提供し始めた。彼らが標的にしたのは、アザラシ、ホッキョククジラ、セイウチ、ホッキョクグマ、ジャコウウシ、カリブー（トナカイ）のような大型哺乳類であった。生き延びるのに鍵となるのは、衣服作り、狩猟、食料貯蔵、避難所のための効果的な技術という手段で、冬季の少ない食料源と併せて冬に耐えることだった。

カナダとグリーンランドの極北海岸は、五〇〇〇年前頃の完新世気候最暖期には人類定着に開放されていた。この時、その一帯は、独特の細石刃を備えた、考古学者たちが「極北小型石器伝統」と呼ぶ石器を用いた人々に定住された。これは、ベーリング海峡のシベリア側にあると考えられる故郷に起源を持ち、その後急速にアラスカを越え、以前は無人の地だったカナダ北岸沿いに拡散し、そこで最初の考古学的独自性を確立し、紀元前二五〇〇年までにはバフィン島とグリーンランドに到達した。[51]

遺伝的には極北小型石器伝統の製作者たちは、最初のアメリカ人のみならず現代イヌイットやアラスカ西部に住むユピックやアリューシャン列島人などのイヌイットとは別の現生集団とも密接な関係を持っていた。[52]彼らの地理的分布は、彼らこそエスキモー・アレウト語族の初期の話者だった可能性を高めている。彼らはイヌと共に移動し、（前述のように）現代グリーンランドの橇犬は九五〇〇年以上前にシベリアで家畜化されたオオカミの子孫であることが最近、遺伝的に証明されている。[53]

極北小型石器伝統の製作者たちは、最終的には再前進しつつあった氷原によって後退を強いられたようである。そしてカナダの高緯度極北地帯は、紀元一千年紀にはほとんどヒトの居住跡が消失した。「中世の温暖期（紀元八〇〇～一三〇〇年）」に温暖な気候条件がまた戻ってくると、カナダ北部に第二の大きな移住、テューレ・イヌイットの移住が始まった。

一三世紀までにテューレ・イヌイットは、アラスカの他のエスキモー・アレウト語族話者集団と分岐を果たしていて、そこから東方へと移住し続け、古イヌイット先行者たちにほぼ四〇〇〇年前に横断されていたテリトリーに進出し、最終的にはグリーンランドのような東方まで再び到達するという驚くほどの急速な五〇〇〇キロの大移住を達成した。しかし先行者と違い、今度は彼らは自分たちが孤独でないことを知った。この巨大な極北の島、グリーンランドの南部沿岸と西部沿岸には、イヌイットが到着した時には既に西ヨーロッパから来たヴァイキングによって居住されていたのだ。彼らは、紀元九八五年にアイスランドから渡ってきていた。

これは、先住アメリカ人とヨーロッパ人との間の最初の遭遇の一つだった（ニューファウンドランドにはもう少し古い集団がいた。おそらくイヌイットではなくアルゴンキン族に関係した集団だろう）。それは、東西両方向からの驚くべき大移住の達成によって起こった。しかし二つの集団の間での交流は、めったに無かったようである。イヌイットだけが現在まで引き続いてグリーンランドに生き延びた一方、ヴァイキング移住民は一五世紀にグリーンランドを引き払ったことは記憶しておく価値がある。

世界の大陸大の陸地に関する限り、最初の移住の人類史の結末に今、たどり着いた。エスキモー＝イヌイット集団は、人類の先史時代に移住をした決して最後の狩猟採集民ではなかったが、孤島を除いて彼らは（南極大陸を除く）大陸に定住した最後の集団だった。そうした大陸は、人間の脚での移動をかつて目にされたこともなかった所だった。次にやって来たのは、地球上での五〇〇万年の人類の経歴で前例の無いものとなる。

第七章　食料生産がどのように世界を変えたか

本章は、オデッセイ劇の第Ⅳ幕、食料生産の時代の幕開けを熟考していく。どこで、どのようにして食料生産は始まったのか、そして数と密度の点で、食料生産が人口に及ぼしたインパクトはどんなものだったのだろうか？　食料生産はどのように広がっていき、なぜ今までに完新世間氷期を構成してきた過去一万一七〇〇〇年の間に世界でそれほど多くの地域で、それほど優勢になったのだろうか？

紀元前九七〇〇年頃に始まった完新世の栽培植物と家畜の食料生産の勃興は、人類に大きな変化を強制した。[1]　食料供給の増加は、増えた人口数と高まった人口密度をもたらし、最終的に今日の世界が養わなければならない八〇億人に達した。食料生産は、すべての国家レベルの文明――古代と現代の両方の文明――の発展のための基礎となった。植物と動物の栽培家畜化された主要な種の強まった可動性は、既に狩猟採集民が暮らしていた土地を含む新しい適地への農耕民の移住を支えた。狩猟された野生動物と採集された野生植物に頼る食料源では、栽培家畜化された食料と同じ規模まで制御できないし、増やすこともできず、輸送もできなかった。

たぶん古代ポリネシア人は、栽培植物と家畜の経済の可動性についての最も目覚ましい例を提示してくれる。紀元前二〇〇〇年から紀元一二五〇年まで、彼らの祖先は、栽培食料と家畜を舟に載せて、大部分が熱帯の海である一万六〇〇〇キロの洋上を運んだ。それは、台湾とフィリピン諸島の故地からニュージーランドとイースター島のような遠隔の地にまで及び、一部は南米にも達した。ブタ、イヌ、ニワトリ、そして様々な栄養のある果実と芋類から成る彼らの輸送できる食料は、ポリネシア人口を急速に増やし、純粋な狩猟漁労民なら決して養えなかった――在地の食料源はあまりにも少なく、簡単に枯渇した――小さな、そして隔絶された孤島に定住させることができた。古代ポリネシア人は、栽培家畜化された食料を集めることができ、またそれは陸路か海路で移すことにも適し、その植物と動物のどんな故地から数千キロも離れている所にも運べることを、私たちにはっきりと見せてくれているのだ。

古代の食料生産は何だったのか？

以下で私は、栽培作物と家畜に頼った先史時代の生業システムを述べるのに一般用語である「食料生産（*food production*）」、「農業（*farming*）」、「農耕（*agriculture*）」を場合に応じて用いていく。もっと特別な二つの用語が、「栽培（*cultivation*）」と「家畜化（*domestication*）」である。そしてこれらは、狩猟採集という文化段階と食料生産段階の間に人間に起こったことの謎の核心である。

栽培には、ほとんど説明を要しまい――農民は、苗を植え付ける畑を準備し、育った作物を害虫・害獣から守り、収穫を行い、貯蔵施設を建設する。動物家畜のそれに対応する概念は、畜産である。しかし栽培家畜化は、栽培や畜産の単なる同意語ではない。そうではなく、それは、古代人が食物やその他の目的で活用するために選択した植物と動物の形態的、遺伝的変化を伴っていた。このように栽培と畜産が植物と動物を管理する間に適用される人間の活動だった一方、栽培家畜化はそうした活動の結果であった。古代の栽培家畜化を特徴づける諸変化の一部は、たぶんある意図の下に行われた選抜だったろう。特に登場したばかりの農耕民たちが作付けや飼育で好ましいと思った植物とか動物を選び出した場合である。植物は、基本的に（飲み物を含む）食物と繊維の収穫高を増やし、収穫と加工を容易にするために育てられてた。動物は、体格、毛の色、温順度、牽引力、乳と毛の収量を改良するために育種された。

食料生産の進化に関する限り、最初の発展地は、すべての植物性、動物性の食料源がそもそも野生であったことから考え、それが現れた栽培家畜化レベルの点から、野生食物を獲っていた狩猟採集民の背景地からほとんど動いていなかっただろうことは明白である。野生の食物を獲ることに始まり、世界の様々な地で完全に栽培家畜化された食料源を利用することまでの道のりには、それが実を結ぶまでしばしば一千年以上はかかった遺伝子上の変化が必要だった。多くの先史人や民族誌上の民族は、狩猟採集民と農耕民の両方の生活様式を取り入れていた。特に全面的に食料生産するには十分でない周縁の環境では、そうだった。

しかし一度食料生産経済が発展すると、土地への労働力をさらに投入し、畑などの施設や収穫の向上による「強化」を通じて、食料生産はさらに生産性を高めることができた。用水路で水を供給され、水が張られて代掻きされた水田に密植されたイネの苗は、いつ到来するかも分からないモンスーンの降雨を待ちながら乾いた丘の斜面に掘り棒で開けられた穴に数粒の種子を投入する原初的な方法より、単位当たりではるかに収量が増しただろう。完新世の複雑化した文化と文明の勃興で、人口数と密度が高まるにつれて農耕の強化は強まった。

食料生産の長所

生業としての農業は、より多くの人々を養える。彼らは、狩猟や採集をしていた時よりもはるかに高い密度で、より定住した環境で生活できる。ここには新しいことは何も無い。そのことは、民族誌記録からも明らかである。そうした民族誌記録は、定住的で比較的不潔な暮らしをするようになって疾病の負荷が高まり幼児死亡率が上昇したにもかかわらず、定住し、農耕を採用した、以前は遊動的な狩猟採集民だった農耕民が出生率の急速な上昇を経験したことを明らかに示している。[2] 考古記録も、全面的な農耕への一千年以上もかかった移行の間に考古遺跡の数とその面積の大きな上昇を明確にしていることで、この結論を裏付ける。ヨーロッパ、中東、東アジア、メソアメリカ、中央アンデス、アマゾン川流域南西部のような濃密な考古記録を持つ地域は、特にそうである。人体骨格に記録された死亡時年齢から推計したヒトの出生率の分析も、同じ推定図をもたらす。[3]

農耕民人口成長の背景に関しては、農耕によって乳児に与えることのできる柔らかく調理した粥を提供できる。これにより母乳哺育に必要な期間を短くでき、それによって以前よりも頻回の妊娠を促せる。そのような離乳食を、狩猟採集民が見つけ出すのは困難だ。ことに一年中、離乳食に適した穀物を貯蔵していないとすれば、なおさらだ。遊動的な狩猟採集民の生活様式では、幼児が一人で歩けるようになるまで母親は幼児を背か腰の上に乗せて運ぶ必要のあったことを意味したから、そうした母親に依存する二人の幼児を同時に長距離を運ぶのは、とうてい魅力的なことにはならない。[4] 人類学者のリチャード・リーは、南西アフリカに住むクン族（サン・ブッシュマン）狩猟採集民の母親は、子どもが四年間も依存している間、自分の子を合計して七八〇〇キロも運んだとかつて推計したことがある。[5]

狩猟採集民の人口数は、遊動の必要性と自然の食料源の限定された供給力に制約されて、常に低いままに抑えられた。二〇世紀初めのオーストラリアの狩猟採集民の人口密度は、生産力の高い地域では二平方キロに一人だが、砂漠では八〇～二〇〇平方キロ当たり一人にダウンした。カリフォルニアのように特に生産力の高い地域の狩猟採集民では、一平方キロ当たり四人までの密度に明らかに到達できた[6]。植民地時代に人口は減少したから、それより前の人口密度は高かっただろうが、これは確かではない。

対照的に、今日、肥沃な土地を耕作する伝統的な農民は、耕作地の平方キロ単位で数千人の密度の人口を支えることができる。植民地時代と現代世界の状況で例証されているが、複利計算をしてみると、人間は何ができるかが分かる。一年間に二・四％の人口成長が可能であれば——近代史の植民地のヨーロッパ人農耕定住民では必ずしも稀な数字ではなかった——、五〇人の創始者集団は五〇年で三倍の一五五人になる。年率〇・八％の低い人口成長率としても、九〇〇年では六万五〇〇〇人になるのだ。

移住によってもたらされる条件に応じて、こうした規模での人口成長が持続的ではなく短命に終わったとしても、こうした数字は様々な結果を私たちに考えさせる。北米とオーストラリアで、歴史上、多くの類似例がある。ここに食料生産技術を備えて征服した土地に入ってきたヨーロッパ人植民者たちは平均六人から一〇人の子どもを持つ家族数を達成した。変化する社会的条件により人口が減る前の少なくとも二、三〇年は、そうだったのだ。新しい、疾病の無い土地で、ヨーロッパ人植民者の環境で、これらの子どもたちの大多数は、幼児期を生き抜いた。私は第五章でピトケアン島の例を取り上げた。その島でバウンティ号の集団の人数は、一九七〇年に島に到着した後の六〇年間で七倍に増えたのだ。

植民地時代の入植者たちの人口は、そこを立ち退かされた先住民、特に低い密度の狩猟採集民集団の観点からすれば、しばしば驚くほど急増した。先住民たちは、入植者が持ち込んだ、抵抗性を持たなかった天然痘、結核、麻疹のような致命的な疾病にかかっても死んだ[7]。両米大陸では、多くの先住農耕民が同じ疾病にかかって死亡した。彼らも、ニュージーランドのマオリと同様に、持ち込まれた疾病に免疫を持っていなかったからだ。最初に移住してきた先史農耕民たちは、数千年前間の接触を取るようになった狩猟採集民にそれと似たインパクトを与えたことだろう。

現代の私たちを今も養っている古代の栽培作物と家畜

世界中の古代食料生産文化を支えた作物と家畜は何だったのだろうか？　スーパーマーケットに行けば、今日でも私たちが食べていて、数千年間も食べられていた主食を誰でも容易に目にできる。現代社会を実際に支えるすべての食肉は、ニワトリ、ウシ、ブタ、ヒツジを処理したものだ。他の家畜化された動物、例えばイヌ、ヤギ、スイギュウ、ラクダ、リャマ、ウマは、それに比べれば大したものではない。ただこうした家畜の中には、現在以上に過去には食料源として重要だったものもある。魚も忘れてはならない。多くの古代人は、人工の塩水池や淡水池で魚を養殖した。そして正確には魚は家畜化されたわけではなかったが、養殖されたのは確かだった。

今日の世界で最重要の主食作物は、蛋白質に富み、貯蔵のしやすい穀物――コムギ、オオムギ、カラスムギ、コメ、トウモロコシ、そして様々な雑穀である。豆類（土壌中の窒素を固定し、やはり蛋白質が豊富なマメ科植物）としては、大豆、レンズ豆、エンドウ、ひよこ豆、ラッカセイがある。重要な根茎類として、ジャガイモ、サツマイモ、ヤムイモ、（タロイモを含む）サトイモ科、ニンジン、キャッサバイモがある。果実と木の実には、バナナ、ココナッツ、パンノキ、柑橘類、リンゴ、アヴォカド、トマト、その他がある。しかしバナナとパンノキを別にして、これらのほとんどは主食として利用されてはこなかった。また多くは新鮮な状態で貯蔵しにくい。ウリ科植物には、最初は果肉よりも蛋白質の豊富な種を目的に栽培化されたカボチャ（パンプキンとスカッシュ）が含まれる。上記のものに加えて、他の多くの範疇の植物性食物がある。そうしたものに、古代社会で重要だったサゴヤシ（ある種の熱帯のヤシの幹から抽出された澱粉）と穀粒を持った葉の多いアカザ科がある。その中で、南アメリカのキノアがふだん最も良く知られている。

もちろん、栽培化された、あるいは野生の数百種もの植物性食料が、今日も、そして先史時代を通じて世界中で食べられている。しかしそれらは、名前を挙げただけで、重要度は同じではない。右記に挙げた植物の多くは、世界各地で様々な野生種から栽培化された。こうしたものとして、特にコメ、雑穀、ヤムイモ、ウリ科、豆類が当てはまる。

食料生産の故地

こうした古代の栽培種がどこで最初に栽培化されたかを今見ると、大多数は、考古学者が早い時期に食料生産が発展したと同定する中緯度と熱帯のいくつかの地域に由来することがすぐ分かる（表七・一）。特に図七・一で示した地域だ。これらの地域——中東の肥沃な三日月地帯、東アジア、メソアメリカ、中央アンデス——が、世界の当該地域で最も古い都市文明と帝国の興った地域でもあることは偶然の一致ではない。エジプトも古代文明の興った所だが、その農業は肥沃な三日月地帯の作物と動物に基づいていた。

二つの点で高い重要性があるので、私は第八章の広範囲に及ぶ論考のため、いくつかの農耕の故地を選んだ。二つとは、食料生産の起源とそれぞれのケースでもたらされた人間の移住の結果である。私はこれらが植物栽培と動物家畜化に関連づけられた唯一の場所だったと示唆してはいない。ＬＧＭからの

表 7.1　食料生産の 7 つの重要な故地とその重要な特徴

	緯度と気候	高度	降水と生育季節	重要な土着の栽培作物	重要な土着の家畜	農耕への移行のおよその時期[1]
肥沃な三日月地帯	温暖な地中海性	中間	冬	コムギ、オオムギ、マメ科	ウシ、ヒツジ、ヤギ、ブタ	更新世末／完新世初期
黄河／揚子江／遼河　中国低地	温帯モンスーン[2]、夏季降雨	低地	夏	ジャポニカ米、アワ、キビ、大豆	ブタ（新石器時代後期までウシはいない）	前期完新世から中期完新世まで
サヘルとスーダン	熱帯モンスーン[2]、夏季降雨	低地	夏	ソルガム、トウジンビエ、シコクビエ、アフリカイネ	無し（肥沃な三日月地帯からヒツジ、ヤギ、ウシ導入）	中期完新世から後期完新世まで
メソアメリカ	熱帯、夏季降雨	中間	夏	トウモロコシ、マメ科、カボチャ（スカッシュ）	シチメンチョウ	中期完新世
中央アンデス	熱帯、夏季降雨	高地	夏	ジャガイモ、キノア、マメ科、カボチャ（スカッシュ）	リャマ、アルパカ、テンジクネズミ	中期完新世
アマゾン川流域地帯南西部	熱帯、夏季降雨	低地	夏	キャッサバイモ、カボチャ（スカッシュ）、ラッカセイ	無し	中期完新世
ニューギニア高地	赤道直下[2]、通年降雨	高地	通年	バナナ、サトウキビ、ヤムイモ	3000 年前以後まで無し（アジア産のブタとイヌ）	中期完新世から後期完新世まで

[1]　便宜上、ここでは完新世を 3 期に細分する。前期（紀元前 9700 年～同 6000 年）、中期（紀元前 6000 年～同 2000 年）、後期（紀元前 2000 年以降）。

[2]　モンスーン気候は、アフリカとアジアの温帯の緯度にあり、季節風の変化によって影響される（モンスーン）。熱帯は、5 度と北回帰線と南回帰線の間にある。赤道地帯は、赤道を挟んだ南北 5 度に位置する。

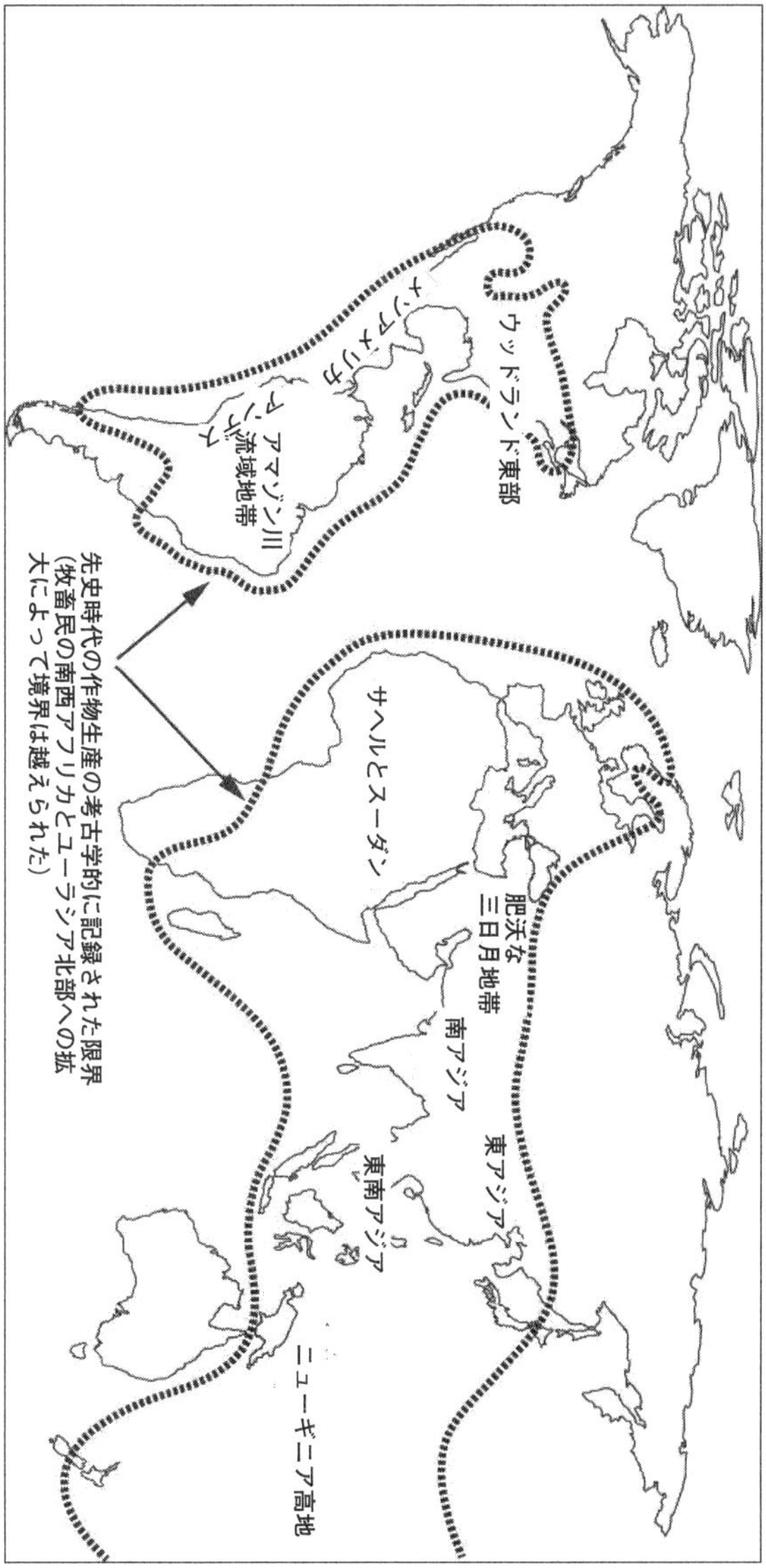

図7.1　世界の栽培植物と家畜の主な原産地域。

出口の頃に地球の食資源が大きくなった時、世界の人々の大多数が少しずつ食料生産へと移行していたという主張をすることができる。しかし一部の集団は、特にはっきりした季節性と大量の種子を毎年実らせる植物の育つ環境では、自らの行動を他集団よりも決定的な形で移行させた。長期的に見れば、これら初期の日和見的な集団の子孫が、世界に計り知れないインパクトを与えたのである。

こうした初期の日和見派の一部は、野生植物と野生動物の生物地理学のくじ引きで幸運にも強く後押しされた。コムギ、コメ、トウモロコシ、ウシ、ブタ、ニワトリ、ヒツジのように最も生産性が高く、栄養もある栽培家畜種は、野生の祖型状態で世界中のどこにでも単純に自生・自活していたわけではなかった。一部の種は他の種よりも確かにずっと広範囲に野生状態で分布していたけれども、ほんのわずかな日和見派しかそうした植物と動物にアクセスしなかった。そうした植物と動物がいったん栽培家畜化されると、それらは周囲に広がり、他の地域のそれと類似した野生種を栽培家畜化することをしばしば採算の合わないものにした。このことは、右記に挙げた種に対して今日も当てはまる。これらの種は、数千年間も核心的な主食として自分の地位を堅持してきたし、すぐにいつでも置き換えられるという兆しを全く見せていないのだ。

偶然の一致？

表七・一と図七・一で農耕の故地を示したが、これらの食料生産は互いに独立に発展したのだろうか？答は圧倒的に（だがたぶん完全にではない）イエスだと私は思う。確かと思える一つの理由は、表七・一に挙げた七カ所が気候と環境の点で互いにかなり異なっていたことだ。言うまでもないことだが、作物

と家畜は、異なる気候と環境で栽培家畜化された。

　こうした違いは、気候では赤道地帯から温帯、高度では高地から低地、季節性では冬の降雨から夏の降雨、また赤道のニューギニアの場合は通年の降雨までに及ぶ。穀物と大型草食動物のように、主に利用された食料範疇にも大きな違いがあった。これらのバリエーションだけをとっても、食料生産はただ一カ所で始まり、その後に世界各地に広まったとは考えにくい。

　しかし最初は独立して始まったにもかかわらず、これらの七カ所の故地の一部は、食料生産が十分に発展した後の他地域との接触を発展させたのは確かだ。例えば重要な作物と家畜は、すぐに他地域間に伝えられた。後に取り扱う重要なこの二つの例として、肥沃な三日月地帯の家畜（ヒツジ、ヤギ、ウシ）がアラビア半島とサハラ砂漠を越え熱帯アフリカに伝わった例、そしてメキシコから南米にトウモロコシの初期の栽培種が伝播した例がある。

　この点、イヌは特殊だった。主要なイヌは、旧石器時代の狩猟採集民によってユーラシアのオオカミから家畜化されたので、イヌは事実上世界のどこにまでも広がった。それには、オーストラリア（だがタスマニアには伝わらなかった）と両米大陸が含まれる[8]。これ以外の栽培家畜化された作物と家畜で、先史時代に他に広がったものは無い。もしかするとイヌは、動物を馴致させ家畜化したことから生じる様々な利得の例として、食料生産が最後に発展した所を含めすべての地域に居たことだろう。たぶん旧石器時代のイヌから学んだ知識は、新石器時代の他の動物の家畜化にも応用された。

植物と動物を栽培家畜化するためにヒトはそれらに何をしたのか？

穀物とマメ類の場合、それが実った時、実落ちや自然に種子をばらまく前に、人類は茎の上の種子を確保する様々な方法を発展させた。人類はまた、大きな種子を実らせ、簡単に脱穀、取り去りできる種子の殻を外せる株を選択した。栽培植物の他の二つの重要な特徴は、その植物のすべての種子が同時に熟したこと、野生状態で休眠を必要とした季節に種子が発芽する能力を持つことだった。

全般的に見て、完全に栽培化された穀物、マメ類、塊茎は、一年のうちいつでも、増殖に適した気候の世界のどの地方でも植え付けできる潜在能力を示した。しかも損耗せずに容易に収穫でき、貯蔵でき、単位面積当たり野生のどんな同類よりも多い蛋白質と炭水化物を生産できる潜在能力だ。この文脈を、動物にも当てはまるように言い換えることもできる。柵内や檻の中で容易に繁殖させられる、管理しやすい振る舞い、肉、乳、毛の面で生産性が高い、宗教上の信仰に合致する形態と体色という要因というように。

最初の農耕民は、植物と動物の栽培家畜化を意図的に進めたのか？

植物栽培と動物の家畜化は意図的、計画的だったのかどうかは、重要な謎である。その答が分かれば、といつも思う。私は、こう考える。私たちの祖先の一部は、疑わしさを払拭するに値したのかもしれないと。おそらく彼らは、新しく栽培化した穀物の植えられた畑は、野生の同じ穀物の生える、隣の植え付けさえしなかった群生地とはどのように異なった経過をたどるのを注視するくらいの知識は持っていただろう。イスラエルの研究者シャハル・アッボとアヴィ・ゴファーは、肥沃な三日月地帯の初期農耕を考察して、「レヴァント地方の一部植物群の栽培化は、そのための植物の選定と、育っている株の遺伝的変異から適切な突然変異個体の選択することがすべてだった。（そして人のその行為は）このような知識を基礎に、意識的で、速やかになされた」[9]ことに気がついた時、確かに同意できるのである。

それでも現在のところ、考古学者と考古植物学者は、関係したほとんどの集団にとって栽培化は漸進的で無意識的な過程であったと考えている。例えば肥沃な三日月地帯と中国の穀物の収穫の一部は、野生状態から一〇〇〇年から二〇〇〇年という比較的にゆっくりとした発展の後に完全に栽培化された穀粒だけから構成されていた。[10]この遅さは、栽培化過程が無意識のうちになされたという本質を反映しているのかもしれないが、栽培品種の隣に立っている野生種も引き続いて採集していたことの反映でもあるかもしれないのだ。その結果、収穫、貯蔵、そして再び播種する間、それらの穀物はまぜこぜにされていただろう。

栽培化が意図的に行われたかをめぐる論争は、これからも続くかもしれない。考古学的な現実性に関して言えば、植物栽培化が徐々に始まったことを実際に示すいくつかの遺跡がある。しかし一方で栽培化は否定しようがないほどに急速に進んだことを推定させる遺跡もある。[11]人類の先史時代の理解にしばしばあるように、二つの相反する意見の間のいくらかの調整が、必要となるかもしれない。

なぜ栽培家畜化なのか？

ヒトの作った狩猟採集経済は、原初の状態でもはや存在しない。しかしオデッセイの九九・九％以上の期間を占める狩猟採集経済の意義は、私たちすべてに不可逆的に刻印されている。一部の解説者によれば、農耕は以前は気ままな生活で、比較的豊かで圧迫を免れていた狩猟採集民にただ不健康と過重な労働をもたらしたという。これが本当だとしたら、なぜ古代人たちは手のかかる植物栽培と動物家畜化を始めたのだろうか？　民族誌記録は、何か答をもたらしてくれるのか？

残念ながら過去数世紀の民族誌記録は、どんな狩猟採集民たちも狩猟採集から農耕へという内からの移行圧力に耐えていたことを明らかにしてくれない。彼らは、国家権力による定住の強制、あるいは以前に利用していた狩猟と採集のためのテリトリーを一方的に占有する農耕民の進出といういずれかの外部からの圧迫からも無頓着だった。カリフォルニアとオーストラリアでヨーロッパ人と接触したその時も、狩猟採集民は存在した。彼らは、火入れによる植生の回復、時々行う野生の塊茎断片の植え付け、草が豊富に茂る場所で野生穀物種子の収穫を通じて野生の食料源の管理運営を行っていた[13]。しかしこうした実践行為も、食料にしていた植物の栽培化に至らなかったし、将来の世代に望ましい特徴を持つ熟した種子の意識的な植え付けを通しての選択もしなかった。カリフォルニアとオーストラリアの狩猟採集民は景観と食料源の管理に十分な注意を払っていたが、それでも世界の他の地域で数千年前に始まった食料生産への移行についての理解には役立たない。

人類はなぜ食料生産を発展させたかをめぐっての論争は、しばしば環境と結びつけた問題に目が向けられる。一世紀前、考古学者のゴードン・チャイルドは、後氷期の干ばつで人々がオアシスのような場面の所に集まり、自らを養うために植物を育てることに関心を向けなければならなくなった時に農耕が始まったと考えた（オアシス仮説）。今では、世界中の後氷期の気候は徐々に湿潤化したのであり、乾燥化したのではなかったことが分かっている。したがって一部の考古学者は、改善した後氷期の環境をめぐる答を組み立てている。そうした環境が、人口増、定住、その結果として起こった野生食料源へのストレスを強めて農耕に至ったとする。本当の答が何であろうと、私は干ばつと水資源の豊富化の両方の要素がその役割を果たしたかもしれないと思っている。そしてLGMの気候条件のもとでなお暮らし続けていたとしたら、私たち現代人の暮らす世界は決して現れてこなかったことはほぼ間違いはないだろう。LGMの時代、二万五〇〇〇～一万八〇〇〇年前の間には、氷床、寒冷なツンドラ景観、半砂漠が、今日の高い農業生産を誇る多くの地域を支配していただろう。考古記録によれば、その時の人口数は少なく、人口密度もまた低かった。狩猟と採集で得られる食料源という点で、地球規模の環境全体の生産性がそうだったのだ。二、三〇年にわたって起こった気温と降水量の大きな変動で、気候もまた不安定だった。

人類史における穀物とマメ類の全面的な栽培化へという世界最初の移行は、紀元前一万八〇〇〇年と同九七〇〇年にかけてのヤンガー・ドリアス期の氷河の再前進直後に、肥沃な三日月地帯で始まった（図一・二と第三章を参照）。ヤンガー・ドリアスの後、完新世の気候は、以前より大きなレベルでの温暖化、降水量の増加、全般的な気候安定化が達成された。これがすべて完全に偶然の一致でなかったとすれば（私は疑っているが）、LGMは農耕発展の駆動力として欠かせない要素を欠いていたと推定しなければならない。それは、ほぼ二〇年前に他の研究者たちによってなされた所見である。[13] 他方で、ヤンガー・ドリアス後の完新世は、何カ所もの世界の様々な地域で起こった独立した農耕の始まりの時代であった。[14]

ヤンガー・ドリアスについて一つの驚くべき事実は、中緯度帯で約一〇〇〇年間に及んだ思いがけない氷河期的気候を再来させたことを別にして、その終結が信じられないほど急速に進んだことだ。紀元前九七〇〇年頃、四〇年もたたずに世界は寒冷で乾燥した氷河期的気候条件から今日とほとんど変わらない温暖で湿潤な気候に変わった。[15] ヤンガー・ドリアスのこの急激な終結は、私の理解では示唆に富む。

世界中の食料生産に関連した大量の人間の活動が、過去一万一七〇〇年間の温暖で気候の安定した間に起こった。この一万一七〇〇年より後に、更新世末の劇的なヤンガー・ドリアスの影響低下が続いた。それは、完全に偶然の一致だったのか？　私の考えを言えば、そうではなかった。[16]

気候は、完新世の始まりで変化した唯一の要因ではなかった。別の大きな後氷期の環境変化は、地球の海水準の上昇だった。氷河から溶け出た水が海洋に流れ込んだことによって、それは起こった。LGMの海岸線は、大陸棚の端を越えて沖合に深く張り出していた。例えば熱帯の珊瑚礁や温帯の「ケルプ直行道」のような生産力のある環境は、狭い避難所として限定されていた。後氷期に氷床から溶け出た淡水は、剥き出しになっていたそうした大陸棚の広大な広がりを水没させ、数百万平方キロもの暖かくて浅い沿岸海域を作り出し、そこには豊かになった海洋食料源を伴った。私はこの話題を、人類のアメリカ大陸への移住の一要因としての太平洋のケルプ直行道と関連づけて第六章で述べた。海水準の上昇につれて、前期完新世の沿岸人類は急速に人口を増やせたし、実際に増やした。

ヤンガー・ドリアス終結後の前期完新世の向上・強化された環境条件は、食料生産の基礎としての背景成功要因だったのだろうか？　たぶん、部分的に。しかし条件があったはずだ。温暖になった気候と気候の安定度の増したことは、食料生産の発展の唯一の原因だということになっていた。ならばその後、世界全体は同時にその移行を通じて食料生産経済になったと期待していいはずだ。ユーラシア北部の多くの様々な地域がヤンガー・ドリアスの終結した地域と同じ気候変化を経験し、完新世の到来を告げたことを考えれば。しかし農耕は、世界のどこででも、また同時には始まらなかった。様々な場所で、完新世の数千年間に分散した様々な時期に、農耕が独立に始まったことは明らかだ。きっとそれには別の要因が働いたに違いない。

私見では、最終的にどんな作物が栽培化され、どんな動物が家畜化されたかという点で、はっきりと限定された土地で利用できる食料源は、農耕の始まりについての重要な要因でもあった。既に私たちが見たように、潜在的に栽培家畜化の可能なすべての食料源は平等に存在したわけではなかった。どれだけの主要な植物と動物がこれほど少ない地域で栽培家畜化され、今日の地球上の人口の大きな割合を養っているかを考えた時、その感を深くする。二〇年前にジャレド・ダイアモンドが注目したように、先史時代に世界の体重四五キロ以上の草食獣一四八種のうちたった一四種しか実際に家畜化されなかったのだ。[17] さらに世界で最初に農耕牧畜の始まった地域である肥沃な三日月地帯には、世界の他のどこよりもこれらの野生種のうち家畜化された種が多かった。現代世界を今も養っている植物と動物の主要な種にとっての故地であるそうした地域に、食料生産が初めて行われるようになったのは、至極当然のことである。

ここに、基本的な疑問がある。種子の選択、意図的な種の植え付け、そして最終的な栽培化は、増大する食料供給と定期的に襲う不作の組み合わせに対する反応だったのだろうか？　そうした状況は、後氷期の野生食料源が増え、徐々に定住化して「豊かになった」狩猟採集民に野生食料がますます重用されるようになった時に始まった可能性がある。しかしもしこうした人々が、相対的に豊かな状況にある際に予測できるように、利用可能な野生食料源を増やすよりも速やかに人口を増やしたとすれば、じきに困難に直面しただろう。野生の食料源はある種の手間かけと管理に切り替えないと、増やすのが難しいからだ。

過去の農耕開始に対する刺激としてのこの種の人口圧の重要性を、多くの考古学者が重視してきたのは確かだ。[18] 例えば肥沃な三日月地帯で、ヒツジとヤギが初めて家畜化されたのとほぼ同じ頃に、ガゼルが狩猟で絶滅に追いやられたようだ。中国では揚子江の近く、野生植物としてのイネの分布域の北端のすぐそばで、コメが栽培化された。その地域では、生育期の持続とモンスーンによる降雨に毎年、小さな変化があり、それが野生のイネの分布に大きな影響を及ぼしていただろう。そうした状況は、まさに有利な機会と圧迫の両方を反映するものだ。

私は、豊かさに対する反応と圧迫に対する反応のこの組み合わせに心惹かれる。この観点から、食料生産の究極的な原因は、一つには人口を稠密にし、より定住的にさせた後氷期の温暖化であった。また他方でこうした人々は、時々、食料供給の減少という圧迫に苦しめられ、いつも管理でき、量を増やせる食料源の動向に目を光らせていた。食料生産が軌道に乗るまで、彼らはこの両方の状況を巧みに利用していたことだろう。

そして暮らしは、食物に関わるだけではなかった。植物の栽培化と動物の家畜化へと誘う別の要因があった。衣装と装身具を通じて表明される必要のあった社会的な役割で、社会がどんどん複雑化していった時に、繊維と織物素材への必要を説く声が湧き起こっただろう。

最後の拠り所としての食料生産は、世界のいくつかの地域でそれぞれ独立に始まった。栽培家畜化に適している生産性の高い食料源の最大のレパートリーを備えた地域が最初であった。恵まれた故地でのこの発展の過程が進むにつれ、その地域に元からいた集団と彼らの話す言語は、彼らが育てる作物と家畜と共に、どんどん外周へと広がっていった。人口学的観点で、こうした傾向が圧倒的になると、中間的で環境的にもさほど恵まれない地域でも農耕へと向かう多くの独立したトレンドが起こった。次の各章は、それらがもたらしたこうした拡大と人間集団について述べたい。

食料生産が進むにつれ、人間の世界はもう決して後戻りすることはなかった。今日の私たちに課せられた全地球的な任務は、人類全体を通じて私たちの持つ資源を共有し、管理できない自然からの収奪という有害な影響からそうした資源も守るために、種としての一体化を築き上げることだ。

第八章　植物栽培と動物家畜化の故地

世界の様々な地域で食料生産が始まって、実際に何が起こったのかを、今や検討する必要がある。二つの舞台で、これを行う。本章では、農耕の始まった主要な故地とその後背地での完新世の食料生産の展開を、主に考古記録を用いて議論する。このようにして私たちは、肥沃な三日月地帯、東アジア、アフリカのサヘルとスーダン、ニューギニア高地、アマゾン川流域地帯、メソアメリカ、合衆国の東部ウッドランド地帯を順々に見ていく。それぞれの地域に対して、栽培家畜化の始まりから大規模でほぼ定住的な農耕社会までの過程を追っていくことにする。

その後その次の章以降で、一度人々がこうした故地で効率的な食料生産を発展させた時に起こった深刻な問題を、増加した人口と土地を渇望する人々と共に検討していくつもりだ。考古記録ばかりでなく人々そのものとその人たちの言語の移動も追跡していかなければならないので、多重的資料源から引いたデータを使う。

本章はまず、知的探求の歴史における地位という面ばかりでなく世界に及ぼした影響の面から、食料生産で最も重要な故地の一つから始める。

肥沃な三日月地帯

中東の肥沃な三日月地帯は、世界で最重要の農耕産物の一つにとっての故地であった。栽培作物と家畜を伴う農耕は、そこでは紀元前八五〇〇年頃に始まった。主な食料となった種には、ユーラシアのオーロックス（原牛）を家畜化したウシ、ヒツジ、ヤギ、そしてアインコルンコムギ、エンマーコムギ（二つは互いに異なる種）、オオムギ、レンズ豆、エンドウ、ひよこ豆、ソラマメがある。[1] その後の紀元前六五〇〇年から同三五〇〇年に、イチジク、ブドウ、オリーブ、ナツメヤシなどの果実が続いた。[2]

この作物と家畜を統合した社会は、ギリシャのアレクサンダー大王、ローマ帝国、オスマン帝国、大英帝国のすべてが一つになった以上に西ユーラシアの人類史に持続的なインパクトを与えたと言っても過言ではないだろう。食料というエネルギーのこの発電所は、冬の降雨と夏の乾期を持った地中海性気候で発展した。それは、植物性食料が暑い乾燥した夏に種子の成長が休眠して（多年性植物と反対の）毎年生育する習性を持つことを意味した。実際面では、肥沃な三日月地帯の古代農耕民は、これらの穀物を春に収穫し、夏の間に貯蔵するために一部を残し、残りを食物として食べ、その後の秋の降雨期が始まる時に蓄えた穀粒を植え付けたのだ。

この農耕システムに起因した人口増は巨大で、それだけ移住を強く促した。世界史を限界まで拡大解釈できれば、紀元一四九二年後に始まった植民地時代のヨーロッパからの人間の大流出はこの九〇〇〇年から六〇〇〇年以前の新石器時代に起こったことの再演だったことを推定できるだろう。なぜならそれは、肥沃な三日月地帯の食料と同じ種に基本的に基づいていたからだ。紀元前四〇〇〇年頃までに肥沃な三日月地帯の新石器農耕民は、北はアイルランドとスカンジナビアまでのヨーロッパ全体に、南はスーダンまでのアフリカに、中東を経てインダス川流域に、さらには黒海周辺から中央アジアのステップ地帯にまで移住していった。

肥沃な三日月地帯を出発地としたこうした移住は、考古記録、埋葬遺体から抽出した古代DNA、世界で最も重要な語族――イギリス諸島からバングラデシュまでの人々に話されているインド・ヨーロッパ語族と中東と北アフリカの大半で話されているアフロ・アジア語族――の二つの歴史で十分に証明されている（第一二章で述べる）。こうした語族内部の系譜が人類の先史時代の流れを理解する上で計り知れないほど貴重な枠組みをもたらしてくれるので、後に私はこれらの語族にもう一度立ち戻る。

肥沃な三日月地帯のもともとの概念は、二〇世紀初めのエジプト学者、ジェームズ・ヘンリ・ブレステッドの著作に由来した。彼は一九一六年にそれを、西のパレスチナからシリア北部とイラク北部のユーフラテス川とティグリス川の上流部を経て、イランのザグロス山脈の西麓とその先のペルシャ湾の西にかけてカーブする砂漠と山岳部までの肥沃な陸の三日月状地帯と定義した（図八・一）。

二〇世紀半ばには考古学者たちは、農耕がこの地域でどのように発展したかの調査を開始した。W・J・ペリーとV・ゴードン・チャイルドによって一九二〇年代に愛好された初期の考えは、エジプトは厳密にはブレステッドに定義されたもともとの肥沃な三日月地帯の一部ではなかったけれども、エジプトこそ農耕起源地の可能性のある所と提唱した。二人は、毎年夏の終わりから秋にかけて（八月半ばから九月に）エジプトのナイル川は定期的に、ほぼ必ず氾濫するので、ナイル川をその地に選んだ。ナイル川の氾濫の源は、赤道に近いアフリカ中部の水源地帯からの夏のモンスーンの降雨であった。ペリーがやがてかなり有名な見解になるものの中で論評したように、

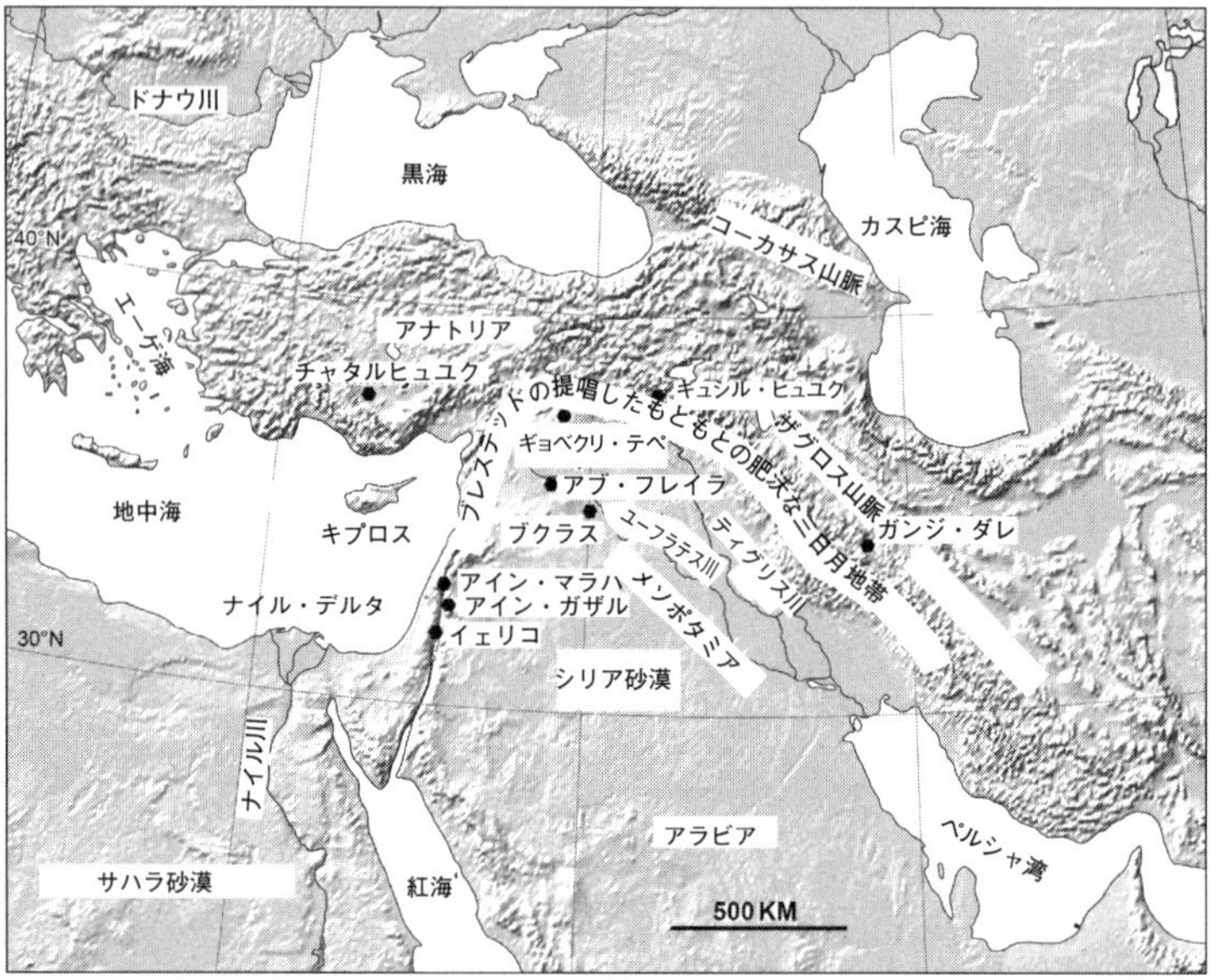

図 8.1　肥沃な三日月地帯

夏の終わりにナイル川の氾濫が始まると、鳥たちの注視を免れていたオオムギとアワの種子粒はすべてが泥の中に埋まるだろう。そして秋に氾濫の水が引くと発芽し、エジプトの冬の穏やかな暖かさの中で急速に成長しただろう。……このようにして年々、優しいナイルは、完全な灌漑サイクルという手段で、エジプト人のためにオオムギとアワを育ててくれただろう。したがって必要なことのすべては、一部の天才が広い区域に水の流れを行き渡らせることのでき、こうしてさらに作物を耕作できる水路を造る簡単な方法について考えることだけだったろう(3)。

そのとおりだったら、万事簡単だ。オオムギがナイル川流域が原産地でなかったことをペリーが知っていたかどうか確信できないし、アワはモンスーン期に（夏の降雨期に）ナイル川上流のスーダンで実際に栽培化されたけれど、はるか下流の冬の降雨帯に暮らすエジプト人がその栽培を実行したという証拠もやはり無い。もはやエジプトは、考古学者と自然科学者に初期食料生産の起源地とはみなされていない。今では彼らは、北アフリカ原産の野生ノロバを家畜化したロバを唯一の例外として、エジプトの主な栽培植物と家畜はすべて、肥沃な三日月地帯から導入されたものだということに同意している。

さらに世界で最も偉大な古代文明の一つを育んだナイルデルタとナイル河谷下の沖積層は、既に肥沃な三日月地帯——そこでの農耕は降雨がずっと頼りになった——で始まっていた紀元前八五〇〇年には、まだほとんど存在していなかった。LGMの間、ナイル川の下層流路は深く下刻されて、今より一〇〇メートル以上下がっていた地中海の海面に接していたのだ。紀元前八五〇〇年の時でさえ、海水準はなお今より四〇〜五〇メートルも下だった。エジプトのナイル川下流域は、おそらく紀元前六〇〇〇年までは集中的灌漑を基礎にした食料生産を支えるのに十分な沖積層を形成していなかった[4]。この時、肥沃な三日月地帯の農耕民は、おそらく既に他地域への移住を開始していた。

肥沃な三日月地帯の反対側の端に近い、古代文明のもう一つの中心地であったメソポタミアはどうだったか？　イラクのティグリス川とユーフラテス川沿いのメソポタミア低地は、シュメール文明、エラム文明（イラン）、アッカド文明、バビロニア文明を生んだ。だがナイル河谷と同じように、ペルシャ湾湾頭のメソポタミア・デルタの陸地は、農耕民がこの北方と西方の肥沃な三日月地帯に現れつつあった紀元前八五〇〇年には存在していなかった。エジプトのように、メソポタミア低地の気候はあまりに乾燥していて、降雨だけでは農耕を支えることができなかった。そして（ナイル河谷とは違って）ティグリス・ユーフラテス両河川は北半球にあり、現在のトルコ領地域に源流を発したので、不都合にも冬の雨と春の雪溶け水で両河川は氾濫した。その時は、冬の穀物生育期は過ぎていたのだ。メソポタミア低地の農耕には、植え付けの時、秋の低い河川水を流すための川の堤を掘り抜いた灌漑水路が必要だった。最初の農耕民は、こうした低地を魅力的だとは思わなかった。だから紀元前六〇〇〇年頃にシュメール文明の祖型的な町が造られるまで、ここで農耕活動の行われた証拠がない。だが紀元前六〇〇〇年頃までには、灌漑技術が十分に発展している最中だった。

どこで農耕が始まったかの疑問に対する的確な答は、一九五〇年代に現れ始めた。アメリカの考古学者ロバート・ブレイドウッドとブルース・ハウは、一九六〇年に次のような最も重要な疑問の一つをもって考古学界に立ち向かった。すなわち「定住的な村落農耕共同体の初めての出現に伴った人類の生活様式の大きな変化を、我々はどのように理解すべきなのか？」[5]。ブレイドウッドは、初期農耕と村落生活にとって主要な場所として、エジプトでもメソポタミア低地でもなく、ブレステッドの肥沃な三日月地帯の「丘陵地帯《ヒリー・フランクス》」と呼んだ所を規定した。ヒリー・フランクスには、農耕に効果的な冬の降雨があり、灌漑を必要としなかった。一番重要なのは、ヒリー・フランクスが肥沃な三日月地帯の食料生産の一式を構成した事実上すべての主要作物と家畜にとって故地だったことだ。ブレイドウッドは、一九五〇年代と六〇年代のイラク、クルジスタンでの発掘調査を通じてこの事実を理解し始めていた。そして彼の時代以降の二世代の考古学者とその他の科学者が、今日ではかなりはっきりした図式となっているものをもたらしてくれた。

ナトゥーフ文化

肥沃な三日月地帯での食料生産と栽培家畜化への道は、成功裏に旅された世界で最初の道だった。この地域の西側部分での核心となる考古学的文化は、イギリスの考古学者ドロシー・ギャロッドにナトゥーフ文化と命名されたが、紀元前一万二〇〇〇年から同一万年に、人口密度の増加と定住集落の最古の証拠を含んでいると考えられている。

ナトゥーフ文化の集落の面積は、三〇〇〇平方メートルに及んでいる。イスラエル北部のアイン・マラハ（エイナンとも呼ばれる）での一つの大きな集落は、石造りの壁で築かれた五〇戸と推定される卵形や円形の住居で構成されていた。ただし、全住居がどの時点でも全面的に居住されていたわけではないようだ。住居は、穀物貯蔵とヒトの埋葬に使われた坑を含んだ中央の空き地の周りに、ドーナツ状に配置されていた。アイン・マラハは、継続的に、たぶん数世代を通じて人々が住んだ定住集落の証明書であった。

ナトゥーフ文化人は、まだ栽培家畜化された食料源を備えた一人前の農耕民ではなかった。しかし彼らは、アイン・マラハでは家畜化されたイヌを飼っていた（一頭が女性と共に埋葬されていた）。彼らはオナガー（アジア産の野生ノロバ）、ガゼル、シカ、イノシシを狩猟していた。春には野生の穀物とマメ類を収穫するために鋭利な石刃と細石器を用いた。石器の刃には、刈り取った植物の茎の跡であるシリカの光沢が残され、野生穀物を収穫していたことが識別できた。くぼんだ石のすり鉢は、穀物を粉に挽くのに用いられた。最近、ヨルダンで紀元前一万二〇〇〇年と年代測定されたナトゥーフ文化の薄いタネ無しパンの炭化した断片という驚くべき発見があった。(6)

ナトゥーフ文化は、肥沃な三日月地帯での農耕の出現に備えた基礎を表している。彼らは完新世ではなく更新世に暮らしていたこと、そして西アジアの考古学用語で彼らの作った石器は「終末期旧石器時代（中石器時代）」という分類棚に置かれるだろうことは忘れやすい。しかしナトゥーフ文化の考古記録の最近の分析では、紀元前一万一四〇〇年から同九七〇〇年に、肥沃な三日月地帯北部の人口が一〇倍に増えたらしいことが示されている。後者の年代は、ヤンガー・ドリアスの氷河の前進の終わりを画した年代である。(7)

これは、いくぶんかは驚きである。なぜなら再発した寒冷の千年紀であるヤンガー・ドリアスは、長い間、人口史では否定的な時期ととらえられてきたからだ。第七章末で私が留意したように、植物栽培と動物家畜化を始めさせた主な刺激をもたらしたものこそ、ヤンガー・ドリアスが終わってから急速に始まった温暖、湿潤、安定した気候条件であった可能性が高い。

しかし第七章で私は、周期的な気候の圧迫が人々に食料供給を維持するため農耕に目を向けさせたかもしれないことも示した。したがってナトゥーフ文化の狩猟採集民は、ヤンガー・ドリアスに先行した温暖で好ましい気候条件〔この時期は「ベーリング／アレレード期」と呼ばれる亜間氷期〕で人口密度を高め、その後、再発した寒さが顕著になった時に野生植物の栽培というより効率的な方法で反応したのだろうと思われる。(8)その後の完新世の初めに、ついに植物栽培と動物家畜化の取り組みが真剣に始まったのだろうか？

肥沃な三日月地帯の新石器時代

ナトゥーフ文化とヤンガー・ドリアスの後、肥沃な三日月地帯の気候条件は著しく向上した。次の数千年で、アフリカとインド洋のモンスーンがもたらす夏の雨は、北に広がった。それはサハラ砂漠とアラビア砂漠に夏の降雨をもたらし、中東の既存の冬の降雨帯に重なった。ブレイドウッドのヒリー・フランクスを占有していたナトゥーフ文化人と同時代者たちに、移住の用意が整った。

ナトゥーフ文化から生まれ、同時代文化と関連した肥沃な三日月地帯の新石器時代は、紀元前一万年から同五五〇〇年まで続いた。その時代後に考古遺跡に銅器の数が増えて、銅石併用時代と青銅器時代の到来を告げた。新石器時代は、主な二亜期にまたがった。すなわち先土器新石器時代と紀元前七〇〇〇年以降に土器が広く利用されるようになる土器新石器時代である。

野生の植物採集と動物狩猟から栽培家畜化された食料源の依存へという移行は、ほぼ完全に先土器新石器時代に起こった。栽培化された（非脱粒性の）穀物は、紀元前八五〇〇年頃に現れ始め、紀元前七五〇〇年頃には肥沃な三日月地帯で植物性食料の全摂取量の約五〇％を占めるまでになった。紀元前六五〇〇年頃にはその比率は、ほぼ一〇〇％に達していた。[9]

肥沃な三日月地帯の先土器新石器時代は、共同体建設プロジェクト、特に同時期の世界でどこにも類例の無い石造建築という点で華々しく始まった。最初の大きな驚きは、イギリスの考古学者キャスリーン・キャニオンによって行われた一九五〇年代の発掘から起こった。彼女は、ヨルダン河谷にあるイェリコの一四メートルの高さの「テル」（遺丘：アラビア語とヘブライ語で層状になった集落跡のマウンドを表す、ペルシャ語とクルド語では「テペ」、トルコ語では「ヒュユク」という）の側面を発掘した。[10] この大きな遺丘《テル》の裾の近くでキャニオンは、日干し泥レンガで造られた円形住居を含む二・五ヘクタールの町の一部を掘り出した。町は、岩を掘り抜いた溝と少なくとも四メートルの高さの石造防御壁で守られていた（石壁は集落の周囲全体に延びていたかどうかは分からない）。石壁は、内側で直径一〇メートル、残存部だけで高さ八メートルの記念碑的な石塔に接続していた。石塔には、内側に頂上につながる二八段の階段が付いていた（図八・二C）。このイェリコ先土器新石器時代集落は、数世紀間に何度も再建された。そして紀元前九〇〇〇年という驚異的な古い年代に、集落は当初は石塔を伴って建設されたことが今は

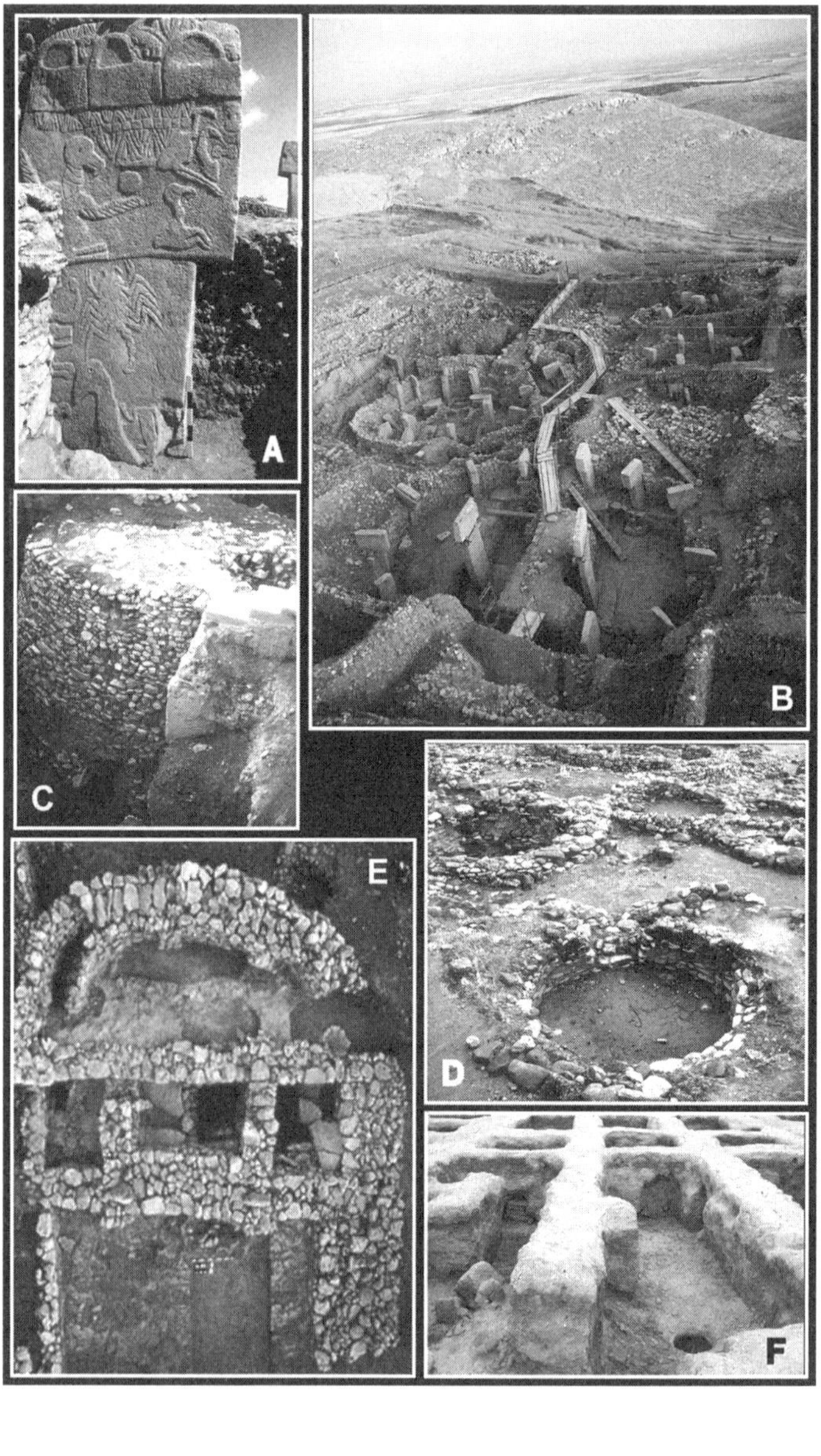
A
B
C
D
E
F

図 8.2　肥沃な三日月地帯の先土器新石器時代の建設物。この写真は、先土器新石器時代の円形から方形の建設物へという移行を説明する良い例となる。(A) ギョベクリ・テペの装飾された石柱。不思議な方形の品（3 つの「ハンドバッグ」）、肉食の鳥、恐ろしそうなサソリ、ペニスの勃起した首の無いヒトが彫刻されている。ここに「地母神」が描かれていないことに注意。地母神は、もっと後の、完全な農耕社会とともに表されるようになる。(B) 円形建設物と T 字形石柱のあるギョベクリ・テペの主要発掘区域。耕作されたバリフ河谷が背後に見える。(C) イェリコの塔。内部の階段、下部の入口、上の金属格子の下に、出口の位置が見える。(D) キプロス、ヒロキティアの先土器新石器時代の円形住居の基礎部分。(E) トルコ東部、チャユヌの「ドクロの家」の基礎部分。上に、より古い円形建造物がある。その下に年代の若い方形建造物があり、400 個体分の人骨と 70 体の頭蓋を納めた小個室を備えていた（人骨は発掘調査者の手で片付けられている）。(F) 日干し泥レンガの壁で築かれたユーフラテス川河畔のブクラスの多くの部屋を持つ方形先土器新石器時代住居。部屋をつなぐ低いアーチ形をした出入り口（発掘調査者によって閉鎖されている）と釣り鐘形をした床下貯蔵穴の円形開口部がある。ギョベクリ・テペの彫刻の施された石柱は、C. H. ベック出版社の厚意により複製。クラウス・シュミット撮影。ギョベクリ・テペのパノラマ写真は、ドイツ考古学研究所ベルリンの厚意により複製（ネガは D-DAI-IST-GT-2010-NB-5845。ニコ・ベッカー撮影）。チュユヌの「ドクロの家」は、メフメット・オズドガンの厚意により複製。他のすべての写真は筆者の撮影。

明らかになっているのだ。

驚くべきことに、たぶんイェリコ集落の最初の建設者たちは、なお動物と植物の栽培家畜化が観察できるよりも前の経済段階にあった。それでも彼らが耕作者であったのは確かだ。野生の穀物とマメ類の炭化した遺存体が遺跡で発見されたのだ。だが先土器新石器時代イェリコの人々は、石壁と石塔を建てていたが、なお狩猟採集民から食料生産民の生活様式へと移行する初期段階でしかなかった。

イェリコの石塔と同時代の、だが七〇〇キロも北のトルコ南東部のシャンルウルファ近くに位置し、ユーフラテス川の支流のバリフ川の肥沃な農業地帯の平原近くに、ギョベクリ・テペがある。この驚くべき遺跡には、世界最古の石で造られた複数建築の宗教的聖域に違いない遺構が見られる。ギョベクリ・テペも、囲壁を備えた円形の（そしてその後は長方形の）石造建物、円周形に取り巻いた石のベンチ、T字形の石柱で構成された建築群として、紀元前九〇〇〇年ころに創建された（図八・二AとB）[11]。たぶん住居として使用されたたとみられるいくつかのより小形の円形建物があるが、最も衝撃的なのは儀式化された聖域の側面である。最初は円形の聖域が丘上の岩の表面に建てられた。それには、溝に設置された石柱も備わっていた。その後に遺跡に堆積した大量の土壌と岩屑が増えると、積もった堆積層の中に石柱は掘り下げられ、周りを囲壁によって囲まれた。

T字形石柱は、それぞれの円形囲壁の内側に放射状に立てられていたほか、囲壁内中央部に二本が別々に設置されていた。この中央部の石柱は、高さが五メートルを超え、重さは八トン以上にもなる。これらの出来映えは、それぞれの製作には一個の方形の石塊から硬い叩き石と石製研削機を用いて成形されたことから考えれば、目覚ましいばかりと言わざるを得ない。地中探査レーダーを使って推定したところでは、石柱の建設時期がそれぞれ異なったものが、遺跡全体で一〇〇基から二〇〇基あると考えられている。多くの石柱は、鳥と動物の浅浮き彫りで装飾されている。それら浮き彫りには、しばしば毒を持ったり危険だったりするサソリやライオンのような図柄がある。さらに一部にはヒトの腕と手を表現したものもある。

ギョベクリ・テペ遺跡の最初の発掘者は、ドイツの考古学者クラウス・シュミットで、彼はこの囲壁は祖先祭祀と葬送儀礼のために使用されたと考えた。遺体は、カラスとハゲワシに肉をついばまれるように剥き出し状態で置かれたのだろう。これらの鳥の骨は、ガゼル、オーロックス（原牛）、オナーガなどすべて野生動物の骨と一緒に、土砂を埋めた堆積層の中で発見された。[12] ヒトの骨は、囲壁の内部にはほとんど残っていなかった。このことは、人骨が崇敬のためにどこか他の場所に移されたことを推定させる。だがギョベクリ・テペの浅浮き彫りの石柱は、たぶん超自然的なパワーのしみ込んだ重要人物の祖先を表していた可能性も残る。

ギョベクリ・テペは、完全に唯一無二の存在というわけではない。他にもこれと似た、ただ彫刻の施された石柱を持つ、それほど壮大ではない円形と方形の建造物は、肥沃な三日月地帯北部にある。さらにこの遺跡は、中東のもっと新しい時代の文明に共通して見られるような、町の中央部の宗教施設複合体ではなかった。監督権限のある中央の支配層のいた兆しも見られない。そうではなく、目立つ丘上の聖域、もしくは儀礼遺跡であった。狩猟採集経済から初期農耕に移行する中のここの人々は、異なる集団間で行われる祭祀のために集まったに違いない。

イェリコの石壁と塔の建設者たちのように、ギョベクリ・テペの人々は、何らかの種類の指導下に大きな労働力を集めることができた。そのことは、彼らはみんなどのようにして食料を得ていたのかという疑問を生む。たぶん彼らは、野生穀物の集中的刈り取りに携わっていたのだろう。なぜなら野生穀物の炭化した遺存体が遺跡で見つかっており、穴をくり抜かれた大量の石製の鉢は、それらを粉に挽き、粥を作ったために使用されたと思われるからだ。[13] ギョベクリ・テペは、イェリコのように、私が第七章末で提示したシナリオに合致する共同体のための聖域複合だったのだろうか？ 言い換えれば、ギョベクリ・テペは、人口が増えつつあった、かなり定住化した集団が有限の供給しかなかった野生食料を採り続け、かくして人口増が刺激され、農耕活動にもっと多くの時間を投入するように促されるだけの状況を作り上げていた共同体だったのだろうか？

イェリコとギョベクリ・テペは、紀元前九〇〇〇年頃の肥沃な三日月地帯の生業経済の力量を明確に示している。その時、狩猟採集民は定住的な大きな共同体に腰を落ちつけつつあったが、植物と動物の実際の栽培家畜化がまだ発展する前だった。肥沃な三日月地帯からヨーロッパに広がっていく新石器時代の大きな移住の波の起こるのは、まだ二〇〇〇年先であった。移住のためには明らかに、持ち運び、移動させることができる、完全に栽培家畜化された植物と動物の食料源が必要だったからだ。だがこのことは、大きな移住の波の前には何の移住も起こらなかったことを意味するのだろうか?

キプロス

最近、地中海に浮かぶ島のキプロスで、いくつもの目覚ましい、思いがけない発見がなされている。紀元前九〇〇〇年頃、したがって完全な栽培家畜化が肥沃な三日月地帯で発達するずっと前、イェリコとギョベクリ・テペで最古の建造物の造られた同時代に、穀物と動物を携えた移住民は、トルコの南岸からおよそ五〇キロの狭い海峡を渡って(この時の海水準は、今よりも低かった)、この島にたどり着いた。彼らのアナトリアの故地がどこであったかは、かなりはっきりしている。彼らは、トルコ沿岸から二五〇キロの内陸にあるアナトリア中央部のカッパドキア地方で切り出された、数千点もの黒光りする黒曜石(火山ガラス)製の石器を、キプロス島に持ち込んでいたからだ。[14] この古い年代に肥沃な三日月地帯からの重要な移住のあった証拠は、他には無い。ただキプロス島には、それより少し早くに、キプロス島固有の動物群であるコビトカバや矮小型ゾウを絶滅させた中石器文化集団がたどり着いていた。

紀元前八五〇〇年までにキプロス島の先土器新石器時代定住民は、レヴァント地方北部の植物と動物の多くの種を島内に導入していた。一部は既に栽培家畜化されていたが、なおまだその過程にあったものもあった。[15] 彼らは、植え付けをする種子を持ち、イヌとネコと共に、ウシ(大きな成獣ではなくたぶん仔ウシだったろう)、ヤギ、イノシシを舟にくくりつけて、皮製の舟や丸木舟のカヌーで海を渡ったと想像できる。ネズミとキツネも、相乗りしてきた。ネコは、貯蔵した穀物を食べるネズミを捕まえるのに役に立っただろう。[16] ヒツジは少し後にやって来た。ダマジカも同じだ。ダマジカは、新石器時代のキプロス島民の肉の大半を供給していたので、おそらく狩猟目的で移入されたのだろう。キプロス島には、おそらく野生のオオムギを例外として、肥沃な三日月地帯の植物と動物の野生祖先は全くいなかった。土着のコビトカバと矮小型ゾウが彼らより古い中石器時代の移住民によって既に絶滅させられていたのだとしたら、キプロス島には他に狩猟できる動物はいなかったと思われる。少なくともダマジカがやって来るまでは。

要するにキプロス島は、島の孤絶のため、またそこの野生、半野生、栽培植物と家畜がアジア大陸から運ばれていかなければならなかったので、肥沃な三日月地帯の食料生産の開始と輸送について最も明らかな証拠群の一つをもたらしているのだ。たとえ新石器定住民が島に到着した時、そうした食料の一部がなお栽培家畜化の途中であったとしても、ここでは土着の食料と移入された食料の間で混乱することはなかった。

初期先土器新石器人がキプロス島に到達した二〇〇〇年後の紀元前七〇〇〇年以降まで、肥沃な三日月地帯からの新石器移住民がギリシャとその島々を含めたヨーロッパに入っていかなかったことから考えて、なぜキプロス島にこれほど早くに移住していたのかという謎はもちろんある。特にアインコルンコムギとオオムギが肥沃な三日月地帯でよりもキプロス島で栽培作物的な特徴を急速に発達させたことが観察されているので、また明らかにキプロス島に野生のコムギの群落が存在せず野生種／栽培種の混合状況を作れなかったので、理論上、キプロス島のような大きな無人島は、農耕定住民に掘り出し物であったはずだ。

それなのに新石器時代のキプロス島民は、栽培穀物への全面的依存へと入っていくのに緩慢であったようだ。そのことが、彼らがそこからさらに別の地にすぐに移住して行かなかった理由を説明してくれるのかもしれない。最近のある報告では、新石器農耕は、キプロス島では同時代の肥沃な三日月地帯の諸遺跡よりも一般的にあまり成功しないままだったとさえ示唆している。[17] ウシの飼育も、頭数という点で順調にいっていたわけではなかった。キプロス島では、完全な究明をなお拒否する潜在的矛盾点がある。

人口増と文化的成長の土地

紀元前一万二〇〇〇~同七〇〇〇年、肥沃な三日月地帯では、ナトゥーフ文化から始まって先土器新石器文化に至る、世界がそれまで見たこともなかった社会的、文化的な発展を目にした。私たちは今、古代文化と世界のどこの食料生産経済ともつながる最古の、そして最も広範囲な全体像の一つの根源を検討しているのだ。

食料生産そのものの基礎的な発展は別にして、この時期の肥沃な三日月地帯は、人口が全体で大きく増え、個々の定住村落の平均的サイズも大きくなった。[18] 先土器新石器時代後葉と土器新石器時代に、最大の定住村落のサイズは飛躍的に大きくなった。それはたぶん社会的な不安定の高まりという状況で、大勢の村民の安全を確保する必要性が高まったことを反映しているのだろう。この時期の一つの大きな発達は、一家族単位に適した古い時代の円形住居から多数の部屋を持つ、おそらく拡大家族の住んだ大型の方形建造物へという移行であった。その大型方形建造物は、その後の中東建築の特徴となった(図八・一二)。

紀元前七〇〇〇年頃には、そうした密集した多数の部屋を持つ方形住居から成る、規模で一二ヘクタールにも達する町が、肥沃な三日月地帯で以前と比べて共通の存在になった。それぞれの町には、数千人もの人々が住んでいた。最も目を見張らせる例の一つが、トルコ中部コンヤ近くのチャタルヒュユクである。一階建ての方形の部屋を結合した堅固な網の目状結合を持ち、部屋には上から梯子で降りた。屋上には土をかぶせて平坦にし、その上は広い活動エリアとしていたのだろう[19]。この種類の建築例は、シリア、ユーフラテス川河畔のブクラスで知られており、図八・二Fで見ることができる。チャタルヒュユクの大型の部屋は、寝室、墓（しばしば多数を占める。寝台の下にかがみ込んだ姿勢で埋葬された）、食物調理、食料貯蔵、迷信に関連した諸活動のために使用され、壁面低くに埋め込まれた雄牛の角の中心核、粘土を焼いた「地母神」像、謎の壁画という形で、今日目にできる。放棄された部屋として残された空間は、ゴミの捨て場とトイレに使用された。

類似した規模の他の定住村落に、シリア北部のアブ・フレイラ（およそ紀元前七二〇〇年）、ヨルダンのアイン・ガザル（紀元前七〇〇〇～同六五〇〇年）がある。後者の遺跡は、アシと小枝で周りの枠を作り、漆喰を塗った高さほぼ一メートルの二〇基以上の人形《ひとがた》像でも注目された。これらの人形像の中には、アスファルトで目の瞳を作ったものがある。そして重要な祖先を表したものと想像されるように、これら人形像は、頭蓋の元の持ち主の顔面特徴を備えて漆喰で作られたイェリコやその他の遺跡から発見されているヒトの頭蓋に対応するもののようだ。ギョベクリ・テペの石柱のように、たぶんこれらの漆喰を塗られた頭蓋と人形像は、高位の家系の系譜の中で村落の創設者と中心的な祖先を表すものだったのだろう。

肥沃な三日月地帯の新石器文化の変容

先土器新石器時代後葉から引き続く土器新石器時代の紀元前六五〇〇年から同六〇〇〇年頃に、肥沃な三日月地帯では人の住む村落の数がかなり減少した証拠がある。[20] 人々は防衛のためにこれまでより大きな町に集住したと思われ、村落の一部はその後順々に放棄されるようになった。この減少は、一部は紀元前六二〇〇年頃に起こった世界の様々な地域の古気候記録から知られている気候の不安定化で引き起こされた。それは、人間による環境への強い影響でも促進された。例えば耕作地を広げるため、あるいはまた石灰モルタル製作のために石灰岩や白亜を焼くのに必要だった薪の調達のために、森林伐採を進めたことである。石灰モルタルは、ナトゥーフ文化以降、住居の床面を整えたり埋葬遺体を覆ったりするのに使われた。[21]

紀元前六五〇〇年頃の数世紀に、肥沃な三日月地帯からヨーロッパ、北アフリカ、中央アジアへ新石器集団の移動が始まったことは偶然ではないだろう。この移動を第一〇章で検討する。しかし私は、肥沃な三日月地帯で食料源の過剰収奪が一部の集団を新天地を求めての移住へと導いたのではないかと思っている。そうした移住ラッシュは、特に中東とヨーロッパでは新石器時代後期になると広くは見られなくなる。しかし例えば集団の移住のような複雑な人間の活動が純粋な環境変化の結果だったのか、あるいは人間の影響による複合的で制御できない結果だったのかを決めるのは困難で、しばしばいらだたしくなるほどだ。ほぼ確かなのは、考えられる両方の要因の組み合わせが多くの環境下で作用したのだろう。

こうした外への移住は、高まる出生率によって強く促されただろう。その出生率の上昇は、栽培家畜化された食料という移動可能な経済が肥沃な新天地に持ち込まれたので起こったのだと思われる。そうした例はまさに後世の、例えばオーストラリアと北アメリカに植民地時代のヨーロッパ人が入植した初期に起こった。肥沃な三日月地帯で初めて顕在化した人口急成長は、やがて起きる土器への依存によってさらに拍車がかかっただろう。土器は、乳児の離乳食を調理するのにも成人向けの乳製品の調理にも共に有益だったはずだ。当時の成人は、新鮮なウシの乳に含まれるラクトース（乳糖）を分解・吸収できる遺伝的能力を欠いていた。新石器時代農耕民にとってラクトースを容易に分解・吸収するには、ラクトースを分解させるために乳を土器の壺で沸騰させるか発酵させるかする必要があったのだ。

土器は、石のように実質的に分解されず、したがって土器の使われた大半の考古遺跡で破片という形でよく見られるために、考古学者にとってしばしば退屈な遺物のように思われがちだ。しかし肥沃な三日月地帯の先の、明確な先土器新石器時代のあった西ユーラシアの数少ない他の地域は、キプロス島と南アジアのバルチスタン地方（パキスタン西部）との境界地域だけであったことは印象的だ。他の地域はどこでも、最初の新石器人の到来で土器製作の文化的スキルを受け入れたようだ。つつましい土器容器は、肥沃な三日月地帯から新石器文化を拡散させた後に残された重要な要因であったかのようである。

紀元前六五〇〇年頃には肥沃な三日月地帯は、開花、あるいは野生のマメの鞘が破裂するような準備ができていた。肥沃な三日月地帯の居住民と彼らの移動できる食料源も、今にも離陸する寸前だった。ただこの時点でもう一つの食料生産の故地が私たちの注意をひくのを待っているので、第一〇章で私たちは彼らの活動の跡をたどることにしよう。

東アジアの初期農耕民

食料生産のユーラシアの第二の主要な故地は、今の中国の黄河、揚子江、遼河の各流域に焦点を当てられる。これらを合わせた流域は、紀元前六五〇〇年までにはブタ（中国では中東とは別の家畜化がなされた）、アワ、キビ、コメ短粒亜種（ジャポニカ米）という食料生産の故地となった。ダイズとカイコも、後に加わった。この一式は、肥沃な三日月地帯を特徴付ける冬季の降雨という地中海性気候と反対の、夏季の降雨が特徴である温帯モンスーン気候帯で進歩した。さらに主な作物は、一年性であった。しかしジャポニカ米は、最初は多年生の湿地地帯の穀物として栽培化されたようである。

この食料生産体系によって成長した人口も、肥沃な三日月地帯で育まれたように巨大であった。そして西アジアよりも主要な作物と家畜動物の数が少なかったとしても、この集団はかなり流動的だった。紀元前二〇〇〇年までには農耕民集団は、東アジアの故地地域から中国西部と南部へと移住を始めていた。そこにはヒマラヤ山脈より南の東南アジア大陸部と南アジア北部とともにチベット高原も含まれた。彼らは、北方のロシア極東地方と東方の朝鮮半島と日本へも拡散していった。台湾海峡とフィリピン諸島南の海路を越え、最終的にはニューギニアとソロモン諸島先のオセアニアの無人島にまで達した。彼らの一部は、最後には（ニュージーランドのマオリを含めて）ポリネシア人とマダガスカル島の先住民となった（第一一章）。

東アジアの栽培家畜化の故地は、全体として肥沃な三日月地帯と似たような平均緯度、北緯三〇度から四五度にまたがっていた（図八・三）[22]。コメと雑穀類は、湿潤な夏のモンスーンの季節に実った。そしてこうした穀物の故地地域の降水量の豊かさと広大な森林は、新石器農耕民が石と日干し泥レンガではなく、主に木と他の有機素材で建築をしたことを意味した。したがって初期新石器集落を発掘する中国の考古学者は、木の保存性がしばしば驚くほど良い揚子江流域の湿地帯遺跡を除いて、支柱無しの石造建造物の基部ではなく、柱穴を追跡するのである（図八・四E）。

東アジアの新石器文化は、肥沃な三日月地帯と違って最初から土器を有した。それは、コメと雑穀を

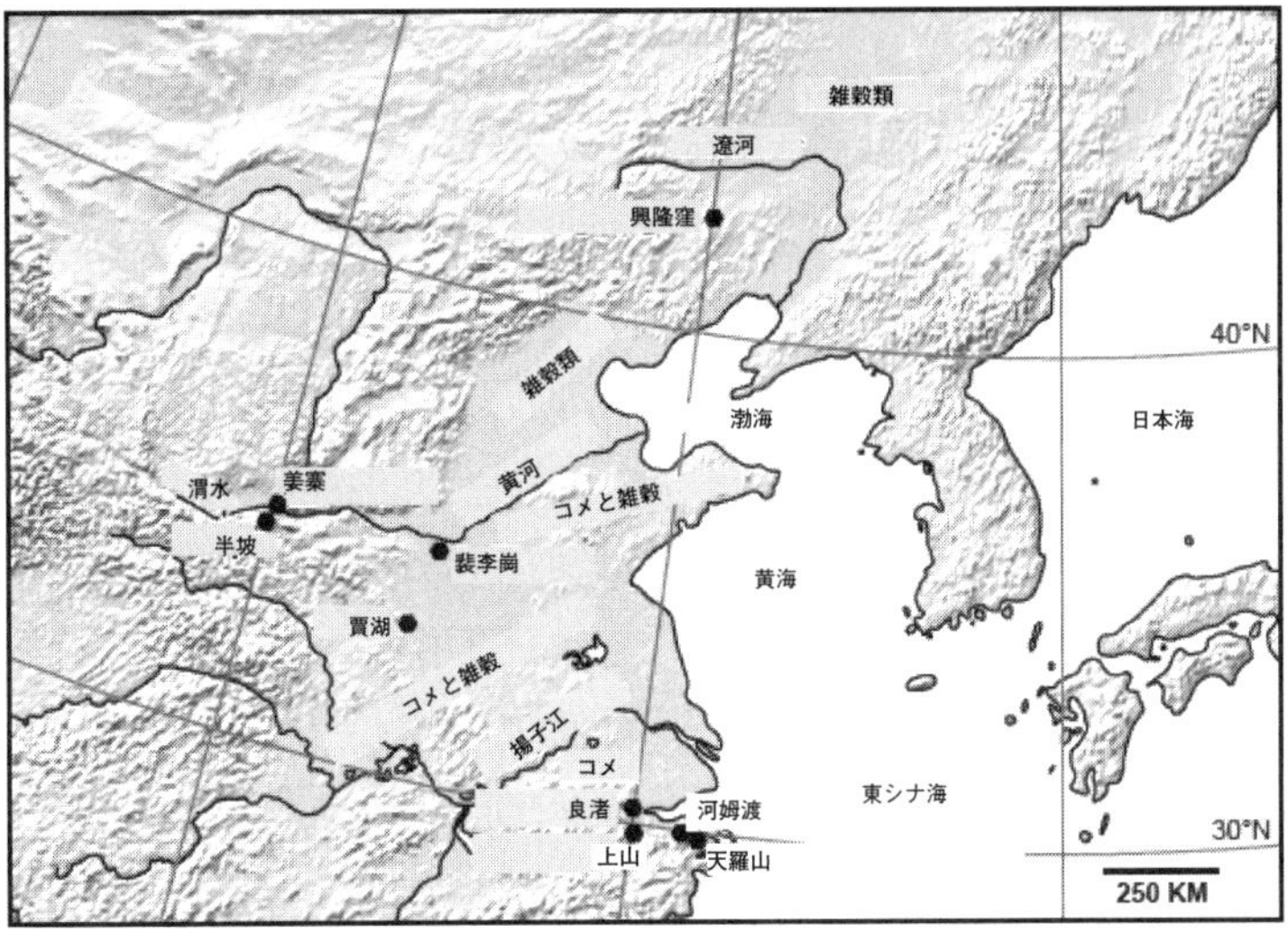

図 8.3　東アジアの農耕の故地

粉に挽くよりも穀粒全体を煮立てて調理するのを好んだことを間違いなく反映している。全体的に見て、肥沃な三日月地帯と東アジアの食料生産への道は、両者の間に横たわるしばしば人を寄せ付けないほどのアジア大陸の七五〇〇キロもの距離から考えて容易に想像できるように、文化的にかなり異なっていた。

東アジア農耕の故地は、主に中国北部の広大な沖積平野の内陸の端の周りの、北から南まで二〇〇〇キロの幅で広がっていた。現代中国国家のこの農業「発電所」は、黄河と揚子江の下流の水路によって灌漑されている。そして今日、その大半は海に向かって近年に形成された沖積層で覆われている。主な新石器遺跡群は、この平原の内陸の端の周りと小さな支流のそれより古い沖積層のやや盛り上がった地域に分布する。実際、農耕がまさに始まりつつあった時、後氷期の海水準の上昇のために平原の大半は浅い海の下であった。

雑穀とコメ

東アジアの食料生産の故地は、重なり合う三つの準故地で構成された。北の遼河と黄河の雑穀農耕地帯と、南の揚子江中流域と下流域の低い平原の中と周りのジャポニカ米（ほとんどは短粒種）稲作農耕地帯である。これら三つの準故地は、明らかに相互連絡していた。コメも雑穀も、しばしば一緒に栽培された。ただし遼河流域は、気候的に稲作の初期の北限を越えていた。それぞれの地域には土器と石器があり、現代の上海と北京までの行程のどことも、さらにその先でも様式と形態は重なり合っていた。

遼河流域と黄河流域の居住民は、紀元前七〇〇〇年頃までにキビとアワの栽培を始めていた。そして栽培化された（非脱粒性の）雑穀の穀粒は、紀元前六五〇〇年頃には考古遺跡に現れている。イスラエルの考古学者ギデオン・シェラフ＝ラヴィによれば、この地域の穀物栽培化の過程は肥沃な三日月地帯のナトゥーフ文化の状況に似ているが、年代的にはそれよりの後の、温暖な後氷期の気候条件が定住的傾向のあった狩猟採集民の定着化への移行を促した時に始まった、という[23]。

稲作の場合は、問題はもっと複雑だった。ジャポニカ米の野生の多年性祖先は、中国南部の温暖な気候での恒久的な湿地に自生していた。今日のその分布域は江西省の北の端にやっと延びている程度だが、完新世前期と中期には、今より気候は二、三度暖かかく、多年性の野生イネは比較的短い時間で北まで分布を広げることができた。揚子江の一時的な北限の近くと淮河の近くで、イネはついに栽培化された。その地域のモンスーン季節の湿地で、一年生の習性とより大粒のコメへと改良を加えて人はイネを育て始めた。中国の新石器時代村落の最古のコメの遺存体は、紀元前七〇〇〇年頃に揚子江下流域の南に現れる。しかしその当時の穀粒は、形態で見ると、まだ圧倒的に野生種であった[24]。

図 8.4　中国の新石器文化。(A) 黄河新石器時代村落の模型。防御用の環濠、中央の大形建物、そして環濠の外の画面後方左の土器焼成窯に注意。紀元前 5000 年紀、半坡遺址博物館、陝西省。(B) 鋸歯状の刃のついた石製刈取具。黄河の新石器時代に雑穀とイネの収穫に使われたタイプのもの。紀元前 6000 年紀、賈湖遺址博物館、河南省、中国中央部。(C) 粘土にイネのわらを加えてこねた、上山出土の皿形土器。紀元前 7000 年紀、上山遺址博物館、浙江省。(D) 河姆渡文化の復元杭上住居。紀元前 5000 年紀、河姆渡遺址博物館、浙江省。階段は復元建物の一部ではない。V 字形の杭は、紀元前 5000 年の可能性が高そうだ。(E) 天羅山、浙江省。覆土を剥がされた住居の杭と木製の歩道と、(手前) 焼いた粘土製の加熱玉のある未発掘で残された土製かまど。天羅山遺址博物館、浙江省。紀元前 5000 年紀。筆者撮影。

東アジアの新石器文化の主要傾向

残念ながら中国では、肥沃な三日月地帯のナトゥーフ文化の住居プランに匹敵する残存平面プランを持った狩猟採集民の集落はまだ発見されていない。中国北部の集落の記録は、土器を持った初期新石器農耕村落から始まる（図八・四）。紀元前六〇〇〇年頃の年代の北部の最古の新石器農耕村落は、遼河中流域の興隆窪文化と黄河中流域の裴李崗文化に属するものである。

これらの文化の最大の集落は一ヘクタール以上にわたっていて、竪穴の密集した、円形またはほぼ方形の一室だけの木造住居で構成され、通常は中央に広場を持ち、木造住居はその周りに集まっていた。そうした村落は、時には外周する防御用の環濠で囲まれていた。これらの集落は、規模において肥沃な三日月地帯の多くの初期先土器新石器時代集落、例えば石壁と塔を持ったイェリコと匹敵する。

紀元前五〇〇〇年頃までに黄河流域の村落は、規模で急速に成長しつつあった。黄河の西の支流の渭水にある二つの主要遺跡は、半坡と姜寨である。両遺跡とも仰韶文化に属する。両遺跡とも外側に防御用環濠を巡らし、半坡（図八・四A）では三ヘクタールの集落内に、どの時期にも約二五基の一室だけの方形と円形の住居が造られていた。姜寨はさらに大きく、いくつかの異なる時期の住居群として約五〇基の住居が造られていた。そしてそれぞれの時期には、大型の方形共同体建物が備わっていた。半坡では、成人用の住居から離れて墓地と土器焼成用のドーム状の窯が環濠の外に設置されていた。死んだ幼児は、村落内に甕に入れて埋葬された。(25)

揚子江下流域の最古の村落遺跡は、まだ完全には栽培化されていないコメを主に伴い、上山文化に属する。年代は紀元前七〇〇〇年頃だ。上山文化の人々は、コメを食べていたばかりでなく、粘土をこねる際に籾殻も利用し、それで土器を作っていた。さらに大きな村落が、揚子江中流域と下流域に形成されつつあった河川沖積低地とデルタに、後氷期の海水準が安定期に入った紀元前六〇〇〇年頃に創建された。そして紀元前五〇〇〇年頃までに、イネは、雨水を保持できる狭い畦で囲まれた水田で栽培されるようになった。今日の東アジアで広く見られる、雨水で水を供給されたり、水路で灌漑されたりするはるかに広い水田の遠い祖先である[26]。

揚子江流域のこうした水田跡を持つ村落では、河姆渡と天羅山の紀元前五〇〇〇年紀の遺跡で明確になるが、掘立柱で地上に床上げした長方形の高床式木造住居が造られた。両遺跡とも、杭州湾の南の水浸しになった沖積低地に形成されていた。河姆渡遺跡は、一九七三年に初めて発掘された時、世界の目を見張らせた。長さ二三メートル超、幅七メートルの方形高床木造住居を備えており、だぼ、ほぞとほぞ穴を用いた優れた大工仕事で建設されていた（図八・四D）。

河姆渡発掘区の一つの場所で、平均四〇〜五〇センチもの厚さで、固形化した大量のイネの籾殻、コメ粒、わら、葉が一枚の層を形成していた。そこは、たぶんかつて脱穀した床だったのだろう。河姆渡のコメは、まだ完全に栽培化されたものではなかったが、オニバスの実、シログワイ、そして大きな坑に貯蔵された大量のドングリを含む幅広い非栽培の植物種子と根茎と共に食べられていた。これらドングリの実は木から採集され、一部は家畜化されていたブタに与えられていたのだろう。中国の新石器時代の食の話題に関して、実際のところ、淮河の賈湖遺跡（黄河と揚子江の間に位置する。図八・三を参照）で、池で養殖された鯉、ブタ飼料用の雑穀の利用、コメから作った発酵飲料（「ビール」）、ハチミツ、果実の消費という証拠が出ていることを付け加えるべきかもしれない[27]。雑穀ビールも、黄河流域で広く醸造された[28]。

東アジア新石器集団の機構

紀元前六〇〇〇〜同三〇〇〇年に中国の新石器村落は、同時代の世界では最大の都市的な密集地帯に近いものに発展した。一つの目を見張らせる例は、上海の南にある良渚の三平方キロ（一・九キロ×一・七キロ）もある都市である（図八・三参照）。年代は紀元前三〇〇〇年からで、石造りの基礎の上に土を盛り上げた城壁で防護されていた。良渚には、中央部に頑丈な土盛りのマウンド複合と翡翠の宝飾品を伴う上流階級の墓地もあった。良渚は、一万五〇〇〇人から三万人もの人口を擁していたと考えられている。住民は、水田で栽培されたイネのコメを食べていて、その水田は、隣接する川を堰き止めてそこから水を流す灌漑が利用されていた。その堰止め湖の一部はなお残っていて、現代の砂袋のような草を編んだ袋に土を詰めた土嚢で、約三〇〇万立方メートルの水を蓄えていた[29]。

ここで中国文明の勃興をすべて論じるのは、私の目的ではない。だが、雑穀とイネの農耕が始まった遼河、黄河、揚子江は、今日と全く同じように紀元前三〇〇〇年までには世界で最も稠密な人口が分布する地域の一つになっていただろうということは強調しておきたい。良渚と同時代の、紀元前二九〇〇年メソポタミア低地（イラク）の都市ウルクは、良渚よりやや広い五平方キロの都市空間を囲む壁を持っていた。ウルクは、当時のメソポタミアでは最大の都市であった。しかし紀元前三〇〇〇年の中国で農耕の行われていた低地の肥沃な農耕地の範囲は、疑いもなくメソポタミアよりも広かったから、全人口もずっと多かったろうと推定できる。

肥沃な三日月地帯でのように、中国の食料生産の発展に伴って増加した人口数は、時を追うにつれ集落の数とその面積も増えることから間接的に推計できる。紀元前六〇〇〇年から同二〇〇〇年の間に、中国の省政府によってなされた考古遺跡の発見についての詳細な記録で強化された多くの考古学的調査は、遼河、黄河、揚子江流域で一〇倍から五〇倍の人口増を示唆する。肥沃な三日月地帯でのように、中国北部の平原は、人がかなり密集するようになるまで長くはかからなかった。そのことは、非常に多くの遺跡が防御の囲いを備えていることから驚きはない。

かなり刺激的な例として、半坡と姜寨が立地する渭水流域についてのある研究は、紀元前六〇〇〇年から同二〇〇〇年にかけての考古遺跡の数が二四遺跡から三〇〇〇遺跡超に増え、それに対応する人口の増加も四〇〇〇人から一五五万人に達したと推計した。またこの期間に、食料生産する人々に利用された河谷の低地の比率は、〇・二%から一二%に増え、一考古遺跡当たりの平均人口も一六〇人から四八一人と膨らんだと推計されている[30]。そうした数字は、東アジアの農耕の故地を世界の他のどこよりも当時の人口増が目覚ましかった舞台に位置づけるのである。

アフリカのサヘルとスーダン

サハラ以南のアフリカの食料生産の独自発展は、それぞれまばらな木の生える草原と開けた疎林帯であるサヘルとスーダンの植生帯で、紀元前三〇〇〇年から同二〇〇〇年頃に起こった。その地域は、サハラ砂漠の南端から熱帯雨林の北端の間のアフリカ大陸北部の熱帯緯度まで広がる（図八・五）。主な栽培穀物は雑穀類、特にソルガムとトウジンビエであった。この地域の西部では、アフリカイネ、ギニアヤム、アブラヤシ、ササゲ（マメ科）も栽培された。家畜化されたウシ、ヒツジ、ヤギは、肥沃な三日月地帯から持ち込まれた。北アフリカ土着のウシは、DNAによると肥沃な三日月地帯から独立に家畜化されたことはなかったが、前期完新世の間、アフリカ北東部で野生の状態で狩猟されていた[31]。

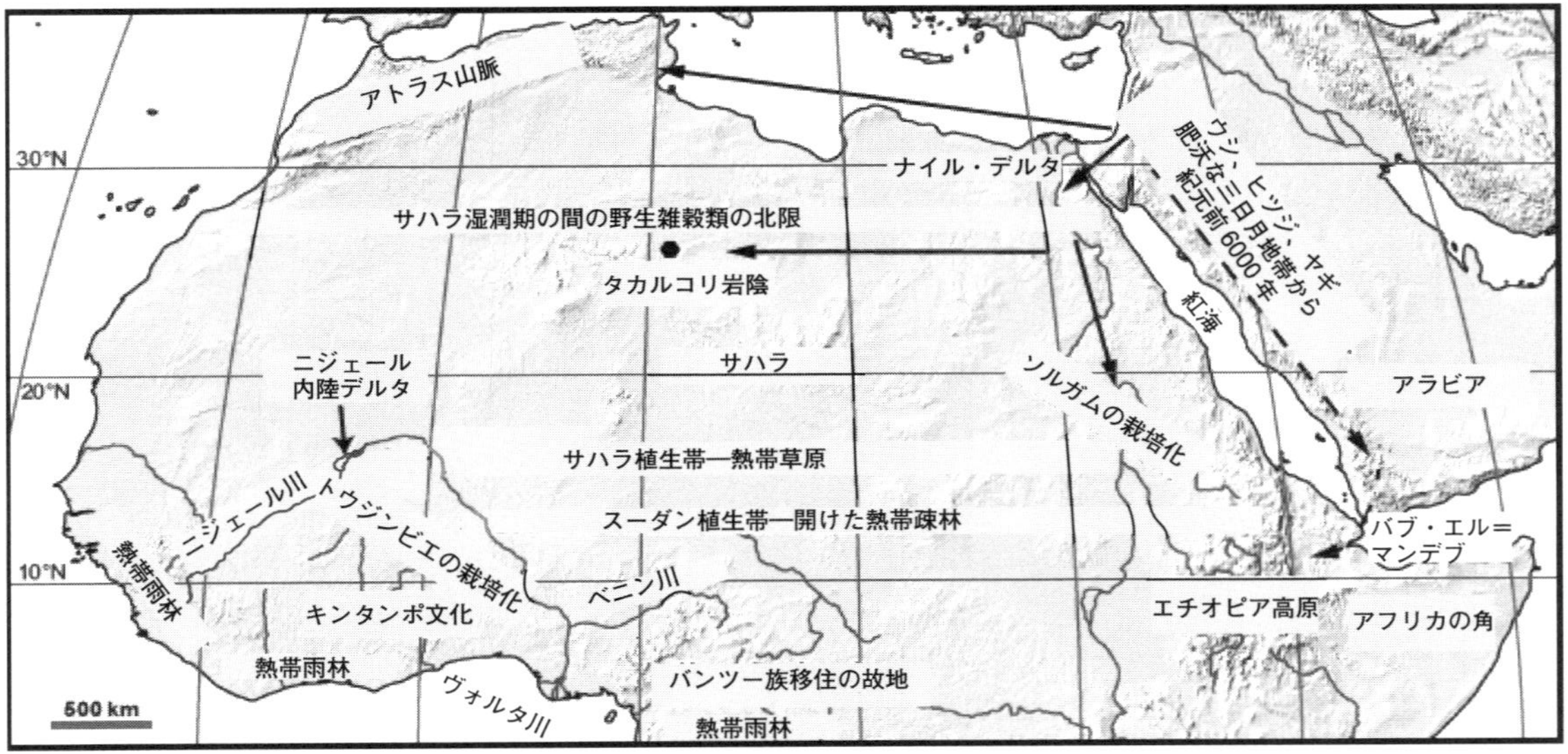

図 8.5　アフリカの初期サハラ農耕と初期スーダン農耕。

サヘル地方の農耕の始まりは、多数の考古学者たちにより肥沃な三日月地帯の農耕とは独立に開始されたことが認められている。レヴァント地方を経て肥沃な三日月地帯から家畜動物が持ち込まれ、それが北方の地域とのある程度の接触の可能性が示唆されるにしても、だ。広い視野でアフリカの植物栽培を理解するには、まず二つの先行する出来事を考える必要がある。すなわち前期完新世の「緑のサハラ」での人の居住と肥沃な三日月地帯の農耕牧畜民のシナイ半島を経てのエジプトへの拡散、である。

サハラの湿潤期

二万年前頃のＬＧＭ（最終氷期極大期）の間、地中海から現在の砂漠南端より少なくとも五〇〇キロも南にまでにサハラ砂漠が延びていたことから考えても、サハラ砂漠は人類の定着にとって決して魅力的な地域ではなかった。ナイル川流域でさえ、現在より少ない降水量、砂丘の進出、デルタ地帯が無かったためヒトを寄せ付けていなかったようだ。

肥沃な三日月地帯のように、サハラでも約一万四五〇〇年前以降、特に一万一七〇〇年前頃にヤンガー・ドリアスが終結すると、降水量が増えて気候条件は著しく改善した。夏季のモンスーンが運ぶ雨は、南と南東からサハラ砂漠とアラビア砂漠へと広がり、野生のソルガムとトウジンビエの育つ草原をサハラ中央部まで創り出した。こうした草原は、羚羊類、ガゼル、ウシ（主に北と東に居た）、カバ、さらに淡水魚やワニのような水棲動物も引き寄せた[32]。サハラ中央部の多くの地域に存在する高原と山地は、たぶんそこが他よりも降水量が多かったため、最大の人類集団を引き寄せた。こうした人類集団は、南方から移動してきて、その後に動物とヒトを描いた有名な彩画と線刻画で装飾された洞窟壁面ばかりでなく、動物骨と装飾された土器を含む狩猟用の野営地を残した。

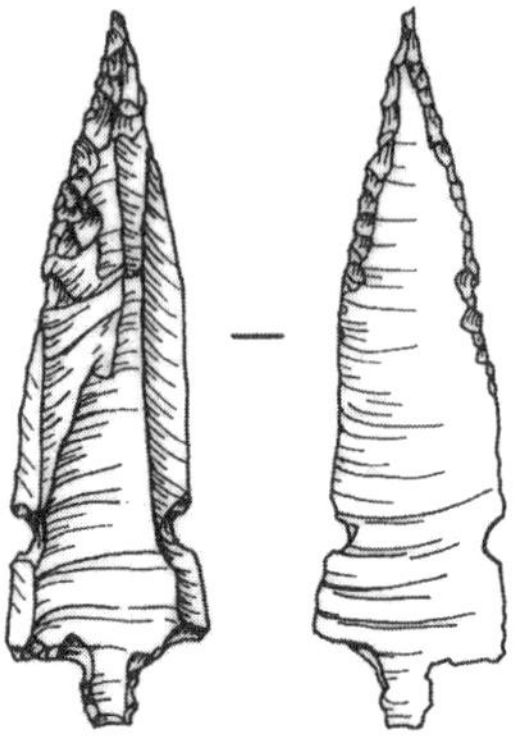

図 8.6　ヘルワン尖頭器（長さ 7 センチ）、シリアのテル・ハルラ出土。マンディ・モットラム画、オーストラリア国立大学。

だが紀元前三〇〇〇年頃には、良好な時は萎えつつあった。そしてサハラ湿潤期は、ほどなく終わった。狩猟民は、ナイル川流域の方向に移動して、農耕民の祖先はその前に肥沃な三日月地帯から移住してきたエジプト農耕民と融合したか、あるいはまた南のサヘル地方に移住し、そこで現代のニジェール・コンゴ語族話者とナイル・サハラ語族話者の祖先の一部になった（第一二章）。南に移動していった彼ら狩猟民は、サヘル農耕とスーダン農耕の開始に大きな役割を果たしたに違いない。後に私は彼らの話に戻るが、その前にまずアフリカの農耕の始まりにナイル川流域が果たした役割を考えていく。

肥沃な三日月地帯からやって来た農耕民と牧畜民

紀元前六〇〇〇年紀に――それ以前ではないとしても――、肥沃な三日月地帯からの移住民がナイル川流域に到達し、新しく形成されたナイル・デルタとファユーム低地に新石器文化を確立した[33]。彼らの到達した時代がいつだったか正確なところは、やや曖昧なところがある。これは、ナイル川流域には発掘された集落記録では土器新石器時代しかないからだが、肥沃な三日月地帯の先土器新石器時代型式の槍と矢の尖頭器はエジプトでも発見されている。特にギョベクリ・テペとそれと同時期のレヴァント地方とアラビアの諸遺跡で見つかっている「ヘルワン尖頭器」も発見されている（図八・六）。おそらく先土器新石器時代にレヴァント地方からある程度の移住はあったのだろうが、それは今はナイル沖積層の下深くに調査の手が及ばずに埋もれているのだ。遺伝子の証拠も、ナトゥーフ文化集団がかつてアフリカ北海岸をモロッコまで移動したことを示唆している。おそらく改善した後氷期の気候条件をうまく活かしたのだろう(34)。

新石器人のエジプトへの渡来の年代がいつであろうとも、彼らがレヴァント地方から携えてきた栽培作物は、サハラ以南のアフリカには広がらなかった——肥沃な三日月地帯の穀類とマメ類は、夏季のモンスーンの降雨というアフリカの条件下ではうまく育たなかったのだ。コムギとオオムギのような作物は、もっと時代の新しい先史時代にエチオピア高原には持ち込まれたが、植民地時代に温帯の南アフリカで採用された時を除くと、さらに南に広がることはなかった。

家畜化された動物に関しては、状況は違った。家畜は、降雨の季節性という細目にさほど関係がない。ウシ、ヒツジ、ヤギは、まだ湿潤だったサハラに牧畜民集団によって導入され、遊牧民たちは既に紀元前五〇〇〇年までにはサハラ中央部山地に到達していた。リビア南西部のタドラルト・アカクス地域のタカルコリ岩陰で発見された乳の残渣の付いた土器片は、この時までに遊牧民がウシから乳を搾っていたことを示す。それればかりか彼らはヒツジとヤギを飼い、野生ソルガムも刈り取っていた(35)。

家畜化されたウシ、ヒツジ、ヤギは、紀元前二五〇〇年頃にはさらにサヘル西部のニジェール川流域まで広がり、またケニアのアフリカ大地溝帯にも到達した。これら遊牧民の多くは、肥沃な三日月地帯からアフリカに入ってきた時、第一二章で詳述するように、アフロ・アジア語族の言語を話していただろう。しかし西アフリカとスーダンでは、重要な、土着の植物を基盤とするサハラ以南の食料生産が発展していた。それは、紀元前二五〇〇年までに進行中だった。さあ、それではそれに目を向けよう。

サバンナと疎林草原

肥沃な三日月地帯起源のウシ、ヒツジ、ヤギは別にして、サヘル植生帯とスーダン植生帯のアフリカ的な食料生産は、土着のモンスーン気候穀物とマメ、塊茎の栽培化を基盤とした。全体的にこの故地は、北緯一〇度から二〇度、したがって熱帯に位置している。現在の証拠に照らせば、この地域の初期農耕は三カ所に焦点が絞られる。すなわち西アフリカのニジェール川とヴォルタ川の流域、スーダンのナイル川上流域とその支流域、そしてエチオピア高原である。(36)

焦点のこの三カ所の植物栽培化は、それぞれ独立して起こった可能性が高い。だが熱帯アフリカの考古記録は、それを決定できるほどに詳しくはない。栽培化されたトウジンビエは、紀元前二〇〇〇年までにはニジェール盆地に、栽培化されたソルガムはナイル川上流域、スーダンのアトバラ川支流域に存在していた。それは、土器の粘土をこねる時に使われた栽培種ソルガムのわらを新しく分析したことから分かった。(37)残念なことに、エチオピア高原の初期農耕の年代については、まだ十分に明らかになっていない。トウジンビエとソルガムは、紀元前一八〇〇年までにパキスタンのインダス文明（ハラッパー文化）に伝えられた。このことは、この時までに二つの雑穀はアフリカで既に栽培化されていて、はるか東の沿岸地方まで広がっていたことを推定させる。

バンツー族移住の背後の栽培食料経済

サハラ以南のアフリカの考古記録は、肥沃な三日月地帯や中国のそれと比べると細部を欠いている。今までのところ考古記録には、時代を経るにつれての集団の人口変化について詳しい情報が含まれていない。それにもかかわらず、サハラ以南のアフリカの先史時代の過去三〇〇〇年間は、ここの土着の作物栽培が大規模な人類移動の原動力となったことをはっきりと教えてくれる。

バンツー族大移動は、西アフリカのカメルーンでの直近の起源として四〇〇〇年前頃に始まったが、それはサヘル地域でこれより前に始まった農耕を背景としていた。雑穀農耕の村落生活は、紀元前二〇〇〇年より前にニジェール川とヴォルタ川の流域で始まった。一例として、ガーナのヴォルタ川流域のキンタンポ文化は、村落サイズの集落に編み枝と泥壁（若木の枝と泥）造りの住居建築、さらに装飾の施された土器、磨製石斧、装身具を伴っていた。キンタンポ文化の人々は、ヒツジ、ヤギ、ウシを飼い、トウジンビエとマメ科のササゲを栽培していた。雑穀のわらは、土器の粘土をこねる際につなぎとして利用された。

紀元前二〇〇〇年から近年までの西アフリカのほぼ二〇〇〇カ所の考古遺跡についての最近の分析の結果、この地域の初期村落生活には二つの中心があったことが明らかになっている。一つは、今述べたばかりのキンタンポ文化で、もう一つはマリの、ニジェール川の広い内陸デルタ群に近い同河川中流域にあったものだ（図八・五）[38]。紀元前一〇〇〇年頃には栽培作物と家畜は、ナイジェリア東部とカメルーンのバンツー語群の故地を含めて西アフリカ全体に広く広がっていた。

最終的にはサハラ以南のアフリカのほとんどを覆い尽くすに至るバンツー族大移動は、主に紀元前一〇〇〇年から紀元五〇〇年頃に起こった。彼らは、トウジンビエとソルガム、マメ類、そしてヒツジ、ヤギ、ウシに食を仰いでいた。紀元一〇〇〇年紀には、アフリカ土着の栽培作物の一式は、東南アジアの熱帯作物、例えばバナナ、タロイモ、ヤマノイモ、サトウキビの渡来で強化された[39]。バンツー族移住は、特にヴィクトリア湖から南アフリカ東部への最長の大移住の行程で、紀元前五〇〇年以降に伝わった鉄作りの知識でも強力に支援された。第一二章で、もっと詳しいバンツー族大移動に立ち戻る予定だ。

ニューギニア高地

五〇年以上も前、私はイギリスから最初の教師職に就くべくニュージーランドのオークランド大学に赴任した。ある昼食時、人類学部門のティールームで言語学の同僚であるアンドリュー・ポーリーと話をしていた。私たちが交わした正確な言葉はもう覚えていないが、私たちはニューギニアと太平洋諸島への先史人の植民について議論していた。

マダガスカル島と西のスマトラ島、さらに東はポリネシアの極限までの広大な領域に広がる島々に住む大半の人たちは、オーストロネシア語族に密接に関連した一連の言語を話す。その分布域の中ほどに、巨大な島であるニューギニアが横たわる。ニューギニアの沿岸の少数のポケットのような小地域ではオーストロネシア語族が話されるが、大多数のニューギニア集団によって話されている内陸部の言語はすべて、言語学者にまとめて「パプア諸語」と呼ばれる、オーストロネシア語族とは別の多様化した語族に属している。

アンドリューは私に、世界を半周する以上の広がりを持つオーストロネシア語族の広大な帯状分布地域の真ん中にあって、パプア諸語がニューギニアのほぼ全島と隣接する二、三の島に存在していることがどれほど興味深いことかを話してくれた。オーストロネシア語族を話す人々は、オーストラリアを例外として、ニューギニア島以外の東南アジア島嶼部と太平洋諸島というすべての地域に定着していたが、ニューギニア島内陸部にはどういうわけか決して侵入していかなかった。

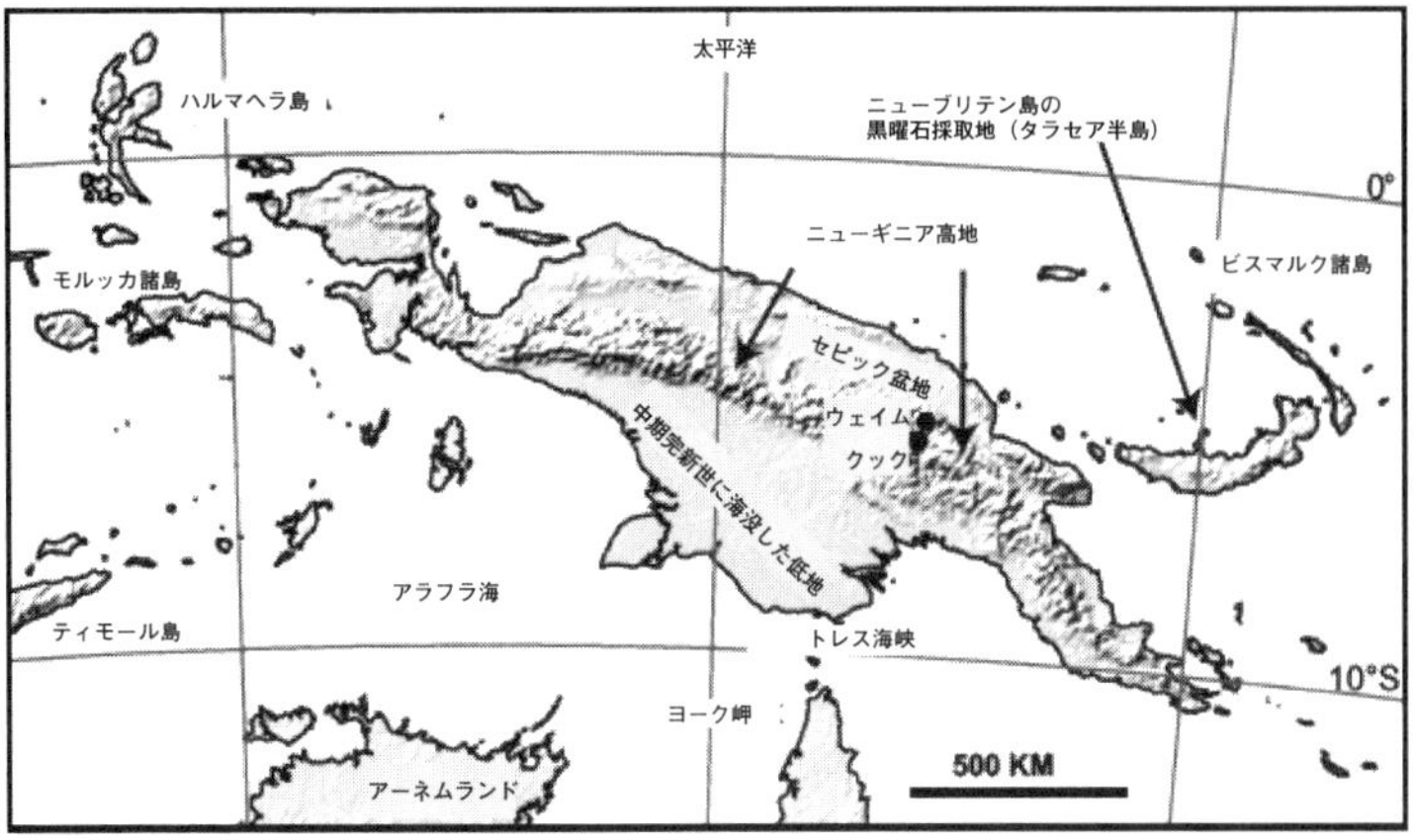

図 8.7　ニューギニアと初期農耕

私たち二人は、オーストロネシア語族の人々が農耕民としてその島々に到着していたことを知っていた。そしてニューギニアのパプア諸語話者は、オーストロネシア語族話者がニューギニア島に到着した時に既に彼らも食料生産民であったので、自らの住むニューギニア島の大半の支配を維持していたのではないかと考えていた。その後、私たち二人の考えは基本的に正しかったことが明らかになった。人口学的にニューギニア島集団は、自らのテリトリーの大半を掌握できるのに十分なほど大きかった。それによりオーストロネシア語族のニューギニア島移住民は、ほんの少数の沿岸のポケット状地帯に留まるしかなかったのだ。

アンドリューと私が、あのオークランド大学のティールームでパプア諸語について論じていた時、私の将来のオーストラリア国立大学（ANU）の同僚（私は一九七三年にANUに移った）であるジャック・ゴルソンは、当時オーストラリア領のパプア・ニューギニアであった（現在はパプアニューギニア）西部高地に位置するワギ渓谷のクック・ティー・ステーションで自らの発掘調査の計画を練っていた（図八・七）。ジャックらは、一九六六年から一九七七年までクックで発掘調査し、遅くとも紀元前二〇〇〇年までにはニューギニア高地人は排水路を使って湿地の水位を管理していたこと、そして紀元前五〇〇〇年のような古い時代に耕作目的で盛土帯を建設していたことを明らかにした[40]。別のANUの同僚のティム・デナムによってクックで行われたその後の発掘調査を通じて確かめられたように、ニューギニア高地は、バナナ、ヤムイモ、サトイモ科（特にタロイモ、*Colocasia esculenta*）、そしてサトウキビを基盤とした土着農耕体系の舞台となっていた[41]。タロイモは、東南アジアから導入されたようだが[42]、この栽培作物複合は、オーストロネシア語族話者共同体がニューギニア沿岸に到達する前に出来上がっていたのだ。

この発掘調査の結果、世界はもう一つの農耕の故地を獲得した。ただ一部の考古学者は、その発展にはやや懐疑的であった。理由の一部は、その証拠が主として湿地に掘られた排水溝だったからだ。アフリカとユーラシアの新石器諸文化の考古記録に似た豊かな考古記録の助けはなかった。アマゾン川流域のように、ニューギニアは有機遺物を速やかに分解してしまうほど暑く、高湿度の気候である。

さらにニューギニアで栽培化された果実とイモ類は、考古遺跡にほとんどそれと分かる痕跡を残さない傾向がある。特にそれらの繁殖は、種子ではなく、柄や茎、塊茎断片の挿し木などによる無性生殖によっていた。その存在の証拠は植物珪酸体と澱粉（植物組織に残る微細な粒子）に由来し、ニューギニア島には穀粒を作る土着の穀物もなく、家畜化される動物もいなかった。ただし野生のマメ類は食べられていた。ブタ、イヌ、ニワトリは、三〇〇〇年前頃にフィリピン諸島とインドネシアのオーストロネシア語族話者の食料源からニューギニア沿岸部に持ち込まれたに過ぎない。

クックの北約五〇キロのジミ渓谷のウェイムという遺跡で行われた最近の発掘調査は、クックの証拠にいくつかの興味深い集落データを追加した。ウェイムは、紀元前三〇〇〇年頃からの大きな考古堆積層を持つ尾根の頂上の開地遺跡である。人工品には、石製乳棒、石を彫刻した人形像、刃に光沢を持つ石斧の断片が含まれ、ヤムイモ、サトウキビ、バナナ由来の澱粉も検出されている。土器は無かったが、木造の家庭的住居の建っていたことを推定させる柱穴も見つかっている[43]。

証拠のすべてを総合すると、ニューギニア高地人のすべては農耕民だった。例外は、野生のサゴヤシの幹から抽出した澱粉で生計を立てていた少数の低地集団だけだった。そしてこれらの集団でさえ、わずかの農耕生産物と家畜化したブタを広く利用していた[44]。パプア諸語を使用するニューギニア高地人は、少なくともそれほど古くない時代に、よその土地からニューギニアに移住してきたのではなかったのは確かだ。彼らは、考古学、生物学、ゲノムの面から見て、ニューギニアに更新世にやって来た移住者の血をずっと引いてきた子孫である土着の西部太平洋集団である[45]。パプア諸語は、世界のどの他の語族とも関連がないし、ニューギニア高地人とオーストラリア先住民との間には深層で生物学的な関係はあるものの、オーストラリア諸語とも関連がない。ニューギニアの農耕は、起源という点では疑いもなく土着的なものであった。

赤道の農耕故地

ニューギニアについて特殊なことをもっと間近に見ていこう。ニューギニア島とオーストラリアは、同じ大陸棚を占有しているようだが、地質学的にはかなり違っている。オーストラリアは古く、風化し、大部分が乾燥した陸地だ。ニューギニア島は、過去五〇〇万年間にサフル大陸プレートの北端の上に地殻変動の沈み込みを通して競り上がって出来た、褶曲山脈が重なり合った構造地質学的に活動的な山系である。真の山系なので、それはヒマラヤ山脈、アルプス山脈、アンデス山脈と似ている。ニューギニア高地のような山系は、東南アジアの島嶼部には他にどこにもない。インドネシアの火山は、山系よりも低地帯に隔てられた個々の山脈を形成している。ボルネオ島中央部の山脈は、はるかに低い標高となっており、ニューギニア高地のような広大で肥沃な渓谷もない。

ニューギニア島は、赤道と南緯一〇度の間に位置する赤道の島である。その高地には、主な乾期はなく、年間を通じて降雨に恵まれている。ただ平均気温は、高度が一〇〇〇メートル上がるごとに約五度低下する。それが意味するのは、標高二〇〇〇メートル以上の人の住む渓谷は夜間には降霜することもあるということだ。高地はまた、高度という点で低地とは大きく区別される。そして高地に、日本軍とオーストラリア軍の兵士たちが第二次大戦中にオーエン・スタンレー山脈（パプアニューギニア南東部）のココダ道を発見した時にそうだったように、海岸から徒歩で近付くのはおそろしく困難だ。パプアニューギニア北東部の何本かの河川は、その中でも比較的楽な高地へのルートを提供してくれる。そしてあちこちでわずかの土器破片が発見されるのは、三〇〇〇年前以降に海岸との束の間の接触のあったことを示している。だが土器は、ニューギニア高地の先史時代を通じてそれ以外には存在しなかった。(46) 全般的にニューギニア高地の先史時代は、驚くほど自給自足的であった。

ニューギニア農耕の成功の鍵は、次の三つだ。すなわちマラリアの蔓延する地帯より標高の高い高地に肥沃な渓谷のあったこと、通年の降雨、そしてオーストロネシア語族話者のような食料生産を行う外部者から地理的に隔離されていたこと、だ。ニューギニア高地の広大な肥沃な渓谷は、標高一五〇〇〜二五〇〇メートルの間にあり、一九三〇年代に発見して非常に驚かれたヨーロッパ人探検家によってしか近付けなかった。彼らは高地が、マラリアの蔓延する低地よりはるかに稠密な人口を持っていたことに気がついたのだ。ニューギニア農耕故地の考古証拠がこれまで見つけられてきたのは高地の渓谷、現在までのところパプアニューギニアの主にワギ渓谷とジミ渓谷である。

ニューギニアの低地でも高地と似たような発展が起こりつつあったかどうかは、なお確かでない。ココナツ、サゴヤシ、パンノキを含む低地に繁殖が限定される一部の熱帯性植物は、東南アジア島嶼部やメラネシア西部で栽培化されてきた可能性が高い。しかし三〇〇〇年前頃のラピタ土器（第一一章）を携えたオーストロネシア語族話者の到来前に、こうした作物が栽培化されていた証拠は現在のところ、ほとんど無い。

ニューギニアでの食料生産の開始の年代について、一つの決定的な見解を立てることができる。サフル陸棚全体が海没しておらず乾いた陸地がオーストラリアのヨーク岬半島と連結していた九〇〇〇年前より前にニューギニア低地で食料生産が始まっていたとしたら、オーストラリアでも農耕の何らかの痕跡を見つけられると期待できるだろう。実際、一部の考古学者は、そう主張している(47)。しかしクックとウェイムに食料生産が現れた最近の推定年代は、後氷期の海水準の上昇のずっと後のことである。だからこの事実は、農耕が決してオーストラリア北部で恒久的に確立されるようにならなかった理由を説明する助けになるかもしれない。海没によるトレス海峡の出現は、両者の陸の連結を断ち切った。そのためニューギニア高地先住民とオーストラリア先住民は、それぞれ別の道を歩んだのである。

アメリカの農耕の故地

紀元一四九二年からヨーロッパ人が新大陸に入植を始めたまさにその時、南北アメリカ大陸は、カナダ南東部からアルゼンチンとチリまで、北から南までの約六〇〇〇キロの広がりで食料生産をする人々を支えていた。ただ当時もまだ、カナダのほとんど、大平原、ロッキー山脈、北米西海岸は、なお狩猟採集をする集団に占有されていた。また南米の南端もそうだった（図七・一）。

農耕エリアのほとんど全域で、主な主食はトウモロコシだった。そしてスペイン人征服者が到来した時、この作物はやがて不幸な運命が襲いかかるメキシコのアステカ文明とペルーのインカ文明を支える基盤となっていた。実際、アステカ帝国とインカ帝国が誕生したずっと前の少なくとも紀元前二〇〇〇年以来、トウモロコシはメキシコとペルーで古代文明を支える役割を果たしてきた。人間の食べ物ばかりか動物の餌、それればかりではなく今日では燃料アルコールの原料として現代世界で最も幅広く栽培されている作物がトウモロコシだが、この作物は先史アメリカの北緯四七度から南緯四三度まで、さらに標高四〇〇〇メートルの高地にも栽培された。アマゾン川流域のマニオク（キャッサバ）と共に、トウモロコシは数千万人を養ってきた。現代でも東南アジアの多くの地域で、そしてイネが容易に栽培できない乾燥して痩せた土地で、トウモロコシとマニオク、さらにサツマイモは、アメリカ起源の大いなる重要作物となっている。そのことは、自分自身の経験からも私は知っている。

個々の作物というレベルでは、両米大陸の栽培化の故地は驚くほど分散していた（図八・八）。カボチャとマメ類のような多くの植物は、一度のみならず栽培化された。これら個々の作物の栽培化のすべてが農耕の独立した故地を表すものなのか、あるいは既に農耕民となっていた人々による追加的な栽培化の取り組みを代表していたのかは、いつでも明らかになっているわけではない。しかし考古学者たちは、農耕は少なくとも四つの地域で狩猟採集民の経験を基に比較的独立に始まったことに同意している。すなわちアンデス中央部とアマゾン川流域の隣接地帯、南米北西部、メソアメリカ、合衆国の東部ウッ

図 8.8　南北アメリカ大陸で古代に植物栽培化の起こった地域と本文で取り上げる遺跡や図 8.9 で示した遺跡の位置。

ドランド、である。

私は、「比較的独立に」と述べている。というのは上記の四地域は、考古記録から先史時代に時折接触をしていたといういくつかの大きな手がかりが得られているからだ。ちょうど肥沃な三日月地帯、アフリカ、東アジアでの栽培化の過程に様々な地域的関与があったように。二つの例を挙げよう。まず第一に、トウモロコシはメキシコ原産であり、紀元前五五〇〇年より前におそらく人の手で、中央アメリカと南アメリカに持ち込まれたのだろう。それは、遅くとも形成期（初期村落農耕の時期）までには利用されるようになっていたと思われる西海岸の海上輸送を通じて。[48] 第二に、アメリカの考古学者ジェームズ・フォードは、考古学的な詳細さで、合衆国南東部、メソアメリカ、アンデス地方、両米大陸の他の地域の形成期文化がいかに密接に関係し合っていたかを例証した膨大な研究成果を一九六九年に出版した。[49] 私はいつもフォードの見解にたくさんの興味深い物事を見出してきた――これらの形成期文化は、互いに全面的に孤絶した状態で発展したわけではなかったのだ。[50]

したがって植物の栽培化された両米大陸の様々な地域の住民が、間接的であるにしろ互いに接触を持たなかった理由は何もない、と私は考える。私の主な興味は、どこの地域の集団がどこの土地の集団と関係を持たないように行動していたかを決めることではない。私は、少なくとも文字で書かれた記録がないわけではない過去に細かくさかのぼり「文化的影響」といった拡散の概念を知ることはできないと思うからだ。先史時代の人類集団に関して、その影響に直接に目を向けることができる一定地域で栽培化が起こったことは十分に分かっている。

そうした影響という点で、メソアメリカとアンデス中央の食料生産が、産業目的や軍事目的のための金属を全く使うことなく創造された、人類の歴史上、これまでに発展した最も衝撃的な文明の一部を導いたことを私たちは知る。マヤ文明、アステカ文明、インカ文明、さらにこの他の有名なアメリカ諸文明は、これら文明の建築物の偉業をいっそう驚くべきものにするが、技術的には新石器文化であったのだ（図八・九参照）。

この点に関しては、自然銅を用いた矢尻の加熱と鍛造が、北米の五大湖近くで紀元前七五〇〇年のような古い時期に起こった。しかしこの伝統は、紀元前三五〇〇年までには消失した。たぶん容易に入手できる自然銅資源を見つけるのが難しくなったからだろう[51]。銅、金、銀の鍛造と精錬を伴った冶金術は、遅くとも三五〇〇年前にはアンデス地域で存在していた。だがその成果は、ただ身体装飾と祭祀目的に使用されただけだった。アメリカ土着の冶金術は、スペイン人征服者による侵略からその製作者を守らなかった。実際には征服者たちの関心を金が大いにそそることによって、それは反対の結果となった。

アメリカの最初の農耕民

狩猟採集民による野生植物の注意深い管理から農耕による完全に栽培化された作物への依存の段階まで、両米大陸の発展には長い時間がかかった。トウモロコシについては、最もはっきりした証拠が存在する。遺伝子の比較から、トウモロコシは、その祖先、すなわちメキシコ西部に自生した「テオシンテ」と呼ばれる穀草類から紀元前七〇〇〇年頃に選択育種され始めたことが推定されている。初めのうちはトウモロコシは、茎から絞り汁を取るために利用された可能性が高い。乳児の離乳用を含め、それを発酵させて飲み物にした[52]。紀元前三三〇〇年、メキシコ中央高原の乾燥した洞窟中で発見されたトウモロコシの穂軸は、穂軸を包む葉鞘を失いつつある過程にあった。そうなれば穀粒を容易に穂軸から剥がせる。しかしそれらの穂軸は、熟した時になお実がこぼれ落ちやすい習性があり、また穂軸も非常に小さかった[53]。トウモロコシ穂軸の改良は、ゆっくりとではあったが、進行していた。

紀元前二〇〇〇年にはトウモロコシ穂軸は、ついに主要な食料源となる兆しを見せつつあった。穂軸の長さは六センチにも達し、メキシコ中央高原とホンジュラスで栽培されていた[54]。トウモロコシが合衆国南西部に導入されたのも、この頃のことだった。そしてトウモロコシは、ペルーにいっそう早くに大量に現れ始めた。紀元前二〇〇〇年より後の早期に、トウモロコシは、定住村落を基礎にした諸文化に

A
B
C
D
E
F
G
H
I
J
K
L

図 8.9　並行した世界。両米大陸で食料生産に基づいた考古学的偉業の一部。遺跡の位置は、図 8.8 にある。私はここで両米大陸を賞賛したい。それらは、アメリカ大陸に人類が定着してから 1 万 6000 年のうちに最少の接触しか持たなかった新旧両世界の集団による並行した偉業を例証しているからだ。例外はエスキモー・アレウト語族話者とアサバスカン語話者によるベーリング海峡周辺での活動とポリネシア人を含むごく小規模な接触である〔その他に紀元前 1000 年前後のヴァイキングと一部の先住アメリカ人との接触もあった〕。その 1 万 6000 年の間、1492 年より前には、いかなる栽培作物（例外はポリネシアにもたらされたサツマイモ）や家畜〔ペルー先史時代にポリネシア人を通じてニワトリが持ち込まれた可能性がある〕も、いかなる主要語族も、またどんな大規模な人類集団も、両世界間を行き来することはなかった。私にとって、この図は、私たちの行動の物質サイドを通じて表現されたホモ・サピエンスの本質的な一体性を例証するものだ。(A) エル・パライソの復元された多数の部屋を備えたプレセラミック時代後期の階段状基壇。リマ近郊、ペルー、約紀元前 2000 年。(B) クィクィルコの直径 110 メートル、高さ 25 メートルの円形階段状基壇（「ピラミッド」）。メキシコ渓谷、紀元前 1000 年紀。(C) 玄武岩製人頭像。ラ・ヴェンタ、タバスコ州、メキシコ、紀元前 1000 年紀（オルメカ文化）。(D) 石柱に浮き彫りされたマヤの支配者。コパン、ホンジュラス、紀元 8 世紀。(E)「死者の大通り」、階段状基壇の基礎部分、そして太陽のピラミッド（左背景）。テオテワカン、メキシコ渓谷、紀元 1000 年紀初め。(F) トルテカ文明のピラミッド（Edificio）B の頂上の「アトランティッド」。トゥーラ、イダルゴ州、メキシコ、後古典期、紀元 1000 年頃。トゥーラのピラミッド B は、形状でも平面プランでもチチェン・イッツァの戦士の神殿に酷似する。戦士の神殿については、写真 J を参照。(G) マヤのプウク様式の優れた祭祀用アーチ。ラブナ、ユカタン州、紀元 9 世紀。(H) チャビン・デ・ワンタルの「カスティージョ」（城）。ペルー高原、紀元前 1000 年紀（チャビン文化）。この建造物には、注目すべきヒト／ジャガーの彫刻を伴う内部迷路通廊がある。(I) ユニークな 4 層のタワーを持つマヤの「宮殿」。パレンケ、チアパス州、紀元 7 ～ 8 世紀。(J) チチェン・イッツァの戦士の神殿。ユカタン州、マヤ後古典期（紀元 900 ～ 1200 年）。しかし 1500 キロ以上離れたメキシコ渓谷のトルテカ文明の強い影響を受けて建設された。(K) ペルー高原北部のウルバンバ渓谷の上に建設されたインカ文明の街マチュピチュ。紀元 15 世紀。(L) サクサイワマンの紀元 15 世紀のインカ文明の石積み、クスコ近郊、ペルー。石は多角形に切られ、漆喰を使わずピタリと密着されている。イースター島のヴィナプでも似た石積みがあり、先史時代後期に南米との接触を支持している（第 11 章の考察を参照）。写真はすべて筆者の撮影。

とっての主食となっており、両米大陸の数多くの地域で高い人口密度を支えていた。[55]

野生から完全に栽培化された地位に就くまでのトウモロコシの編年から見ると、その発展のために約五五〇〇年も要している。肥沃な三日月地帯と東アジアでは、野生から栽培化された穀物とマメ類の発展まで二〇〇〇年程度しかかからなかったから、それよりはるかに長い時間がかかっているのだ。もし茎の絞り汁が収穫者たちの最初の目標だったとしたら（そしてこれは、確定的というよりもまだ仮説に留まるが）、大きな穂軸を求めるのが最終的な選択ということになれば、収穫の行動変化を必要としただろう。栽培化の初期段階で茎の絞り汁の糖分が望みの物だったのなら、まだ熟さないうちにテオシンテの穂を取り去る必要があった――これを除去すれば、テオシンテの茎の糖分を増すことができただろうからだ。しかしその作業は、穂軸生産を促すことにはならない。穂軸収穫のためには、この植物が熟すまで穂軸を留めておく必要があった。そうやって栽培作物としての特徴が少しずつ選択されていっただろう。トウモロコシが異なる二つの目的で栽培化されたとすれば、それは普通ではなかった。それが、トウモロコシの栽培化にこれほど長い時間がかかった理由を説明してくれるだろう。

両米大陸で全面的な農耕まで、旧世界よりもゆったりした歩みをたどったのは他の理由もあるのかもしれない。多くのアメリカ原産作物は、主食というよりも調味料であった（例えばトウガラシやトマト）。そしてアメリカの古代経済は、動物の家畜化をあまり奨励するものではなかった。旧世界では動物の家畜化は、冬季や乾期の飼料として使うのに余分な穀物生産を必要としたのだ。また新世界では、どんな形の乳製品も無かった。リャマとアルパカは、肉や皮、毛を取るためと荷物の運搬に利用されたが、家畜化の起源地であるアンデス高原から遠隔の地に持ち出されることはなかった。このことは、メソアメリカのテオテワカン文明（紀元三〇〇～六〇〇年）の人々がシカやウサギを狩っていたように、動物蛋白は大部分を野生動物から得ていたことを意味する。たぶん南米アンデスのモルモットのように、ウサギが檻で飼育されていたかもしれない。

栽培化への試みはメソアメリカと南米北部で完新世初頭という早くに始まっていたが――かなり分散し、特に植物遺存体から抽出された顕微鏡下の植物珪酸体と澱粉粒子由来という不明瞭な証拠の時もあるけれども――、両米大陸の食料生産は紀元前二五〇〇年以降までは、そして多くの場合はその後もずっと、決して目立ったものにはならなかった。大きな村落と共に最初の基壇とピラミッドの複合がアンデスにまず現れたのは、主に紀元前二五〇〇年以降で、やや遅れてメソアメリカにも出現した。それらは、形成期と古典期文明の到来を告げるものだった。

南米：アンデスとアマゾン川流域

現在のところ南北アメリカ大陸の考古記録は、定住的な村落生活がエクアドル沿岸部とペルー北部の河川下流域に初めて現れたことを推定させる。ペルー北部のサニャ渓谷からは、マメ類、カボチャ、マニオク、落花生、その他の塊茎類を含む多数の作物（しかしまだトウモロコシの穂軸は見つかっていない）の利用を示す、紀元前三〇〇〇年頃の植物珪酸体と澱粉粒子の証拠が得られている。それには、畑と灌漑用の水路だけでなく小村落も伴っていたと言われている[56]。紀元前二五〇〇年にはおそらく一八〇〇人の住民の暮らす面積一二ヘクタールの大村落が、エクアドル沿岸のレアル・アルトに現れた。ここでは土器が使われ、今やトウモロコシも出現していた。レアル・アルト集落は、長さ約三〇〇メートルの長方形の広い中庭の三方の周りに配置された。卵形の柱穴の設置は、住居の位置を示していた。中庭の一方には二基の大きな土盛りマウンドがあり、それは墓地として、また村の社会活動用に使われていた[57]。

南米食料生産のこの初期の証拠の難題の一つは、データの大半が現物の種子や穂軸の大形の遺存体ではなく、植物珪酸体と澱粉粒であるということだ。全部の植物種が完全に栽培化されたものであること、あるいはそれらが住民の食にどれだけの重要性を占めていたのかを決定するのは、そうした顕微鏡下の証拠から確かめるのは困難だ。この証拠のほとんどをもたらした村落のような状況は、これらの植物種が丹念に栽培されつつあったことを示す。しかし村落そのものは、肥沃な三日月地帯や東アジアでしばしば見られる明瞭さをもったレイアウトと広がりと違って明確化されていない。それにもかかわらず南米のどこにでもトウモロコシが存在したことは、ヒトによる意図的な移入・移出のあったことを推定させ、パナマのいくつもの遺跡で回収されたトウモロコシの植物珪酸体は、紀元前六〇〇〇年までにはトウモロコシがメキシコの故地を後にしていたことを物語る。[58] そしてトウモロコシは、紀元前四五〇〇年までには既にペルー北岸に達していた。[59]

アンデス山脈の東方すぐ近くにあるアマゾン低地帯、特にボリビア東部とブラジルのロンドニア州のマデイラ川上流域にも、初期農耕の行われたことを示すかなりの植物珪酸体と澱粉粒の証拠、そして初期農耕に伴った土砂を積み上げた土手がある。この証拠は、ほとんど完新世初頭にまで遡る。その証拠として、マニオク、カボチャ、マメ類、さらにカカオ（チョコレート）などの顕微鏡下の植物遺存体があったが、初めの頃はトウモロコシは存在しなかった。[60] エクアドルとペルー北部でのように、栽培作物の最初の証拠よりも年代的にはずっと後のことだが、ここにも大きな集落と灌漑システムが現れていたようだ。アマゾン川流域すべてで、土壌中とヒトの歯に残された顕微鏡下の植物遺存体に基づいた栽培化の可能性のある証拠が、人口増加の確かな証拠の現れるたぶん六〇〇〇年前に存在している。

それでは南米の考古記録では、はっきりした人口増加はいつ頃始まったのだろうか？　この答えは、おそらくは考古学者がペルーのプレセラミック時代後期（コットン・プレセラミック時代）と呼ぶ頃、紀元前二五〇〇～同一八〇〇年の間だろう。リャマ、アルパカ、ジャガイモ、キノアがこの時までにアンデス地方で栽培家畜化されるようになっており、生産力の多い様々なトウモロコシも既に導入されていた。その結果、例えば階段状基壇とピラミッドを備えた六六ヘクタールにも及ぶスーペ渓谷のカラル遺跡のような灌漑農耕を基礎としたいくつもの大きなプレセラミック時代後期の祭祀センターが、アンデスを流れ下るペルー北部の砂漠そばの河谷で形成された（図八・九Aのリマ近郊エル・パライソで復元された石造基壇を参照）[61]。

ペルーの遺跡は、形成期（紀元前一八〇〇～同九〇〇年）に大型化し、また数を増やした。今や土器が製作され、近隣のアマゾン低地帯との接触も増えた。ある推計では、プレセラミック時代後期から形成期の間（紀元前二五〇〇～同九〇〇年）にペルー沿岸部の人口は一五倍から二〇倍に増えたと推定されている。それは、農耕と沿岸のフンボルト寒流の運んでくる豊富な海産資源によって促された[62]。他の考古学者の推計も、一致している[63]。

メソアメリカ

トウモロコシがもたらした結果の重要性を考えれば、驚くべきことに大きな村落や祭祀センターを支えられるだけの規模でのメソアメリカの食料生産の確立は、紀元前二〇〇〇年以降まで起こらなかった。実際、ペルーのプレセラミック時代後期と形成期の大型記念物に対比できる最初の大型記念物は、メキシコ湾岸低地でやっと紀元前一五〇〇年以降に、グアテマラのマヤ文明故地の地域では紀元前一〇〇〇年頃に建設されたに過ぎない。アンデス地方と比べてこの明白な遅れの理由は、明らかではない。しかし次のことが一つの答となるかもしれない。最も生産力のある多様なトウモロコシはまず南米で改良進歩し、その後にやや遅れてメソアメリカに逆移入されたということだ。[64]

メソアメリカの初期農耕共同体の例は、広く分散している。メキシコ、オアハカ、グアテマラの肥沃な渓谷で、たくさんの村落が発掘調査されている。オアハカ渓谷では、掘立柱と草葺き屋根の長方形住居、釣り鐘形の貯蔵穴、土器、土製の人形像を備えた広さ一～三ヘクタールの集落が、紀元前一七〇〇年までに姿を現した。オアハカ渓谷の人口は、紀元前一二〇〇～同九〇〇年までに三倍に増え、紀元前二〇〇〇年紀全期間でおそらく一〇倍となっただろう。同様に二五〇〇年ごとに人口が二倍化するという似たような推計は、グアテマラ渓谷でもなされている。[65]

このすべては、紀元前二〇〇〇年紀にメソアメリカのほとんどの地域で、類似した土器様式を備えた人口増を伴う農耕生活の確かな発展のあったことを暗示する。[66] そして祭祀センター建設への関心が強まり、そのことは権力と権威の勃興と戦争の増加も推定させる。これらの拡大した広域文化の一つの結果が、注目に値するオルメカ文化（約紀元前一二〇〇～同五〇〇年）であった。それは、メキシコ湾岸近くのサン・ロレンソとラ・ヴェンタの祭祀センターで発見された巨大な人頭像で有名だ（図八・九C）。紀元前一〇〇〇年紀のこれと比肩する発展は、オアハカ、メキシコ渓谷で（図八・九B）、メソアメリカ東部のマヤ地域で、それればかりでなくアンデス中央部の同時代のチャビン文化（図八・九H）でも起こった。

紀元一〇〇〇年紀と二〇〇〇年紀の間にメソアメリカとアンデス中央部の両方が目にしたこれら形成期の発展の結果として、植民地時代の破滅的な到来まで、多くの戦争と過酷な干ばつを経験し、それを通じて互いに繁栄することになる驚くべき一連の文化が勃興した。メソアメリカのこれらの古典期と後古典期文化として、テオテワカン（メキシコ渓谷、図八・九E）、モンテ・アルバン（オアハカ）のサポテカ遺構、トゥーラのトルテカ遺構（イダルゴ、図八・九F）、アステカのテノチテトラン（メキシコシティー）、さらに多くの高度な装飾を施された建造物、彫像、洗練され、学識の深さを示すマヤ文字が含まれた（図八・九D、G、I、J）。

メソアメリカと並行する南米の文化には、ペルー北部と中部にあったモチェ、ワリ、チムー文化の巨大な考古遺跡と注目に値する墓群、さらにペルー高原の有名なインカの驚くべき石造建築があった（図八・九KとL）。インカは、アステカと同時代であり、アステカ同様に、一六世紀前半にスペイン人征服者の破滅的な到来を体験した。私は第一二章でこれらの人々と言語に立ち戻るが、ここではアメリカ大陸の古典期と後古典期の文明は、それらの遺跡を訪れた機会にいつも私に困惑の感覚を残したことを注記しておく。私は両方の文明の創造性に驚嘆したが、これらの文明の存続に精気を吹き込むのに明らかに必要だった宗教的に鼓舞された人身供犠の広がりにも困惑させられたのだ。もしスペイン人征服者が到来しなかったとすれば、これらの文明はどこに向かって進化したのだろうか？

合衆国の東部ウッドランド地帯

両米大陸の記述を終える前に、北米大陸の水に恵まれた東部ウッドランド地帯のミシシッピ川中流域、ミズーリ、オハイオ川流域で植物栽培化の発展があったことにも注目されるべきだ。ここで栽培化された作物の多くは、現代料理の普通の材料としては残っていない。これらには、ウリ科、アカザ属（アカザ科）、それ以外の種子植物が含まれた。一部、例えばヒマワリの種のようなものは、今日もなお栽培されている。アメリカの考古学者ブルース・スミスは、紀元前三〇〇〇年頃からこれらの植物の中で種子のサイズが次第に大きくなり、種子の外皮も次第に薄くなったことを示してきた。これは、人間がそれらを栽培化し、作付けのために種子を選択してきたことを物語るという[67]。

この東部ウッドランド地帯の栽培化への焦点は、紀元前一〇〇〇年から紀元一〇〇〇年にかけての「ウッドランド」文化、特に考古学者によってオハイオ渓谷のアデナ、大ミシシッピ川流域のホープウェルと呼ばれる文化に伴った土盛りマウンドと村落建設の記録の後方に追いやられてきたかもしれない。しかし人口密度の大きな高まりと東部ウッドランド地帯での巨大なマウンド建設〔カホキアのモンクス・マウンドが有名〕は、もっと後の紀元八〇〇年以降のトウモロコシを基盤としたミシシッピ文明の登場で顕著になった。

この節を閉じるに当たっての最後のコメントとして、アメリカの農耕の故地の真の人口学的意義は残念ながら、少なくとも部分的には、私たちの目から隠されているということを挙げておく。なぜなら西暦一四九二年以降のアメリカ大陸の人口が、旧世界の感染症の渡来のために破局的に激減したからだ。この悲劇にもかかわらず、第一二章で見るように、それ以前のアメリカの食料生産民の人口拡大は旧世界の多くの新石器時代の激増と似た規模で起こったのだ。

ここまでのストーリー

本章で私の執筆の中心は、主に考古記録に置いてきた——栽培化された作物と家畜、それに伴った人間の住む集落、食料生産に伴う人口の増加と時として起こった減少、である。少人数で遊動的な狩猟採集民の共同体から定住的な集落と伴う大規模な農耕社会への発展のいくつもの経過をこれまで見てきた。こうした発展については、図八・一〇に要約しておいた。

次章以降で取り上げる次の舞台では、引き続く千年紀を通じた人類集団の発展と語族の拡散の影響を

紀元前	肥沃な三日月地帯	アフリカのサヘルとスーダン	東アジア	ニューギニア高地	アンデスとアマゾン川流域	メソアメリカ	東部ウッドランド地帯
1000				イヌ、ブタ、土器を伴って沿岸部にオーストロネシア語族話者			アデナ文化とホープウェル文化
		バンツー族大移動の開始	最古の文字を伴う文明			形成期の祭祀センター土器	
2000							確立された農耕東南部で土器
		雑穀農耕―サヘルとスーダン	ヒマラヤ山脈、朝鮮半島、東南アジアへ	(土器は作られず)	土器(アンデス)形成期の祭祀センター確立された農耕		
3000	最古の文字を伴う文明	エジプトで文字を伴う文明		クックの排水溝		確立された農耕	古期の祭祀用マウンド
4000				確立された農耕			
5000		エジプトでの肥沃な三日月地帯型農耕肥沃な三日月地帯の家畜が到来	確立された雑穀農耕と稲作土器	クックのマウンド	土器(アマゾン川流域)		
6000	ヨーロッパと北アフリカへ						
7000	土器						
8000	確立された農耕	緑のサハラで土器					
9000	キプロス島へ						
10000	ナトゥーフ文化		(日本、中国北部、ロシア極東地域)				

図 8.10　世界中のここで選んだ 7 つの農耕故地で起こった主な発展の単純化した図式。その発展は、栽培家畜化された食料源、土器製作、社会の複雑化の増強、その結果として起こった人口増に伴う農耕の確立に関連している。

検証することになるだろう。いったん栽培植物と家畜という可動的な食料レパートリーに頼った食料生産が確立してしまうと、人類集団は新しいテリトリーを探し始めた。その過程は、人口の急増でしばしば煽られた。その結果は、人が話す言語と生活様式を伴った人間の移住であった。それはしばしば、少なくとも植民地時代より前の、征服と帝国に関する後の時代の歴史説明で記録されたどんなものよりも大きな大陸的規模でなされたのだった。

第九章　遠い過去からの声

　完新世を通じての食料生産の進歩は、農耕民の人口を増やし、かつては狩猟採集民に占有されていたテリトリーへ新天地を拡大させ、それればかりかそれまで人の住んだことになかった多くの島々への移住も可能にした。先史学者は、こうした拡散をどのようにしたら最もうまく追跡できるだろうか？　考古学、遺伝学、生物人類学それぞれが人間の移住に関しての全体像を持っている。しかし過去一万年以内のことに限れば、別の研究分野が頭角を現してきた。これは、言語、世界の主要語族を研究することだ。本章では、特にどのように語族が起源し、食料生産する集団と共に、ある場合は大陸間と海洋間に拡大していったかという課題に焦点を合わせる。

初期農耕民拡散仮説

　この章を私は、考古学者としての私のキャリアにとって自分自身の調査研究に活気を与えた仮説で始める。三〇年以上前に、ごく少数の考古学者、言語学者、生物学者たちは、世界で最も広範囲に広がっている語族、遺伝子上の祖先、完新世の考古学的文化の多くの起源が食料生産への依存の強まったことに関係していたことを理解し始めた。農耕、遺伝子、関連する言語の主な拡大は、そうした環境で、先史時代の領域では遠い過去の、いかなる文字を伴う文明と歴史上の帝国の勃興よりもずっと前に明らかに起こっていた。

その仮説は一九八〇年代に、私の頭の中で初めて育った。この時代、ケンブリッジ大学の考古学者コリン・レンフルーと私は、その仮説の初期バージョンに関してそれぞれ独立に研究していた。レンフルーはアナトリアからヨーロッパへのインド・ヨーロッパ語族の拡大について、私は言語学の同僚と共に台湾からポリネシアへのオーストロネシア語族の拡大について。(1) 私の考えへのレンフルーの最大の貢献は、農耕の範囲外である極北を例外として、新石器時代の開始は全ヨーロッパ大陸の考古記録に大きな転換を伴ったと指摘したことだ。新石器時代の始まりは、青銅器時代や鉄器時代の動きとこれっぽっちも釣り合わない、ましてや初期歴史時代とも決して釣り合わない、全ヨーロッパ先史学において最も根本的な変化だった、という。その規模において、ローマ帝国の勃興などほとんど局地的な現象と言えた。

この考えは、当時も、そして今もなお重要な意義を失っていない。特に今日のヨーロッパの大半、中東のほとんど、南アジア北部の大部分を支配するインド・ヨーロッパ語族の起源にとってはそうである。ヨーロッパ全土の新石器文化の拡大は集団の大規模な置き換わりを伴ったことを、とうてい疑うことができない。このことは一九八〇年代でもはっきりしていたが、古代ゲノムの解析が進んだおかげで、今ではるかに明瞭になっている。そのような集団の置換は、関連する言語の拡大と手を携えて進むことでしか起きえなかった。私たちは先史時代という枠組みで見ているので、それが「どんな」言語だったのかは正確には決して分からないだろうが、新石器文化拡大範囲と重なり合う分布域を持つ今日のヨーロッパの唯一の語族は、インド・ヨーロッパ語族である。その対抗馬はない。

一九九〇年代に、レンフルーと私は、自分たちの考えが一致することに気づくようになり、私たちの考えを世界大のカンバスに適用し始めた。二〇〇一年、コリン・レンフルーは、その時に「農耕／言語の拡散仮説」と呼んだテーマに関しての大きな会議を開催した。その会議は、ケンブリッジ大学のマクドナルド考古学調査研究所で開かれた。[2] 二〇〇五年の『最初の農耕民（*First Farmers*）』の出版に先立つ、この議論への私の次の貢献は、二〇〇三年に科学誌『サイエンス』に、『銃・病原菌・鉄（*Guns, Germs, and Steel*）』の著者ジャレド・ダイアモンドと共著で発表した語族の故地と集団の拡大に関する記事だった。[3]

二〇〇五年、拙著『最初の農耕民』で、「初期農耕民拡散仮説」とこれ以降に呼ぶことになる内容を詳しく述べた。[4] この仮説の主な基礎は、食料生産民集団に関連づけられる最大の語族の故地は農耕の主要な故地と重なり合ったという見解であった。旧世界の状況は、図九・一で説明される（また南北アメリカ大陸については図一二・四を参照）。私は、今もなおこれらの見解は重要な意義があるものとみなしている。

今日、初期農耕民拡散仮説には支持者と批判者の両方がいる。両方の側とも、日進月歩の考古学、言語学、進化生物学／ゲノミクスに基づくしばしば革命的な科学的成果の溢れる世界で研究している。特に古代DNAの解析は最近になって、初期農耕民集団の人口統計学についての理解と彼らの移住の結果として顕在化した意義を変容させた。

この仮説の目を通して、完新世先史学の経過についての私の見方は、次のことを推定させるように私を導いた。すなわち図九・一で明らかにした主要語族の拡大は、そのネイティブ話者による集団としての移住と連携して起こったということだ。語族の、例えばさほど大量の人間たちの移住を伴わずに、インド・ヨーロッパ語族、バンツー語群、オーストロネシア語族が拡大したというのなら、そのどんな主

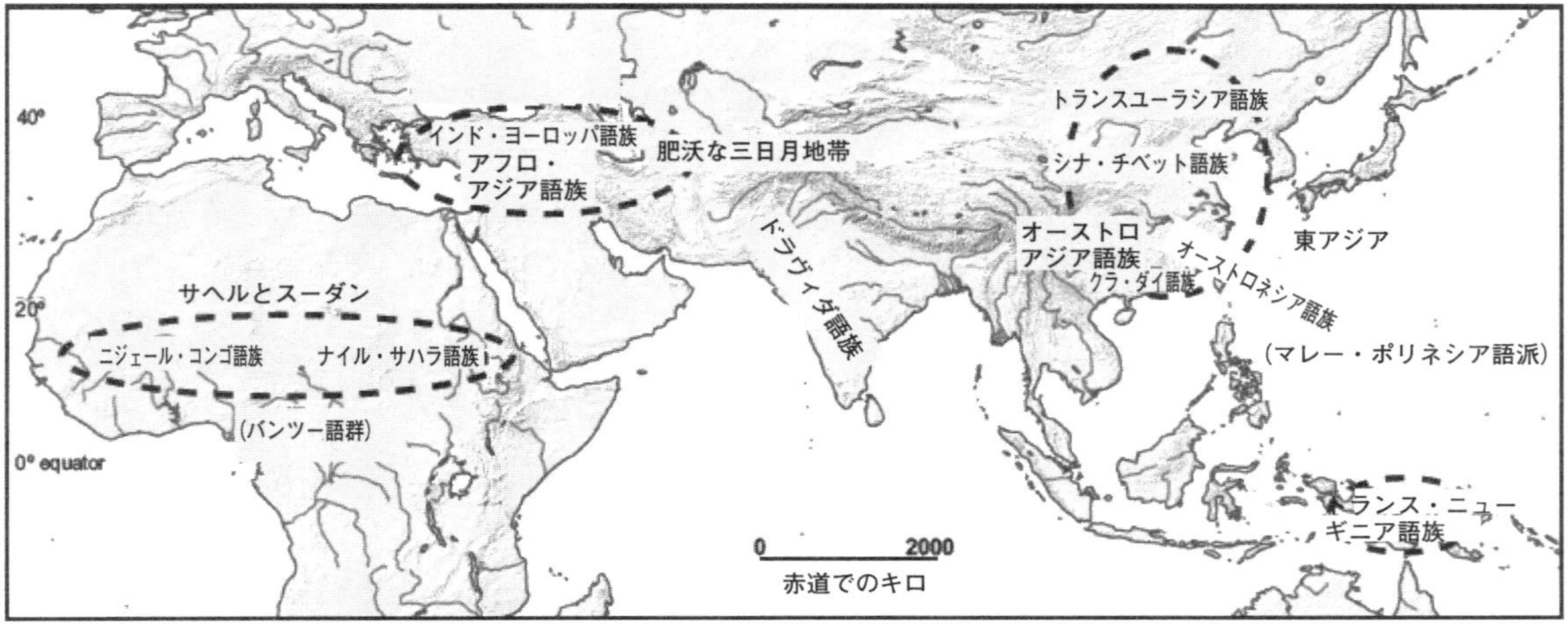

図 9.1　旧世界の農耕民の語族がどのように広がったかを示すこの地図は、その起源では主な農耕の故地と重なり合うかもしれない。バンツー語群はニジェール・コンゴ語族の最も拡大した下位区分であり、マレー・ポリネシア語派はアウストロネシア語族の一番拡大した下位区分である。

張も、それ以外の拡大の確かなメカニズムを提示する必要があるだろう。そのような深く印象に残る拡大について、他にどんな確かなメカニズムがあるというのだろうか？　後にこの疑問について立ち戻る。

言語を通して人間の過去を理解する

私たちは今や、人類の近い過去、人間としての地球規模のタペストリーの創造に向かって先を見つつある。現在に向けて完新世を時間をかけてたどって来たように、先史時代の言語状況の復元は、これまでより重要な役割を果たし始めている。今や言語学が他の研究分野の混合体に追加され、人類の過去を創造した移住を理解するために、情報源が独立した三つよりも四つの結論（すなわち考古学、言語学、生物人類学、ゲノミクス）を組み合わせることが必要となっている。

したがって直近のおよそ一万年——食料生産の多様な始まりからそれより新しい歴史の文化と文明まで——を記録する最良の方法が何であるかを問いかけることになるだろう。一つの方法は、前に出した私自身の著書のいくつかで実践したように、それぞれの学問分野の発見を個別に挙げることかもしれない。

例えば考古学者として、世界の関連のある考古学上の文化を、その達成と失敗を挙げて一つずつ調べてみるのはどうだろうか？　たぶん、いい。だが考古学的文化は時の経過と共に情報を失っているため、古代の生活様式について正確さに乏しいし、世界の国々で豊かさの違いと科学的投資額の差に合致する形で、情報の質は千差万別だ。例を挙げる必要はないが、一部の比較的豊かな国々では考古学調査が濃密になされている一方、政治的に不安定な他の国々はほとんど考古学調査はなされていない。考古学は、独力では人類の過去に完全なストーリーを与えられないのだ。

科学者たちが多年にわたって「人種」と呼んできた論議を呼びそうな事柄の実態はどうなのか？　科学的専門用語で、人種とは亜種のこと、私たちの扱っている場合で言えばホモ・サピエンスの亜種のことである。しかしこの用語は、生物学的、社会的な大きな重荷を抱えている。しかし、私の若い頃に人類学の教科書のページを飾っていたコーカソイド、ネグロイド、モンゴロイド、オーストラロイドという言葉は、ずっと以前に廃語に近いものになった。それにもかかわらず、今日の土着アフリカ人、ヨーロッパ人、アジア人、先住アメリカ人、オーストラリア先住民の間には疑いもなく身体的、遺伝的違いがある。誰もが想像するように、独自の進化と分岐後に晒されてきた自然選択などの様々な要因を受けてきた長い歴史があるからだ。はっきりと区別された身体的類型が人類の中に存在するという誤った含意を持つ「人種」という用語を使わずとも、こうした集団の違いには同意することはできる。

身体的特徴とＤＮＡという点で現生の人類集団の比較は、したがって私たちが必要とするすべての答をもたらすことができるだろうか？　遺伝学者のデイヴィッド・ライヒの次のような記述と同様に、私もそうではないと考える。


今日、人類集団の構造から古い時代の出来事を詳細に回復することはできない。問題は、過去の出来事の遺伝的な記録をぼやけさせるように、集団が隣接する集団と混ざり合ってきたということばかりではない……古代ＤＮＡから、今日特定の土地に暮らす人々は、はるかな過去に同一の土地に暮らした人々からの血を独占的に受け継いできたわけではほぼないということが今や分かっているのだ。(5)

古代DNAは、こうした諸問題を解明できるだろうか？　この分野の研究は、現在のところは学術的な出版物という点で他の何よりも優位を占めている。しかし依然として考古学と同じ基本的な問題を示している。世界のいくつかの地域で驚くべき量の古代DNAの検出が報告されているが、時には収集された試料が無いために、時には古代の人類の骨の分析について地元の人々に対して配慮する必要があるために、それ以外の地域では検出例が全く無いのだ。古代DNAはまた、熱帯のような環境でよりも寒冷な気候環境での方が良好に保存される。しかし新しい回収技術が、このギャップを埋めつつある。そうであっても、世界の完全な時代と空間での古代DNAマップを手にしているわけではない。さらに古い時代に遡れば遡るほど、サンプルは少なくなり、サンプル間にあるギャップが広がる。まさに考古記録と同じだ。

言語についてはどうか？　またしても時代を遡るにつれ情報が失われるという問題がある。世界に現存する関連言語の集合である語族は、過去一万年か多くの場合はそれより後の時代の先史時代人類について一貫した情報しかもたらせないのだ。これは、人類集団が習慣的な言い回しなどを変えたり止めたりして、ついには様々な言語間に共通する祖語のすべての痕跡を失ってしまうように、継続的に言語が変化するためだ。古い時代に失われ、文字で記録されなかった言語に由来する古代の語彙は、古代の遺伝子が骨に、あるいは古代集落跡の廃墟の古い人工品に残存し得るようには残ることはない。文字で記録されない語彙は、悲しいことに直接的な意味で短命だ（現代の証拠から比較しての復元を無視すれば）。それらの語彙がかつて属していた、文字で記録されない言語とまさに同じだ。

しかし言語は、過去一万年以内の連続性の痕跡なら維持している。次章以降で直接の関心の的となるのは、まさにこの年代幅である。完新世の人類の移動・移住を地球的な全語族の先史時代に役立つよう結びつけられる、と私は確信する。考古学者としての私のキャリアの大半を私はこの一連の考えに沿って追究してきたのである。次章で、その理由を説明する。

なぜ先史時代の復元に語族は重要なのか?

言語には、考古学と古代DNAを上回る一つの有益な長所がある。それら言語は、語族内にパッケージされており、これらの集団話者の過去の移動について膨大な量の情報を抱えている。現生の話者集団は、多くは数千、数万人によって話された、切れ切れの断片としてではなく、全体を記録できる完全な言語を使うので、語族は納得いく形で決められる。語族はまた、その歴史を復元するためにも比較できる。旧大陸と新大陸の主要な語族を、植民地時代の前の適切な分布で図九・二と図九・三に示し、表九・一にリスト化している。

さらにすべての語族は、もう一つ重要な特徴を持つ。祖語から共に受け継いだ文法と語彙の特徴のおかげで、語族内に分類されている言語の語族内の位置づけが明瞭であるのが通常だということだ。言語学者でなくとも、英語は、オランダ語とドイツ語と比較的新しい起源を共有しているが、チベット語やナバホ語とは遠いことにすぐに気がつくだろう。言語学者なら、英語、オランダ語、ドイツ語の間で共有される、音韻学、語彙、文法の、共通して受け継いでいる、「同起源の」言語学的な大量の特徴を同定することにより、これを明確に実証できる(そしてそれについてさらに言えば、インド・ヨーロッパ語族の他のすべての言語についても)。だがインド・ヨーロッパ語族と無関係の語族とでは、そうはいかない。

このことについて、もう少し説明しよう。言語学的分類で英語は、基礎語彙と文法の面ではインド・

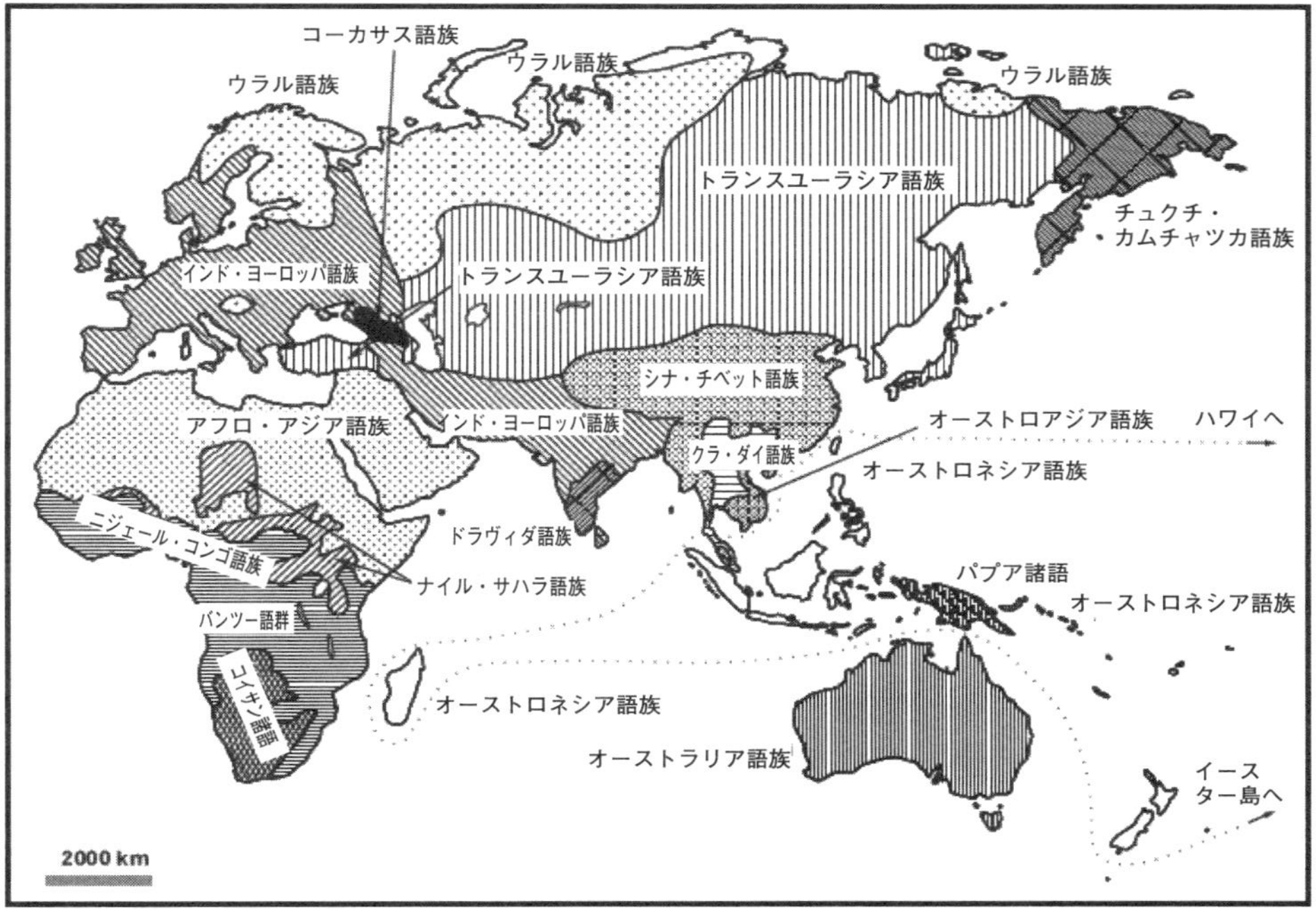

図 9.2　旧世界の主な語族。オーストラリア国立大学のクライヴ・ヒリカーによる背景地図。言語境界は M. ルーレンの『世界の言語への案内（*A Guide to the World' language*）』（スタンフォード大学出版、1987）から引き直した。

図 9.3　新世界の主な語族。オーストラリア国立大学のクライヴ・ヒリカーによる背景地図。言語学上の境界はマイケル・コーらの『古代アメリカの地図（*Atlas of Ancient America*）』(Facts on File、1986) から引き直した。

表9.1　世界の最も広範囲に分布する農耕民の語族。紀元1500年の時のおよその占有範囲に従って並べている

語族	今日話されている言語数（エスノローグ）[1]	経度範囲[2]	緯度範囲[2]	祖語の故地
オーストロネシア語族	1,258	210°	65°	台湾
インド・ヨーロッパ語族（表9.2）	445	110°	55°	アナトリア、ポントス草原（故地は論争中）
トランスユーラシア語族	79	125°	45°	中国東北部（遼河流域）
ニジェール・コンゴ語族	1,542	60°	45°	西アフリカ・サヘル（バンツー亜族の故地は、ナイジェリア／カメルーン）
アフロ・アジア語族	377	75°	35°	レヴァント、アフリカ北東部（故地は論争中）
シナ・チベット語族	457	60°	30°	黄河中流域と下流域
トゥピ語族	76	35°	30°	アマゾン川流域南西部
ユト・アステカ語族	61	30°	35°	メキシコ中央か西部
ナイル・サハラ語族	207	30°	25°	東アフリカ・サヘル／スーダン
アラワク語族	55	20°	30°	アマゾン川流域西部
トランス・ニューギニア語族	481	43°	12°	ニューギニア高地
オーストロアジア語族	167	25°	20°	中国南部か東南アジア北部（故地は論争中）
クラ・ダイ語族（タイ・カダイ語族）	91	15°	20	中国南東部
ドラヴィダ語族	86	10°	10°	パキスタンかデカン半島（故地は論争中）

1　エスノローグ：世界の言語、htttp://www.ethnologue.com.

2　緯度、緯度とも「度」、およその範囲

ヨーロッパ語族内のゲルマン語派に属する一言語である。その言語学的な根っこは、ローマ帝国が衰退した時に北海の海岸からやって来たゲルマン語を話す移住民によって植えつけられた。彼ら移住民は、滅んだローマ軍の傭兵と、ローマ軍団が撤退した後の新しい土地を求めた自由移民の両方だった。このゲルマン人の移住の後、英語は北海のイングランド側で発展した一方、オランダ語、ドイツ語、デンマーク語は大陸側で発展した。

しかし今日の英語の語彙には、紀元一〇六六年のイングランドのノルマン・コンクエストの結果として、中世フランス語起源の多数の借用語も含まれている。フランス語は、ラテン語に起源を持つロマンス亜族である。英語はゲルマン語派に属する言語だ。借用語は、有能な言語学者に、また辞書を参考に調べてみたいと思っている（あるいはフランス語を理解している）誰にも一目瞭然だ。

したがって英語は、ローマ帝国の北端の北ヨーロッパで話されていた祖先のゲルマン語派の系統を引くのが主流という点でゲルマン語派に分類されている。英語は、インド・ヨーロッパ語族内の言語だが、フランス語と違って、ラテン語に起源を持つロマンス語亜族のメンバーではなく、またロマンス亜族由来の語彙ばかりでなく、例えばスカンジナビアのヴィアキングに話されていた彼らと関連したゲルマン語派のような他の多くの言語の語彙も借用してきた。もし英語を人間の隠喩に用いるとすれば、芯では系譜的にドイツ人だが、他民族との接触の歴史という点ではある程度までフランス人（とラテン人）と言うことができるだろう。

英語の例は、私たちに対して言語と語族は、以下のようなものだという考えを強める。すなわち、

- 人間集団の過去の拡大の出来事に起源を持ち、

・互いに語彙を借用し、影響を及ぼし、
・話者がいなくなって死語になり、他言語に置き換えられる時があり、
・他の言語と置き換わりつつ、広大な領域に拡大する時がある。

最後の項目は、イングランドでアングロ・サクソン人が基礎を築いた後の西暦一五〇〇年以降の植民地時代の英語について、あてはまる。

言語は主に人の集団内で、ある世代から次の世代へと伝えられるので、その言語が属する語族は統一性を持ち、それは人類の最近の先史時代を理解する上で大きな助けになるのだ。語族内部の進化の歴史は、比較と復元を通して解明することができる。こうした長所があるので語族は、その言語を話し、時代と共にその要素の言語を備えて移住してきた人の集団の有益な「識別子」とみなせる。たとえそうした集団が遺伝的、考古学的な原因でかなり多様化した時があったとしても、だ。語族は、人の先史時代と歴史時代を可視化できる輪郭、足場として機能するのだ。

語族は「民族」と同じか?

この問いに対する答えは、少なくとも部分的に言語は民族——あるいは一般的な言い回しなら民族集団——と同じとみなせるというものだ。植民地時代の英語、スペイン語、オランダ語、フランス語の例のように、言語とその言語を話してその名前を付けられた人類集団がしばしば一緒に拡大してきたことははっきりしている。しかし関連する言語の一定のセットを話すすべての民族が同一の遺伝子型を伝え

たり、統一された単一の文化史を有したりすると示してはいないことを、明確にしておくべきかもしれない。過去と現在、人類は状況がそうすることを集団に許容したり、支援したりした時はいつでも、混ざり合ったと予測できる。時には人の集団は新しい言語に転換し、以前用いていた言語を放棄したこともあったに違いない。そうしたことが、大規模に、そうしょっちゅうは起こらなかったとしても。この種類の転換例を、私は後にいくつか紹介する。

それにもかかわらず、歴史に記録されたすべての重要な移住、例えば紀元前五八年にジュネーブ湖からガリアへと移住したケルトのヘルウェティイ族の企てについてのユリウス・カエサルの説明から、植民地時代に入ってからと現代の戦争や飢餓による離散までの移住は、言語と起源となる地を共有する核となる民族集団の強い構成要素となってきた。共同体の結束とその一員であることの証として、今日でも言語は重要であり、過去にも確かに重要であった。言語には、人類の先史時代と歴史時代について教えてくれる厳しい話がある。それをこれから見ていこう。

語族の起源

過去一万年の食料生産と農耕民の拡大の中で、私たちは初めて語族内で実際の言語を有する人類の先史時代とその復元された言語の祖先の重要性に相対することになる。これらの祖先は、言語学者によって祖語と呼ばれ、それらは語族内の現在使われている言語と文字資料のある古代言語の比較を通して復元された音、単語、単語の意味で、構成されている。祖語において物質文化と経済に関連する単語に付けられた意味は、考古学者にとって特に役に立つ。例えば多くの主要語族は、祖語で食料生産に関連した多様な用語を持つ。それは、かつての話者も食料生産を知っていたことを示唆する。

私は祖語の概念が心躍るものであると分かっている。祖語は、比較的に局地的な地理的な源から拡大したと思われる。かくして言語の主要な運び屋集団が拡大した時の人類集団拡大の役割にスポットライトを当てるのだ。大きな語族内の言語は無関係な言語学的祖先から出たものが一緒に集まり、どこかで収束したとする反対の仮説は、そう単純には機能しない。チャールズ・ダーウィンが語族に関して収束よりは多様化の重要性について述べた一五〇年前に、このことに気づいた。「同じ言語は決して二つの誕生地を持たない……二つの言語のたくさんの単語と構文の母音符号が互いに似ていることが分かったら、両言語は共通の言語から枝分かれしたと例外なく認めていいだろう」(7)。

祖先となる祖語という概念は、所与のいかなる語族、あるいはその中の亜族のルーツとしてかつて存在した単一の言語があったことを暗示している。その概念は、単一の家族や集落が現代の語族全体のすべての起源だったことを示す必要はない。しかし祖語の形成に関与できただろう関連する言語上の人類集団の数には限度があっただろう。もし彼らが二言語以上を話したとしたら、それらの言語はある程度まで関連があり、相互理解できた可能性が高い。

言語学者は、すべては年代的にはるかに遡った過去、歴史文献が現れるよりずっと前からの復元だから、祖語が正確にはどれだけ広い地理的な空間を占有していたかに関してほとんど情報を持たない。しかしヨーロッパの歴史から得られた良く知られた一例は、インド・ヨーロッパ語族内のロマンス亜族のラテン語祖先である。ラテン語を祖先とする言語には、現代のイタリア語、スペイン語、ポルトガル語、フランス語、ルーマニア語が含まれ、すべてローマ帝国で使われていたラテン語に起源を持つ。一般的に思い込まれているのとは違い、ラテン語は決して死語ではない。キリスト教会で、医学目的で、法律目的で、化石化された形で中世に使用されていた例外があるからだ。現在のロマンス亜族の直接の祖先は、ローマ帝国の様々な地域で話されていたラテン語方言だった。基礎となった言語は、ローマ文明が紀元前一〇〇〇年紀に形成されつつあった時にイタリア中部で話されていたラテン語であった。

その起源地では、元祖ラテン語は、その後にローマ帝国支配地になった分布域と比べれば、もちろん全く局在していた。ロムルスとレムスの兄弟が紀元前七五〇年頃にローマを創建した時、正確にはどれだけの人たちがラテン語を話していたか私には分からないが、その言語人口は数百万人よりずっと少なく、数千人程度だったのではないかと推測している。問題のその当時、おそらく祖先的なロマンス語（初期ラテン語）は、たぶん大半のイタリア中部に相互理解できる方言と併存していた単一の言語だっただろう。その後、祖先的なロマンス語は、エトルリア文明やその他多くの文明で話されていた隣接言語と置換しつつ、拡大していった。その時以来、驚くべき領土の拡大を通してローマ人が自らの言語を広げていくのに、ほとんど時間はかからなかった。まさにその二〇〇〇年後に英語を話す植民者が北米とオーストラリアで行ったのと同じだった。インド・ヨーロッパ語族の主要なロマンス亜族はこうして誕生し、その歴史はそれについて多くのことを教えてくれるのである。

語族の拡大：新しい年代の歴史から比較した見方

言語とその話者たちは主要な語族を創り上げるのに必要などのような規模で、またどのようにして拡大したのだろうか？　ロマンス亜族の言語は、ローマ帝国の中から起源した。その時、ラテン語は、征服地に定着した軍の退役兵の植民を通じて、進行中のその土地の方言として確立された。ただしラテン語が定着していたのは、ローマ帝国の版図のまだ半分以下であった。ローマ帝国の大半の国民は、ローマ人たちが自らを征服する前に使っていた言語を維持していたに過ぎない（ギリシャ語、エジプト語／コプト語、アラム語、ベルベル語、ゲール語など）。そして彼らは生まれついての言語とローマ帝国ラテン語の何らかの方言とのバイリンガルとなったのだ。

この観察結果から、私たちはもっと重要な問題に目を向けることができる。インド・ヨーロッパ語族全体（西暦一四九二年より前のそれに属する言語の分布地は図九・四に表してあり、表九・二にリスト化してある）は、そのずっと前の故地からどのように拡大したのだろうか？　この課題は、これまでよりはるかに複雑である。一四九二年までに、インド・ヨーロッパ語族全体は拡大し、広大な分布域を覆うまでになっていた。アイスランドからバングラデシュまで、さらにヨーロッパ極北からスリランカまで――かつてある種の仮説的な新石器時代や青銅器時代の超帝国に属していたとも考えられそうな、はるかに広大な領域である。ローマは、この規模ではほとんど太刀打ちできなかった。そして文字で書かれた歴史から教えられるのは、インド・ヨーロッパ語族拡大の要素は主要なものは何一つなかったということだ。

インド・ヨーロッパ語族を含めて今日存在する多数の語族は、表九・一で示したような広大な地理的範囲を覆い尽くしている。その拡大は先史時代における力を表している。それに唯一匹敵できる歴史時代の類例は、ずっと新しい時代となる植民地時代にしかない。植民地時代には、大量の人の移住があった。特に英語の拡大と結び付いたイギリス諸島から北米とオーストラリアへの、そしてそれより先行したスペインとポルトガルの東アジアと両米大陸への拡大（両者とも前者より少数の人口移動だった）が起こったのだ。最大の語族の多くは、年代的にははるかに昔、文字が発明されるよりもずっと前の、植民地時代と似たような過程の集団行動を反映したものだったに違いない。

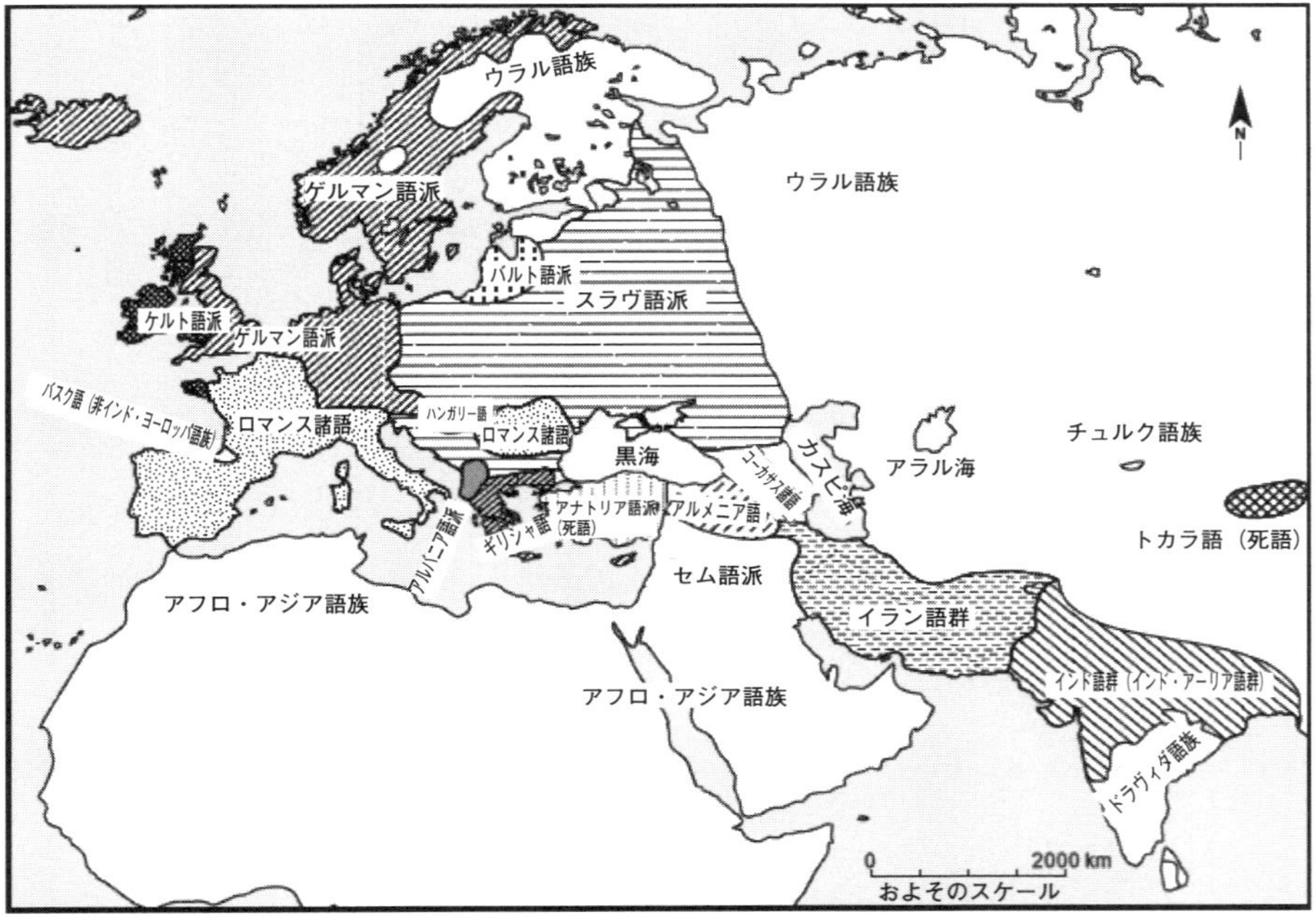

図 9.4　インド・ヨーロッパ語族の記録された主な 12 亜族。植民地時代より前のそれらのおよその広がりを示した。背景地図はカルトジーアイエス（CartoGIS）サーヴィス、オーストラリア国立大学による。言語の境界線は、M. ルーレンの『世界の言語への案内（*A Guide to the World' language*）』(スタンフォード大学出版、1987) から引き直した。

表 9.2　インド・ヨーロッパ語族内の言語亜族と主要言語

アナトリア語派[1]	ヒッタイト語、ルウィ語（たぶんトロイの言語）、リュキア語、リディア語。今日のトルコの領域の言語。ヒッタイト語の名前は、紀元前 2300 〜同 2000 年頃の粘土板に記録されている
トカラ語[1]	2 言語が、紀元 1000 年紀後半に仏教徒と商用文書に使用されていた。タリム盆地、新疆ウイグル自治区、中国
ギリシャ語	現代ギリシャ語と古代ギリシャ語、それに加えて紀元前 2000 年紀後半の線文字 B 粘土板に表されたミケーネ・ギリシャ語
アルメニア語	今日は単一国の言語
アルバニア語派	今日は単一国の言語
インド語群	サンスクリット語、そしてプラークリット。プラークリットはヒンディー語、ウルドゥー語、ベンガル語、パンジャーブ語、マラーティー語などの祖語
イラン語群	アヴェスター語[1]、ペルシャ語、クルド語、ウルドゥー語、パシュトゥー語
イタリック語派	ラテン語とロマンス諸語、オスク語[1]、ウンブリア語[1]
ケルト語派	アイルランド語、スコットランド・ゲール語、ウェールズ語、コーンウォール語、ブルトン語
ゲルマン語派	ドイツ語、英語、オランダ語、北ゲルマン語群（アイスランド語を含む）、ゴート語[1]
バルト語派	リトアニア語、ラトヴィア語、古プロシア語[1]
スラヴ語派	ロシア語、ブルガリア語、ポーランド語、チェコ語、そして旧ユーゴスラヴィア共和国で話されていた多くのバルカン諸語

ビルギット・オルセンら編『インド・ヨーロッパ語族を追って：考古学と歴史言語学からの新しい証拠（Tracing the Indo-European: New Evidence from Archaeology snd Historical Linguistics）』（オックスボウ・ブックス、2019）所収のトーマス・オランダー「インド・ヨーロッパ語族の故地」7-34 からのデータ。

[1]　もはや口語では存在していない。

方言レベルでのこの種の集団全体の言語伝達の推進剤は、移住する人類集団、やがて語族に進化することになる初めは祖語の話者による新天地への定着であった。ソフトドリンクのブランドや新車のモデルのように、言語は自分だけでは決して広がれない。およそ関連のない言語集団による受容を通じて広がっていく。それは、少なくともかなりの長距離を渡っていくものではないし、受容の特別の理由があるわけでもない。

どのようにして、私たちはこのことを知るのか？　まず、ある言語の話者たちが別の言語の話者たちに影響を与えた時に何が起こったかを問うてみよう。記録のある言語がすでに定着した領域の中に広がった場合、以下のようないくつかの結果が起こった。

・移住者の言語と土着の言語は、ローマ帝国のほとんどの地域がそうだったように、両者が並立して話され続けた。

・移住者の言語は、話す人の人口差から土着集団の言語と置き換わった。ローマ帝国のいくつかの地域でラテン語に関して最終的に起こったことや、植民地時代の両米大陸とオーストラリアの多くの地域で起こったことと同じだ。

・近代以前の歴史上のすべての征服帝国で起こったように、より人口の多い土着集団の言語が、少数だが有力な移住者の精鋭の言語を置換／吸収した。そこでは、たくさんの数の農耕定住民の移入はなかった（アレクサンダー大王、チンギス・カンと蒙古軍、オスマントルコ、イングランドへのノルマン民族の侵入など）。

・土着の、そして強制的に移住させられた人類集団は、植民地時代の新しい段階の環境で、自分たち自身の言語と遠方の権力者によって持ち込まれた言語を用いて、ピジン言語を創り出した。その好例が、現地語の文法構文と英語の語彙を組み合わせて成立したパプアニューギニアのトク・ピジンである。しかしピジン言語とクレオール語が、植民地時代より前に重要であったことは知られていない。

察しの早い読者なら、一部の先史学者の間で長い間人気があったにもかかわらず、ここの表に挙げられていない一種の状況があることに気づいたかもしれない。そうした状況は、理論的には少数だが高い地位の移住者エリートの言語が彼らよりはるかに多数の土着民の言語と「置き換わる」時に起こる。前掲した三番目の状況の反対である。考古学者たちは、そうした仮説に基づいた状況を「エリート支配」と呼ぶ。

識字能力への圧力と国の共通語《リンガ・フランカ》を強いる中央政府の宣伝がない、国家成立以前の環境でのエリート支配と言語との関連に、私は深い疑念を抱く。地球規模の人類史でそうした置き換わりの大規模な例を私は何も見つけることができないので、こうした疑念を抱くのだ。続く各章でいずれ取り上げることになる語族全体の地理的規模での探究でも、少なくともそれは見つからない。土着民集団の人口減や抑圧という最も厳しい条件下を除いて、どうして機能的で健全な社会が自分の言語を放棄したいと望むだろうか？

世界中の多くの民族にとって、言語は誇るべき資産であり、一体性を示す記章である。言語学者のマリアン・ミスーンが指摘したように、「言語が消滅する時は、文化の最も本質的な側面もまた消えるのだ。すなわち、整理した体験を概念に落とし込み、互いに関連する考えをまとめ、他民族との交流の基本的な方法も。……言語の喪失は、民族をその文化・歴史遺産から決定的に切り離すことを表す」のだ[8]。「エリート」の外からの支配に対しての言語の抵抗を伴う多くの状況は、植民地時代の世界を通しての多数の歴史的出来事から読み取ることができる。そうした問題について歴史上の一つの説得力ある見解は、歴史家アルフレッド・クロスビーの著作『ヨーロッパの帝国主義（*Ecological Imperialism*）』（邦訳はちくま学芸文庫、二〇一七年）の説明である[9]。

　クロスビーの大きな貢献は、一四九二年以降にヨーロッパ国家によって征服され、植民地化された側として、世界を二つの部分に分けたことだった。第一は、土着の先住民の人口密度が低く、しばしば狩猟採集民か親族関係に基礎を置く農耕民がいた主に温帯気候の「新ヨーロッパ」地域であった。その典型的な例が北米、オーストラリア、ニュージーランドである。ここに、ヨーロッパ人植民者（常に自由民だったわけではない）は、数千人規模で船に乗ってやって来た。一八二〇年から一九三〇年にかけては特に多かった。彼らは、先住民から土地を取り上げ、疾病を持ち込み、土着の先住民を辺境に追いやり、母国で慣れていた生活様式と食料生産システムをその地で再現した。

イギリス人は、巨大な人口増のために、これに最も成功した。人口増は、一八世紀と一九世紀にイギリス諸島を覆い尽くした産業革命と農業革命から付随的に生み出されたものだった。人口増は大きな勢いがあったので、囚人すら移住させねばならなかったほどだ。スペイン人も、南米の南部、特にアルゼンチンとウルグアイで同じような成功を納めていた。そこでも土着の先住民人口は、かなり少なかった。オランダ人はほとんど同じようにして、南アフリカの地中海性の冬季降雨気候の地域に集中して移住した。そこには、ずっと人口の多い、抵抗力のあるバンツー語を話す農耕民の分布域の外に分散していた土着の狩猟採集民と遊牧民集団がいた。

クロスビーの言う新ヨーロッパの基準でのもう一つの端に、人口稠密な熱帯と温帯の地域があった。そこには、独自に自立発展し、しばしば洗練された文明、高度に発達した農耕、ヨーロッパ人植民者が持ち込んだ疾病に匹敵するマラリアのような悪疫が存在した。ヨーロッパ人はどんな少数であっても、熱帯アフリカや熱帯アジアのほとんどの地域に定住できなかった――ヨーロッパの帝国と交易会社は、移住民たちのための農地を先住民から没収するのではなく、投資家のための富を生み出すために、こんな所にやって来たのだ。クロスビーが中東でのヨーロッパの十字軍兵士を叙述したように、「集団としてみれば、征服者は一杯の熱い茶に対する一塊の砂糖のようであった」。

現在の旅行者は、インドネシアでオランダ語を話したりベトナムでフランス語を話したり、またフィリピンでスペイン語を話したりする人たちをほとんど見かけることはないだろう。確かにエリート支配は、そこではうまくいかなかったのだ。旅行者は、インド、フィリピン、マレーシア、さらにアフリカの一部地域では、むしろ英語を話す多くの人々を見かけるかもしれない。しかしこれは、エリート支配のためではない。イギリス人はとっくの昔に帰国し、あるいは現地で死没した。英語は、これらの国々で今日も広く話されているが、どの国でも決して全住民の第一言語にはならなかった。英語の到来が、イギリス諸島からの、あるいはスペイン支配後のフィリピンの場合の合衆国のように、移民の波と結び付いていなかったからだ。英語は今日、多様な土着語が高いレベルで存在する元植民地の多くの現代国家——例えばインドとフィリピン——で広く広まった共通語《リンガ・フランカ》として用いられているが、それは英語がもはや敵対的な植民地的含意を持たず、そして既にかなり広く話されているからだ。

これ以外にも、中間的な例がある。一六世紀から一七世紀にメキシコからカリブ諸島まで、さらに南のボリビアとチリ北部までの熱帯アメリカを征服したスペイン人とポルトガル人は、例えばメキシコのアステカ帝国やアンデス高地のインカ帝国のような大帝国に統合されていた人口稠密な集団と出合った。ベルナル・ディアスからジャレド・ダイアモンドまでの多数の記録者・著者に詳細に書かれているように⑩、銃、病原菌、ウマ、軍事同盟が、スペイン人たちの征服を成功させた。

しかしそれより後の例えばイギリスの植民者家族群の波が北米とオーストラリアに押し寄せたのと違い、コンキスタドール（スペイン征服者）と彼らの従者たちは、少数の、大部分が男性の大土地所有者エリートを形成した。彼らは、急速に在地の女性たちと通婚した。旧世界の熱帯地方の基準に照らせば、スペイン語とポルトガル語が現在まで姿を消していないのは幸運だった。どのようにして、そうなったのか？

ジャレド・ダイアモンドが著書『銃・病原菌・鉄』で説明しているように、南北アメリカ大陸は、疾病を感染させる霊長類と家畜のいる旧世界から保健上、隔離されていたため、熱帯アジアや熱帯アフリカよりも植民したヨーロッパ人にとって危険が少なかった。新世界はその点、ヨーロッパ人征服者にとって全く健康的な大陸だった。しかし一六世紀に、その反対方向からヨーロッパ人により、感染症が南北アメリカ大陸に持ち込まれた。例えば天然痘、結核、はしかなどだ。これらは、一部地域で驚愕させるほどの猛威を振るい、先住民の言語と共に、九〇%もの人命を失わせた。彼らは、旧世界の病原体に対して感染防護に必要な免疫を持っていなかったのだ。

一四九二年のコロンブスの上陸でカリブ海諸島で始まったこの悲劇的「大虐殺」は、植民地時代のラテンアメリカのヨーロッパ人、アフリカ人、先住民の混ざり合った状態の中で、その後のスペイン語とポルトガル語が支配的になることを容易にした。[11] 一方で、極北地域やメソアメリカ、アマゾン川流域、アンデス高地などの、持ち込まれた感染症のインパクトから先住アメリカ人コミュニティーが生き残れた所では、彼らの言語は生き延び、今日もなお残存している。

実際のところ、感染症の災禍を受けた先住民と見合うように、ラテンアメリカでのスペイン人の拡大は急激でも容易でもなかった。南米の初期のスペイン人支配層は、スペイン支配の手段として――すなわちスペインの支配の目的に先住民たちがスペイン語に無知なことが重要だったため、先住民がスペイン語を学ぶ機会を与えることに後ろ向きだった。また、先住民にとってスペイン語が圧政のシンボルだったので、彼らはスペイン語を学ぶことを嫌がった。[12]

その結果、スペイン語は、一六世紀のコンキスタドールの渡来以後、二世紀以上にわたって南アメリカの先住民たちに広く受け入れられることはなかった。代わって土着語、特にケチュア語（インカ帝国の主要言語だった）とアイマラ語が、共通語《リンガ・フランカ》として使われ、聖書の翻訳用に用いられた。そして両言語は、今日の先住民たちの間で重要な現地語としてなお存在している。

エリート支配は言語を広げたのか？

植民地時代に多数派である先住民の中に少数派の征服者の言語を広げることがエリート支配ではできなかったという私の見解によれば、旧世界の古代帝国のすべてが、クロスビーの言う十字軍兵士と全く同じ言語的運命を被ったことを見出したとしても何の驚きもない。一部の例外は、ローマ帝国軍の兵士たちによる定住化を通じてロマンス語を最終的に受け入れた、ローマ軍の進出した領域のローマ人である。アレクサンダー大王の例は、最も辛辣な例の一つとしていつも私の胸を打つ。

アレクサンダー大王と彼の軍は、バルカン半島とナイル川流域からパキスタンのインダス川までの五〇〇〇キロの広がりを持つ広大な領域を征服した。都市が彼の名を採って創建され、ギリシャ軍兵士の植民者によって住まわれた。彼らはしばしばその土地で妻を娶った。しかしギリシャ語とその文字は、中央アジアと南アジアの征服地で紀元の初めの数世紀まで残存したが、その後は消え去った。アレクサンダーの後を引き継いだインド・グリーク朝は、仏教芸術と仏教文明の創建期の数世紀間（紀元前三〇〇年から紀元後一〇〇年）、南アジアに大きな文化的、芸術的インパクトを持っていた。だがそれらの国の支配者は、次第にテュルク系民族やスキタイ人（ペルシャ人）起源の者たちに取って代わられた。ギリシャ人ではなかったのだ。過去二五〇〇年にわたって南アジアの支配的宗教となった仏教とヒンドゥー教は、アレクサンダー大王の到来以前から存在していたから、両宗教とも、ギリシャ人がいた間、彼らからほとんど何一つ借用しなかった。

言語に関する限り、土着語のペルシャ語、クルド語、プラークリット語（古典サンスクリット語の同時代に話されていた言語）はすべてインド・ヨーロッパ語族の中の亜族であるインド・イラン語派の一員だが、これらはアレクサンダーの旧帝国の言語戦争に勝利した。アラム語もそうだったし、セム語は旧ペルシャ帝国（アケメネス朝）の領土で使われていた。これらの土着語は、あまりにも多くの話者がギリシャ語使用に単に後ろ向きだったので、恒久的に使う言語としてギリシャ語を受け入れて自らの言語の独自性を放棄できなかった。アレクサンダー大王の軍事的な技量も、言語の面では無関係だったのだ。

アレクサンダーが新生アレクサンドリアの町すべてを創建した時、彼は確かにギリシャの植民地化を考えていた。だがカイロネイアのプルタークの文を言い換えると、敵土着民の究極的な武力に打ち勝つのにギリシャ軍が単に不十分だったに過ぎない。その結果、多くの兵士は、絶望して帰郷してしまった。「彼らは楽しくはなかった。今まで地中海からずっと。そして少なくとも二つの機会に――二つともアレクサンダーの死の報の後で――望郷の念にかられた兵たちは帰郷を決めたのだ[13]」。アレクサンダーは、中央アジアよりもはるかにギリシャに近い土地であるエジプトという一部の例外以外、征服した土地で言語の置き換えに成功するのに必要な数の人数を持っていなかった。ギリシャ人は、最後の頼みの綱の地ではエジプト人と実際に置き換わった（古代エジプト人の直系の子孫である南部のコプト人を除いて）。ただその後、アラブ人がギリシャ人に置き換わった。

オスマン帝国のトルコ人、モンゴル人、ムガール人は、この点、アレクサンダーと似たような目に遭った。この重要点を理解していただくために私は、言語学者のニコラス・オストラ著の『世界の帝国

(*Empires of the Word*)』という題の本に目を向ける。彼は、紀元前二五〇〇年以降のエジプト語、シュメール語、アッカド語で書かれた歴史文書で記録された言語の拡大について、地球規模で叙述している。(14) オストラの見解は印象的である。いくつかの例をここに引用しよう。

・大きな言語の変化が征服以後に続いて起こらなかった多くの事例は、軍事的栄光の虚しさを明らかにしている。フランク族、ヴァンダル族、西ゴート族による西ヨーロッパの征服、さらにローマ帝国とノルマン人によるブリテン島の征服でさえも、このことがあてはまることを示している。
・言語社会で成功する最も単純で、生物学的な基準は、言語を使う話者の数である。
・明らかになる最も優れた判定は、民族の移動、すなわち言語を広める歴史上の第一の力が今日まで最も重要であるということだ。
・しばしば言語の拡大のおかげとされる一つの要因、交易は、長期的な効果をほとんど実証されていない。

そして交易に、私は宗教を付け加えたい。世界の主要な宗教は、事実上、話されているその土地固有の言語に付随しない形で広がった。どんな言語が今日のイスラム教徒、キリスト教徒、仏教徒、ヒンドゥー教徒に話されているかを考えれば、誰もがそれを理解できるだろう。

世界中のイスラム教徒の大多数は、その土地特有の現代言語としてアラビア語を話しているわけではない。そして現代のキリスト教徒もすべてが、聖書が書かれた言語であるヘブライ語、ギリシャ語、アラム語を話しているわけでもない。また世界の仏教徒全員がパーリ語に由来した言語を話しているわけではないし、ヒンドゥー教徒全員がプラークリットから発展した言語を話しているわけでもない。少なくともインド北部の外側ではそうではない。宗教、文字、交易、軍事的征服、そして強力な王朝も、世界中の語族の分布について多くを説明してくれない。エリート支配も、もちろん説明とはならない。

人類集団の地球的な先史学に向けての今後

人類のオデッセイで、私たちは今や重要な点に到達した。食料生産は、私が第八章で説明したように、世界の七カ所で発展した。人類集団、その暮らし方、人々の話す言語は、最後には地球表面の数千キロもの範囲を覆う、いくつもの大きな拡大の先端上に立っている。これらの拡大は、本章で私が概要を述べた原理を用いて、世界の主要な語族の歴史を通して私たちに理解できるようになっている。

次章以降で私は、人類の基本的な地理的構造、一四九二年までほとんど大きな変化を伴わずに続いた構造へのインパクトという点で、これらの拡大の最も重要な事柄を述べていく。もちろん古代文明と中世の征服は、時には人類集団を再配置させた。だがそれは、比較的に小規模なものであった。その卓越した例が、セルジューク朝のトルコ人のトルコへの、マジャール人のハンガリーへの中世の移住の他に、ローマ人と漢王朝中国人によってもたらされる。しかしこれらの現象は、それらの言語が属する主要語族の全体の拡大と比べれば、比較的局地的な出来事であった。

第一〇章　肥沃な三日月地帯とユーラシア西部

紀元前六五〇〇年以降、肥沃な三日月地帯から外へ移住する農耕民は、ヨーロッパの大半、西アジアの広い領域、そしてアフリカの北半部に広がった（アフリカについては第一二章で述べる）。旧世界の西半分に現存する大多数の人類集団のルーツを形成したこれらの拡大の記録は、考古学、言語学、遺伝学の詳細な記録を通して表されている。ただ特にインド・ヨーロッパ語族を話す民族の起源をめぐっては、大きな論争がある。そして私は、様々な側面からの議論についてバランスの取れた見方をしようと思う。本章では、インド・ヨーロッパ語族を話す人類集団とドラヴィダ語族を話す人類集団と共に、南アジア（インド亜大陸）の先史時代も取り扱う。

紀元前六五〇〇年までに、第八章で話を切り上げた肥沃な三日月地帯の新石器生業経済は、受け入れ可能な新しい環境に容易に移すことができる完全に栽培化された作物と家畜に依存した高い水準に達していた。紀元前六五〇〇年から同四〇〇〇年までに、様々な方角へ流れ出る肥沃な三日月地帯からの未曾有の大移住の爆発が起こった。アナトリア、ギリシャ、バルカン半島から出た新石器農耕民は、アルプス山脈の北と南双方のヨーロッパのすべての農耕可能地域に広がった。イランとコーカサス地方南部から出た別の農耕民は、北方のユーラシア・ステップ地帯と東方のインダス川流域に向けて広がった。さらに別の流れは、レヴァント地方南部から北アフリカへと拡大した。出アフリカしたホモ・サピエンスの最初の拡大を別にすると、これらの移動は、ユーラシア西部と北アフリカのサピエンスの先史時代において記録された人類集団の拡散で最大の一連の出来事を形成した。それ以来、この類の出来事は起こっていない。

肥沃な三日月地帯の初期村落

どんな種類の社会がこれらの拡大を担っていたのだろうか？　紀元前六五〇〇年までに、肥沃な三日月地帯の新石器農耕民は、次第に土器を使うようになっていた。それは、いくつも重要な役割を持っていた。第八章で注目したように、土器の壺と容器は、ウシ、ヒツジ、ヤギから絞ったミルクを、ヨーグルト、ギー（澄ましバター）、チーズに加工するのに用いることができた。これは、遺伝的な基礎を置いた（ラクターゼ活性持続性として知られる）能力、すなわち幼児期を越えた年齢の人にエネルギーを供給するために乳糖をグルコースに分解する能力を欠いた人々にも、容易に消化できる乳製品を作ることになっただろう。この能力は、紀元前三〇〇〇年頃に牧畜民集団の中で初めて発達した。それが意味するのは、ラクターゼ活性持続性能力の獲得が肥沃な三日月地帯から出て行く新石器移住民の主な原動力ではなかったということだ。(1) 土器の壺も、石製容器よりも製作に労力を要しなかった。さらに土器は、母親が乳児を乳離れさせたい時のためのお粥（ポリッジ）と薄粥を作れるように改良されただろう。このように土器は、集団の健康と繁殖力に有用となる偉大な発明であった。

状況証拠から考え、この時までに肥沃な三日月地帯の農耕民は家畜化した、たぶん去勢したオスウシを、アードと呼ばれる畑の簡単な溝作り農具（もっと新しい時代に現れる鋤板の付いた、土を掘り起こす鋤ではない）を牽引するためにも使役するようになっていただろう。新石器農耕民が紀元前六五〇〇年に車輪を知っていたのかどうかは分からない。ユーラシア西部の考古記録に、紀元前三〇〇〇年頃に頑丈な木製車輪と荷車が現れたとある。荷車は通常は、大きな埋葬墳丘の下部深くに十分に保護された縦坑を掘り、銅器時代と青銅器時代の支配層の墓に埋められた。時には、北ヨーロッパの新石器時代の二、三の土盛り墳丘にも、偶然にも埋葬前に存在していた車輪の跡が見られることがあった。それは、ある種の車輪を付けた運搬具があったことを推定させる。(2) 回転運動に関して肥沃な三日月地帯の新石器農耕民は、木工用に錐と旋盤を使用していたから、その背景として回転の原理を知っていたのは確かだろう。

肥沃な三日月地帯の新石器農耕民に知られていたものに、機《はた》もあった。それは、紡いだ亜麻の繊維(亜麻糸)から、そして最後にはヒツジの毛から布を織るために使用された。機織りに十分な量と質の羊毛を生産する目的でヒツジがいつごろ初めて繁殖されるようになったかは、正確なところは分からない。乳製品加工、鍛造、溶融、鋳物、特に銅と金のそれも、肥沃な三日月地帯の新石器時代に少しずつ行われるようになった。しかし冶金術は、紀元前四五〇〇年以降まで、人間社会の主要な要素にはならなかった。

全般的に見て紀元前六五〇〇年までに肥沃な三日月地帯の経済は、高度に生産性の高いものになった。しかし、たぶん逆説的だが、先土器新石器時代の成長のほぼ三〇〇〇年後、この時には肥沃な三日月地帯は環境と気候の悪化、そして集落の崩壊が進行しつつあったと言われている。チャタルヒュユクやアイン・ガザルのような多くの大きな町が放棄されて、より小さな集落が選好され、多くの集団は耕作地を後にして、遊牧民になりつつあった。

どうしてこんなことが起こったのか? 気候変化がこの大きな原因だったと繰り返される議論を、私はすべてを信じているわけではない。この時期の気候の波動と海水準の変動は、完新世開始の直前にあった、一次的に氷河期条件に戻ったヤンガー・ドリアスの時と比べれば、どちらかというと一般的に些細なものだった。しかしヤンガー・ドリアス期は、その明らかな気候悪化にかかわらず、肥沃な三日月地帯のナトゥーフ文化の発展に何のブレーキもかけなかったように思える。[3] 完新世に起こったさほど厳しくない気候変化が、彼らがなんとか農耕ができるぎりぎりの地域で暮らしていなかったのだとすれば、複合化した新石器社会に大きな痛手を与えたと想像するのは難しい。

では人間活動そのものが、問題の原因だったのだろうか？ 新石器時代の肥沃な三日月地帯の多くの地域は脆弱で水の不足しがちな地形環境で、単に人々がそれに負担をかけすぎたのだろうか？ 水資源の枯渇は、ヨルダンのアイン・ガザルで没落の原因としてしばしば示唆されてきた。アイン・ガザルは、一三ヘクタールの土地に数千人もの住民が暮らすまでになっていて、その後、急速に人口を減らし、ついには紀元前六二〇〇年頃に放棄された。[4]

疫病の爆発的流行についてはどうか？ チャタルヒュユクとアイン・ガザルのような巨大な町に先土器新石器時代の絶頂期に数千人もの人が住んだ時、その密集が一定の害悪をもたらしがちなことは予測できる。[5] 公衆衛生の欠失は、家畜やネズミのような寄生的動物との密接な接触により、徐々に悪化していた貧弱な健康状態に危険な災厄をもたらしただろう。[6] ウイルスによる爆発的な感染も、人と家畜の両方に疑いもなく危険な可能性をもたらした。ペスト菌エルシニウ・ペスティス（*Yersinia pestis*）は、新石器時代の間、人骨に残った病原体DNAの分析によればヨーロッパとアジアの一部の地域で流行したことがあったのは確実だ。[7] しかし今までのところ、問題の時期に肥沃な三日月地帯で疫病に関連する爆発感染の惨禍のあった直接の証拠はない。

それでは社会の変化についてはどうか？ 村と町で密集して暮らす集団が増えるにつれ、親族関係によるグループのレベルを超えた諍いを調整する規制機関が存在していなかったとすれば、社会的ストレスは大きくなっていっただろう。例えばチャタルヒュユクの、床下のたくさんの埋葬遺体と壁面の芸術を持つ先土器新石器時代の部屋がびっしりと密集した複合建築は、土器新石器時代に居住域の端の近くで、部屋とは別の場所に埋葬をする、中庭の周りの多数の部屋を持つ支柱無しの家屋に取って代わられた[8]。この変化は、必ずしも社会的混乱を示していないが、ある種の社会変化を確かに物語るのである。特に双方からの住居の独立性を高める方向への、そしてたぶん集落から人々が移動していく自由を高める方向への変化である。さらにこの社会変化は、紀元前六五〇〇年以降の、トルコ西部を通じてヨーロッパへと向かう初期新石器時代移住のまさにその時に起こりつつあったのだ。

しかし素直に言うと、紀元前七〇〇〇年紀に肥沃な三日月地帯で集落のサイズが縮んだ正確な理由が何だったという疑問に私は答えられない。ただ私の好むのは、かなり生産性を高めた農耕経済を備えるに至った人たちのグループが、人口増加により地元で土地を相続することができなくなり、より良い将来性をどこか他の土地で探す理由を理解した結果ということを重視するものだ。これが、拡大していく時、新しい環境での力強い人口成長の時だったことを忘れないようにしよう。これらの移住民は疾病の感染爆発に影響された生き残りでも、崩壊した社会の飢餓の残存者でもなかった。彼らは、人口増に合わせた食料生産による移動可能な経済を備えたかなり多産の人たちだったのだ。では次にヨーロッパでの彼らの物語を始めていこう。

紀元前七〇〇〇〜同四〇〇〇年のヨーロッパへの新石器農耕民の移住：考古学

農耕の肥沃な三日月地帯の起源地はレヴァント地方に集中し、農耕村落はアナトリアとイランのザグロス山脈北部の山麓へと延びた。先土器新石器時代の村落生活は、この一帯とキプロス島では紀元前八〇〇〇年までに十分に確立された。現在までの証拠によると、肥沃な三日月地帯を越えてヨーロッパ、コーカサス地方、アルメニアへの農耕民の広がりは、紀元前七〇〇〇年頃には始まった。それは、土器が初めてその姿を現しつつあった時だった。[9] その概略は、図一〇・一で見ることができるだろう。

紀元前六五〇〇年までには、土器は肥沃な三日月地帯で普通に使われるようになった。そして新石器農耕村落は、アナトリア西部やエーゲ海沿岸地帯でも、さらにはボスポラス海峡周辺でも十分に確立された。[10] バルカン半島とダニューブ川下流域への移住も、本格的に進んでいた。紀元前五四〇〇年までには農耕民は、途中のカルパチア山脈をうまく通り抜け、ダニューブ川を挟む肥沃なハンガリー大平原に定着しつつ、ドイツ、北ヨーロッパ平野の肥沃なレス（氷河期に風で運ばれた風塵）土壌地帯に到達していた。同じ頃、新石器農耕民は黒海北岸を越えて東のポントス草原に広がった。後氷期以降、黒海は海水準の上昇によって、広大な淡水湖にボスポラス地峡から流入した海水を満たして拡大した。

紀元前六〇〇〇年までに農耕民は、丸木舟で地中海の北岸沿いを漕いで西進し、ダルマチア、イタリア、地中海西部の島々、そしてイベリア半島にも達した。新石器時代前期の長さ一〇メートル以上に達する丸木舟の注目すべき標本一点が、ローマ近郊ブラッチャーノ湖の水に漬かったラ・マルモッタ遺跡から発見されている。おそらく同じ頃、チュニジア、アルジェリア、モロッコという地中海南岸の北アフリカにも、農耕民の移動は行われていただろう。

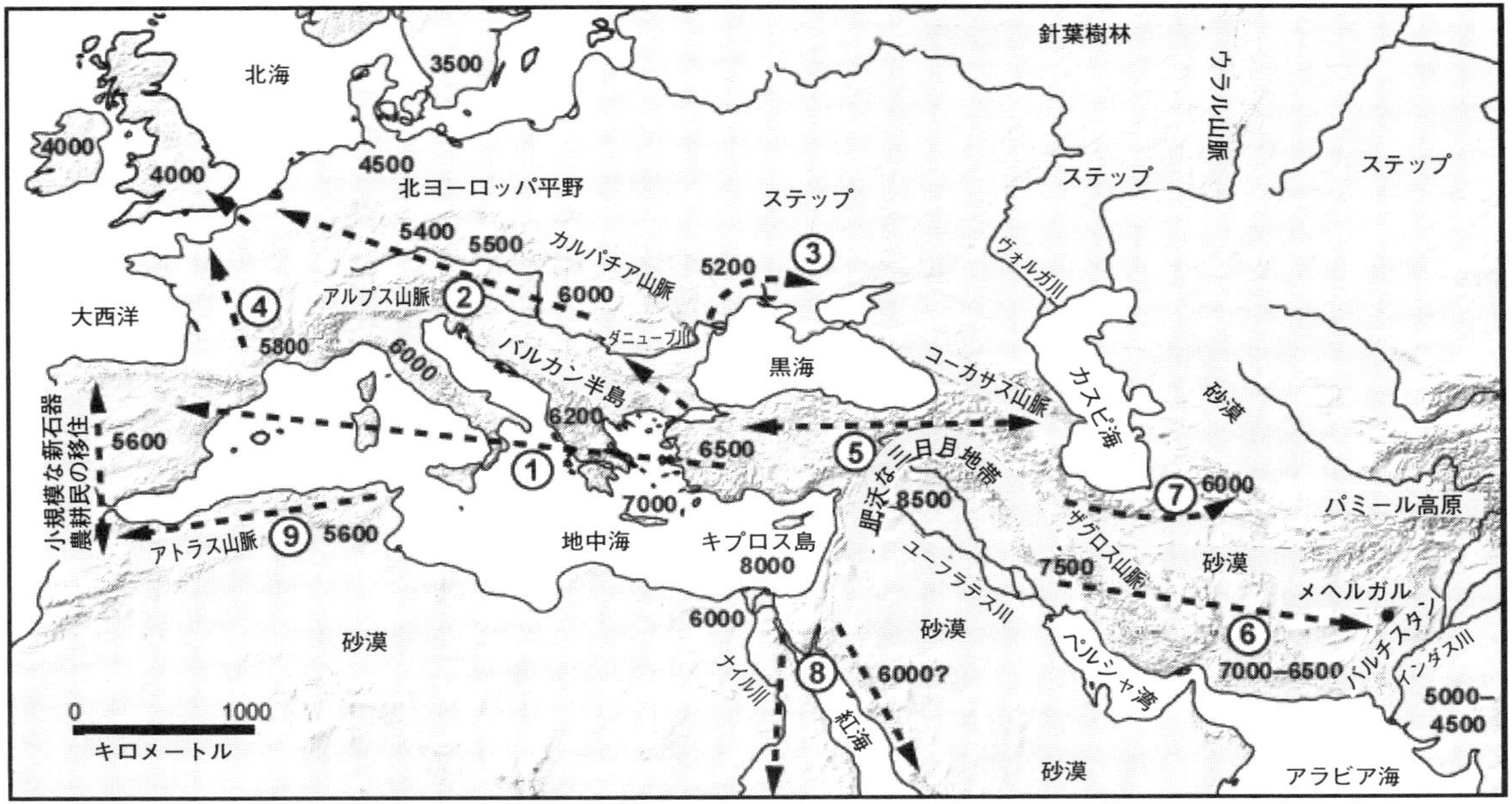

図 10.1　肥沃な三日月地帯の新石器農耕民集団の拡大。数字は、すべて紀元前の年代。矢の 1 から 4 は、ヨーロッパへと向かい、そこを通過した新石器農耕民の移動の図式を表す。矢の 5 は肥沃な三日月地帯北部での相互交流を表し、矢の 6 と 7 はトルクメニスタンとバルチスタンへの移動を示す。矢の 8 と 9 はレヴァント地方南部から北アフリカへの新石器農耕民の移動を表す（第 12 章）。

最後に紀元前四〇〇〇年頃に、イギリス諸島とスカンジナビア南部に新石器農耕民は到達した。ブリテン島とアイルランドに最初にやって来た定住民は、ヨーロッパの大西洋岸から到着したようだ。土盛り墳丘の下に木や巨石《メガリス》で造った共用の墓室を建造する伝統を持ち込んだからだ。ブリテン島新石器時代のもう一つの主要な要素は、北ヨーロッパ平野に明らかに由来していた。それは、囲んだ溝の内部に直立した石柱や木柱を立ててサークルを建造するものだ。

そうしたサークルは、はるかに古い年代のギョベクリ・テペの石柱囲壁をどことなく彷彿させる。そしてイギリスの考古学者は、これらの記念物を「ヘンジ」と呼ぶ。新石器時代から青銅器時代にかけて何度も建造が繰り返された最も有名な例は、イングランド西部のソールズベリー平原に立ち、それはストーンヘンジと呼ばれて、世界中に知られている。ブリテン島でのこの文化的融合は、アルプス山脈の南と北から異なった新石器農耕民の移住があり、それがイギリス諸島へ海を渡る前に現在のフランスの一帯で出合い、そして混ざり合ったのかもしれないことを推定させる。

簡潔にまとめたとしても、このすべてには圧倒されるように思える。しかし、アナトリア沿岸とギリシャからイギリス諸島とスカンジナビア南部まで全過程が各地域ごとに進むのに二五〇〇年もかかったという事実を忘れるべきではない。彼ら新石器農耕民の移住が進んでいくにつれ、環境と文化の背景は変化したのだ。

ギリシャとバルカン半島を越えた温帯ヨーロッパのより湿潤な環境条件で、肥沃な三日月地帯の日干し泥レンガ造りの建築は、泥、木材、編み枝細工、漆喰の建物に道を譲った。建築技術は、新しい環境条件に適合された――例えばラ・マルモッタ住民は、ブラッチャーノ湖湖岸沿いに木造の杭上住居を立ち上げた。ヨーロッパ南東部の大半の住居は、肥沃な三日月地帯よりも、隣り合う部屋も少なくて小さかった。しかし北ヨーロッパ平野の肥沃なレス土壌地域では、木造のロングハウスという印象的な発展があった。機能としてこうした建築物は、たぶん親族関係にある複数家族を収容していたのだろう。そしてこれらの建物はレンガではなく木で建てられていたので、取り壊して環境に合う新しい建設地へ移るのは容易だっただろう。結局のところ、この時期、農耕民は頻繁に移動していた。

手短かに言えば、紀元前六五〇〇〜同四〇〇〇年、二つの大きな移動を構成した新石器農耕民の定住は、西へ三五〇〇キロ、アルプス山脈の北と南の双方を越えてアナトリア西部とレヴァント地方からアイルランドとポルトガルへと広がった。それは、ヨーロッパの肥沃な農耕地を移住民の恒久的な畑地体系と耕作、施肥、家畜への給餌の実行の場とした。ウシ、ヒツジ、ブタ、そして栽培作物は、移住初期の数世紀で劇的な人口増を保証できる確実な食糧供給をもたらした。バルカン半島と北ヨーロッパ平野の一部地域での早期新石器時代の出生率の推計は、年率二・五％にも達した。それは、二世代で人口数は三倍以上になるということだ。バルカン半島での最近の新石器時代遺跡のある考古学調査で、母親一人当たり平均で八人もの子がいたことが示されている(11)。中石器時代の狩猟採集民の子孫は、さほど肥沃でない土地で一時的に何とか足場を維持したのは疑いないが、最終的には彼らは人口急増する農耕民集団に吸収されてしまったに違いない。

この新石器農耕民の移住と繁殖力はすべて、少なくとも一時的には、驚くべきことであるのは間違いない。しかし最終的には肥沃な三日月地帯で起こったように、環境が悪い方向に変化した。特に北ヨーロッパ平野では、そうなった。またしても考古学者たちは、その理由を特定できていない。そして気候の変化、土壌の肥沃さの喪失、流行性の疾病と関連づけた説明が、頻繁に提出されている。紀元前五〇〇〇年直後には、防御用の環濠、大虐殺、人肉嗜食《カニバリズム》の気配さえ、新石器農耕村落生活に漂い始めた。

一時期、レス土壌土地の人口が一〇〇万人から二五〇万人に達したかもしれないという[12]。特に紀元前三五〇〇年以降、明白な人口減、放棄された集落、牧畜への注力の増加が、北ヨーロッパの大半の後期新石器時代の特徴となった。

したがって当時の新石器ヨーロッパの多くの地域で、肥沃な三日月地帯で以前にあったように、利用している土地経営と社会の調整のシステム下で、成長に対してのはっきりした限界が現れたと思われる[13]。これらの変化は、黒海の北と東に広がっていた草原地帯で暮らしていた同時代の牧畜民集団の一部には、損害とならなかった。ローマ帝国終末期の彼らの子孫の一部のように、紀元前三〇〇〇年以降、牧畜民たちは新しい機会を求めて西方を向き始めた。

しかしこれら銅器時代と青銅器時代の大変動の前に、私たちはまず、肥沃な三日月地帯からヨーロッパへの新石器農耕民の移住について遺伝学者が私たちに教えられることが何かを彼らに問わねばならない。遺伝子は考古学と一致するのだろうか？

ヨーロッパの新石器農耕民の移住：遺伝学

二〇〇五年に出版した拙著『最初の農耕民』を執筆していた時、移住がヨーロッパ新石器文化を語るうえでかなり重要だということを、私はほとんど疑っていなかった。新石器文化は、先行する中石器文化からの圧倒的な文化変化だった。そして私は、そもそも作物と農耕牧畜の知識をもたらしてくれる農耕民がいなかったとしたら、たくさんの狩猟採集民の展開する大陸のヨーロッパにどのようにして農耕が広がって行けたのかを思い描くことができなかった。今日でも私はまだ依然としてこの考えを保持している。

しかしその時に利用できるDNA結果は、ヨーロッパの現生人たちとのミトコンドリアDNAの比較に主として基礎を置いていた。その問題について、首尾一貫した明快なことは何も明らかにしてくれなかった。以来、多数の遺伝学者が指摘してきたように、現生の人々のDNAから八〇〇〇年前に起こった出来事を究明するのは困難だ。さらにそのDNAが母親だけから受け継いだミトコンドリアに由来する、ゲノム全体のほんの一部分だとしても。言語と文化のその地域の限られた様相を消し去りつつ、先史時代に人が頻繁に動き回ったばかりでなく、ミトコンドリアDNAは遺伝的浮動と様々な自然選択の要因のために時間と空間で頻繁な変異を受けたのではないかと、一部の遺伝学者に疑われている。二〇年前でさえ、遺伝子先史学の将来は、全ヒトゲノムの塩基配列を走査し、放射性炭素年代が直接に測定される大昔の人骨からDNAサンプルを抽出する技術の発見にかかっているのは明らかだったのだ。

『ネイチャー』にヨーロッパの中石器時代から青銅器時代末までの年代の骨格から抽出された古代DNAに関する論文が載った二〇一五年に、水門が開いた。[14] その論文の含意は非常に明確だった。前期新石器時代農耕民は、アルプス山脈の北と南の両方からヨーロッパ全体の農耕地区全体に広がっていたのだ。その過程で、かなりの効率で中石器時代の狩猟採集民と置き換わったのだ。ダニューブ川新石器文化に対して最近も述べられたように、「最近の生物考古学上の発見の光の中では、大規模な集団の移動以外に、早期新石器文化化の過程に対してどんな説明を与えることも難しい[15]」。

その後、イギリス諸島の新石器時代の骨から得られた古代ゲノムの証拠は、紀元前四〇〇〇年頃に中石器文化集団とほぼ完全な置き換わりのあったことを明らかにした。この時に新石器農耕民は、イベリア半島とフランス大西洋岸から海路でブリテン島とアイルランドにやって来た。[16] 新石器移住民と中石器狩猟採集民との間の交雑は、移住過程の始まった時点でほとんど行われなかった。しかし中石器狩猟採集民の遺伝子のサインは、時と共にヨーロッパ全土で重要性が増してきた。特に北ヨーロッパの農耕地帯の辺縁で、以前の狩猟採集民が食料生産に転換したからだ(17)。

新石器農耕民のヨーロッパへの移住が主にアナトリアに起源を持っていたことは、遺伝学者によってすぐに気づかれた(18)。そしてアナトリアの古代農耕民は、ヨルダン川流域とレヴァント地方南部のその後背地の初期農耕民と遺伝的にかなり違っており、イランの初期農耕民ともやはり違っていることも、遺伝学者に自覚された。中東の農耕は、単一のゲノム集団に始められたのではなかった。驚くことではないが、これらの違いは、肥沃な三日月地帯の新石器農耕が一種の放射状のシナリオで始まったことから示唆された。まるで車輪のスポークのように、肥沃な三日月地帯の新石器農耕民は外へと移住していったのだ。

近東の農耕民のインパクトは、近東を越えて拡大した。すなわちアナトリアに関連する農耕民は、西方のヨーロッパに向けて広がった。レヴァント地方に関連した農耕民は、南方の東アフリカに広がった。イランに関連した農耕民は、北方のユーラシア草原地帯に広がった。そしてイランの初期農耕民とユーラシア草原の牧畜民の両方に関連した人々は、東方の南アジアに拡大したのだ(19)。

ユーラシア草原の牧畜民たちについては、本章の後半で述べることにする。

肥沃な三日月地帯東部からの移住

肥沃な三日月地帯東部は、時間的にはやや遅れたが、レヴァント地方やアナトリアと似たような発展を遂げた。遅れたのは、たぶんイラン南部のザグロス山脈山麓が肥沃な三日月地帯の栽培穀物やマメの多くの野生種分布域を越えて広がっていたからだ[20]。それにもかかわらず紀元前一万年直後、イラク、クルド地方の狩猟採集民は、西のナトゥーフ文化の住居基礎と似た円形の石積み住居基礎を備えた小集落に定住化しつつあった。紀元前七〇〇〇年までには、レヴァント地方やアナトリアの先土器新石器時代後半の多くの集落のように、壁で仕切られた小個室を備えた泥レンガ造りの方形住居から成る村落が（例えば図八・二）、西ザグロス山脈山麓に広く見られるようになってきた[21]。

遅くとも紀元前六五〇〇年までに、この肥沃な三日月地帯東部の文化伝統は、パキスタン、バルチスタン州のボーラン峠にあるメヘルガル考古遺跡のようなはるか東まで広がっていた（図一〇・一と図一〇・二を参照）。インダス川に近いメヘルガルで先土器新石器農耕民は、肥沃な三日月地帯の初めての農耕革命を育んでいた冬季降雨気候の東限に到達していたのだ[22]。バルチスタンより先は、インダス川流域とガンジス川流域、半島インド、スリランカの夏雨モンスーン気候が広がっていた。当然ながら移住は、バルチスタン地方の東限でストップした。少なくとも一時的には。

食料生産集団は、紀元前六〇〇〇年頃には、肥沃な三日月地帯の北と北東にも拡大し、コーカサス地方とカスピ海南部を突破し、トルクメニスタン南部の半砂漠オアシス地帯にまで広がった。これらいささか新しい年代の移住には、ヨーロッパ南東部の同時代の土器新石器文化の定住と並行して土器の製作が伴った。イランとアルメニアから新石器農耕民の移住はコーカサス地方の先、ポントス（黒海）草原

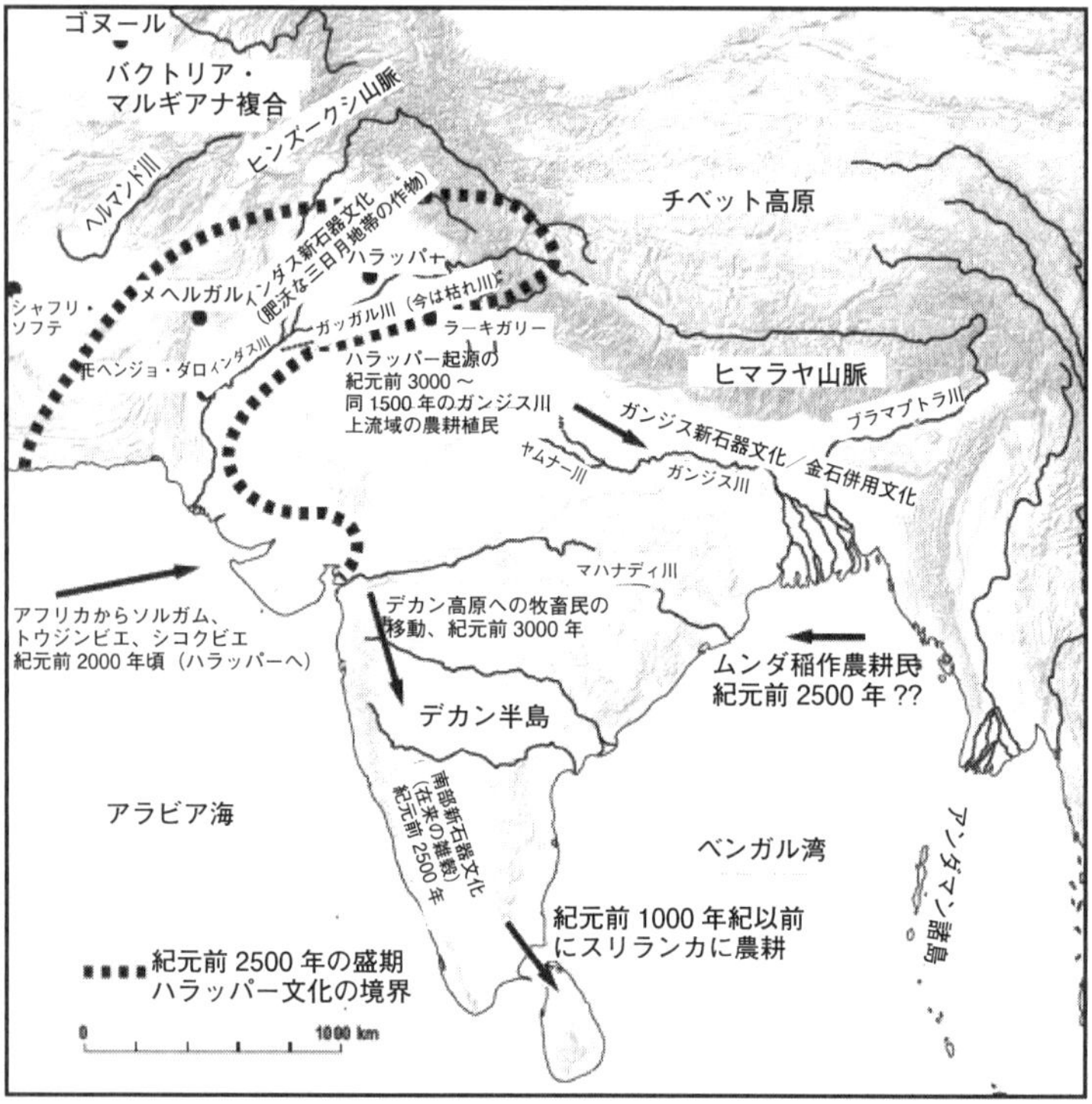

図 10.2　南アジアの新石器農耕村落

まで続いた。そして黒海の先に暮らしていた発展しつつあった牧畜民集団と共に、ゲノム上の約半分の祖先となった[23]。

重要なもう一つの結果が、肥沃な三日月地帯内外の古代ゲノム分析で明らかになった。アナトリア、レヴァント地方南部、イランの各新石器集団は、新石器農耕の始まりの時点でゲノム上は互いに異なっていた。しかし新石器農耕の発展の過程で、彼らの間に大きな遺伝子の混合が起こった。紀元前五〇〇〇年以降、アナトリアの新石器農耕民の先祖の遺伝子がイランとコーカサス地方を通じ高い比率（三〇～五〇％）を占めるようになり、それはカスピ海を越えて中央アジア、アム・ダリア川（オクサス川、アム・ダリア川の古名）上流のバクトリア・マルギアナ文化複合へと拡大していった（図一〇・三）[24]。同じく、イラン新石器文化の先祖の遺伝子は、レヴァント地方の同時代集団の一部のゲノムに現れ始め、レヴァント地方の先祖も北に広がりアナトリアに現れた[25]。農耕民は、肥沃な三日月地帯から広がって行ったばかりではなく、その中でも遺伝的混合を行っていて、最終的には旧石器時代以来、存在していた遺伝的境界は崩れた。

南アジアの初期農耕民たち

メヘルガル遺跡の先には、西方から南アジアに入る入口であるインダス川が横たわっている。メヘルガルで紀元前六五〇〇年までの農耕の出現は、明らかに肥沃な三日月地帯の、コムギ、オオムギ、ヒツジ、ヤギという穀物と家畜の一揃いと結び付いていたが、コブウシだけは南アジアで家畜化された（しかしコブウシを家畜化したとするメヘルガルからの古代DNA情報は無い）。農耕民は、肥沃な三日月地帯の先土器新石器時代後期の集落に共通する、壁で仕切られた狭い部屋を有する泥レンガ造りの長方形の建物の伝統を携えて、おそらくイランからこの地域に入っていただろう。

たぶん二〇〇〇年間、メヘルガルは肥沃な三日月地帯の新石器農耕の東方への拡大の境界となっていた。バルチスタンの山岳の先には、モンスーン（夏雨の）気候のインダス平原が横たわっていて、そこでは肥沃な三日月地帯原産の穀物とマメ類を乾燥する冬に育てるためには労働集約的な灌漑を必要としただろう。したがってインダス川流域の最古の農耕民は、その土地の気候が課す一定の不利に対抗するための農耕体系を運営しなければならなかった。その結果、インダス平原には、メヘルガルの創建と同

図 10.3　銅器時代と前期青銅器時代のポントス草原移住仮説。矢の 1 は、イランとコーカサス地方の新石器文化源流からポントス草原への移住を表す。その後にマイコープ文化との青銅器時代の接触が続いた。矢の 2 は、マイコープとメソポタミアのウルクとの接触を表す。矢の 3、4、5 は、紀元前 2800 〜同 2300 年頃の中央ヨーロッパの縄目文土器文化と西ヨーロッパのビーカー文化の中でのヤムナヤ文化ゲノム集団の移動を示す。矢の 6 は、ポントス草原から草原沿いに東方のアルタイ山脈に向かう紀元前 2700 年頃の移動を表す。その後、紀元前 2000 〜同 1500 年頃に仮説的な南のタリム盆地（トカラ語圏？）と南アジアへの移住（矢の 7 と 8）が続いた。

時代の明確な先土器新石器集落は存在しなかった（ただし今日の考古学証拠は明らかに限定的である）。現在までに知られている最古の新石器農耕村落（すべてが土器使用民であったのははっきりしている）は、紀元前五〇〇〇年ないしは同四五〇〇年頃になって確立された。[26]

ひとたび農耕民がインダス平原に定住すると、人口は著しい急成長を示した。紀元前三二〇〇年までに防御用の砦を備えた小さな町は、壮大なインダス文明の前期段階の到来を宣言するものであった。それは、考古学者たちにハラッパー文化と呼ばれている。紀元前二六〇〇年から同一九〇〇年にかけてのハラッパー文化盛期の頃のインダス文明の特徴には、巨大なレンガ造り都市が含まれ、それには高く盛り上げられた要塞のような建造物、公共の建物、排水システムの付属した住居群、方形の碁盤目を持った街路、未解読の文章、銅器、美しい彩文土器、アフガニスタンやメソポタミアのような遠隔地との交易の結び付きなどを伴っていた。

続けて述べることで最も重要なのは、ハラッパー文化はインダス川とその支流域にだけ限定されたままではなかったことだ。ハラッパー文化は、東方のヒンドゥスターン平野北部へも広がったのだ。ハラッパー文化の人類集団の拡大は紀元前三〇〇〇年の早期に始まり、紀元前二〇〇〇年近い頃まで続いた。この頃、インダス川流域のその本体にあったモヘンジョ・ダロとハラッパーのような巨大集落の多くは放棄された。

このハラッパー文化核領域の崩壊の理由が何であったにしろ（またしても誰も定かには知らない――河川流路の移動と河川流量の変化が可能性が高い）、後期ハラッパー文化の核心部の人口学上の中心は次第に東方に、インド北部のヤムナー川とガンジス川の各上流域へと移動し、その内部に入っていった。紀元前二四〇〇年頃にはガンジス川中流域に達したコムギとオオムギの栽培を伴い、ヒンドゥスターン平野で農耕民の定住が始まっていた[27]。

ヒンドゥスターン平野に確立された村落に基礎を置いた考古文化（インド考古学の用語では、銅貯蔵文化とオーカー彩色土器文化）は、その土器型式、銅器、肥沃な三日月地帯の作物と家畜という面から見て究極的にはハラッパー文化に由来した。ハラッパー文化の文字は、インダス川から先では用いられなくなった。少なくとも一〇〇〇年後に、やっと西アジア起源のアルファベット文字（ブラーフミー文字とカローシュティー文字を含めて）がペルシャ帝国を経由して受容されるようになった。こうして後期インダス文明は、明らかにインダス文明核領域が衰退していたにもかかわらず拡大し、ベーダ（初期ヒンドゥー）文化と仏教インド文化から成るガンジス文明の最古期を引き続き確立したのだ。

現在、考古記録は、南アジア北部の最古の食料生産について、明確な肥沃な三日月地帯の起源を示している。しかしそれなら古代ゲノムはどうなのか？　現在までのところ古代DNAは、ハラッパーの一個体しか得られていない。その人物は、ラーキガリーの盛期ハラッパー文化の都市に埋葬されていた。ラーキガリーはガッガル川河畔にあり、ハリヤナ州のヒンドゥスターン平野北部に近い。現代のニューデリーからも遠くない。さてこの人物は、土着のイラン高原集団に属していて、トルクメニスタン東部にあるゴヌールのバクトリア・マルギアナ複合の都市とイランのシャフリ・ソフテの青銅器時代の都市に埋葬されていた数個体から抽出された古代DNAで追跡された個体たちに近縁な関係を持っていた（両古代都市の位置は図一〇・二に図示した[28]）。

紀元前二二五〇年から同一七〇〇年にかけて居住されていたゴヌールは、同時代のハラッパー文化諸都市と考古学的に直接の接触を取っていた。実際、バクトリア・マルギアナ複合とハラッパー青銅器時代の両都市文明の間には、砦に中心を置いた集落プランで似ており、このことは両古代都市の住民たちは遺伝的、言語学的に密接な関係があったかもしれないと推定される。そして前に注目したように、バクトリア・マルギアナ複合の人々は、アナトリア新石器文化の源流から、彼らのDNAの五〇%を受け継いでいた。しかしハラッパー文化の古代ゲノム集団のサンプルはごく少なく、したがってゲノミクスを通しての全体的なハラッパー文化のアイデンティティー問題を解決するには、パキスタンとインドでの将来の発見、特にハラッパー文化より古い人類遺体の発見を待たねばならないだろう。南アジアの人類史をさらに究明するには、これは重要な問題である。

ヨーロッパと草原地帯

以前までの節では肥沃な三日月地帯から、ユーラシアの西方と東方の両方の新石器農耕民の移住に取り組んだ。紀元前六五〇〇～同四〇〇〇年に、肥沃な三日月地帯の栽培作物と家畜一揃いとそれに伴う考古学的文化は、アイルランド、イベリア半島、ロシア西部、天山山脈、そしてパキスタンのような遠方へと拡大した。この分布は、植民地時代の前のインド・ヨーロッパ語族のそれとほぼピタリと重なり合う。

もう少し後でさらに詳しく考えるためにインド・ヨーロッパ語族の起源を私は保留し続けているが、この時点で、ヨーロッパと西アジアへのかなりの集団的移住のもう一つの時期の検討が必要である。それは、主として紀元前三〇〇〇年以降の銅器時代と青銅器時代の間の草原民族と関連づけられる。ユーラシアの草原地帯は、一般に緯度は四五度から五〇度の、西はウクライナから東はモンゴルまで広がっていて、途中の中央アジア、アルタイ山脈によって中断されている。この草原地帯を通り抜けていった牧畜民の移動は、それより古い新石器時代の文化と遺伝的集団を越えて広がった。だが牧畜民たちの取った経路は、それ以前の新石器集団の経路とは異なっていた。

黒海の北部からヨーロッパへの前期青銅器時代の草原移住のゲノム上の実体は、二〇一五年に、アナトリアとエーゲ海北岸からのそれより古い新石器農耕民の移住と並んで、初めて明らかにされた。それより前、多くの考古学者たちは、特に考古学者のゴードン・チャイルドとマリヤ・ギンブタス、そして二人より後のデイヴィッド・アンソニーの著作を通しての二〇世紀前半以来の草原移住の考え方を選好していた。[29] ゲノミクスは、考古学者に「ヤムナヤ文化」と呼ばれるウクライナとロシア西部の草原地帯からの牧畜民集団が、紀元前二八〇〇年頃にアルプス山脈の北方のヨーロッパに広がり、それ以後の余波は最終的にイギリス諸島のような遠くまで延びたことを実証した。もう一つのヤムナヤ文化の拡大は、東方のアルタイ山脈まで延びた（図一〇・三）。ヤムナヤ文化のゲノム上の先祖は、ヨーロッパ東部とコーカサス地方の新石器人からかなりの遺伝子の流入を受けた一方、目立たない背後にいた草原の土着狩猟採集民からも部分的に遺伝子を受け入れた。[30] 彼らにはコーカサス地方の銅器時代と青銅器時代の源流からの、特に注目に値するマイコープ文化（紀元前三五〇〇年頃）からの影響もあった。マイコープ文化は、メソポタミアのウルク文化（前期シュメール文明）との接触を持っており、その上流階級は車輪を持った車と一緒に縦坑墓に埋葬され、金、銀、銅、青銅の洗練された金属加工も備えていた。[31]

紀元前二八〇〇年までにヤムナヤ文化は、自分たちの西側の地域、特にトリピッリャ文化後期の新石器農耕民たちが住んでいる地域を、明らかに目を付けつつあった。なおトリピッリャ文化は、黒海の北西のドニエストル川流域とブク川流域の肥沃な黒土地帯で栄えていた。ヤムナヤ文化が目を付けたその時期、トリピッリャ文化は明らかに衰えており、集落は放棄されていた。ヤムナヤ文化はその状況を巧みに利用し、カルパチア山脈を越えて西の北ヨーロッパ平野に、雄ウシの牽引する二輪車をガラガラと引いて向かった。彼らは、高く土盛りした墳丘、すなわちロシアとウクライナの考古学用語の「クルガン」に縦坑を掘り、その下に二輪車に族長の遺体を納めて埋葬した。新しい遺伝子証拠によると現代の家畜ウマの祖先はポントス草原で紀元前二二〇〇年直後に家畜化されたことが明らかになっているが、このような比較的に新しく出された推定年代はまた、紀元前二八〇〇年の早い時期のヤムナヤ文化移住民のヨーロッパへの移動には軍事用の戦車や騎兵が付いていなかったこと、したがって機動性に富む騎馬による征服ではなかったことを示している。[32] 基本的に彼らは、定着するための土地を求めていた移動する牧畜民だったのだ。

ひとたびヤムナヤ文化の移住民がダニューブ川流域と北ヨーロッパ平野に到着すると、彼らは土着集団を制圧し、吸収して、ヨーロッパ考古学で言う縄目文土器文化とベル・ビーカー土器文化の形成を促した。[33] 縄目文土器文化とベル・ビーカー文化の集団は、時には流血の暴力を伴ったかもしれない環境で、最終的には球状アンフォラ文化のような北ヨーロッパの新石器農耕民の諸文化に取って代わった（図一〇・三）。[34]

北ヨーロッパ平原の人類集団に及ぼしたヤムナヤ文化移住民のインパクトは大きかった。ヤムナヤ文化のゲノムの痕跡は、彼らが移住した時代のアルプス山脈より北方の多数の人類集団のDNAの五〇～八〇％を構成していたほどだった。今日でも多くの北ヨーロッパ人は、なお三〇～五〇％のヤムナヤ文化の遺伝的形質を共有している。残りは、肥沃な三日月地帯の新石器農耕民と土着の中石器文化狩猟採集民から受け継いだ遺伝的形質で構成されている。

しかしヤムナヤ遺伝子の拡大は、一つの大きな点で前期新石器文化の遺伝子の拡大と異なっていた。

ヤムナヤ文化の拡大は、アルプス山脈の南とバルカン半島までの影響に限られ、アナトリアにはほとんど及ばなかった。紀元前三〇〇〇~同一〇〇〇年のギリシャとエーゲ海北岸から得られた古代DNAには、クレタ島のミノア文明でもヤムナヤ文化が先祖であったことを示す痕跡を全く示していない。紀元前二六〇〇年以降、ギリシャ北部出土の個体の間で遺伝子の割合を上昇させつつも、古代ギリシア語を話すミケーネ文明にはごくわずかな関与を示すだけだ。[35] さらに西、シチリア島やサルディニア島のような地中海の島では、ヤムナヤの遺伝子痕跡は青銅器時代と鉄器時代のゲノムで二五%かそれ以下を占めている。全般的にはその遺伝的影響は紀元前二二〇〇年以降にようやく現れ、ローマ帝国領の時期とその後には重要になっていく。[36] フランスでは、草原地帯のゲノムは、紀元前二六五〇年頃に現れ、フランスのベル・ビーカー文化（青銅器時代前期）集団へは、ヤムナヤ文化の先祖は〇~五五%の寄与をした。[37]

このようにヤムナヤ文化は、ヨーロッパの多数の地域で、既存遺伝子に全面的に取って代わるのではなく、既存のゲノム構成に遺伝子を付け加えただけなのだ。例えばスカンジナビア南部では、縄目文土器文化に密接な関係を持つ戦斧文化の人々は、より古い肥沃な三日月地帯の新石器農耕民からDNAの半分をなお受け継いでいた。[38] 一方、イギリス諸島へのケルト語派が移入したと思われる紀元前二四五〇~同一六〇〇年の青銅器時代前期に、イギリス諸島で大規模な集団的置換があったのは確かである。だがヤムナヤ文化は、直接に草原地帯から来たわけではない。そうではなく、やって来たのは、ヨーロッパの隣接地域の、ヤムナヤDNAの大きな割合を受け継いでいたベル・ビーカー文化集団であった。[39]

大きな疑問が、今、起こってくる。ヨーロッパの言語分布に、特に今日の温帯ヨーロッパの大半を支配しているインド・ヨーロッパ語族の中の言語に及ぼしたヤムナヤ文化の拡大の影響は、どのようなものだったのか？　インド・ヨーロッパ語族そのものを検討する時が来た。

インド・ヨーロッパ語族について議論のある先史時代

一七八六年、インドのカルカッタ（現コルカタ）に住む一人のイギリス人陪審員兼東洋語言語学者は、ヨーロッパとアジアの歴史に重要な役割を果たした、現在はインド・ヨーロッパ語族に含まれるたくさんの言語群についていくつかの重要な発見をした。

その年代の古さはどうあれ、「サンスクリット語」は素晴らしい構造をなしている。ギリシャ語より完璧で、ラテン語より内容豊富で、いずれよりもこの上なく見事に洗練されている。ただ動詞の語根と文法の形式の両方ともギリシャ語とラテン語の両者と強い類似性を持つ。おそらく偶然に生じたのだろう。実際、あまりに類似性が強いので、言語研究家の誰一人として、三言語ともたぶんもはや存在していないある共通の起源言語から派生したと考えないとすれば、三言語すべてを検討することはできないだろう。さほど強力な根拠はないけれども、ゴート語とケルト語の両方とも、様々な慣用句が混ぜ合わされているが、サンスクリット語と同じ起源を持っていたと推定するのも同じ理由がある。そして古代ペルシャ語も同じ言語仲間に付け加えられてかもしれない[40]。

このようにサー・ウィリアム・ジョーンズは書いた。彼は、言語学を創始した父の一人と時には考えられている。しかし公平に見て彼は、ヨハン・ラインホルト・フォースターに先んじられた。フォースターは一七七四年、多くの東南アジアと太平洋諸島の言語群の共通する源流について、ジョーンズと似た見解を表明していた（「同じ起源の系統からの子孫であった」）。彼は、ジェームズ・クックの太平洋の第二次航海に参加し、それらの言語を採録していた[41]。今日、源流から分化したこの太平洋の語族は、オーストロネシア語族と呼ばれており、それを第一一章で検討する。

現代から見れば、ジョーンズはインド・ヨーロッパ語族の現存する一〇亜族のうち六亜族について述べていた（表九・二と図九・四）。すなわちインド語派、ギリシャ語、イタリック語派（ロマンス語）、ゲルマン語派、ケルト語派、イラン語群、である。他の四つは、アルバニア語派、アルメニア語、バルト語派、スラヴ語派だ。ジョーンズは、アナトリア語派とトカラ語の存在には気がつかなかった。両者とも、ジョーンズが前掲書を書くずっと前に死語になっていたからだ[42]。

最も知名度の高い紀元前二〇〇〇年紀のヒッタイト語に代表され、おそらくは記録の無いトロイの言語も含んでいたアナトリア語派は、ヒッタイト帝国の首都だったアナトリア中部のハットゥシャ（トルコ語でボアズキョイ）から見つかった粘土板が二〇世紀前半に解読されるまで、歴史から失われていた。実際にヒッタイト語で書かれていた大半の文書は、紀元前一六〇〇〜一二〇〇年のものである。したがってヒッタイト語は、今日の子孫語を持つ他の二つの有名な青銅器時代のインド・ヨーロッパ語族言語と同時代であった。その二つとは、線文字Bミケーネ・ギリシャ語と初期ベーダ・サンスクリットである。ヒッタイト時代の個人名も、古アッシリアの交易都市であったトルコ中部のカネシュ（現キュルテペ）で発見された粘土板（紀元前一八〇〇年頃）に記録されていたし、またシリア北部のアレッポに近いエブラ（現テル・マルディーフ）のたぶん宮殿文書庫だった所の粘土板（紀元前二三〇〇年頃）にも記録されている。アナトリア語派は、紀元前一〇〇〇年紀後半にギリシャ語によって基本的に取って代わられた。

トカラ語は、紀元一〇〇〇年紀半ばから後半にかけての仏教の経典と商業文書中から、二〇世紀前半に明らかにされた。これらの文書は、中国西部の新疆ウイグル自治区の荒涼としたタリム盆地のいくつかのオアシスで発見された。その文書は私たちにいくつかの興味深い謎を提示してくれる。他のどんなインド・ヨーロッパ語族からも一〇〇〇キロ以上も離れている所に所在し、天山山脈、パミール高原、ヒマラヤ山脈という巨大な山塊によって隠されるように残されていた（図一〇・三参照）。トカラ語は、その言語とそれで書かれた仏教文書を別にして、どんな歴史的アイデンティティーも明確になっていない。タリム盆地は、砂漠の砂の中に保存されていたユーラシア西部集団の生物学的特徴を持った青銅器時代のミイラを多くもたらしてくれている。しかし今までにどれ一つとしてトカラ語話者と直接に関連づけられていない。[43]今日、この地域の在地の人々は、チュルク語族、特にウイグル語を話している。

いずれ見るように、死語となったアナトリア語派とトカラ語の各亜族は、インド・ヨーロッパ語族を話す民族の起源を理解するうえで大きな重要性を持つ。いろいろな意味で、両亜族は幸運な偶然と言える。同時期に書かれた文字の記録が存在したので、やっと学識者に知られるようになったからだ。聖書に言及されていたヒッタイト語を別にすれば、アナトリア語派とトカラ語の二つの亜族の両方とも二〇世紀まで全く知られていなかった事実は、どれほど多くのインド・ヨーロッパ語族の亜族が痕跡も残さずに消え去ったのかという慨嘆の念を確かに起こさせる。特に文書記録を残さなかった亜族については、そうだ。

例えばケルト語派は、現存する地名と古典期以来の歴史上の文書説明から、かつては中央ヨーロッパの大半とアナトリア地方さえも占めるほど広がっていた。しかし今日では、ケルト語派はブルターニュ地方（フランス）とイギリス諸島の一部にしか残存しない少数派言語となっている。インド・ヨーロッパ語族は、内部での諸言語の拡大のために自身の過去の痕跡を消す強力な消しゴムとして現れて存在している。ギリシャ語がアナトリア語派に置き換わり、ロマンス語とゲルマン語派が多数のケルト語派と置き換わった。そして中世以来、東ヨーロッパでのスラヴ語派の外への拡大は、たぶんポントス草原にかつて存在したいくつもの言語を含め、文書記録も遺さずに今では失われてしまった多数の古いインド・ヨーロッパ語族に取って代わっただろう。言語学者のハリー・ホーニヒスヴァルトが半世紀以上前に鋭敏に注目したように、「ヒッタイト語とトカラ語は……今では消滅している。同じことが当てはまる、我々にはほとんど知られていない他の分岐言語もある。だから我々は、今では何の痕跡も残さずに失われたさらに多くの言語があったと推測してよいだろう[44]」。

これらの問題にもかかわらず、インド・ヨーロッパ語族の起源と拡大の歴史、そしてそれを話した民族を追跡したいと思っている言語学者は、これまでに残った証拠で研究することしかできない。過去四半世紀に語彙項目の複雑な統計分析を通して言語学者たちに作成されたすべてのインド・ヨーロッパ語族の系図、すなわち「系統樹」によれば、アナトリア語派は常に最初に現れる枝である。これから推定されるのは、アナトリア語派はインド・ヨーロッパ語族の故地の中かその近くで発展したということだ。だからその故地は、ほとんど論理的にアナトリア内かその近く、もしくは少なくとも肥沃な三日月地帯北部内部にあったに違いない。ここまではいい。だがそれでは、インド・ヨーロッパ語族の他の亜族はどんな順序で出現したのかを言うことはできるのだろうか？　大半の系統樹復元図で、トカラ語がアナトリア語派の後に続いて現れ、それに続いてアルメニア語、ギリシャ語がくる。これは当然かもしれない。なぜなら後の二つの亜族は、地理的にアナトリアに近いからだ。しかし問題はトカラ語で、トカラ語が新疆ウイグル自治区に到達する前に、最初にどこで話されていたかは誰にも分かっていない。だが他の亜族の線をさらに下にたどると、不確実性と不調和が大きくなっていく。インド・ヨーロッパ語族

のその外の線は、すべての言語学者に同意される系譜を持つわけではないのだ。(45)

歴史文書の語彙で観察された変化率から導かれるインド・ヨーロッパ語族の起源の年代の推算は、紀元前六七〇〇年から同三〇〇〇年の間と、あまりすっきりしないほどばらけているものの、互いに一致している。アナトリア語派とそれ以外のインド・ヨーロッパ語族との分岐、すなわち言語学者たちが「原インド・ヨーロッパ語」と名前を付けられた年代で、私の推す年代は紀元前六五〇〇年から同五五〇〇年の間というものだ。コンピューターを駆使する言語学者のかなり有力なグループの推算と一致する。(46) 二〇一三年にこれらの言語学者たちにより復元されたインド・ヨーロッパ語族の系統樹を、図一〇・四に示しておく。私の考えではこの系統樹は、最初のインド・ヨーロッパ語の拡散を表している可能性が最も高いと私がみなす新石器文化の考古記録と良く合致する。

これまでのインド・ヨーロッパ語族の起源と拡大について、私たちはどのような結論を出せるのだろうか？　以下のような所見が正当化されると思える。

- ヨーロッパへの新石器農耕移住民の到来と共に中石器文化集団の置換は、非常に広範囲に及び、かつ徹底的で、後のヨーロッパ先史時代と歴史時代のどの時代にも類例の無いものだったので、それは彼らの言語の大規模な置換に伴ってなされたに違いない。
- アナトリア語派は、インド・ヨーロッパ語族の中の証明された最古の言語であり、アナトリア中部に起源を持っていたことは最も確実である。この語派を話す民族は未解明の故地から来た新石器農耕民の後に到来しただろうという推定は、言語学的、考古学的、遺伝的などの証拠から裏付けられていない。
- アナトリアは、新石器農耕民のヨーロッパへの移住にとっての考古学上の、ゲノム上の源流地域だと

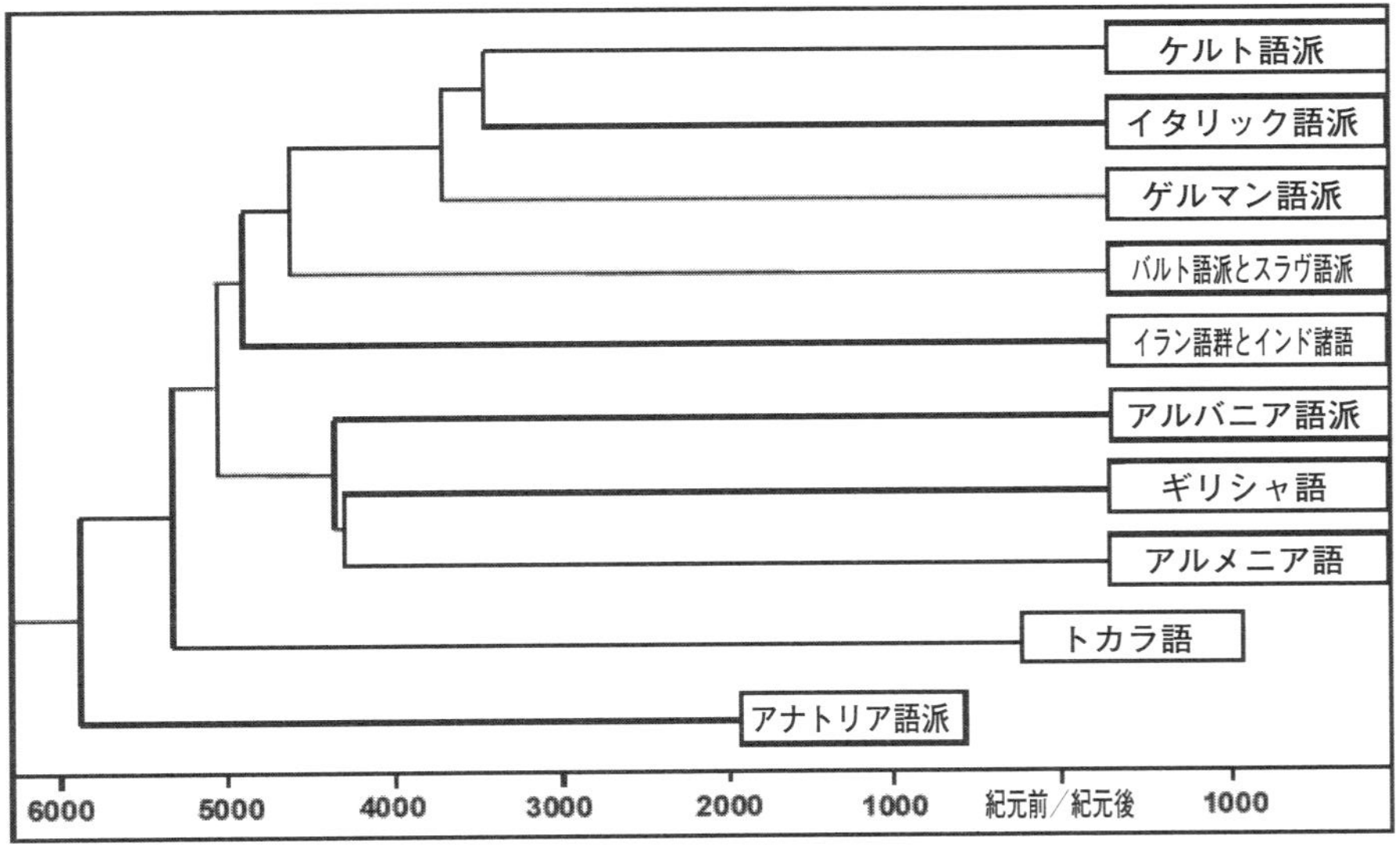

図 10.4　インド・ヨーロッパ語族とその亜族の分岐年代の年代尺度に対応した系統樹。実際にはこれらの亜族間の分岐は、この図の示すほどはっきりしていたわけではない。言語と関連するヒト族各種が分岐後に徐々に交雑能力を失っていったように、共通起源言語を持つ言語も、年代を経るにつれ、相互に理解し合えなくなった。ポリネシア諸語間とロマンス語間の分岐率は、相互接触が続いていた程度によるが、この状態に達するのに 1000 年を越えさらに数百年を要したと推定させる。レムコ・ブカートらの「インド・ヨーロッパ語族の起源と拡大の図の作成（Mapping the Origins and expansion of the Indo-European family）」*Science* 337(2012)：957-960；レムコ・ブカートらの「補正と明確化（Corrections and clarification)）*Science* 342(2013):1446) を基に筆者による改変。

特定されているので、その移住に伴った言語の源流地域の可能性が高いのは確かである。ただそれらの言語が実際に初期インド・ヨーロッパ語であったかどうかは定かではない。しかし先祖アナトリア語を話す民族は、何年も前に考古学者のコリン・レンフルーに示唆されたように、(47)ヨーロッパの大半に新石器移住民の言語が拡大する地理的、年代的位置にあった。

・ヨーロッパの新石器時代の言語すべては非インド・ヨーロッパ語族だったと主張された時もあったが、その証拠は脆弱だ。ヨーロッパには、地名、碑文、古典の著者による論評で表されたいくつかの「基盤」言語が確かにあった。しかしピレネー地方のバスク語以外、非インド・ヨーロッパ語族であることが確かな例は無い。イタリアのエトルリア語、クレタ島のミノア語のような有名な死語も、インド・ヨーロッパ語族ではなかった。(48)これらの死語については分かっていることがあまりにも少ないので、この語族の類縁関係については確実に言えることはない。

ポントス草原から移動したヤムナヤ民族は、最古のインド・ヨーロッパ語族を広げたのか？

読者は私たち研究者が重大で複雑な問題に近付こうとしていることを理解されただろう。最古のインド・ヨーロッパ語族とその話者民族は、前に述べたように紀元前六五〇〇年から同四〇〇〇年にかけて肥沃な三日月地帯から出た新石器農耕移住民と一緒に旅をしたのだろうか、それとも他の研究者が示唆したように紀元前二八〇〇年から同二三〇〇年の黒海の北のポントス草原から移動した青銅器時代の移住と旅を共にしたのだろうか？　どちらの仮説も完全ではないが、手に入る証拠とどれが最も良く合致するのだろうか？

考古学と古代ゲノミクスによれば、アナトリア語派仮説は、ヨーロッパを通った新石器農耕民集団と共に初期インド・ヨーロッパ語族が拡大したという仮説と最も良く合致する。インド・ヨーロッパ語族を伝えたかもしれないアナトリアの新石器時代DNAの痕跡は、イラン、アルメニア、トルクメニスタン、そしてポントス草原にも達した。既に議論したインド・ヨーロッパ語族の系統樹は、肥沃な三日月地帯にあった故地とも合致する。

アナトリア語派仮説に対して、南アジアはいくつかの問題を示す。なぜなら南アジアから得られたサンプル数が、前述したように現在は非常に少ないからである。しかし肥沃な三日月地帯の食料生産は、途中で最終的に雑穀とイネを伴う土着の栽培体系と混じり合いつつ、イランからインダス川流域とガンジス川流域へと拡大した。最後にはハラッパー文化から由来した諸文化が、紀元前一〇〇〇年紀にガンジス川流域でベーダ（インド・ヨーロッパ語族を話す）文明を創建したようだ。考古学的に見てこのようにハラッパー文化からの北インドの歴史上の諸文化への連続性は、明らかだ。だがガンジス川流域でのポントス草原の考古学的な痕跡は、全く無い。

ヤムナヤ文化仮説は、アルプス山脈の北のヨーロッパに分布した青銅器時代前期の縄目文土器文化とビーカー文化の拡大と良く合致する。ビーカー文化民族の場合、はるかイギリス諸島にまで拡大した。ヤムナヤ文化の民族は、シンタシュタ文化、アンドロノヴォ文化、アファナシェヴォ文化のようなカスピ海東方の多数の主要な青銅器時代の考古文化と遺伝的集団も生み出した（位置については図一〇・三を参照）。

ヤムナヤ文化の拡大は、北ヨーロッパと中央アジアを越えると説得力が乏しくなる。ヤムナヤのDNAの痕跡がかすかになり、ヤムナヤ文化に関連したどんな考古学的痕跡も見られなくなるからだ。特に地中海北岸沿い地域、アナトリア、イラン、南アジアではそうである。インド・ヨーロッパ語族の上記のすべての地域へヤムナヤ文化が拡大したとする考えを選好する人たちは、どのようにして少数の移住民が彼らよりはるかに人口の多い新石器農耕民に、多くの異なる機会に、そのような広大な領域にヤムナヤの言語を押しつけたのかを説明する必要がある。[49] 第九章で示したように、そうした置き換わりは、文書記録のある人類史の別の大陸での言語変化の状況から言えば、間違いなく常識に逆らうものだろう。

インド・ヨーロッパ語族のポントス草原が故地だとする説は言語学の系統樹によっても支持されないことも付け加えられるべきだろう（例えば図一〇・四）。一部の考古学者と言語学者は車輪や二輪車といった同語源語を根拠に草原起源を好むが、この語彙（すなわち車輪と二輪車そのもの）がポントス草原に起源を持つだろうということに特別な理由はない。どちらも、すべての亜族に完全に存在する同語源の語彙ではない。実際、その語彙は、言語学的な綿密な調査で残存した最古の二つの亜族であるアナトリア語派とトカラ語には存在しない。

インド・ヨーロッパ語族の起源へのポントス草原仮説のより古い仮説は、考古学者のマリヤ・ギンブタスによって前世紀に広められた。彼女は、牧畜民で家父長制のインド・ヨーロッパ語族社会がポントス草原から移住し、地母神を崇拝するそれより平和的な母権制の新石器文化社会と置き換わったと考えていた。[50] しかしこの考えは、西ヨーロッパの巨石墓に関連する最近の古代DNAの証拠では裏付けられていない。これは、新石器農耕民が彼らの青銅器時代の後継者のように、高位の家族内で家父長的で、身分にこだわり、好戦的で、排他的でさえあったことを推定させる。[51]

私見ではヤムナヤ文化の祖先は、ウラル語族（これには現代のフィンランド語、サーミ語、エストニア語、ハンガリー語が含まれる）の故地に近い、ポントス草原の土着狩猟採集民集団だった。新石器時代、ポントス草原は東ヨーロッパと肥沃な三日月地帯東部から来た人類集団に影響を及ぼされていた。後者の集団は、栽培植物とウシ、ヒツジ、ヤギを含む家畜を伴っていた。その東には、ウクライナのドニエプル川が控え、その先には乾燥した草原気候下で作物栽培は次第に困難になっていき、酪農を伴う牧畜が興っていた[52]。今日、ポントス草原に広がるスラヴ語派は、初期中世の起源であり、ヤムナヤ文化に納得できるほどに関連付けられるいかなる言語の痕跡も――ウラル語族であれインド・ヨーロッパ語族であれ――存在しない。

紀元前二八〇〇年頃までに、おそらく農耕の崩壊のために、ヨーロッパ集団の一次的な衰退を巧みに利用して牧畜民で酪農経済を営むヤムナヤ文化民族が西に移住する機会が生じた。ヤムナヤ文化民族は、免疫を全く持たない集団に、ペスト菌（*Yersinia pestis*）の初期の変異種による疫病も広げた可能性がある。しかし以前に述べたように、北ヨーロッパではペスト菌は新石器時代に既に存在していたし、狩猟採集民集団にも感染していた可能性もある[53]。これらヤムナヤ文化移住民の一部は、文字記録も残さずに今や死語となっている亜族の中の古いインド・ヨーロッパ語族と置き換わったかもしれないと私は推定している。ただしこれは全くの当て推量であり、ヤムナヤ文化がどんな言語とも置き換わったという具体的な理由が存在するわけではない。

ともあれヤムナヤ民族のさらに先に暮らしていた別の草原集団は、特に今日のフィンランド語とサーミ語の祖語である初期ウラル語族を話していた民族は、狩猟採集経済を続けていた。紀元前三〇〇〇年以降、これらのウラル語族の先祖言語を話す集団の一部は、ヴォルガ川を通り農耕の北限を越えて北に向かい、スカンジナビアとバルト地域に定住した[54]。実際、ヤムナヤのゲノムの痕跡は、ウラル語族を話す人々の間にも広く見出される。したがってインド・ヨーロッパ語族の分布との相互関係は、絶対ではない[55]。

ヤムナヤ文化に対するこのシナリオは、ローマ帝国の衰亡のものと似ている。この時代、北と東からの招からざる移住民が、弱体化した西ヨーロッパに流れ込んできた。これらローマ帝国後の侵入者と征服者たちは、恒久的にはほとんど言語を押しつけなかった。だから私は、ヤムナヤの遺伝子が到達した全土地で、言語の強制はしなかったのではないかと思っている。この三〇〇〇年後のヴァイキングたちは、イギリス諸島やノルマンディー地方にかなりのヴァイキングの移住集落を建設したが、ヴァイキングの場合ように、西ユーラシアの言語地図を描き直すには土着集団に比べてヤムナヤ文化集団は、どんな意味でもおそらく十分ではなかったのだろう。

インダス川の先の南アジア

南アジアについての考察を進める前に、まだ難問がある。肥沃な三日月地帯の新石器経済は、イランを通じてインド亜大陸の北西に導入された。だが現在までのところ、古代DNAから得られた記録は、まだあまりに少なく、肥沃な三日月地帯新石器集団のDNAがどれほど多く到来したかを推定することはできない。このため現在は、多くの研究者たちは、インド・ヨーロッパ語族の南アジアへの伝播は、肥沃な三日月地帯からではなく、ポントス草原のヤムナヤ文化集団が給源だったと推定している[56]。

ヤムナヤ文化集団という祖先ゲノムの南アジアへの拡大も、地中海ヨーロッパとアナトリアの関与の程度と同じく、チョロチョロ、ポトポトという域を出なかった。しかし現代の高位のカーストのインド人の中には、特にカースト最高位のブラーマンには、ヤムナヤ遺伝子を五〇%も持つ者もいる。この事実は私に、中央アジア起源のわずか数人のカリスマ的な男性が紀元前二〇〇〇年紀に南アジアに入り、土着集団の中に高い地位の系統を創設した、と推測させるのだ。歴史上の南アジア諸王国の多くのイランや中央アジアの支配者たちも同じようにしていたし、下って一六世紀のムガール帝国も同様だった。そうやって長期的歴史では、イランと中央アジアのDNAの南アジアへの恒常的な流入があった。

しかしこれらヤムナヤ文化移住民が最初にインド・ヨーロッパ語族を持ち込み、南アジア北部の言語の全先史時代を再開させたという特別の理由を私は考えているわけではない。歴史時代初期にその土地固有のプラークリットにとっての祖語となる既存のインド諸語を受容した可能性の方が高そうだ。国家形成を通じてそれら言語の拡大を円滑化させ、それによって現在の南アジアに存在する言語状況を作ったのだろう。

南アジア内でのヤムナヤ文化の主なインパクトに関して、二つの大きな考古学上の問題がある。第一は、ヒマラヤ山脈南側の南アジアには考古学的に認められるポントス草原に関連する新石器文化も青銅器文化も全く存在しないことだ。アンドロノヴォ文化は南アジアに最も近い所までやって来ていたが、草原起源の考古学的文化はトルクメニスタン南部のような南アジアから遠い所に広がっていただけだ。またアンドロノヴォ牧畜民は、都市化したバクトリア・マルギアナ複合の端を越えては侵入しなかった(図一〇・三)。

第二に、私が前に述べたハラッパー文化からガンジス文明までの考古学的連続は、翻訳できる碑文が全く存在しなかったにしろ、インダス文明が少なくともいくらかのインド語話者集団を擁していたことを示唆する。インド学研究者アスコ・パルポラは、ハラッパー文化の芸術と図像に、後期ヒンドゥー教の芸術と図像に重なり合う多くの側面を指摘した。[57] 実際、ガンジス文明が紀元前一〇〇〇年紀のインド諸語（インド・ヨーロッパ語族のインド・イラン語派）を話すものと考えれば、ハラッパー文化の、だがヤムナヤ文化内のものではない考古学的な先祖の存在は、確かに究極的な解釈にある程度の重みを持たせるに違いない。私の見方を言えば、紀元前五〇〇〇年から同四五〇〇年に肥沃な三日月地帯東部からの新石器農耕民の移動に伴うイランと南アジアのインド・イラン語派の到達は、最も可能性の高い仮説となる。

インド南部とドラヴィダ語族

インド諸語の話者は、先史時代の南アジアでの唯一の住民ではなかった。南アジア南部のドラヴィダ語族（図九・一）とその話者はどのようにして生じたのだろうか？　ドラヴィダ語族は、インド・ヨーロッパ語族とは別の語族に分類されており、明らかにそれとは独立した起源を有している。ドラヴィダ語族には、パキスタンのブラーフーイー語、インド、カルナータカ州のカンナダ語、インド、ケララ州のマラヤーラム語、インド、タミル・ナードゥ州とスリランカ北部のタミル語、インド、アーンドラ・プラデーシュ州のテルグ語とゴーンディー語がある。

デカン半島は、ガンジス川流域とは異なる先史時代記録を持っていた。ここに、ウシを飼う牧畜・農耕民が土器を用い、紀元前三〇〇〇年頃に明らかに北西から広がってきた（図一〇・二）。この時代、新しい古気候調査によると、モンスーンによる夏の降雨の減少が牧畜に適した草原の拡大を促したようだ[58]。デカン半島内で、こうした民族は土着の雑穀とヤエナリ（緑豆）を栽培し、もう少し後ではガンジス川流域とブラマプトラ川流域からイネを作付けするようになった[59]。トウジンビエとソルガムは、両方ともモンスーン気候に良く適応するが、アラビア海を通してハラッパー文化との接触の結果、紀元前一八〇〇年頃に南アジアにも到来した。スリランカが最初の農耕民を受け入れたのはいつだったかは現時点では不明だが、紀元前一〇〇〇年以前という年代の可能性が高い。

遺伝的には、南アジアのドラヴィダ語族を話す大半の人類集団は、彼らより北方のインド・イラン語派を話す集団よりも南アジアと東南アジアを先祖とする遺伝子を高い割合で持っている。この最も単純な説明は、ドラヴィダ語族話者は南アジアの主な土着的集団だったが、新石器時代と歴史時代の接触のためにインド・イラン語派の話者ともある程度の先祖を共有するようになっていただろうということだ。こうした接触は、ガンジス川流域から南方に向かったヒンドゥー教とマウリヤ朝のアショカ王の征服（紀元前二五〇年頃）と彼の後継者により最高潮に達した。今までのところ半島部インドからは古代DNAが検出されておらず、それが正確な詳細を見えにくくしている。

今日、ドラヴィダ語族は、今もなおバルチスタン、アフガニスタン、イラン東部のそれぞれの一部で話されているブラーフーイー語というたった一つの孤立語を除けば、半島インドの南部と東部に局限されている。言語学者のフランク・サウスワースとデイヴィッド・マッカルピンによると、ドラヴィダ語族は歴史時代初期のイランのエラム語と遠距離の結び付きがあったという[60]。この見解は、現分布地でブラーフーイー語が残っているのは、この言語が今ではイラン語群から大きな言語的影響を受けたことがはっきりしているけれども、重要な意味を持つかもしれないと私に推定させる。

私が考慮に値すると考えた一つの可能性の高い解釈は、ドラヴィダ語族の話者はインダス川流域もしくはその近く、たぶんバルチスタンに起源を持つというものだ。前の方の節で私は、イラン高原でも見つかったDNAプロフィールを持つラーキガリー出土のハラッパー文化個体に言及した。今日ではインダス川流域ではドラヴィダ語族が全く話されていないけれども、この古代人は初期ドラヴィダ語の話者だったのではないだろうか？　ずっと検証できないままかもしれないとしても、確かに可能性がありそうに思える。

インダス川流域地帯でのドラヴィダ語族の源流は、この語族に属する語の一部話者が紀元前三〇〇〇年より前にグジャラートとマハーラーシュトラを通って南へ移動し始めたと推定できるだろう。たぶん、パキスタンにいた最初のインド・ヨーロッパ語族集団がイランかアフガニスタンから到着した後のことだ。グジャラートとマハーラーシュトラで、インド諸語の拡大で両地域が覆われてしまって以来、彼らは地名の痕跡を残した。インドの今日のドラヴィダ語族の直接の先祖言語は、ブラーフーイー語を除いて、紀元前二五〇〇年頃に存在していた原言語を通じてデカン半島のどこかで確立されたのだ[61]。

興味深いことに、ドラヴィダ語族はガンジス川流域に何も古代の地名を残していない。そしてこの状況は、新しいテリトリーでの定住という点で互いに移住を牽制しつつ、同時代に起こったドラヴィダ語族のデカン半島への拡大とガンジス川流域からのインド諸語の南下を暗示している[62]。この状況は、おそらくは紀元前一〇〇〇年紀の、インド諸語とドラヴィダ語族双方のスリランカへの最終的な拡大まで持続しただろう。

次に南西アジアで何が起こったか？

肥沃な三日月地帯から始まった新石器農耕民の移住は、完新世の人類の先史時代で最も重要な出来事の一部だった。だがこのことは、こうした集団が最終的な目的地に到着した時にすべての移住を停止したという意味ではない。一部は先史時代に、そして一部は歴史記録に書かれているように、ヤムナヤ文化を含めて、より小規模な多数の移住が続いていた。

例えば紀元前六〇〇〇年紀の「ハラフ文化」における彩文土器の六〇〇キロにわたる分布は、レヴァント地方の故地からメソポタミア北部へと東に向かう移住をしたアッカド語のセム語派を話す先祖の跡を表しているようだ（セム族とアフロ・アジア語族については第一二章で取り上げる）。ハラフ文化は、現代のシリア北部アレッポ近郊からイラク北部のモスルにまで広がり、シュメール文明の祖先に住まわれたと思われるイラクのテリトリーに侵入した。アフロ・アジア語族ともインド・ヨーロッパ語族とも、さらに他の既知の語族のどれとも関連しない謎の言語の話者であった。シュメール文明は、世界最古の都市と文字の文明の一つの創建者として歴史上有名であり、もう一つはアフロ・アジア語族エジプト語派の創った文明である。

シュメール人は、紀元前四〇〇〇年紀にハラフ文化に意趣返しするかのように舞い戻った。この時期、おそらくメソポタミア南部のシュメール人の有力な都市ウルクによって支配されていた交易事業は、シリア北部のユーフラテス川中流域上流や上流域、アナトリアのみならずイラン西部のエラム文化勢力圏まで一〇〇〇キロ以上にわたって広がり、シュメール人の植民地を確立した。これらの一部都市は、シュメール様式の三列構成神殿、轆轤成形の土器、決済で用いられた粘土製トークン、線刻された円筒印章を備えた周囲から独立した都市基盤として存在したものもあった。その他には、既存の土着集落の内部に小規模の飛び地も存在していた[63]。

シュメール文明の都市国家は、紀元前二三〇〇年頃に短期間存在したメソポタミアの帝国を創建したサルゴンという名前の王の下でセム語派を話すアッカド帝国の時まで、紀元前三〇〇〇年紀大半の間、メソポタミアを支配し続けた。アッカド帝国滅亡の後、シュメールの都市国家は、後継国家ウル第三王朝により再建された。その王朝は、歴史上の多くの支配者の征服のように、サルゴンを演出していた。だが言語の置き換わりはなく、少なくともまだそれは知られていない。

しかし実際には、文字がシュメール文明期の壁面に書かれていた。紀元前二〇〇〇年以降、この言語は、話される形でも文字形態でも徐々に廃れていった。しかしその楔形文字の音節の諸特徴は、中東全体の多数の非シュメール言語の書き文字に採用された。シュメール語が知られるどの類縁語も持たない孤立した言語だったと仮定すると、メソポタミア文明の大きな創始者なのだから、なぜシュメール語がこれほど決定的に消えてしまったのだろうか？　そしてまたシュメール語とシュメール人は、古代中東の言語と人類集団の「万華鏡」の中で、正確にどこに適合したのだろうか？　私は強く知りたいと思う。

文字の力で私たちに明らかにされているこうした興亡があっても、バベルの塔が中東の想像力の産物だったことに何の驚きもない。結局、完新世の開始と共に始まった食料生産の発展の結果として、肥沃な三日月地帯の民族と言語の開花は、その花の核心部で言語と文化のすべての多様性を失うことはなかった。シュメール語、アフロ・アジア語族（セム語派）、インド・ヨーロッパ語族のみならず、紀元前二〇〇〇年紀の中東にはコーカサス諸語（フルリ語とアナトリアのハッティ語）も話されていた。さらにイラン南部の有力なエラム語もあった。少数のコーカサス諸語はなおコーカサス地方に残存しているが、アフロ・アジア語族とインド・ヨーロッパ語族だけは、テュルク系民族のさらに新しい時代の拡大に先立つ古典時代まで中東のどこかに残存していた。

さあそれでは、東に顔を向ける時だ。本章は、アルタイ山脈のような東まで私たちを連れてきた。そこを越えて、さらに東には、もう一つの目を見張るばかりの人類史のタペストリーが広げられている。

第一一章　アジア・太平洋の冒険

大陸東海岸から先の太平洋全体に散らばる多数の島々を含むアジア大陸の東半分は、肥沃な三日月地帯内に生まれた新石器農耕にその重要性で引けを取らない新石器文化の発展と集団の拡大移住を目にした。中国北部と中央部の食料生産の関連し合う三カ所の故地は、トランスユーラシア語族、シナ・チベット語族、ミャオ・ヤオ語族、クラ・ダイ語族（タイ・チワン諸語）、オーストロネシア語族を含む五つもの大きな語族とその話者の最初の拡大を引き起こした（今日の分布の全体については図九・二を、その内容については表一一・一を参照）。特に、オーストロネシア語族の最遠の話者であるポリネシア人の起源とその目を見張るばかりの海路の移住は、二五〇〇年以上もの間、学者による関心を、時にはロマンに満ちた関心を引きつけ続けてきた。

第七章で述べたように、また図一一・一で示したように、東アジアには基本的に主な農耕の故地三カ所がある。

- 中国北部の遼河流域（満州平原）は、トランスユーラシア語族とその話者の故地と広くみなされている。それには祖型日本語、朝鮮語、ツングース語族、モンゴル語族、チュルク語族が含まれる。
- 中国中北部の黄河流域は、シナ・チベット語族とその話者の故地と考えられている。それには、シナ語派を話す中国人、チベット、ミャンマー、南アジア北端のヒマラヤ山脈南部周辺で広がるシナ・チ

表 11.1　東アジアと太平洋諸島の主な語族

亜族か地理的な表現	現在、あるいは歴史文献に記録された重要な言語
トランスユーラシア語族	
日琉語族	日本語、沖縄語
朝鮮語族	朝鮮・韓国語（現在は単一の国家言語）
モンゴル語族	モンゴル語、オイラト語、ブリヤート語
ツングース語族	エヴェンキ語、満州語（清朝の公用語、1644 年〜 1912 年）
チュルク語族	ウズベク語、ウイグル語、カザフ語、キルギス語、トルクメン語、トルコ語、ヤクート語
シナ・チベット語族	
シナ語派	北京語官話、広東語（粤語）、台湾語を含む 11 の主なシナ語派
チベット・ビルマ語派	チベット語、ビルマ語、そしてアッサム州からヒマーチャル・プラデーシュ州までのヒマラヤ山脈南部の他の多くの言語
カレン諸語	カレン語（ミャンマー）
ミャオ・ヤオ語族	
中国南部、ベトナム北部、ラオス、タイにばらばらに分散分布	
クラ・ダイ語族（タイ・チワン諸語、タイ・カダイ語族）	
タイ語、ラオ語、シャン語（ミャンマー）、チワン語（中国南部）、ベトナム北部の多くの言語、黎語（海南島）、アーホーム語（インド、アッサム州とアルナーチャル・プラデーシュ州）	
オーストロアジア語族	
ムンダ語派	半島インド北東部の言語
「モン・クメール語派」（統一された亜族ではない）	モン語（ミャンマー）、クメール語（カンボジア）、そしてアッサム州のカシ語やラオスのクム語などの東南アジア大陸部の多くの言語群
ベト・ムオン語群	ベトナム語（キン族の言語）、ムオン語（ベトナム北部）
アスリ諸語	マレー半島内陸部の多数の言語群
ニコバル諸語	ニコバル諸島
オーストロネシア語族	
台湾諸語	台湾の 15 の先住民の言語群
マレー・ポリネシア語派（すなわち台湾諸語とは別のすべてのオーストロネシア語族）	フィリピン語群 マリアナ諸島（グアム島のチャモロ語）、パラオ諸島 インドネシア語（ニューギニア島内とその周辺のパプア諸語を除く） 半島マレーシア（マレー語）とベトナム中部（チャム諸語） マラガシ語（マダガスカル島）
オセアニア諸語（マレー・ポリネシア語派のサブグループ言語群）	メラネシア語派（ニューギニア島沿岸部からソロモン諸島、バヌアツ、ニュー・カレドニア島を経てフィジーまで） 中央ミクロネシア諸語と東ミクロネシア諸語（カロリン諸島、キリバス、マーシャル諸島） ポリネシア諸語（ツバル、トンガ、サモア、「域外ポリネシア」（本文参照）、タヒチ、ハワイ、イースター島（ラパ・ヌイ）、ニュージーランド）
パプア諸語	
トランス・ニューギニア語族	ニューギニア本島のほとんど、及び東ティモールとアロール島、そして一部のビスマルク諸島とソロモン諸島の言語群
セピック・ラム語族	パプアニューギニア北部のセピック川流域とラム川流域
西パプア諸語	ドベライ半島とモルッカ諸島北部（ハルマヘラ島）

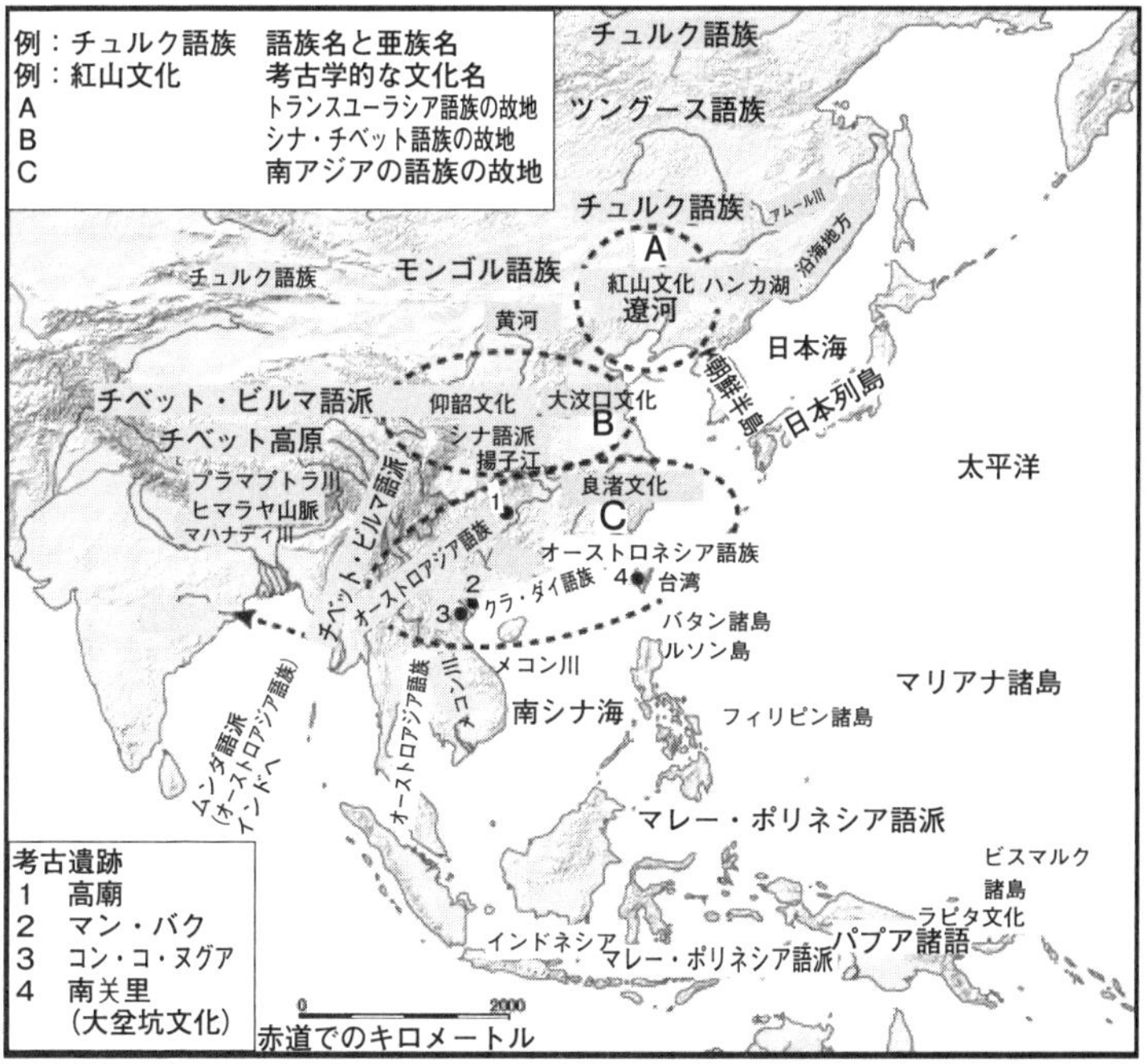

図 11.1　東アジアの食料生産の発展を促した推定される語族祖語の故地と人口移動。

ベット語族のチベット・ビルマ語派部分が含まれる。

・中国南東沿岸と台湾と共に中国中南部の揚子江流域は、それぞれ別個のミャオ・ヤオ語族、クラ・ダイ語族、オーストロネシア語族とその話者の故地とみなされている。後者は、台湾を経由して究極的には一万三〇〇〇キロ以上の海を渡り、イースター島（ラパ・ヌイ）に、さらにひょっとしたら南米沿岸にも達した。

・インド北東部から半島マレーシア、ニコバル諸島まで広く広がったオーストロアジア語族は、故地に関してはあまり確かではない。おそらくその言語の先史時代のより古い時期が、その後のシナ語派とクラ・ダイ語族の拡大によって覆い隠されてしまったからだろう。

東アジアとサフルの古代の人類集団

以前、私はホモ・サピエンスの二つの旧石器集団が後期更新世と完新世初期の東アジアでどのようにして発展したかを述べた。北部の集団（第六章参照）は、現代東アジア人とアメリカ先住民の祖先であった。熱帯に適応した南部の集団（第五章参照）は、後期更新世東南アジア人と現代のオーストラリア先住民、パプア人、メラネシア人、それに加えてフィリピン群島、マレーシア、アンダマン諸島のネグリト狩猟採集民の祖先となった。

南方の集団の――少なくとも揚子江流域と縄文時代の日本の――主な要素が下部旧石器時代に極北にまで広がっていたことは、古代頭蓋の顔面諸特徴から明らかである。ただし現在のこれら北方地域の人々には、かつてあった特徴はわずかしか残っていない。古代DNAによって明らかになっているように遺伝的には、この旧石器集団は様々であった。例えば、たぶん四万年前より前のホモ・サピエンスのこの地域への最初の拡大の後に続いた、互いに区分されるようになった在地化された多数の狩猟採集民集団である。[1] しかし新石器時代になると、全般的には北から南へという流れの大きな移住は、この二つの集団間の混ざり合いの境界域を南方と東方へ、今日でもその境界が存在しているインドネシア東部の島々へと向けて押しやった。[2]

これらの新石器時代の移住は、東アジア北方寄りの農耕民たちを、中国南部から、ヒマラヤ山麓南部周辺、東南アジア大陸部と島嶼部、そしてついにはオセアニアの島々へと運んだ。東アジアと太平洋という人類の地理的分布上のこの大規模な移動は、大部分は六〇〇〇年前以後に起こった。そしてその移動は、食料生産――特にジャポニカ（東アジア産）品種のイネ、アワ、キビ、多くの果実類と塊茎類、ブタ、ニワトリ、イヌ――を備えた集団が担った。そうやって彼らは、最終的には人類先史時代で外洋航海という最も目覚ましい伝統を備えるに至った。それが、ポリネシア人を生み出したのである。

揚子江の南方地域では、移住した農耕民は、特に顔面と頭蓋の骨を残した。それにより彼らが彼らより前に暮らしていた土着集団と区別できることが分かっている。(3) 初期食料生産民たちによるこれと似た移住は、黄河流域と遼河流域の外の北東アジアでも起こった。だがこれら高緯度地帯の在地集団と移住してきた集団との間の骨とゲノムの違いは、南の熱帯地方ほど顕著ではなかった。

これら人骨の観察所見は、葬送習俗についての所見によって強められる。縄文時代の日本を含めた揚子江南部の大半の地域で、後期更新世と完新世初期の年代の先新石器時代の墓の被葬者の骨格は、座位かきつく屈曲させられた姿勢であり、副葬品を伴わないのが普通だった。反対に新石器時代の墓の被葬者は、東アジア人の頭蓋と顔面と似ていて、仰向けに横たえられ、土器の容器、装身具、石斧が備えられているのが普通となった。

考古記録に見られる頭蓋と埋葬の二つの類型間の生物学的、文化的な違いからすると、保存良好な状況での彼らを後期更新世の土着集団か新石器時代の移住民のいずれかに同定するのは、通常は難しくはない。そして時には集団間の交雑という状況も見られ、両方に帰することもある。ベトナムと中国中部の一見して平和的に見える環境で、遺伝的にも文化的にもそうした交雑の例は、後述する。最近の数年間で、東アジアの集団の歴史のこの復元は、古代DNAの研究により十分に強化されてきた。しかしサンプルの範囲はなお限られ、解明されるべき細部はまだ多く残っている。(4)

トランスユーラシア語族の拡散過程を追う

農耕と牧畜が可能な北寄りの温帯域で、東アジア新石器先史時代の過程は、言語学者たちにトランスユーラシア語族（図一一・二）とシナ・チベット語族（図九・一）と呼ばれる二つの主要語族の話者集団の拡大の歴史と密接な関係がある。

私がまず取り上げる前者は、最終的にはトルコから日本までの広大な領域を占めた。最近の数年間にマックス・プランク進化人類学研究所の言語学者マーティン・ロベーツに指導された、多くの成果を挙げた調査プロジェクトは、考古学者、言語学者、遺伝学者と共に展開し、トランスユーラシア語族の起源と拡大ルートを明らかにした[5]。今日、その主な話者集団は、日本人、韓国人、モンゴル人、チュルク語族を話す民族、そして中国東北地方とロシア極東地域のツングース民族である。これらトランスユーラシア語族を話す諸民族は、アジア大陸の広大な領域を横断する複雑な先史時代を共有していた。

言語学的分析から、トランスユーラシア語族の故地は、中国北部、東北平原の中の遼河流域内かその近くにあったと推定される。そこでは第八章で述べたように、紀元前六〇〇〇年頃に興隆窪文化の人々によって雑穀類が栽培化された。彼らは機織りも行い、家畜化されたブタとイヌを飼育していた。紀元前五〇〇〇年直後までの引き続く遼寧省の紅山文化の時代に、こうした河川の平原から、雑穀農耕民が新しい土地を求めてやって来た。

同じ頃、南の黄河流域に、稠密な人口を持つ仰韶文化と大汶口文化、その後継文化の人々が栄えた。今日では、シナ・チベット語族の創始者だと考えられている。初期トランスユーラシア語族とシナ・チベット語族の話者たちは、互いに近接しながら明らかに自分たちの領域の拡大を始めた。だが両者の拡

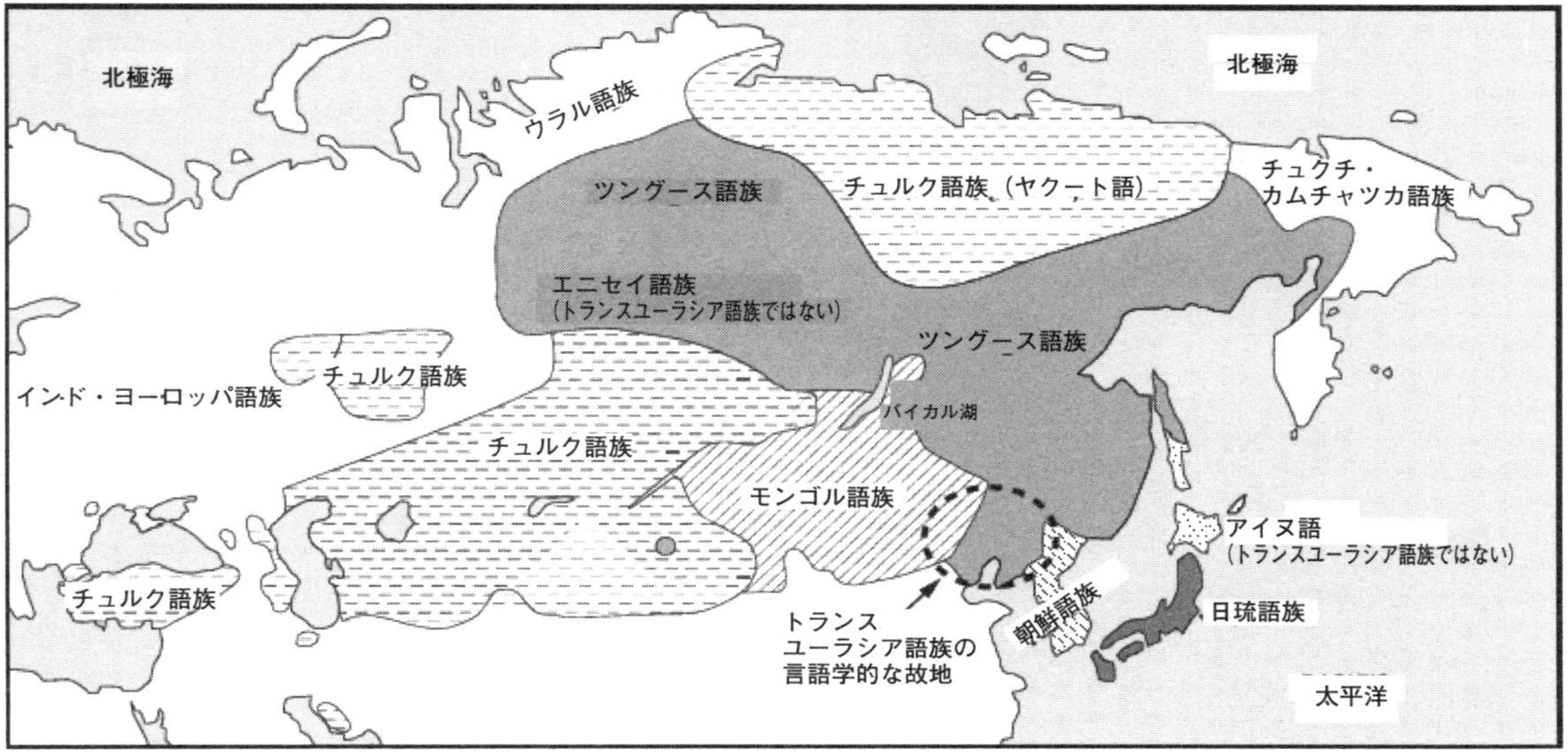

図 11.2　最大の広がりの時のトランスユーラシア語族。背景地図は、カルトジーアイエス（CartoGIS）サーヴィス、オーストラリア国立大学による。言語境界は M. ルーレンの『世界の言語への案内（*A Guide to the World' language*）』(スタンフォード大学出版、1987) から引き直した。

大の方向は、別だった。初期トランスユーラシア語族話者たちは、新石器稲作の範囲を超えて、全般的に北に向かった。初期シナ・チベット語族の話者たちは、西と南西の方向に顔を向けた。その時、揚子江の南は、ミャオ・ヤオ語族、クラ・ダイ語族、オーストロネシア語族を話す民族を含む東南アジア集団の祖先たちによって住みつかれていたからだ。

古代DNAの調査で、初期の遼河農耕民と黄河農耕民（図八・三）はそれぞれ別個の遺伝的集団に属していたことが示されている。だが紀元前四〇〇〇年頃には両者の間で交雑が進み、今日の多数のトランスユーラシア語族とシナ・チベット語族を話す集団の祖先が形成された。そうした中に、特に朝鮮・韓国人、日本人、中国人が含まれる。(6) 例えば文化的に、紀元前四〇〇〇年の紅山文化と仰韶文化は、密封した窯で焼成した土器、大形の村落、ブタとイヌを伴った雑穀農耕を共有していた（だがウシは飼わず、乳製品の生産もしていなかった）。また、おそらくは麻、カラムシ（ラミー）のような天然繊維を使った機織り技術も共有していた。

紀元前三五〇〇年までに雑穀農耕、特にキビの耕作は、中国北部から多方向に――西はアルタイ山脈とチベット高原の裾まで、北東はロシア極東の沿海地方、おそらく古代朝鮮語と共に朝鮮半島まで広がった。(7) 古日本人が日本列島にまで入るのには、もっと時間がかかった。日本列島には完新世の大半の時期、縄文文化集団――一部土着の植物の栽培をしていたが、主に狩猟と採集で生活していた新石器的な技術を持った先住民族が住んでいた。(8) 現代日本人（北海道の非和人であるアイヌを除く）の祖先と考えられている人々の弥生文化は、紀元前一〇〇〇年紀初期に朝鮮半島から九州島に持ち込まれた。それと共に灌漑された稲作も渡来した。稲作は、イネの耐寒性温帯品種が中国で開発された後の紀元前一三〇〇年頃に朝鮮半島に導入された。その後、稲作は青銅器技術と機織り技術と共に日本にもたらされた[9]。現代日本人は、主として弥生青銅器時代人を起源としているが、それでも彼らのDNAの約二〇%はそれ以前の縄文文化集団と共有している。

穀物栽培よりも牧畜に適しているアジア内陸部へのモンゴル、チュルク、ツングース各集団の拡大は、中国北部、ロシア極東地域、朝鮮半島への初期のトランスユーラシア語族の農耕民の移住より年代的には後になって起こった。新石器農耕以降の紀元前二七〇〇年頃に、ポントス草原と西アジア草原地帯との接触により、ヒツジとウシ飼いによる酪農がアルタイ山脈のアファナシェヴォ文化の民族を通じてモンゴルに導入された[10]。この時代以降は、モンゴルとツングースの集団が主な移住の波を担った。拡大した彼らは、最終的には北東アジアに広く展開した多くの牧畜民族を形成した。そのずっと後には、ロシアと中国の移住民もやって来た。後の清朝（紀元一六四四〜同一九一二年）を築いた満洲族の支配者を含むツングース語族を話す諸民族の主な拡大は、ロシア極東地域のアムール川流域南部にあるハンカ湖の近くから紀元前一〇〇〇年紀後半に開始された[11]。

現在までのところ、古代DNAの調査は、チュルク語族を話す民族のより古い祖先に関しては、まだほとんどなされていない。しかし言語学的には紀元前一〇〇〇年紀に、中央アジアの大部分の地域での牧畜民と雑穀農耕民の大きな拡大を目にできた。おそらく彼らは、インド・ヨーロッパ語族を話す先住民と置き換わったのだろう。そして最終的に例えばヤクート語を話すウマ、ウシ、トナカイの遊牧民の移住の波は北極圏にまで達した[12]。

トランスユーラシア語族を話す集団の引き続いての冒険は、私たちを歴史時代に誘う。そしてそれは、紀元一一世紀のセルジューク朝トルコによるアナトリアへの移住と、一二世紀のチンギス・カンと一三世紀の彼の孫であるフビライ・カンのモンゴル帝国の征服で頂点を極めた。表九・一で私は、トランスユーラシア語族は一四九二年より前に世界で三番目に拡大を成し遂げた語族として位置づけている。しかしチンギス・カンと彼のモンゴル帝国は、この言語上の達成には大きな役割を果たしたわけではないことは断っておかなければならない。そして北京に元朝（紀元一二七九〜同一三六八年）を創建した時に、彼の孫のフビライ・カンもそれを達成できなかった。モンゴル語族は、二人の征服した広大な領地を通じて土着の諸言語と置き換わらなかったのだ。

黄河とシナ・チベット語族

紀元前五〇〇〇〜同三〇〇〇年に黄河流域のレス（氷河期に風で運ばれて来たた塵）土壌は、仰韶新石器文化と大汶口新石器文化、そしてその後継文化を支え、最終的には先史時代中国のどの時代を見ても最大の人口密度を備えさせるに至った。[13] 早い時期のトランスユーラシア語族の発展は、北の遼河流域の内部とその先で起こっていた一方、早期のシナ・チベット語族話者たちは、この黄河流域のレス土壌で人口を急速に増やしていた。その外へという集団の移動はすぐに始まったが、すべての集団が遠くへの移住を選択したわけではなかった。それが、今日、シナ語派を話す中国人がなぜ大人口を抱えることになったかの正確な理由である。彼らは、自分たちの黄河流域の故地の肥沃な平原、雑穀とイネの栽培とブタの飼育にとって優れた環境に留まり続けたのだ。

現在、言語学の証拠は、シナ・チベット語族を話す諸民族の全般的な拡大の歴史に最も明確な情報をもたらしてくれている。シナ・チベット語族について独立して行われた三つの語彙分析は、紀元前六〇〇〇年から同四〇〇〇年にかけての新石器文化の故地として黄河中流域を指し示す。[14] この年代は、仰韶文化とその直前の先行者の年代と一致する。そしてそのどの事例でも提示された言語系統樹は、一方にそのまま居続けた祖型的なシナ語派ともう一方に移動していったチベット・ビルマ語派の最初の分岐を示す。

黄河流域の故地からの移動を選択した人々は、たぶん初めは紀元前五〇〇〇年頃に黄河を下って山東半島へ移動しようとしていただろう。[15] しかし揚子江を越えて南に行こうとして、彼らはすぐに自分たちが他の新石器農耕集団、すなわち子孫が今日の東南アジアの大半に住んでいるミャオ・ヤオ語族、クラ・ダイ語族、オーストロネシア語族の言語集団の稲作創始者たちの存在によって制約されていることが分かっただろう。シナ語派の定住民たちが集中して中国南部地域に住むことができたのは、やっと二二〇〇～一九〇〇年前頃になってからだ。その時代、中国中部からやって来た数百万人もの人々が、征服者の漢王朝軍の後に続き、彼らは南はベトナム中部まで達した。[16]

地理的にはチベット・ビルマ語派の祖先は、シナ・チベット語族話者の最も広大な地域に広まった分枝であった。彼らは、祖先中国人のような他の食料生産集団を避け、最も抵抗の弱い方向に精力を注ぎ込んだ。すなわち西と南西の、チベット高原とヒマラヤ山脈山麓方向に、特にブータン、ネパール、インド北部に移動したのだ。さらに南方に向かった彼らは、中国南西部を通過し、ミャンマーとタイ西部に移住した。そしてカレン諸語の祖先と、マレー半島の北部のような果てまで進出した。

家畜化されたブタ、イヌ、時にはヒツジを伴った西の仰韶文化の雑穀農耕民は、チベット・ビルマ語派の移住過程を始めていて、チベット高原の東端沿いに進み、紀元前三五〇〇年までに四川省にまで達していたようである。[17] しかしチベット高原での恒久的な農耕集落は、西アジアから渡来した寒冷適応したコムギとオオムギの助けを借りて、紀元前一六〇〇年頃にやっと始まった。[18] おそらくこれらの初期移住民は、現代チベット人の直接の祖先だっただろう。

新石器時代の中国南西部を越えてのミャンマーと南アジアへの移住の考古証拠とゲノムの証拠は、最近までもほとんど無い。しかし稲作は、紀元前二六〇〇年までに四川省の揚子江上流域まで達していた。四川省、成都平原の三星堆遺跡で見つかった印象的な青銅製立人像や仮面を伴う、優れた、かつ様式的にユニークな文化（紀元前二〇〇〇年紀後半）は、黄河沿岸の青銅器時代殷王朝の同時期に存在した中国文明の謎めいた同等文化として存在している。三星堆は、初期チベット・ビルマ語派に関連する候補の可能性の高いのは確かである。

中国南部と東南アジア大陸部の新石器集落

紀元前四五〇〇年以降の揚子江流域での栽培化されたジャポニカ種イネを加え、完全で輸送可能な農耕経済の確立されたことで、たくさんの新石器農耕民集団の移住が、揚子江流域から中国南部に向かった。だが初期チベット・ビルマ語派の移住した東には向かわなかった。一部は、海岸沿いに福建省と台湾へと続いた。しかし三角州と大河沿い、そして現在の沿岸にあるイネの育つ低地帯の多くは、まだ完新世の土壌堆積が十分に進んでいなかった。[19] また別の移住は、揚子江の南の支流を遡って、広西チワン族自治区と広東省の方向に向かった。[20] こうした移住は、東アジア新石器人の頭蓋と顔面の諸特徴を持った集団が関与した。これらの骨は、紀元前六〇〇〇年から同三〇〇〇年にかけての中国中部のいくつもの考古遺跡で見つかっている大形墓地から出土した。[21]
彼ら新石器農耕民集団は、在来の更新世ＤＮＡを先祖とする土着の狩猟採集民集団に置き換わったか、共存した。中国南部と東南アジア大陸部にいたこれら土着集団は、ホアビン文化（ベトナム北部のホアビン省の遺跡名から名付けられた）の礫器を伴ったが、完新世初期の同文化には礫器と共に磨製石斧、土器も加わっていた。ベトナム北部のコン・コ・ヌグアという注目すべき墓地遺跡（紀元前四五〇〇年）は、土器と磨製石斧を伴うこの狩猟採集文化の遅い時期に属している。コン・コ・ヌグアには、三〇〇体ほどの蹲踞位と屈曲位の遺体が埋葬されていた。だが意図的に副葬された遺物は無かった。[22]

古代の遺伝子データは、拡大した新石器農耕民集団が土着の先住民と共存していったのか、あるいはかなり急激に置き換わったのかを言えるほど、まだ十分ではない。共存説の一つの例は、揚子江中流域の高廟遺跡に由来する。同遺跡では、土着の狩猟採集民集団が隣接した稲作農耕民の彩文土器様式を受け入れていた。もう一つの例は、ベトナム北部のマン・バク遺跡で見られる。そこでは、外から移住民と土着集団（ホアビン文化集団を先祖とすると想像される）の両方の人骨が、高廟遺跡と似た彩文土器の壺、軟玉製のビーズ、軟玉製の腕輪と共に、並び合って埋葬されていた。[23]

実際、中国南部の人類史は混み入っていたようだ。例えば一部の考古学者は、最近、土着のホアビン文化狩猟採集民がはるか北方から新石器文化が到来するより前に、タロイモ、バナナ、サゴヤシを栽培していた可能性を提起した。[24] 先新石器文化の、福建省出土の頭蓋顔面の特徴で土着民と見られる一部人骨は、少なくとも現在のゲノムを基にした解釈によれば、他の地域のホアビン文化集団よりも中国の新石器農耕民集団と結び付くDNAプロフィールも持っていた。[25] これらの課題を解決するためには、さらに多くの将来的研究が必要である。

今、中国南部から東南アジア大陸部へのさらなる移住に目を転じれば、最近の考古記録は、そうした移住を主に紀元前三〇〇〇年紀に位置づける。[26] 十分に年代測定された考古遺跡群が、ベトナム沿岸部とタイ中部・北東部に存在する。その多くは、稲作農耕と結び付くが、アワの遺存体も比較的新しい年代の中国南部、ベトナム、タイで広く見つけられてきた。[27] この地域の家畜化された動物の登録リストに一つ重要なものを追加すると、野生セキショクヤケイを先祖とする繁殖させたニワトリを挙げられるだろう。[28] 最も印象的なのは、紀元前二三〇〇年頃の年代の、タイ中部にある最古の新石器遺跡からはアワしか見られないことだ。アワは、揚子江地帯起源ではなく、黄河地帯の作物である。このようにアワは、シナ・チベット語族の故地から中国南西部を経由して南に向かったチベット・ビルマ語派の移住と関連していた可能性を高める。[29]

世界の他の地域での数多くの初期農耕民の拡散と同様に、大陸部と島嶼部の両方の東南アジアでの最古の新石器文化は、特に土器での様式的特徴に密接なつながりを見せる。揚子江流域で興り、南のマレー半島へ、東のフィリピン諸島からポリネシアのトンガとサモアへと伝播した一つの明確な土器装飾の特徴は、焼成前に細い刻み目の平行の線を引いて創られた文様パターンを含み、通常は刻み目の線の中に包み込まれたモチーフにある（この土器は、メラネシアとポリネシア諸島西部では「ラピタ」土器と呼ばれる。バヌアツ出土の例を図一一・三に示す）。これら土器がよく似ていることは、文化を共有した共同体のあったことを示す。その中の太平洋に分散した人類集団は、情報とアイディアを交換していた。これら関連性のある土器様式が紀元前五〇〇〇年頃に始まり、揚子江中流域に起源を持っていたと思われることが分かっても、さほどの驚きはないだろう。[30]

こうした土器様式を広げた人類集団に関しては、比較言語学の状況は、現在のミャオ・ヤオ語族、オーストロアジア語族、クラ・ダイ語族、そしてオーストロネシア語族を話す民族の祖先であった可能性があることを物語っている。考古学、言語学、ゲノムの各情報から理解される、これらの語族の可能

図 11.3　バヌアツ、エファテ島のテオウマの墓地から出土したラピタ土器のデザイン。この 3000 年前の土器破片に見られる刻み目は、ギザギザの付いた、円形の施文具で付けられている。これと似た土器は、メラネシアやポリネシア諸島西部の他の島、それにフィリピン諸島、インドネシア北部、マリアナ諸島でも広く見つかっている。写真はマシュー・スプリッグスの厚意による。

性のある故地は、図一一・一に示してある。クラ・ダイ語族話者は、初期オーストロネシア語族話者の近くに起源を持ち、クラ・ダイ語族は中国南部で後者と祖先的言語と遺伝子の結びつきを共にし、新石器時代に海南島とベトナム北部に広がった。[31] 今日のタイやラオスの国々見られる南方への歴史時代の拡大は、やっと紀元一〇〇〇年紀に起こった。

中国南部と東南アジアへの四五〇〇年前から四〇〇〇年前頃の新石器農耕民の移住は、頻繁であり、多方向だった。だが揚子江流域の新石器時代墓地からの古代DNA全ゲノムの報告は、まだ無い。しかし上海地域の注目すべき良渚文化（紀元前三〇〇〇年前後）から得られた古代DNAのY染色体の解析から、はるか南の今日のクラ・ダイ語族を話す集団とオーストロネシア語族を話す集団と関連するハプログループが高頻度であることが分かっている。[32] このつながりは、現生の中国南部の集団の全ゲノムでの新しい観察結果によって強化されている。中国の古代DNAの研究は、私の記述するように急速に発展しており、中国の研究者からの興奮に満ちた新しい全体像がもたらされるのを熱心に待っている。

オーストロアジア語族の謎

東南アジア大陸部で現在、最も広大に広がる語族はオーストロアジア語族であり、その中でクメール語とベトナム語は、一番多くの人たちに話されている言語である。前者は、アンコール王朝（紀元八〇二〜同一四三一年）の時代に国語として組み込まれた。一方、後者は紅河から拡大し、紀元一〇世紀に約一〇〇〇年間の中国支配から独立した後の北部ベトナム人（彼らは自らをキンと呼んでいる）の移住によって、最終的にはメコン・デルタにまで広がった。[33] 今日、オーストロアジア語族のかつての広がりの大半が、タイとラオスでクラ・ダイ語族に、マレー半島でマレー語に、インド北東部でインド諸語に、そしておそらくは中国南部のシナ語派により上書きされたのは、オーストロアジア語族の話者が寸断された分布状況にあることから明白である。

オーストロアジア語族の話者は、東南アジア大陸部の大半に広がった最古の新石器文化の拡大を担った最有力の候補者である。しかし彼らには、特にチベット・ビルマ語派の中に、ライバルがいた。私は、紀元前二三〇〇年頃の中国西部からタイ中央部へのアワ農耕を携えた初期チベット・ビルマ語派移住の可能性を前に挙げた。この可能性は、言語学者のフェリックス・ラウとポール・シドウェルによる、チベット・ビルマ語派の話者たちはオーストロアジア語族の話者たちが到来する前に東南アジア大陸部西部に既に移住していただろうという推定と、良い関連性を持つ。その結果、二人は、(オーストロアジア語族の中の)東南アジア大陸部からインド、オリッサ州のマハナディ・デルタまでのムンダ語派話者たちの新石器時代の移住は、陸路をとるよりも舟でベンガル湾を横断したに違いないとも推定している(図一一・一)[34]。

今日、ムンダ語派を話す諸民族は、インド諸語話者たちに囲まれたインド北東部の少数派オーストロアジア語族集団となっている。インドに住む現生のムンダ語派集団のゲノム解析から、彼らの祖先は東南アジア大陸部からやって来たことが裏付けられている。それは、たぶん紀元前二〇〇〇年頃にミャンマーのアンダマン海沿岸から開始されたのだろう[35]。おそらくムンダ語派話者たちは、彼らがインドに向かって横断する間、チベット・ビルマ語派の話者たちとインド諸語の話者たちの両方と遭遇しただろう。そしてこのことが、彼らがジャールカンド州(以前の南部ビハール州)の、ガンジス川やブラマプトラ川などの大河から離れた乾燥したチョーターー・ナーグプル高原のような比較的不毛な地域に定住せざるを得なかった理由かもしれない。ニコバル諸島の民族も、オーストロアジア語族を話す。だから彼らの祖先も、少なくとも一つの海路は渡洋して島に到着したに違いない。

全オーストロアジア語族の起源は、かつて彼らが中国南部に拡大したことがあったかどうか、そしてもしそうならどのようにしてそこまで行ったのか不明のために、依然として謎である。クラ・ダイ語族とシナ・チベット語族の拡大の前に、オーストロアジア語族が揚子江のようなはるか北方にかつて存在したという初期の説は証明されていない。しかしオーストロアジア語族のほとんどの話者たちを含め、東南アジア大陸部の新石器集団の古代DNAが類似するのは、中国の新石器農耕民集団であり、ホアビン文化の狩猟採集民ではない。このことは、彼らが先新石器文化（ホアビン文化）の東南アジア大陸部に起源を持たない可能性を強める。マレー半島内陸部に住むアスリ諸語を話す諸民族（オラン・アスリ）は、ホアビン文化を祖先とする可能性が高く、ここでは例外である。このことは、彼らによって新石器時代かそれ以降に、祖型的なアスリ諸語（オーストロアジア語族の中の亜族）が受容されたことを推定させる。

オーストロアジア語族の起源の謎にもかかわらず、初期チベット・ビルマ語派とオーストロアジア語族の話者たちが、必要に応じて互いに隣接し合いながら、ほぼ同時期、紀元前二五〇〇～同二〇〇〇年に、東南アジア大陸部に広がりつつあったと私は推定したい。同様に、インド語群（インド・イラン語派）の話者たちも、一四九二年以前のインド・ヨーロッパ語族によるバングラデシュの東限、はるか北方のトカラ語と共有した限界まで拡大していて、同じ頃にガンジス川とブラマプトラ川の両下流域に定住しつつあった。

オーストロネシア語族

私たちは今、人類先史時代のどの時代のうちでも最も劇的と言える、食料生産民による拡大の出来事までやって来ている。その拡大は、研究歴のほとんどの期間、私の関心を占めてきたものだった。今日、オーストロネシア語族には一〇〇〇を超す言語があり、話者は三億人を越える。本書『オデッセイ』のこの農耕時代の節で取り上げてきた主要集団すべてと同じように、彼らの言語、遺伝子、考古学を通じて、彼らの先史時代を研究できる。

紀元前二〇〇〇年から紀元一二五〇年にかけ、オーストロネシア語族は中国南部と台湾の故地から経度にして二一〇度以上も広がった。その距離は、西のマダガスカル島から東のポリネシアまで二万五〇〇〇キロという信じられないものに達する。さらに一〇〇〇年前頃、南米西海岸に到達して、そこの集団と接触した（しかし目立った定着はなかった）（図一一・四）。傑出した三つの文化要素が、彼らを広大な太平洋と西のマダガスカル島に引きつけた。すなわち移動できる食料生産経済、航海用のアウトリガー船とダブル・カヌー（現代の双胴船の祖先）、それに創始者と関連し、先祖から受け継がれた地位が新たに伝えられる新しいコミュニティーを創設しようとする熱烈な情熱、であった[36]。

言語学的に見て、オーストロネシア語族の故地は、台湾にたどれる。台湾は、今日話されているオーストロネシア語族から復元されることができる原オーストロネシア語族の位置にある[37]。この語族のさらに古い場所は、かつては中国南部にあった。しかしその痕跡は、シナ語派とクラ・ダイ語族の拡大によって完全にぬぐい去られてしまった。だからその詳細は、私たちには決して分からないと思う。私が既に述べたが、たぶん初期オーストロアジア語族と同じ運命に見舞われたのであった。

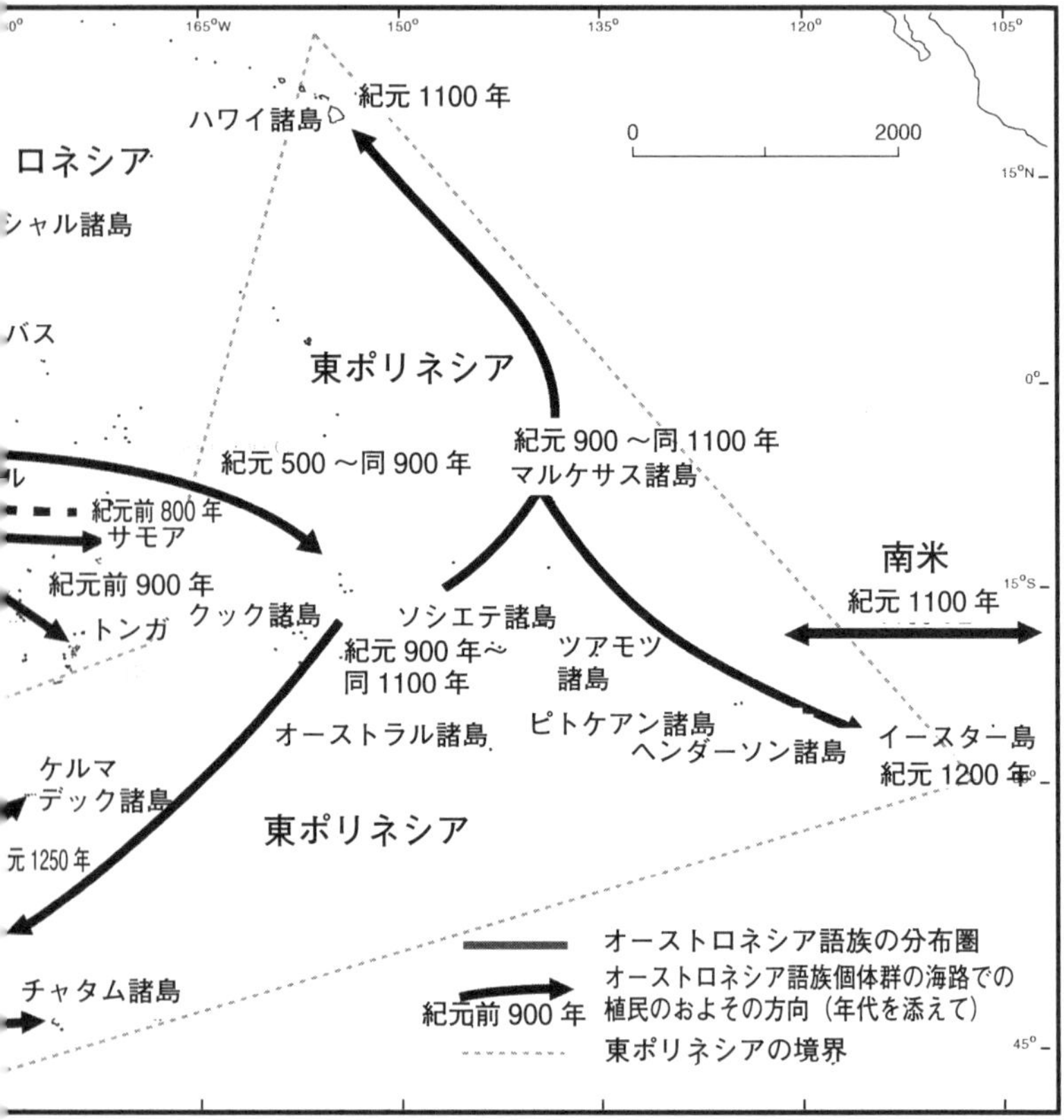

165°W
150°
135°
120°
105°
15°N
0°
15°S
45°
0
2000
紀元 1100 年
ハワイ諸島
ロネシア
シャル諸島
バス
東ポリネシア
紀元 900 ～同 1100 年
マルケサス諸島
紀元 500 ～同 900 年
紀元前 800 年
サモア
紀元前 900 年
南米
紀元 1100 年
クック諸島
ソシエテ諸島
トンガ
紀元 900 年～
同 1100 年
ツアモツ
諸島
ピトケアン諸島
ヘンダーソン諸島
オーストラル諸島
イースター島
紀元 1200 年
ケルマ
デック諸島
東ポリネシア
元 1250 年
オーストロネシア語族の分布圏
オーストロネシア語族個体群の海路での
植民のおよその方向（年代を添えて）
紀元前 900 年
東ポリネシアの境界
チャタム諸島

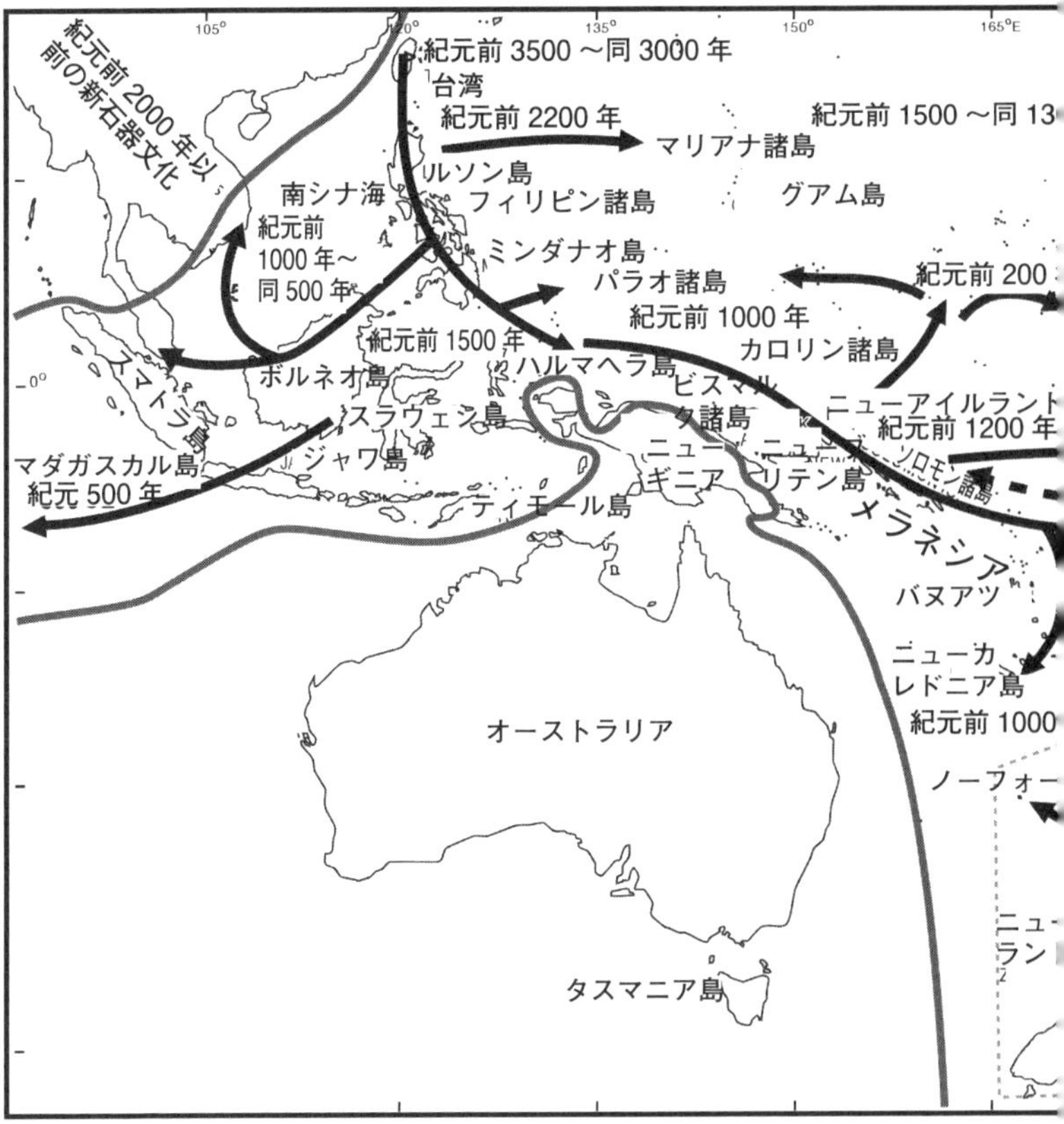

図 11.4　オーストロネシア語族を話す人々の移住の復元図。背景地図はカルトジーアイエス（CartoGIS）サーヴィス、オーストラリア国立大学による。

台湾にやって来た最初のオーストロネシア語族の話者たちは、紀元前三五〇〇年から同三〇〇〇年に、中国南部の福建省と広東省の沿岸から台湾海峡を渡った。考古学（台湾の大坌坑文化、図一一・一を参照）と比較言語学の両方から復元されたが、彼らは食料生産の生業ライフスタイルを取り入れた。それには、稲作と雑穀農耕、家畜化されたブタ、イヌが含まれていた（ニワトリは、もっと後の時代に東南アジア大陸部から導入されただろう）。台湾はまた、カジノキのメスのクローンの起源地でもあった。カジノキの樹皮は、東南アジアとオセアニアの広い地域を通じて樹皮布を作るために利用された[38]。

こうした人々は、村の集落を造り、繊維を織り（だが民族誌で広く見られるバックスクラップ織機はまだ無かった[39]）、土器、磨製石斧を使用し、ビーズ、腕輪、足輪を含む貝殻による身体装飾をしていた。台湾は、中国大陸南部を直接の起源地とするにふさわしく、東南アジア最古の新石器文化を発展させていた。土器と磨製石斧の様式の特徴から言えば、台湾より南の、特にフィリピン諸島、インドネシア、太平洋諸島の最古の新石器文化は、中国南部と台湾を究極の起源地と思わせる明確な痕跡を備えていた[40]。

約一〇〇〇年間、台湾の新石器人は、この島のあらゆる沿岸地域に分布した。しかし明らかにそこからさらに遠方に向かわなかった。この休止状態は、北に流れる黒潮の威力を反映したものなのだろう。誰かが帆船、アウトリガー船、海水の侵入を防ぐために船体の上に固定された側板を発展させるまでは、黒潮は、彼ら台湾新石器人を南方のフィリピン諸島に向かわせることを妨げたに違いない。紀元前二二〇〇年までに彼らは、舟でフィリピン諸島北部のルソン島に到達すべく、バタン諸島へ向けての遠洋航海の準備を整えていた。この移住は、言語進化の共有を通じてオーストロネシア語族の亜族であるマレー・ポリネシア語派の登場をもたらした。マレー・ポリネシア語派には、台湾以外で話されているすべてのオーストロネシア語族が含まれる[41]。マレー・ポリネシア語派は、拡大を続け、最終的には東南アジア島嶼部から西はマダガスカル島、東はイースター島へと、地球の半周を越える地域まで広がることになった。

オーストロネシア語族からの教訓

オーストロネシア語族の世界は、人類の先史時代の多くの重要主題に光を当てる。この語族は、台湾に共通の起源を持つ。そして他の語族内の、特にオーストロアジア語族内とパプア諸語内の話者たちと過去に接触した出来事があるにもかかわらず、すべてが依然として今日もその遺産を反映している。

これらの接触の結果、たとえ彼らの大多数が、かつて中国南部、台湾、フィリピン諸島に起源を持つ、食料生産、土器、帆走カヌーを備えた、祖先となった新石器集団の直接の子孫だとしても、オーストロネシア語族を話す人々すべてが、同一の遺伝的起源を持っているとは限らない。(42) その後引き続いて起こった、紀元前七〇〇年頃のメラネシアの島々へのパプア諸語話者の遺伝子の移転(後述する)は、この点を例証している。この例ではパプア諸語話者の遺伝子は確かに動いたが、移住民がマレー・ポリネシア語派を採用したのでパプア諸語は広がらなかった。言語と遺伝子は、常に一〇〇%の確度で合致するとは限らないし、その必要もないのだ。

私のまだ若い頃、そのような言語と生物学的事実の間の分裂は、先史時代の研究者にとって大きな不確実性をもたらした。一部の研究者は、言語、文化、生物学的集団は互いに無関係に常に進化するという主張をしていた。現代の見方、特に古代DNAによってもたらされる見方からすれば、そうした見解は誤っている。オーストロネシア語族の世界では、遺伝子、言語、文化は様々な場合に内部で別個の先史時代史を持っていたかもしれないが、それらが一致しないことは必ずしも標準的な状態ではなかったのだ。

この点、オーストロネシア語族の世界は、たとえ台湾の新石器大坌坑文化期の五〇〇〇年前頃に一つであったものが終わり始めたとしても、今日では文化的にも遺伝的にも必ずしも一体ではないということを思い出す必要がある。ヨーロッパ人との接触時に、話されていたオーストロネシア語族内の言語は一〇〇〇以上もあっただけではなく、現代のオーストロネシア語族の社会も、二億七〇〇〇万人もの人口を擁し、大きなイスラム教国であるインドネシアからたった一万二〇〇〇人の人口しかない太平洋中部のポリネシア島嶼の小さなキリスト教国ツバルまで幅広い。今日、オーストロネシア語族の言語を話す民族の間でも、遺伝的違いは大きい。この観察結果は、過去五〇〇〇年間に起こった多くの人口移動のインパクトから生じたオーストロネシア語族、オーストロネシア語族の言語を話す民族、そして彼らの考古学文化の基本的な隔たりを見分ける必要のあることを私たちに教えてくれる。過去は、パリンプセスト〔パピルスや羊皮紙に書かれた文書で、前に書かれたものを不完全に消して再利用したもの〕のようなものである。過去の物語は、現在存在するものから単純に理解することはできない。

人類の過去について私が理解するところでは、人間の行動、特に移住に関連した行動はでたらめで無秩序ではなく予測可能であることを教えてくれる。人類集団の歴史を解釈しようとしている人々の挑戦は、利用できる学際的な証拠に最も良く合致する予測を同定することだ。太平洋を駆け抜けたマレー・ポリネシア語派の拡大は、多くの優れた例をもたらしてくれる。

マレー・ポリネシア語派とパプア諸語

台湾を出発した最初の停留地であるフィリピン諸島は、マレー・ポリネシア語派の航海者に周囲の島々に守られた驚くべき内陸と海景を与えた。それは、彼らの航海技術を改善するのに好都合な島々だったし、インドネシアの大きな島々（スマトラ、ジャワ、ボルネオ）と比べて地理的な形状が全く異なっていた。紀元前一五〇〇年までにフィリピン諸島全体に拡大した後、彼らはボルネオ、スラウェシ、モルッカ諸島、さらに太平洋西部の島々への移住の舟出を開始した。後者の場合、最初の移住はマリアナ諸島だっただろう。その場合、パラオ諸島経由の舟旅をしなかったとすれば、フィリピン諸島から外洋を二三〇〇キロも航海する可能性があった[43]。紀元前一二〇〇年頃までに、マレー・ポリネシア語派話者たちはフィリピン諸島から南東のメラネシア、アドミラルティ諸島とビスマルク諸島方向に航海した。外洋を経ての太平洋諸島の島々への植民開始である。

かつて人の住んだことのない大洋の島への驚くべき植民は、ハワイ諸島、ニュージーランド、イースター島を各頂点とした八〇〇〇キロも離れた「ポリネシア三角」の定住で極点に達した。これは、ほぼ二〇〇〇年の長い休止期に隔てられた二つの段階に起こった。まず目を見張るほどの装飾を備えたラピタ文化の土器（図一一・三）は、ビスマルク諸島からメラネシアの島々を経てポリネシアの西端に位置するトンガとサモアのようなはるか東の島へという人の移住を記録した。この移住は、今では古代ＤＮＡ、特にバヌアツのラピタ文化テオウマ墓地遺跡を通じて跡をたどられていて、テオウマの移住は主に紀元前一二〇〇年から同八〇〇年にかけてなされた。この後、ラピタ文化はその統一性を失った。考古学的には、メラネシア諸島の様々な土器様式によって置き換えられたのだ[44]。

長い間、メラネシアの考古記録におけるこの変化の理由は考古学者には分からなかった。ヨーロッパ人探検家と人類学者が、ほぼ二世紀もかけてニューギニア島民との生物学的類似性を有するメラネシア諸島集団とインドネシア人とフィリピン諸島民との生物学的類似性を持つポリネシア人集団との間の身体的外観の違いの調査を開始していたのだが。一七七〇年代に行われたジェームズ・クックの太平洋の第二次航海に参加した科学者であるヨハン・ラインホルト・フォースターは、この問題の初期の解説者だった。彼は、太平洋諸島で遭遇した多くの言語から共通の単語を集め、そのリストを作成した。クックとフォスターは、彼らの身体的な違いにもかかわらず、ポリネシア諸島民とメラネシア諸島民が密接な関係を持つ言語を話していることに直ちに注目した。二人は、その理由を知りたいと思った。

今では私たちはその理由を分かっている。その解答は、ニューギニアに関係している。そこでは、第八章で述べたように独自の農耕の発展があった。私たちは肥沃な三日月地帯や中国で知っているよりもニューギニアの農耕の始まりについてはわずかにしか知っていないかもしれない。だがこの島は、メラネシア諸島の先史時代に、とてつもなく大きな重要性を明らかに持っていた。二つの重要な観察結果がなされている。

第一に、ニューギニア島の西端とパプアニューギニア北部のセピク川流域とラム川流域のいくつかの言語を別にすれば、この島の内陸部言語のほとんどは、パプア諸語内の最大の語族であるトランス・ニューギニア語族と呼ばれる単一の語族に属することだ。それではこの語族内の祖語の話者たちは、ニューギニア高地の農耕の発展と共に広がったのだろうか？　多くの言語学者は、その可能性を考えている。しかし状況から見ると、決して確かとは言えない。トランス・ニューギニア語族はマレー・ポリネシア語派と密接な関係はない。もしトランス・ニューギニア語族が農耕と共に広がったのだとすれば、その拡大は四〇〇〇年前より以前には起こっただろう。マレー・ポリネシア語派の話者たちがニューギニア島の沿岸地帯に到着するずっと前に、である。[45] ニューギニア高地の初期農耕の考古記録（第八章参照）は、明らかにそうした時間尺度を可能にしている。

第二の観察結果は、古代DNAと現代人DNAの両者の研究からもたらされている。考古学的にはラピタ文化の崩壊（紀元前八〇〇〜同五〇〇年頃）の直後、ビスマルク諸島、主にニューブリテン島を遺伝的起源とするパプア諸語集団は、台湾／フィリピン諸島のマレー・ポリネシア語派話者の先祖から成るラピタ文化人によるそれ以前の居住を上書きしつつ、メラネシア諸島に、特にバヌアツとニューカレドニア島へ大量に移住した。しかし、そしてこれは最も注目すべき所見の一つだが、これらビスマルク諸島からの移住民は、彼ら本来のパプア諸語を話していなかった、少なくともソロモン諸島の先では話していなかったのだ。[46] その代わり、彼らより前のラピタ文化先行者のマレー・ポリネシア語派（オセアニア諸語のサブグループ）を採用した。

言語学者は、バヌアツの言語は、例えばパプア諸語に由来する多くの特徴を持っており、そのパプア諸語は、最初のラピタ文化移住民（マレー・ポリネシア語派の話者）とその後に来たパプア諸語を話す移住民との間の言語混合を通じて獲得されたに違いない、と指摘してきた。私の見解では、マレー・ポリネシア語派は広く話されていたので、パプア諸語集団に採用された可能性がある。マレー・ポリネシア語派の地域的な方言は、言語学者が「原マレー・ポリネシア語派」と呼ぶ言語に近い時期まで共通の起源を持っていたおかげで、彼らの移住史のこの初期段階では互いに密接な関係を保っていただろう。パプア諸語は、はるかに多様化していたから、多言語使用を通して以外、互いに理解し合えないようになっていた。したがってパプア諸語の話者は、ニューギニアの先の太平洋諸島にやって来た時、役立つ共通語を熱心に求め、マレー・ポリネシア語派を採用したのかもしれない。

メラネシアでラピタ文化に置き換わったこのパプア諸語の拡大は、フィジーよりさらに東には広がらなかったようだ。ポリネシア人は、特に父親から受け継ぐY染色体にメラネシア人の遺伝子を高率に持っているけれども、彼らはラピタ文化拡大の初期段階にこれらの遺伝子を獲得せず、ポリネシアの東部諸島への定住に先だってなされた西太平洋内でのその後の接触を通じて遺伝子を受け入れた。紀元前一〇〇〇年直後に西ポリネシアのトンガとサモアに到達したラピタ文化集団は、メラネシア諸島の集団との、特にフィジーを通じてなお持続した遺伝子交換にもかかわらず、メラネシアから先にさらに大きな移住をせずに、そこに住み続けた。

ポリネシアの植民

三〇〇〇年前頃にラピタ土器を携えてトンガとサモアに到着した西ポリネシア人たちは、ヨーロッパ人との接触時にも存続していたポリネシア文化と社会の主要な創設者になった。しかしトンガ、サモア、西ポリネシアのその他の島々への植民の後の紀元前一〇〇〇年から紀元一〇〇〇年の二〇〇〇年間は、なおある程度の謎を残している。太平洋中部の広大な海の隔たりを越えてさらに東に帆走し、東ポリネシアの島々に到達する人々の前には明らかに休止期が存在した。だが最後のマレー・ポリネシア語派話者たちの移住は、紀元八〇〇年から一二五〇年にかけての数千キロもの外洋を渡る連続的な劇的帆走劇として起こった。この年代範囲は、考古記録と現生集団のDNAを用いたゲノム年代学の両方で確証されている（図一一・四[47]）。

たぶんその休止は、後氷期の海水準の急速な上昇で西太平洋のサンゴ環礁が海面上に顔を出すまでまだ十分に発達しておらず、人間が生き延びられる陸地表面を創り出していなかったために起こったのだろう。多くの太平洋の環礁は、三〇〇〇年前から一〇〇〇年前にやっと、人間の居住を支えられるだけ、満潮時にも海面上に陸地面を現すようになった。この年代は、太平洋を東に向かうほど若くなっていた。広大な太平洋に散在する夥しい環礁が出現する前は、主な火山島の間の距離は今よりはるかに大きかっただろう。このために外洋航海はずっと困難だったのだ。

東ポリネシアの最古の文化は、トンガやサモアからの直接の航海者たちに創建されたのではなく、長い間、隠されていて見えなかった中間の足場的な場所から来た者たちによって創られた。ではその場所は、どこなのか？　言語学者は、東ポリネシアの言語がメラネシアの小さな島々に所在した「域外ポリネシア（ポリネシアン・アウトライアー）」言語の一部に最も密接に関連すると推定することで、救いの手を差し伸べてきた。これら域外ポリネシアの言語は、サモアやウォリス・フツナ諸島から卓越する貿易風で西に戻って広がった、比較的新しい時期の西ポリネシアに起源があると考えられている。その年代がどうあろうと、域外ポリネシアの言語が一〇〇〇年前より前にメラネシアの小島と環礁に広く広がったことは確かだ。その時に、東ポリネシアへの移住は開始された。

域外ポリネシアの多くは環礁で、ソロモン諸島北部の環礁群には、たぶん紀元五〇〇年から同一〇〇〇年にポリネシア人に植民されただろうが、それらは今では最古の東ポリネシア人の言語上の故地の可能性があると考えられている。[48] もっぱらこれらのサンゴ環礁から最古の東ポリネシア人の物質文化起源を求めるのは困難だ。それらサンゴ環礁には、幅広い農耕に適した土壌堆積が無い（人為的に堆肥を施した土壌は別だ）し、石器を作るための火山岩も存在しないのだ。しかし効率的な舟を持つこうした人々は、明らかに海を渡ることができた。それは、あらゆる面の文化において単一の島の故地を求める考えを不必要にしている。

はるか水平線の先の東ポリネシアに向けた最古の移住を促すのに大きな影響を与えたかもしれないもう一つの重要な社会的要因がある。古代DNAの調査により、首長の側近たち――現代バヌアツの人々により「ロイ・マタ」と記憶されている――の埋葬四〇体以上のうち三体にポリネシア人の遺伝的類似性のあることが実証されている。これらの遺体は、紀元一六〇〇年頃にバヌアツ諸島中央の小島に埋葬された。(49) その地域には、今もなお域外ポリネシア言語の集団がいて、今日、彼らは大集団であるメラネシア言語集団の中で暮らしている。ロイ・マタの二二体の骨は男性と女性がペアになって並んで埋葬されていた。この遺跡の最初の発掘者によって、彼らは生きたまま埋葬されたと考えられた。

ロイ・マタの思考を刺激させる埋葬儀礼は、トンガ、ソシエテ（タヒチを含む）、ハワイ各諸島のようなポリネシア諸島で最初のヨーロッパ人探検家が目にした社会のような、中央メラネシアの階層化された社会の存在を推定させる。ロイ・マタは、明らかにポリネシア人に遺伝的な祖先を持っていた。カリスマ的首長を有する階層化された社会は、社会的な高い階層と下層階層との分離があった。それが他よりも良い生活を求める従者たちを従えた首長としての野心を備えた個人を生み出すことがしばしば見られた。たぶん域外ポリネシア、ソロモン諸島のこれと似たような野心を備えた個人が、最古の東ポリネシア人になったのだ。

東ポリネシアの島々で最初の人類の定住は、一二〇〇年前頃に始まった。おそらく幸運な航海者の一部が、悪戦苦闘の末、島の一部にたどり着き、その島の発見を知らせるために西太平洋の自分たちの故地に舞い戻ったのだろう。彼らがそうしたのだとしたら、多数の遠征隊兼移住者たちが太陽の登る方向の東に船を走らせ、たぶん五〇〇年という短期間に図一一・四に示す広大な東ポリネシア三角のすべての島に定住しただろうと予測できる。私たちは、見た限りは果てしない水平線の先への信じられないほどの航海で、いったいどれだけの命が失われたのかはうかがうことすらできないが、ニュージーランドに到達したその最も新しい航海の一部が、マオリの祖先となったことは確かに知っている。彼らは、紀元一二五〇年頃に熱帯ポリネシアの故地からはるか南の温帯域に約三〇〇〇キロもの航海をした。マオリは、最初の定住から一八世紀のヨーロッパ人探検家の到着まで、世界の他のどこよりも、最も驚くべき、かつ濃密な五〇〇年の先史時代の創造者となった。

最近のDNA調査は、一〇〇〇年前頃、南米と東ポリネシアの間でごく少数の人的交流のあったことも推定させた[50]。コロンビアかエクアドルのいずれかの太平洋岸でポリネシア人と先住アメリカ人との接触がなされ、遺伝子の交流を促した可能性が高いが、ポリネシア人が多数で南米に定住したことはなかったことは強調されなければならない。先住アメリカ人の文化も言語も、太平洋諸島で恒久的に定着することはなかった。太平洋を横断する接触は確かにあったが、集団、言語、考古学的文化の全体的な移動という重要なレベルではなかった。

しかしアメリカ大陸との接触というこの話題は、ノルウェーの探検家トール・ヘイエルダールによって提起された太平洋先史学についての仮説と一九四七年のコン・ティキ号の帆を張った筏の実験航海の観点からも、太平洋考古学の歴史上の関心を引く。彼は、先住アメリカ人はポリネシア人が東南アジアからやってくる前に東ポリネシアの島々、特にイースター島に最初に定住したと考えた。ヘイエルダールの全体的見方（公平を期して言えば、ポリネシア人そのものが南米に起源を持っていたという主張ではなかった）は、現代の先史学者にもはや一顧だにされていない。南米の先住アメリカ人によってポリネシアへ実際に植民されたといういかなる証拠も無いし、南米の言語がポリネシアにかつて存在したというどんな証拠もまた無かったからだ。しかし前述の新しい遺伝的な調査は、この議論の一定の側面を確かに蘇らせているのだ。

コメ対ヤムイモ?

オーストロネシア語族の起源とその拡散パターンをめぐる議論は、今はどの辺りにあるのだろうか? 遺伝子の証拠は、たいていの場合、ニューギニア人とメラネシア島嶼人が西太平洋に土着的であったことにほとんど疑いを残していない。マレー・ポリネシア語派の話者の大多数は、中国南部に疑いようのない遺伝的な先祖を持っている。その後、先祖となる移住が台湾とフィリピン諸島から後続した。中国南部から東ポリネシアまでの新石器遺跡と物質文化の考古記録は、このことをはっきりさせている。

しかし台湾から一民族による一方向への移住の持続的パターンであったように思われることに一部の明白な複雑な要素も存在する。一つの複雑な要素とは、紀元前五〇〇〇年頃に既に私が述べたメラネシアの島々へというパプア諸語話者の移住に伴うものだ。この移住が大規模な言語転換と遺伝的混合につながったことは間違いない。

もう一つの複雑な要素は、生業経済のいくつかの重要な変化に関連している。マレー・ポリネシア語派話者たちがオセアニアの小島に定住した時、彼らの食料生産の体系は、穀物栽培の機会が失われたことに適応された。ブタ、イヌ、ニワトリは、ほとんどどこにでも持って行けた(一部の遠い海の先の島を除いて)が、イネと雑穀はそうではなかった。おそらくはそれらの穀物は、赤道近くの季節の無い気候に適していなかったからだ。人々はそこを経て航海し、太平洋諸島に到達しなければならなかった。多数の小さな太平洋の島々では、特に環礁では地表面での水供給は当てにならなかった。太平洋諸島の諸民族は、主に果実と塊茎を生業にしていた。（ココナッツとパンノキのような）多くがインドネシアとニューギニアが原産で、それと共にブタ、ニワトリ、そして何よりも魚や他の海産食資源も食べていた。

東南アジア島嶼部でいつ頃、稲作が重要になったのだろうか？　東南アジアの暑く、湿潤な気候は、植物遺存体の保存に全く向いていない。そして川沿いと海岸沿いのかつての多くの村落遺跡は、今では堆積層の地中深くに埋没しているので、通常は深く掘り込む建設プロジェクトで利用されるだけの大形ブルドーザーで掘り起こして回収するしかない。そのように地中深くに埋まっていても、考古学的に豊かな遺物・遺構の残る水浸しに近い遺跡は、今まで台湾南西部でしか発掘されていない。台湾は、発展した産業経済と歴史遺産保護の法制を持つ国だ。[51] 東南アジア島嶼部の他はどこも、古代の食料生産の証拠は、今まで事実上存在しなかったし、あったとしてもたぶん無視されていた。

インドネシア中央部スラウェシ島のカラマ川流域の最近の発掘で、紀元前一五〇〇年から同一二〇〇年の年代の集約的な稲作の跡が見つかったことは、したがって証拠が突きとめられ、回収できさえすれば、稲作証拠が残存しているかもしれない可能性を示す。新石器村落遺跡ミナンガ・シパッコは、スラウェシ島西岸のカラマ川を約一〇〇キロ遡った所に位置した。このようにこの遺跡は、海岸の海水準変化と下流の深い土壌の堆積とは縁遠い。そこの居住民は、顕微鏡下の植物珪酸体、すなわち植物に存在するシリカの分析から得られた新しい証拠によれば、河岸段丘上の集落の近くで数世紀間もイネを栽培し、脱穀していたという。[52]

ミナンガ・シパッコ遺跡からのこの証拠は、台湾外の東南アジア島嶼部では最近でも類例は無い。しかしこの状況は、どんな実物証拠の欠如以上に、困難な条件下での発見を欠いていることの確かな反映である。稲作は台湾では紀元前二〇〇〇年より十分前に広く広がっていた。原オーストロネシア語族の環境での稲作の存在は、言語学上の復元で強く裏付けられている。中国南部から台湾とフィリピン諸島を経由して到着したこのスラウェシ島の稲作の起源は、全く明白である。たとえ東南アジア島嶼部で栽培されるイネの現代の品種の多くが、様々な気候条件に合わせるようにイネ栽培が進歩した後の時代の拡大を反映したものだとしても[53]。稲作を備えて最初のマレー・ポリネシア語派話者は、フィリピン諸島からインドネシアに移住した。だがその後、太平洋諸島の小島の間の条件にうまく適応すべく、彼らの食料生産の一揃いは変更されたのである。

第一二章　アフリカ、オーストラリア、そして南北アメリカ大陸

地球上の三つの大きな陸地部分――アフリカ、オーストラリア、南北アメリカ大陸――が探求を待っている。アフリカは、北の肥沃な三日月地帯からの新石器農耕民の移住に影響を受けたが、北緯五度から十五度のサハラ以南の人々は食料生産と牧畜への彼ら自身の独自の移行を成し遂げた。その後に、コイサン族の先祖とバンツー語群話者たちのケースで南への集中的移住が続いた。完新世中期のオーストラリア先住民は、隣のインドネシアとニューギニアの食料生産を伴う発展に影響された。そして大きな考古学的変化と言語変化が、完新世中期のこれらの接触を反映した可能性としてこの大陸の大半で起きた。先住アメリカ人は、彼らの主な農耕の故地、特に四〇〇〇年前以降のトウモロコシ栽培の発展でそうした故地からの数次の移住を経験した。紀元一四九二年までに、そこに暮らしていた食料生産を行う言語集団の多くに、そうしたことが起こったのだ。

アフリカ大陸

アフリカでは、過去一万二〇〇〇年の完新世人類集団の歴史は、四大語族の歴史と密接に結び付いていた。すなわちアフロ・アジア語族、ナイル・サハラ語族、ニジェール・コンゴ語族、コイサン語族の歴史である。まずアフロ・アジア語族から始める。それは、アフリカの食料生産の最古の生業経済の起

表 12.1　アフロ・アジア語族のサブグループと主要な言語

(原アフロ・アジア語族は前期完新世のレヴァント地方にあった)	
セム語派	死語：アッカド語（バビロニア語とアッシリアの祖語)、エブラ語、アムル語、フェニキア語（ポエニ語／カルタゴ語を含む） 現代語：アラビア語（多くの地域的方言)、ヘブライ語（イスラエルで非口語的な地位から復活)、アラム語、アムハラ語（エチオピア）
エジプト語	古代エジプト語とエジプト南部のコプト語
チャド語派	ハウサ語（ニジェールとナイジェリア北部）
ベルベル語派	ベルベル語、トゥアレグ諸語
クシ語派	オロモ語とソマリ語（スーダンとアフリカの角／エチオピア）
オモ語派	エチオピア、しかしアフロ・アジア語族としてのオモ語の地位は議論されている

源であった。この食料生産は、レヴァント地方からエジプトに七〇〇〇年以上前に導入された。年代は不確定だが、イエメンと紅海を通じて東アフリカにも入った。

レヴァント南部から北アフリカへのアフロ・アジア語族話者の移住

第一〇章で私は、肥沃な三日月地帯からの食料生産の拡大、特にその北部地域からヨーロッパとアジアへの初期インド・ヨーロッパ語族話者たちの拡大に焦点を合わせた。インド・ヨーロッパ語族がなぜアフリカに拡大しなかったのかは不思議かもしれない。一つの非常に納得できる理由がある。中東と北アフリカのアフロ・アジア語族を話す集団を生み出した、もう一つの大きな食料生産集団が妨げになっていたのだ（図九・二と表一二・一）。

アフロ・アジア語族の農耕牧畜民の移住は、肥沃な三日月地帯の食料生産と離れ、レヴァント南部から北アフリカへ別々の二つのルートをたどった。作物と家畜を伴って旅した一つは、シナイ半島を通ってエジプトに入った。ここから枝分かれした一つはナイル河谷を遡ってスーダンに向かい、一方でもう一つの分枝は地中海沿岸沿いにチュニジア、アルジェリア、モロッコの肥沃な可耕地に向かった。たぶんヒツジとヤギを連れていたが、明らかに肥沃な三日月地帯の作物を東アフリカに持ち込まなかったそれとは別のルートは、アラビアとイエメン（前期完新世には今よりも湿潤だった）を経て南に向かい、おそらくバブ・エル＝マンデブを渡っただろう。この牧畜民の移住は、スーダン、エチオピア、アフリカの角というモンスーン気候地域に入った。しかしこの移住については、ナイル河谷の移動よりもあまり分かっていない。レヴァント地方からこうした集団と言語の広がった年代は、考古学的に紀元前六〇〇〇年以降とされる。しかし第八章で述べたように、紀元前八〇〇〇〜同五〇〇〇年という紀元前六〇〇〇年前後という可能性もある。

アフロ・アジア語族の故地は、どこだったのだろうか？ 一部の言語学者は北東アフリカを選好する。レヴァント地方より多くの下位言語がそこにあるからだという。しかし、アフリカ起源を疑う余地なく実証する言語系統樹は存在しない。[1] 別の言語学者は、レヴァント地方を選ぶ。一部、生業経済と物質文化の復元された原アフロ・アジア語族の語彙が肥沃な三日月地帯のナトゥーフ文化と先土器新石器文化のそれと一致するということを根拠とする。[2] 一つの最近の推定は、レヴァント地方での原アフロ・アジア語族の起源を紀元前一万年頃に置いている。[3] また別の言語学者は、原アフロ・アジア語族は原インド・ヨーロッパ語族に近かったことを示唆する初期の単語借用関係を指摘し、かくして南西アジア起源を裏付けるという。[4]

しかしアフロ・アジア語族の話者たちが究極的なレヴァント起源であったという主な手がかりは、言語学ではなく、考古学と古代ゲノミクスから得られる。前期完新世に農耕文化と人間の遺伝子の流れは、レヴァント地方から出ていくことが明確で、逆ではなかった。第八章で私は、肥沃な三日月地帯の農作物と家畜のエジプトへの拡大の考古証拠を取り上げた。家畜化されたロバを別にして、反対方向には広がらなかったのだ。ヒツジ、ヤギ、ウシは、疑いなくその飼い主と共に、肥沃な三日月地帯の作物よりもはるかに遠くまで動いた。そして最終的にそれらの家畜は、サハラ以南のアフリカの先史時代に大きく貢献することになった。

一部の言語学での復元も、アフロ・アジア語族集団のこうした別々の移動を裏付ける。言語学者のヴァーツラフ・ブラジェクによれば、シナイ半島を経ての移住は、北アフリカに古代エジプト語とベルベル語派の祖語をもたらしたという。しかしサハラ北部と西部を通じたベルベル語派の主な拡大は、やっと紀元前一〇〇〇年紀に起こったようだ。この時代より前、土着的なナイル・サハラ語族とニジェール・コンゴ語族の各集団は、今日よりももっと広がっていたに違いない。

バブ・エル＝マンデブを経ての移住は、クシ語派とオモ語派の祖先言語をエチオピアとアフリカの角へと広げた一方、チャド語派の祖語の話者はおそらくサハラ砂漠南端（サヘル地域）沿いに移動し、ニジェール、ナイジェリア、チャドの現在の位置に達した。セム語派、特にアラビア語は、今では北アフリカの大半の地で支配的言語になっており、先に話されていた数多くのアフロ・アジア語族と置き換わった。アラビア語の拡大は、紀元七世紀とそれ以降のアラビア半島からのイスラム教の征服とイスラム教徒の定住と共に起こった。

遺伝的には、レヴァント地方のゲノム・プロフィールをもたらした新石器農耕民集団は、今日のアフロ・アジア語族を話す多くの民族の祖先に関与したに違いない。しかしチャド語派、クシ語派、オモ語派の話者たちは、ニジェール・コンゴ語族とナイル・サハラ語族の各話者たちとの古代の混合に由来した、サハラ以南のアフリカの土着民のＤＮＡを高い割合で持っている。(5) レヴァント地方との遺伝的結び付きは、北アフリカの地中海地域集団ではるかに強い。そして紀元前一二〇〇年からローマ時代に至るまでのエジプトのミイラは、レヴァント、アナトリア、さらにはヨーロッパの新石器農耕民集団に最も近い類似性を持つ遺伝的祖先を持つことが示されてきた[6]。サハラ以南のアフリカのDNAは、ローマ時代とファラオ時代のエジプトに出現するだけだ。モロッコで発見された新石器時代の人骨からの古代DNAも、新石器時代のイベリア半島から入り込んだ小さな成分に加えて、土着の旧石器人先祖と混ざり合った、肥沃な三日月地帯のナトゥーフ文化人と新石器人との類似性を示している[7]。

サハラ以南のアフリカの変貌

第八章で論じたようにナイル・サハラ語族集団は、前期完新世の湿潤期（緑のサハラ）にサハラ砂漠の広大な領域に展開しただろう。その後、五〇〇〇年前頃、緑のサハラが砂漠に戻ると共に、彼らは南方の現在の分布地へと後退した。彼らが後退したこの時までに、アフロ・アジア語族のヒツジ、ヤギ、ウシを飼う遊牧が、レヴァント地方から導入されていた。その後、ナイル・サハラ語族話者民族もアフロ・アジア語族（特にクシ語派の）話者民族も、牧畜経済を伴って南に広がり、紀元前二五〇〇年までにケニア赤道地帯とケニア大地溝帯に達した[8]。ここで彼らの侵入は、先住のコイサン語族を話す狩猟採集の集団に大きなインパクトを与えたようである。

第五章で述べたように、アフリカ大陸南部地域には、もともと狩猟採集民が暮らしていた。その残存した彼らの子孫には、近縁のコイコイ遊牧民と共にアフリカ南西部のサン族が含まれる[9]。これに関係のある集団として、タンザニアのハッザ族とサンダウェ族、さらに中央アフリカ、コンゴ盆地の熱帯雨林に暮らす狩猟採集民が含まれる。これらの人類集団は、今日、圧倒的多数派のバンツー語を話す農耕民の中で、少数派の狩猟採集民、あるいはコイコイ族の場合は遊牧民として生き残っている。

彼らサハラ以南のアフリカの狩猟採集民集団は、今では故地から遠くまで追われ、ライフスタイルは様々だ。しかし多くは（コンゴ盆地の狩猟採集民は除く）、言語にクリック音を持つという重要な特徴を共有している。彼らの言語は、言語学的に「コイサン語族」とまとめられることが多い。しかし複数のコイサン語族があるとも、一般に認められている。コンゴ盆地の狩猟採集民（「ピグミー」）は、ニジェール・コンゴ語族とナイル・サハラ語族を採用してきた。

北東アフリカでウシ、ヒツジ、ヤギを飼育する生業が確立した後、コイコイ人の祖先を含むケニア近辺と大地溝帯に住む狩猟採集民集団は、遊牧民の生活様式を採用した。その後、彼らの一部は遊動して、バンツー語を話す農耕民の拡大前の二〇〇〇年前から一五〇〇年前までに南西アフリカに達した。紀元数世紀までにヒツジとウシを飼い、土器製作技術を持った遊牧民は、喜望峰にまで到達していた（図一二・一）。

ナミビア、ボツワナ、南アフリカの現生コイコイ遊牧民の間の北東アジア人とレヴァント人のDNAの比率という遺伝証拠は、たとえ詳しいことがなお明らかでないとしても、祖先となるコイサン語族を話す民族によるそのような移住を強く支持している。遺伝学者のカリーナ・シュレブッシュによると、彼ら遊動するコイサン集団は、南部アフリカのサン族狩猟採集民と遺伝的に混合したという。こうして今日の南西アフリカに住む非バンツー語群集団の両者（サン族とコイコイ族）の遺伝子への関与がなされた。[10]

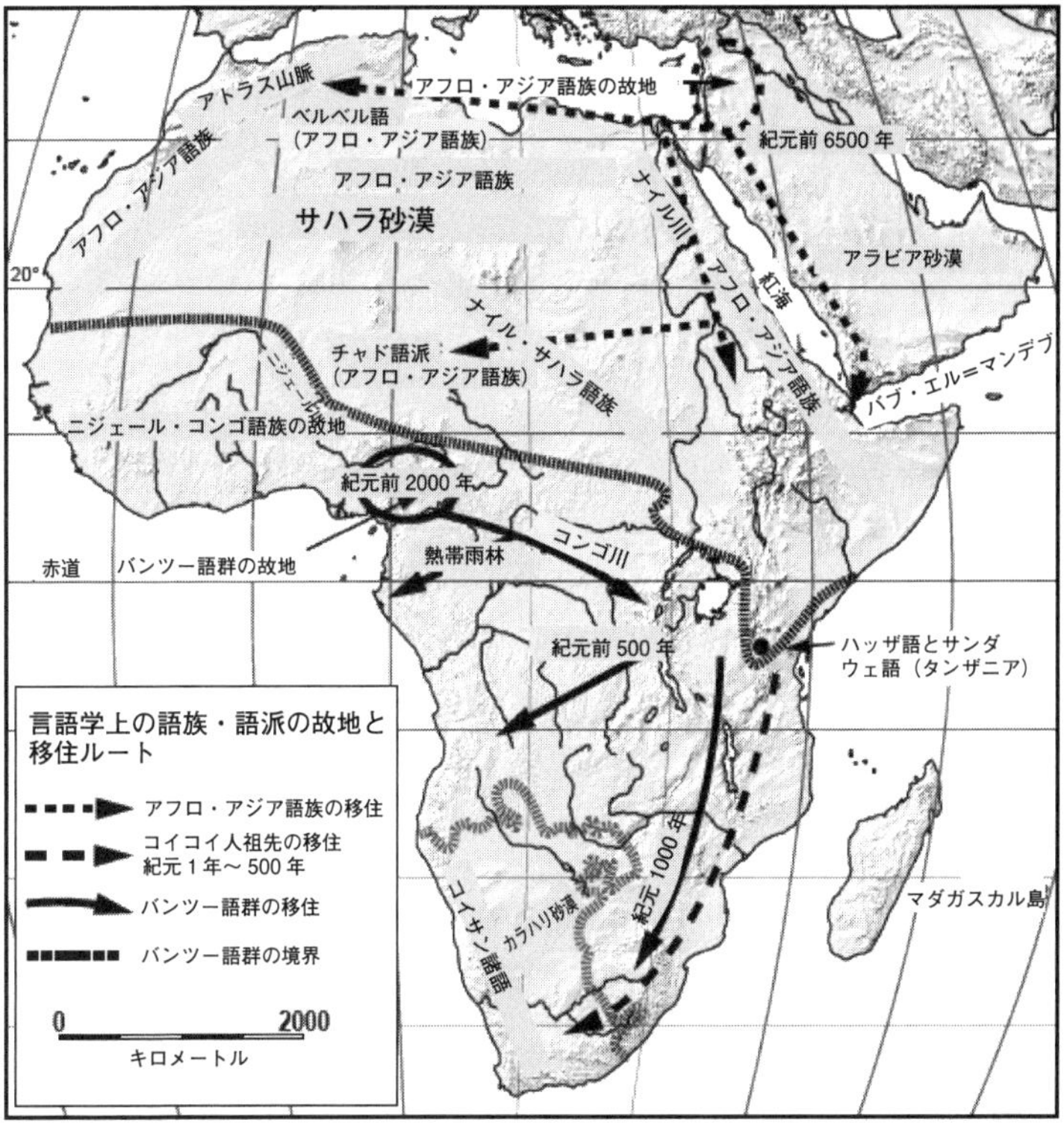

図 12.1　完新世のサハラ以南のアフリカの主な人類集団移動。年代は、バンツー語群話者の到来したと考えられる時を指す。またバンツー語群拡散を示した矢印は、PNAS 近刊予定〔PNAS2022 年 8 月 1 日号に発表済み〕のエセキエル・コイレら『バンツー語拡大の系統地理学的解析は熱帯雨林ルートを支持する（Phylogeographic analysis of the Bantu language expansion supports a rainforest route）』に（おおむね）よる。

バンツー族のディアスポラ

ニジェール・コンゴ語族を話す民族群である第四のアフリカの言語集団は、今日のサハラ以南のアフリカの人類集団の大半を包含している。ニジェール・コンゴ語族諸民族は、熱帯の西アフリカの土着民であり、彼らの祖先はサハラの湿潤期にマリとニジェールのナイル・サハラ語族の拡大と重なり合ったに違いない。実際、ナイル・サハラ語族は今もなお、今日のニジェール川流域の一部で話されている。[11]

バンツー語群は、より大きなニジェール・コンゴ語族の一つの分枝を形成するだけだ。過去四〇〇〇年で、バンツー語群はアフリカ北西部のナイジェリア東部とカメルーンの故地から南アフリカの東海岸までに及ぶ広大なアフリカに、約四五〇〇キロもの距離のある領域に広がった。今日、バンツー語群は約二億五〇〇〇万人に話されている。遺伝学者のあるグループによれば、バンツー語群の拡大は、「人類史で最も劇的な人口学上の出来事の一つ」だった。[12]

第八章で私は、雑穀、マメ類と肥沃な三日月地帯で家畜化された動物を伴ってサハラ以南のアフリカで発展した食料生産経済を論じた。トウジンビエとソルガムの栽培は、サヘルとスーダンのサバンナと疎林の植生帯で紀元前二五〇〇年までに始まっていた。そしてバンツー語群の故地は、この領域の中、特にナイジェリア東部とカメルーンにあった、とほぼすべての言語学者に認められている。食料生産と牧畜は、紀元前二〇〇〇年までにこの地域に成立していた。そしてバンツー語群の新しい言語学的分析では、すぐ南の熱帯雨林への拡大は、おそらく河川と比較的開けた自然の植生帯に沿って、既にこの時までに始まっていたと推定される。[13]

紀元前数世紀には、バンツー語群の祖先は鉄冶金術も採用していた。ただその技術を中東とは独立に発明したのか、それとも他から導入したのかは不明だ。しかしたぶん鉄冶金術の採用の結果、紀元前五〇〇年頃までに西アフリカ熱帯雨林帯の西側を通る、北から南への完全にオープンとなった通廊が開かれたのだ。それによりバンツー語群集団は、穀物、マメ類、家畜（ウシ、ヒツジ、ヤギ）と鉄器を備えて、熱帯雨林の南側に進出することが可能になった。この地点から彼らは、東へ、東アフリカのヴィクトリア湖と季節によって乾燥する景観の地へ拡大を始めた。ヴィクトリア湖の近くから、次に彼らは南転し、四〇〇〇キロの大部分がサバンナ地形の移動を続け、紀元一〇〇〇年頃までにナタール地方の彼らの先史時代の限界地に到達した（図一二・一）。

これまでの章で述べてきた農耕民の移住に比べれば、バンツー語群集団の移住は、比較的最近のことだったと言える。そしてその理由について疑問に思う。熱帯雨林を通り抜ける拡大が進行するその時までに、熱帯雨林の北方と北東の地域、特に東アフリカは、別の非バンツー農耕民と遊牧民に既に定住されていた。このことがたぶんバンツー語群がまず最初に南に向かい、狩猟と採集をする土着集団しかいない熱帯雨林に入り、通過していった理由だろう。さらに前に論じた先行したコイサン族移住は、遊牧民のそれだった。南の熱帯雨林までサハラ以南のアフリカの大半も、バンツー語群集団の到着前は、コイコイ遊牧民に住まわれていた。たぶんバンツー語群集団の移住は、一部は彼らが鉄器を獲得していたから、また一部はインドネシアからタロイモ、ダイジョ、バナナ、サトウキビ、ニワトリがもたらされていたから、成功したのだろう。これらの重要な栽培食料は、紀元数世紀という早い時期に到来していた。その時、マダガスカル島は、ボルネオ島からの海路によるマレー・ポリネシア語派の人々に定住される過程にあった。このように、マレー・ポリネシア語派の人々は、バンツー語群の拡大に重要な役割を果たすタイミングで東アフリカ大陸に到着したのだ。

紀元五〇〇年までに、バンツー語群集団の定住は、スワジランドの近くに達していて、さらに紀元一〇〇〇年までにはるか南アフリカ南東部分のモンスーン気候の限界域に到達した。この歩みを跡づける放射性炭素年代で測定された考古遺跡のかなりの記録がある。紀元一〇〇〇年頃にコンゴ盆地熱帯雨林帯に住んでいた地域的集団の衰微の後に、この地域へのバンツー語群集団の明らかな再定住がなされたが、その因果関係はなお不明だ[14]。バンツー語群集団移住の過程についてなされた最近のすべての遺伝的考察結果は、その移住がサハラ以南のアフリカの人類動向の大きな遺伝的転換を起こしたことに同意している。しかしコイサン語族集団との遺伝的混合は、その移住が食料生産のモンスーン夏季降雨体系の限界に向かって進んだ時に終止符を打った[15]。興味深いことに、現バンツー語群話者と同様に、祖先のバンツー語群集団は、保因者にマラリア抵抗性をもたらすダフィー抗原と血中の異常ヘモグロビンも持っていた[16]。

バンツー語群集団の移住は、世界の先史時代において初期農耕民集団の最大規模の拡大の一つとなった。彼らが鉄器を保有し、家畜だけでなく幅広い農作物に食料を頼ったことが、バンツー語群集団に、狩猟採集民集団だけでなく遊牧民によって以前住まわれていた土地へ移住するのに必要な人口学的な優位性を与え、それはカラハリ砂漠と南西アフリカの地中海性冬雨気候帯に到達するまで続いた。砂漠と地中海性気候の環境はどちらも、モンスーン気候の作物に適していないから、ここで彼らの拡大は停止したのだ。一七世紀半ばに南アフリカにオランダ人が移民を始めた時、オランダ人植民者はバンツー族とコイサン族の両方に遭遇した。

オーストラリア大陸

ヨーロッパ人がやって来るまでオーストラリア大陸は世界の他の地域から孤立していたという考えは、長い間、人類史の研究者の中に広まり続けていた。だが私は、この考えは決して全面的に正しくはないのではないか、と思っている。過去三〇〇〇年間、これほど巨大で、北側を海民たちによって接触されていた陸塊が、完全に孤立できたとは思えないように考えるのだ。太古のオーストラリアは、世界の他のどの主要地域とも同じように、五万五〇〇〇年以上に及ぶ先史時代の間に変化した。オーストラリアは、その占拠者である狩猟採集民のやり方で変化しただけだ。そしてそのやり方は、完新世に世界の他地域の食料生産民がたどったやり方と同じではなかった。今日では、いくつかの注目に値する文化的、言語学的変化が、過去三〇〇〇年間にこの大陸の大半で展開されたことが分かっている。それは、世界の他の地域における最も広範囲な考古学的文化と語族の拡大に匹敵する地理的規模であった。

まずいくつかの考古学的事実を検討してみよう。特に紀元前一五〇〇〜同五〇〇〇年のオーストラリア大陸の中央部と南部の大半にいたオーストラリア先住民は、刃潰しされた（峰付きの）石器の製作に大きく傾注していた。それらは、南アフリカ、インド、スリランカで、オーストラリアよりはるかに古い旧石器時代に作られていた刃潰し石器と偶然にも似ていた（図一二・二）。こうした石器は、いくつかの例は存在するが、オーストラリアではこの年代範囲外ではめったに無い。しかし上記の年代幅でのこの大陸の大半で刃潰し石器への驚くべき集中の見られたことは、ある程度の大きさの文化変化があったことを推定させる。

オーストラリアと同じ時期に、これと類似した石器を作っていた近隣の東南アジアで唯一の地域は、

図 12.2　事実上、同一の完新世中期の刃潰し（峰付き）石器。スラウェシ島南部出土（上段）とオーストラリア東南部出土（下段）。イラワラ湖は、ニューサウスウェールズ州沿岸部にある。下段左の石器の長さは、4.5 センチメートル。オーストラリア国立大学考古学・人類学部に貸し出されたオーストラリア博物館の収蔵品。筆者撮影。ピーター・ベルウッド『最初の移住民たち（「*First Migrants*」）』、ウィリー・ブラックウェル、2013）の図 5.5 より。

インドネシア中央部、スラウェシ島で腕のように延びる南西部であった。そこで類似石器群が、マレー・ポリネシア語派を話す稲作農耕民の到来する前、紀元前五〇〇〇年以降の先新石器時代の「トアレ文化」の考古層位から出土した。後でまたスラウェシ島に立ち戻るが、ここでは次のようなことを追加しておく。図一二・三の地図上に示したように、オーストラリア北部の熱帯のアーネムランドとキンバリー高原では、刃潰し石器を持たない、両面加工尖頭器と刃部磨製石斧の製作に注力した、トアレ文化とは異なる完新世石器インダストリーがあった。[17] 刃潰し石器は、ニューギニアとインドネシア東部島嶼群でも存在しなかった。後氷期のバス海峡の海水準の上昇によって完新世初めにオーストラリア大陸から切り離されるようになっていたタスマニア島も同様だった。

これら刃潰し石器がオーストラリアでスラウェシ島南部と全く独立に発明されたのか、それとも同島南部から移入されたのかは、分かっていない。非常に印象深いのは、オーストラリアでは三五〇〇年前前後に刃潰し石器の製作・利用が高度に集中していたことだ。どこで石器の刃潰しという思いつきが最初に起こったかは別にして、この頃がオーストラリアとその北の島々で大きな変化のあった時だからだ。[18]

言語学的に見れば、過去数千年間、刃潰し石器群によって覆われたのと同じオーストラリア大陸の同一地域に主要語族の展開が認められた。言語学者にパマ・ニュンガン語族と呼ばれるその語族の起源は、ヨーク岬半島の付け根辺りだったと考えられている。最初に拡大を始めた年代は不明だが、最近の推定では五〇〇〇年前から三〇〇〇年前のどこか、というところに落ち着く傾向にある。[19] 言語年代学は、この問題で正確な年代を与えることができない。しかし最新のパマ・ニュンガン語族の言語学上の評価は、その起源をたどり「劇的な拡大」としている。[20] 刃潰し石器のように、パマ・ニュンガン語族もアーネムランド、キンバリー高原、タスマニアには分布しない。ただしタスマニア先住民の言語は、貧弱な記録しかない。アーネムランドとキンバリー高原の言語は、少人数の話者から成る多数の、かなり多様化した言語群に属する。これらの言語は、パマ・ニュンガン語族と関連づけることができないので、更新世の時からその場所で話されていたのだろう。

一見したところ、考古学データと言語学データのこの結び付きは、事実とするにはしっかりし過ぎて

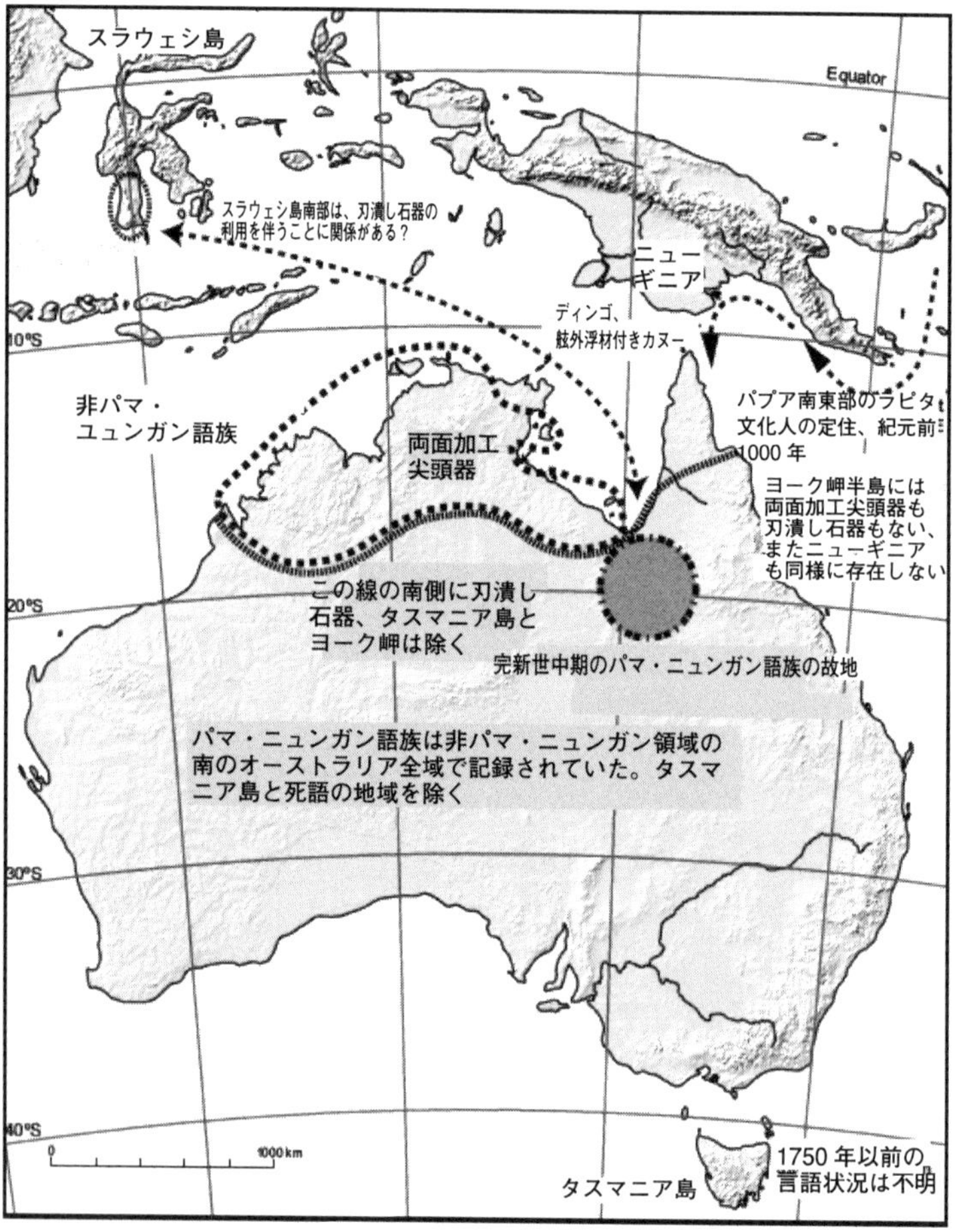

図 12.3　考古学的文化複合とパマ・ニュンガン語族の分布を示すオーストラリア地図。

いるように思える。オーストラリア大陸の大部分は、過去三五〇〇年のうちに、石器と言語の両方で大きな変化を受けたことが推定される。それが、両者を直接に関連づけるようになったのかもしれない。さらに言うと、石器と言語は、この話題の終わりではない。

ディンゴ、カヌー、そしておそらくは農耕も、この話題に加わる。現代のイヌから得られた遺伝子の証拠は、元はアジアの家犬であったディンゴがニューギニア南東部を経由してケープ岬半島に到着したのかもしれないことを推定させる。おそらく紀元前一〇〇〇年頃のラピタ文化人のポリネシアに向かう移住に関連したのだろう（第一一章参照）[21]。歴史文献を最近解析したところ、ディンゴはオーストラリア先住民の狩りで一定の役割を果たしていたかもしれないと推定されている。そうだとしたら、肉を得るためにカンガルー、ワラビー、エミューを狩猟していた先住民にとって、ディンゴは役に立つ助手だっただろう[22]。

ケープ岬半島沿岸でヨーロッパ人との接触時に使用されていた舷外浮材付きのカヌーも、ニューギニア島南東沿岸部から導入された。持ち込まれた正確な時期は分からないが、マレー・ポリネシア語派（大洋州諸語のサブグループ）から借用されたカヌーという語は、持ち込まれたのがヨーロッパ人の到着よりずっと前、おそらくはマレー・ポリネシア語派を話す航海民たちがニューギニア東端から離れたと思われる三〇〇〇年前よりも古かっただろうことを推定させる[23]。さらにはヤムイモ、バナナ、タロイモといった一部の作物植物が、完新世にニューギニアからオーストラリア北部に時々持ち込まれていたという兆候もあった[24]。このすべては、オーストラリアがその北方で起こっていたいくつかの基礎的な大変化から完全に切り離されていたわけではなかったことを暗示させる。

前章までで見たように、紀元前一五〇〇年から同五〇〇年までの時代は、東南アジア島嶼部とメラネシア諸島の先史時代に特に重要な時だった。その時代、アジア新石器人とニューギニアのパプア諸語話者の双方の遺伝子を持つマレー・ポリネシア語派を話す民族による、インドネシア南東部ヌサ・トゥンガラ諸島、メラネシア、ポリネシアへの移住が行われた。これらの民族は、食料生産経済、進歩したカヌー建造技術、イヌ、そして密接に関連し合った言語セットを備えて、オーストラリアにほど近い所にある多くの島々へと航海していたのだ。彼らマレー・ポリネシア語派を話す人たちが、オーストラリアをどうにかして避けようとしたという考えは、いかなるものでも見当違いも甚だしいだろう。

しかしパマ・ニュンガン語族は、マレー・ポリネシア語派ともパプア諸語とも関連しない。したがってパマ・ニュンガン語族が、後者のいずれかに起源を持っていたことはほとんどあり得ない。実際、パマ・ニュンガン語族が海を越えた後者のどちらかに言語的な起源を持っていたなら、この語族の広がるオーストラリア中部や南部ではなく、オーストラリア北部全体にこの語族が広がっていると予想できるのではないか。ところがパマ・ニュンガン語族は、そうした分布をしていない。さらにマレー・ポリネシア語派の話者もパプア諸語話者も、その語派・諸語に関連した考古記録を見る限り、かつて刃潰し石器を使用していたことはなかった。そしてその種の石器を確かに作っていたトアレ文化人は、この考古学上の年代と地理的位置の関係で、いずれかの言語グループに属していたこともほとんどあり得ないのだ。単純化して言えば、マレー・ポリネシア語派話者もパプア諸語話者も、過去のいかなる時代にも、どんな規模でもオーストラリアに定住したことはないし、その証拠は全く無い。だから別の説明が必要だ。

石器の類似性を説明するため、オーストロネシア語族到着前のスラウェシ島とオーストラリアとの関連はどうだったのか？　拙著『最初の移住民』で、こうした課題を考え、スラウェシ島南部に住んでいた先オーストロネシア語族のトアレ文化集団の一部メンバーは、移住してきたマレー・ポリネシア語派を話す農耕民たちにより自分たちの狩り場が占拠された反応としてカーペンタリア湾へと舟出したのかもしれないというアイデアを考え出した㉕。一部のトアレ文化人は、マレー・ポリネシア語派を話す隣人たちからカヌー製作技術とイヌを受け入れ、刃潰し石器の技術を携えて夏季モンスーンの北西から吹く風に乗ってオーストラリアへ舟出したのだろうか？

『最初の移住民』を書いた時、私はヨーク岬とニューギニア南東部間の接触でも指摘したカヌーとディンゴとに関連する情報に気がつかなかった。そのため状況は、当時私が理解していたよりも複雑になったかもしれない。たとえそうであっても、トアレ文化人がスラウェシ島からやって来たのだとすれば、彼らは、一八世紀から一九世紀にスラウェシ島南部のマカッサル人たちによって用いられた海路をたどって来たのだろう。マカッサル人たちは、オーストラリアでのイギリス支配が彼らのやって来るのを禁止するまで、毎年、オーストラリア北部海岸に船でやって来た。彼らはその海で、フランス語ではベーシュ・ドゥ・メル、中華料理の食材であるナマコを獲っていた。

しかしトアレ文化人が三五〇〇年前に話していた言語が何だったかについては、私たちは全く何の推定も持ち合わせていない。かつてインドネシア西部と中部で話されていた先オーストロネシア語族の子孫言語が、すべて死語となっているからだ。おそらくトアレ文化人の言語は、パマ・ニュンガン語族にとっての祖語ではなかっただろう。これを推定させる主な根拠は、後者は言語学者によりオーストラリア土着の言語とみなされていることがある。パマ・ニュンガン語族について、トアレ文化人の言語を起源とする仮説は、このように研究者を納得させていない。しかしこの論争にはまだ多くの未解決の事のあることは認められなければならないだろう。

要約すると、新しい時期の先史時代オーストラリアの多くに、特に北部地域の一部に、重要な潜在的な文化的インパクトのあった状況が明らかに存在していた。パマ・ニュンガン語族集団がオーストラリア北東部内のどこかからの移住者だった、したがって土着のオーストラリア先住民だったというシナリオに私たちは直面しているのだろうか？　彼らは、外部世界との連絡の結果として、石器製作技術、狩りでのイヌ（ディンゴ）の支援、舟造りと漁労技術などで役に立つ利点を獲得していた。先新石器時代の東部インドネシア、特にティモール島と近くの島々で作られていたような（図六・四）小さな貝製の釣り針が完新世のニューサウスウェールズ州沿岸部のようなはるか南の地域でも作られたことは、興味深い。この新しい知識がすべて、パマ・ニュンガン語族話者たちに、オーストラリア大陸の中央部と南部のほとんどの沿岸の周辺にその言語と一緒の拡大を促したのだろうか？

遺伝的証拠は、解決の助けになれるか？　残念ながら、パマ・ニュンガン語族の拡大の問題に関して、何か直接の光を当てられそうなオーストラリアの古代DNA研究は存在していない。しかしクイーンズランド州と南オーストラリア州で集められた、民族誌記録でパマ・ニュンガン語族を話す集団から集められたという毛髪に関しての最近のミトコンドリアDNA研究は、過去五万年間のうちいかなる時代にもこの大陸内に第二次移住のあったという証拠をもたらされなかった。[26]しかしこれは、決定的な証拠ではない。二〇〇一年からの先行研究では、父親から由来のY染色体のハプロタイプは四〇〇〇年前頃からオーストラリア大陸全土に広く広がったとする主張がなされたのだ。[27]その論文執筆者たちは、それが刃潰し石器とディンゴの拡大と関連する可能性を指摘した。現生パマ・ニュンガン語族集団に関する最近の全ゲノム調査も、北東から南西へというオーストラリア大陸内の全般的な完新世の拡大を裏付けてきた。[28]

では結論は何か？　分布の重なるパマ・ニュンガン語族と考古遺物は、食料生産とその後の人口増加に伴う世界のどこでもどんな状況でも見られた大陸規模の大きな集団的拡大の可能性を高めるのに十分だろう。しかしオーストラリアの完新世の考古記録は、いずれの可能性に対しての納得できる証拠も出していないようだ。食料生産は、栽培植物と家畜の管理運営を必要とするので、オーストラリアの先史時代にこの生活様式が十分に発達したと主張することはできない。[29] ディンゴはこの点に関しては関係がない。ディンゴは家犬としてオーストラリアに持ち込まれたからである。今のところ、私たちは手詰まりに陥っているようだ。

私は大きな期待をもってオーストラリアでの将来の発展を待っている。太古のオーストラリア人にとって、五〇〇万年のオデッセイのすべてに事実上の食物を供給した基本的な狩猟採集経済は、その先史時代を通じて完全にうまくいった。人類学者のピーター・サットンと考古学者のケリン・ウォールシュによれば、オーストラリア先住民は栽培家畜化された食資源を持った食料生産民ではなく、自らの土地の魂の管理者だった。[30] だが北からの接触は、この大陸の南側三分の二の地域内での完新世の人口移動を促すことができたのだろうか？　私には確信がない。だができれば知りたいと熱望している。

南北アメリカ大陸

南北アメリカ大陸での完新世の移住

旧世界では常に人口の増えていた食料生産民は、栽培作物と家畜という移動可能な経済への投資が外への拡大を可能とさせ、またそれを促した時、そのようにした。したがって新世界でも、ぴたりと同じことが起こったことを見出したとしても、何の不思議もない。だがそこでは、一四九二年とその結果という私たちの記憶する驚天動地の結末が待っていた。その破滅的な年の後、土着集団、彼らの文化、彼らの言語に、大混乱が巻き上がった。遺伝学者と歴史家は、一六世紀には持ち込まれた疾病が原因で先住アメリカ人の九〇%が死亡したと見積もる。その結果、一四九二年に存在していた言語と文化の詳しい状況が、時には復元が困難になった。このことは、特に北米と南米の温帯域では間違いなく存在した。そこではヨーロッパ人が食料生産の自分たち自身のシステムを移植し、先住民の農耕システムを取り上げたのだ。

もちろん先住アメリカ人は、確かに生き残った。そして先史時代からの変遷模様は、たとえデータに多くの残念なギャップがあるにしても、主要語族の分布においてはそれでもなお確認できる。しかし南北アメリカ大陸で調査研究している先史学者たちは、ヨーロッパ人との接触時に存在した集団と言語がどのような起源を持ち、その後に広がったかという問題に取り組むのに、近年は時間を要するようになっている。考古記録は、言語学的に関連が明確な過去の集団との関連付けることがしばしば困難となっている。そして遺伝的調査、特に古代DNAの研究は、まさに始まりつつある状況だ。オーストラリアでの場合と同じように現在のアメリカ先住民は、よそ者たちによる自分たちの祖先についての考古学的、遺伝学的調査をいつも歓迎しているわけではない。しかしそうした課題への正確にして情報量に富む調査への要求が今、大挙してもたらされつつあるのを見るのは喜ばしいことだ。

この比較的鈍いスタートにもかかわらず、興味深い多くの研究所見が今もなされている。ヨーロッパ人との接触時にこの両大陸の熱帯と温帯のほとんどの地域に、両米の農耕民が住んでいた。彼らについては、表一二・二でリストアップしてある。またヨーロッパ人の到着した時の彼らの状況は図九・三に描いてある。アルゴンキン語派だけは例外かもしれないが、表一二・二にリストアップされた語族すべては、図一二・四に復元図示したようにアメリカの農耕の故地と、推定される語族の故地に重なり合う。

移住する北アメリカの狩猟採集民

完新世の旧世界のように、植民地時代より前の新世界の諸民族には、狩猟採集民も食料生産民も両方が居た。予測されるように、狩猟採集民の大部分は農耕が可能でない地域に分布していたが、例外もある。例えば今日では農業の盛んな肥沃な地域であるカリフォルニアには、先史時代、栽培植物と家畜を備えた農耕民がいなかった。この地域は、合衆国南西部からのトウモロコシ農耕民による大きな移住を妨げるかのように、砂漠と山脈によってほぼ完全にシャットアウトされていたので、トウモロコシ農耕民の移住はできなかった。カリフォルニア土着の狩猟採集民は、一部は集約的な食資源管理方法をとっていたが、スペイン人の到来までこの地域を独占し続けていた。

一部の広範囲に広がった大言語集団は、農耕と非農耕の生業形態の両方を採っていた。ユト・アステカ語族の場合、メキシコの強力なトウモロコシ栽培民であるアステカ族から、合衆国西部の半乾燥の大盆地に暮らすパイユート族とショショニ族の狩猟採集民にまで及んだ。同様にアルゴンキン語派は、合衆国北東部の農耕地域に分布していたばかりか、ずっと寒冷なカナダ楯状地の狩猟採集地にも広がっていた。これらの集団は、ずっと前から農耕と狩猟採集の生業形態を混ぜ合わせており、そのことは起源について興味深い疑問を呼び起こす。彼らの最初の拡大は、狩猟採集と結び付いたものだったのか、それとも食料生産とだったのか？　私は、ユト・アステカ語族とアルゴンキン語派の両ケースを以下でさらに考察する。

表 12.2　新世界の主な農耕民と混合経済の語族

語族	現存する分布地	およその故地	経済と文化的適応
北アメリカ			
スー語族	南北カロライナ両州から大平原東部	オハイオ川流域？[1]	紀元 200 年以降のトウモロコシ栽培の東部ウッドランド文化の農耕 おそらく紀元 800 年～ 1600 年のミシシッピ文化に関連
イロコイ語族	アパラチア山地からセントローレンス川まで	西部ニューヨーク州？[2] アパラチア山地？	紀元 200 年以降のトウモロコシ栽培の東部ウッドランド文化の農耕
マスコギ語族	合衆国南部の大西洋岸からミシシッピ川まで	合衆国南部	紀元 200 年以降のトウモロコシ栽培の東部ウッドランド文化の農耕と狩猟採集（メキシコ湾岸と大西洋岸）
アルゴンキン語派	合衆国東南部、周囲をイロコイ語族に囲まれて；カナダ東部	五大湖？	カナダでは狩猟採集、合衆国では東部ウッドランド文化とトウモロコシ栽培
メソアメリカ[3]			
オト・マンゲ語族	メキシコ中央部の一部	オアハカ	農耕、そしておそらくはバルサス川流域で初期のトウモロコシ栽培に関連。サポテカ文明とメキシコ形成期、古典期、後古典期諸文化に関連。
ユト・アステカ語族	エルサルバドルからアイダホ州まで	オト・マンゲ語族の故地に近いメキシコ中央部	農耕、オト・マンゲ語族から借用した専門用語のトウモロコシ栽培。大盆地（パイユート族､ショショニ族）と大平原南部（コマンチェ族）では狩猟採集。メソアメリカではアステカ族（スペイン人との接触時はナワ語の話者）と、おそらくはそれより古いテオティワカンとトルテカ文明と関連
ミヘ・ソケ語族	メキシコのテワンテペク地峡	テワンテペク地峡	農耕、そしておそらくはオルメカ文明形成期に関連
マヤ語族	グアテマラ、ユカタン州、チアパス州、メキシコ北東部のワステカ地方の飛び地も	グアテマラ高地	農耕、そして碑文を通して土着のアメリカで最重要の文字伝統に関連づけられる
南米			
アラワク語族	アマゾン川流域とカリブ諸島、ただしキューバ西部を除く	アマゾン川流域南西部（マデイラ川上流とプルス川流域）[4]	農耕、特にキャッサバとトウモロコシ栽培。広場の周りに円形に住居を配置した集落を伴う階層化社会。サラドイド文化の装飾土器とバランコン文化の装飾土器を伴う

表 12.2　新世界の主な農耕民と混合経済の語族（続き）

語族	現存する分布地	およその故地	経済と文化的適応
トゥピ語族	アマゾン川流域南部とアルゼンチンとパラグアイに至る南米東海岸	アマゾン川流域南西部（マデイラ川上流とグアポレ川流域）[5]	農耕、特にキャッサバとトウモロコシ栽培。多色彩土器を伴う。紀元前 500 年以降に南方に拡大（トゥピ・グアラニー語族）
カリブ語族	南米北部の大半、だが先史時代にカリブ諸島に分布していたかは定かではない	アマゾン川流域東部[6]	農耕、特にキャッサバとトウモロコシ栽培
ケチュア語族とアイマラ語族	アンデス中央部	アンデス中央部[7]	アンデス文化形成期とアンデス文明に伴う主な拡大は紀元 1 年以降。紀元 1438 年以降のインカ帝国に引き継がれる

1　ロバート・ランキン、「スー族の接触と分散」、ジョン・スターラーら編、『トウモロコシの歴史：先史学、言語学、生物地理学、栽培家畜化、そしてトウモロコシの進化への学際的アプローチ（*Histories of Maize: Multidisciplinary Approaches to the Prehistory, Linguistics, Biogeography, Domestication, and Evolution of Maize*）』（エルゼビア、2006）所収、564-577

2　マイケル・シラチら、「イロコイ族先史学への言語学の手がかり」、*Journal of Anthropological Research* 73（2017）、448-485

3　ジェーン・ヒル、「メソアメリカと合衆国南西部：言語史」、ピーター・ベルウッド編、『人類移住の世界先史学（*The Global Prehistory of Human Migration*）』（ワイリー、2015）所収、327-332

4　ロバート・ウォーカー及びリンカーン・リベイロ、「南米低地でのアラワク語族の拡大のベイズ的生物系統地理学」、*Proceedings of the Royal Society of London, Series B: Biological Sciences* 278(2011):2562-2577

5　ホセ・イリアルテら、「アマゾン川流域からの拡大：後期完新世の気候変動とトゥピ・グアラニー語族の大陸縦断の拡大」、*The Holocene* 27(2017): 967-975; チアゴ・チャコン、「言語拡大と接触の原動力としてのラテンアメリカ先住民の移住と交易」、S・ムフウェネ及び A・エスコバル編、『言語接触についてのケンブリッジ・ハンドブック（*The Cambridge Handbook of Language Contact*）』）所収（出版前オンライン版、2019）

6　アレクサンドラ・アイヘンヴァルト、「アマゾン川流域地方：言語史」、ピーター・ベルウッド編、『人類移住の世界先史学（*The Global Prehistory of Human Migration*）』（ワイリー、2015）所収、384-391

7　ポール・ヘガティ及びデビッド・ベレスフォード＝ジョーンズ編、『アンデス地方の考古学と言語（*Archaeology and Language in the Andes*）』（オックスフォード大学出版によりイギリス学士院向けの出版、2012）；ニコスラ・エムラン及びウィレム・アデラール、「原ケチュア語族と原アイマラ語族の農耕牧畜関係」、マーティン・ロベーツ及びアレクサンドル・サヴェリエフ編、『農耕の先の言語拡散（*Language Dispersal beyond Farming*）』（ジョン・ベンジャミン、2017）所収、25-46

図 12.4　新世界農耕民の語族が農耕の故地と起源においていかに広く重なるかを示した地図

言語学的観点では、ヨーロッパ人との接触時に両米大陸で全面的な狩猟採集民だった集団は、極北に住むエスキモー・アレウト語族と先史農耕の範囲外だった北米北西部の大半を分布圏とするナ・デネ語族の諸民族だった。両語族とも、狩猟採集民移住についての充実した、新しい話題に関係していた。両語族の場合、十分な記録もある。

イヌイット（エスキモー・アレウト語族話者）は、第六章末で述べたように、温暖な気候条件だった紀元八〇〇年から同一三〇〇年に、カナダの極北沿岸からはるかグリーンランドまで移住した。このさらに南では、アサバスカ諸語（ナ・デネ語族内の主要言語グループ）を話し、バッファロー狩猟民であったアパッチ族とナバホ族の祖先が、カナダからさらに三〇〇〇キロも南の合衆国南西部に至る地域に紀元一三五〇年以降に移住した。その移住は、アリゾナ州とニューメキシコ州にいたトウモロコシ栽培のプエブロ文化内で起こった壊滅的な人口崩壊の機に乗じたものだった。

イヌイットとアパッチ族の移住は、新しい時代のアメリカ先史学で狩猟採集民によってなされた二つの最重要のものだった。そして両者とも、以前の先住民に事実上、もしくは完全に放棄されていたテリトリーに拡大した。この地域の先住民が放棄していなかったとしたら、イヌイットとアパッチ／ナバホの移住は、これほど成功裏に運ばなかっただろう。同じような人口密度と技術上の能力を持った狩猟採集民集団が別の狩猟採集民によって既に先住されていた地域へ移住した、狩猟採集民の移住例は、他の人類学上の、歴史上の状況ではどこにも記録されていない。生物人類学者のグローヴァー・クランツにより一九七六年に鋭敏に察知されていたように、「狩猟民は、大きな移住はしなかった……無人かそれとも未利用のテリトリーへの移住を除いて……他の狩猟民を犠牲にしてのある狩猟民の移住を仮定するどの研究者も、かつて移住が成し遂げられたいくつかの方法を少なくとも推定すべきだ」[31]。だが農耕民については、状況は明らかに違っていた。

両米大陸の農耕民の拡大：いくつかの例

旧世界のように、アメリカ大陸の農耕民集団は、狩猟採集民に保持されていたテリトリーへ頻繁に拡大していき、その土地を永久的に占拠することができた。これらの移住した集団は、彼らの拡大が始まる前に栽培植物で食料生産を既に行っていたことはほとんど間違いない。ヨーロッパ人との接触時に完全に農耕民で構成されていた多くのアメリカの語族は、六〇〇〇年以下の古さでしか言語年代が推計されていない。大半は、さらに年代は浅かった。その年代内に、農耕の発展が十分にもたらされたのだ。

北米内でのこの概観から、スー語族、イロコイ語族、マスコギ語族の分布は、ミシシッピ川流域の多くの支流域に集中した、合衆国東部ウッドランド文化期の先史農耕の試みの結果とみなせる。土着植物の栽培化は、この地域ではたぶん五〇〇〇年前頃に始まったが、前記語族とその話者たちの最大限の拡大範囲がこれほど古い時期に達成されていた可能性はほぼ無い。彼らの大きな拡大は、紀元一〇〇〇年紀にトウモロコシ栽培の到来後に起こったようだ。スー語族は、有名なミシシッピ文化に関係していたかもしれない。この文化は、セントルイス近郊のミシシッピ川東岸の紀元八〇〇年以降に中心を置く、カホキア遺跡の大規模な土盛りマウンド群で有名だ。ただし彼らより南のマスコギ語族祖先も、そのように主張するかもしれないことは認めねばならない。かつてミシシッピ川中流域で話されていたすべての先住民言語は、ヨーロッパ人との接触後に、記録されることもなく死語となったから、今はそれを知ることができない。

チブチャ語、マヤ語族、オト・マンゲ語族、ミヘ・ソケ語族、ユト・アステカ語族の各集団は、メキシコからほとんどカナダ国境近くまで目覚ましい進出を遂げたユト・アステカ語族を例外として、中央アメリカの狭い地峡という地政学的事情により農耕には厳しい制約はあったものの、この地域の同じような農耕の試みの産物だった。狭い帯のようなこの一帯に非常に多数の農耕民人口が密接に詰め込まれていたから、この地域の過去六〇〇〇年の先史時代が複雑であったのを知っても別に驚くことではないだろう。

ここに一つの例がある。ベリーズの洞窟群から回収された人骨の古代DNAとその栄養状態を調べた新しい調査では、農耕民集団が紀元前三五〇〇年頃にここに、コスタリカとパナマから移住してきたことが示唆されている。彼らは南米からトウモロコシ改良種をメソアメリカに持ち込んでいた。メソアメリカがトウモロコシのもともとの原産地だったことから考え、これは予測とは反対の方向である。それは、問題の作物（この場合はトウモロコシ）の実際の原産地の先で、改良された食料生産という環境では人の移住がしばしば元に戻ることがあり得ることを示している。ベリーズのこれら初期の農耕移住民の古代DNAは、今日のコスタリカとパナマのチブチャ語を話す人々のDNAと一致する（チブチャ語の分布地は図一二・四を参照）。そして現代マヤ人もまたこの祖先DNAを、五〇%ほど持っている。[32]

しかしここには、かなりはっきりした厄介事がある。マヤ語族は、チブチャ語族と必ずしも密接な関係があるわけではなく、紀元前二〇〇〇年頃にグアテマラ高地に起源を持っていたように思われることだ。現代マヤ人のDNAも、メキシコ高原とグアテマラ高地の民族とかなりの結び付きのあることを示している。この状況は、今も説明を困難にしている。だがメソアメリカの大半を占める狭い、議論されてきた地峡という細長い一帯では、過去四〇〇〇年間に多くの人口移動と混じり合いを経てきたことを推定させる。

南米では、アラワク語族、トゥピ語族、パノ語族、タカナ語が、アマゾン川流域南西部の農耕経済の産物だった。これらの語族は、マデイラ川、プルス川、その他のアマゾン川上流域水系の中に起源を持ち、その地域ではキャッサバやその他の重要な作物が初めて栽培化された（図一二・四）。[33]同様に、ケチュア語族とアイマラ語族も、近くのアンデス中央部の初期の農耕集団に起源を持っていた。だがこれらの言語の大きな拡大は、紀元一〇〇〇年紀の間とその後のアンデス帝国の発展と共に起こった。[34]カリブ諸島は、紀元前八〇〇年頃にオリノコ川流域と小アンティル諸島を経て移住してきたアラワク農耕民（タイノ族）によって定住された。（遺伝的証拠によると）移住してきた彼らは、紀元前四〇〇〇年以来、キューバ島とヒスパニョーラ島に住んでいた狩猟採集民から成るそれ以前の先住民集団と置き換わった。[35]

アンデス高地の隣接地とアマゾン川流域南西部では明白な環境差があるにもかかわらず、これほど多くの主要語族が、この二つの地域で発展したらしいことは印象的だ。両地域間の接触は、特に知識の伝播と成功した植物栽培の流通の点で、明らかに重要であった。

この他の南米農耕民の語族、例えばジェ語族（すなわち「マクロ・ゲ語群」）とカリブ語族――両者とも熱帯地方東部に住んでいた（図九・三）――の一部も、広範囲に拡大していた。しかしこれら語族の起源地を農耕の故地と関連付けるのは難しい。たぶんこれら語族話者たちは、他所から農耕を受容した集団に属していたのだろう。しかし狩猟採集民による食料生産への完全に独立した転換は、先史時代には稀だった。そして古代ＤＮＡの研究無しでいくつもの例を出すのは難しい。この調査の前途には、なおなすべき余地が残っている。

アルゴンキン語派とユト・アステカ語族

前述した諸例とは別に、広く分布した狩猟採集民と食料生産民の集団を有する二つの大きな先住アメリカ人語族がある。これらがどのように発展したかについては、興味深い疑問が浮かんでくる。

まず、アルゴンキン語派である。合衆国北東部の多くの地域と極北カナダの中央部と東部の全地域に、ヨーロッパ人との接触時にアルゴンキン語派を話す諸民族が暮らしていた。五大湖の周辺と南部、そして合衆国の東部沿岸地域に住むアルゴンキン語派話者たちは、約一五〇〇年前以来、トウモロコシ農耕を営むことができたが、その一方、クリー族のようなカナダ楯状地に暮らすアルゴンキン語派話者は狩猟民であり、植民地時代は罠で毛皮を採る人々だった。ジェイムズ・フェニモア・クーパーの小説『モヒカン族の最後（*The Last of the Mohicans*）』（一八二六年）の読者なら、ニューヨーク州北部とバーモント州のモヒカン族がアルゴンキン語派であったであったことは知っているだろう。他方、彼らのすぐ西の隣人にして敵であったモホーク族は、イロコイ語族であった。

アルゴンキン語派は、興味深い疑問を提起する。つまり初期アルゴンキン語派の話者たちは、農耕民だったのかそれとも狩猟採集民だったのか、という疑問である。もし狩猟採集民だったのなら、彼らは南の方に移住した時に、生業を農耕に転換したのか？　それとも彼らは最初から狩猟採集と農耕を組み合わせていて、新しい環境に移ってから必要に応じてどちらかを重視したのか？

こうした疑問への考古学と言語学からのはっきりした解答は、言語学者たちが原アルゴンキン語派の起源を五大湖の近くのどこかだと推定してきたこと以外は、得られていないように思われる。原アルゴンキン語派には、復元された中にトウモロコシ関連の語彙はなかった。だからこの言語の拡大を、トウモロコシ農耕の存在と結びつけることはできない。それにもかかわらず祖語のアルゴンキン語派を話す集団は、言語年代学と考古学的年代推定での推計によれば、大部分は過去一五〇〇年のうちに、疑いもなく大規模に拡大したのだ。[36] 彼らの移住は、東部ウッドランド文化のトウモロコシ農耕民となる前に始まったのだろうか？　そうだったとしたら狩猟採集民としてのカナダへの拡大という彼らの成功は、海氷の後退した時にカナダ極北海岸にイヌイットを拡大させたのと同じように中世の温暖期のおかげだったのだろうか？　本当に興味深い疑問である。

メソアメリカに始まって大盆地北部とカナダの国境近くまで拡大したユト・アステカ語族の場合、その答えはアルゴンキン語派の場合よりも明快である。言語学者のジェーン・ヒルは、この語族の起源をメソアメリカ中央部の初期トウモロコシ農耕民の中、五〇〇〇年〜四〇〇〇年前に求めた。[37] 彼女の結論は、合衆国南西部のユト・アステカ語族（アリゾナ州のホピ族を含む）とナワ語群（アステカ帝国の言語）を含むメキシコのその類縁語との比較に基づいている。私の確固たる意見だが、彼女の結論は、原ユト・アステカ語族集団は合衆国南西部の狩猟採集民として始まり、メソアメリカに移住し、そこでトウモロコシ農耕を受容し、その後に合衆国南西部に舞い戻り、プエブロ村落の建設を始めたとする、以前の言語学者の見解をくつがえした。経済的側面での説明は満足できる。そしてアリゾナ州とメキシコ北部の考古記録は、ジェーン・ヒルの意見に強い裏付けを与えている。

一九九〇年代後半までは、多くの考古学者たちも、トウモロコシ農耕はやっと紀元前四〇〇年頃にメソアメリカから合衆国南西部に広がったと確信していた。そこで、人類の集団流入も移動もなく、狩猟採集民によりトウモロコシ農耕が受け入れられるようになったと考えていたのだ。多くは道路と都市の建設プロジェクトに関連したものだが、メキシコ北部とアリゾナ州南部での最近の発掘調査の結果、最近になってこの図式は劇的に変更された。

アリゾナ州南部、ツーソン地域の氾濫原に位置したたくさんの考古遺跡は、紀元前二〇〇〇年以前にメソアメリカからトウモロコシが到来していたことを示している。さらに紀元前一五〇〇年までに、小規模な方形の畑群が近くの河川に繋げられた灌漑溝で給水され、それらの畑から成る数ヘクタールもの耕作地が造られていた。畑と一体となった集落は、窪んだ円形住居面を持ち、時には土器片も見つかった。土器は、紀元前一五〇〇年以降にはありふれたものになる。[38] メキシコ北部の同時代の遺跡群は、広大な面積を有する、住居と耕作地がひな壇状に整備されていて、両者の複合遺構は、トウモロコシ農耕と釣り鐘を逆にした形の地下の貯蔵穴の十分な証拠を備える。カボチャ、タバコ、綿の遺存体は、これらの遺跡の持つ農耕の本質を強化する。時代と共に、大型の狩猟動物個体数は、やはり減っていた。このことは、人口の増加によって環境への圧力が高まっていたことを示唆する。

紀元前一五〇〇年までに、トウモロコシ栽培はコロラド州やニューメキシコ州の高原地帯を含む合衆国南西部の大半に広がっていた。トウモロコシ栽培の導入は、メソアメリカ北部からのユト・アステカ語族を話す集団——現代のホピ族を含む合衆国南西部の古代プエブロ建造民族の祖先の集団——の移住に伴っていた可能性が高い。メキシコ北部低地の大半は不毛の地なので、トウモロコシ導入の最も可能性の高いルートは、カリフォルニア湾から内陸の西シエラ・マドレ山脈の比較的水に恵まれた地域を通じたものだっただろう[39]。

合衆国南西部へのトウモロコシ栽培の導入で非常に驚くべきことは、その古い年代である。メソアメリカ本体で村落生活の始まったずっと後のことではなかったのだ。実際、アリゾナ州で発掘された灌漑溝は、土器片も同様かもしれないが、メソアメリカでこれまで発掘されたどんな遺構よりも古い可能性がある。しかしこのことは、灌漑と土器という着想がアリゾナ州ですべて最初に発明されたという意味ではない。例えばさらに古い土器は、フロリダ州とベネズエラの狩猟採集民の地層で見つかっている。合衆国の国境にかなり近い所に位置する遺跡を除いて、メキシコ北部の大半を通じて、紀元前二〇〇〇年より前の土器の考古記録は不十分にしか知られていない。したがって新たな発見は、いつあってもおかしくない。

先史アルゴンキン語派と先史ユト・アステカ語族は、密接に関連する言語を持つことにより内部で統合されていた。その語族は、狩猟採集からトウモロコシ栽培の食料生産までに及ぶ生業経済の中で、やがて多様化していく。このことは、両者が先史時代に容易に二つの生業間で転換したことを意味するのだろうか？　私はそうではない、と思う。

大盆地とカリフォルニア南東部のユト・アステカ語族、すなわちパイユート族、ショショニ族、チェメフエビ族のような民族は、農耕を支えるには不十分な降水量しかなかった地域へと移住した。彼らには、かつてやって来た土地に戻るのでなければ、狩猟採集民になる以外、選択の余地はほとんどなかった。少なくとも言語学と古代DNAの両者から得られた現代の見方による限り、彼らは二〇〇〇年前頃、狩猟採集民になる選択を行った。[40]

似たような選択（必ずしも自発的になされたものではない）は、特にヨーロッパ人との接触後に、他の多くの北米諸民族によってなされた。この時、東部ウッドランド地域の非常に広大な先住民の農耕地は侵入してきたヨーロッパ人植民者に占拠され、元から居た先住民は西に移動し、その猛攻から逃れた。彼らはロッキー山脈東の雨陰地帯に住んでいたので、大盆地と同様に大平原も先史北米農耕にとっては乾燥し過ぎていた。しかし多くの先住アメリカ人集団は、ミシシッピ川の東の自らの農耕地が奪い取られたので、一八世紀と一九世紀に大平原に移動するしかなかった。ここなら彼らはウマに乗ってバッファローを狩猟することができた。なおウマは、更新世末に絶滅した後、スペイン人によって両米大陸に再導入されていた。

多くのスー族、アルゴンキン族、カドー族の人々は、大平原南部に居たユト・アステカ語族を話すコマンチ族のように、こうして大平原中央に移動した。ハリウッド映画の西部劇ジャンルは、彼らに大きな恩恵を受けていると言える。たとえ多くの映画通が、この乗馬生活は実際の先住アメリカ人の先史時代を表していないことをたぶん知らないとしても。

第一三章　類人猿から農業へ

今や私は、『五〇〇万年のオデッセイ』の執筆を終えようとしている。私たちが今日住む世界は、最近数千年間の文書記録のある歴史の間に起こっただけなどのいうものではない出来事の反映である。それは、歴史が夢物語でさえあったずっとずっと前に暮らしていた人々の偉業によって、もっと基礎的なレベルで創造された。こうした人々は、最近まで事実から隠されたままだった。だが彼らと彼らが創造したものは、関与した世界中の数千という研究者たちの調査によって、今、スポットライトを浴びる場に戻されつつある。

私たちがヒト族と人類の過去全体を振り返れば、決定的な変化を見たと思われる進歩の中の要点をいくつも認識できる。そうした要点には、チンパンジーとボノボの共通祖先からのヒト族が最初の分岐、アフリカからヒト族の最初の移動、ホモ属の出現、ホモ・サピエンスという種の登場とその後の彼ら自身によるアフリカからの移住、そしてとりわけ食料生産の数次の発展とその結果としての移住が含まれる。上記の発展のどれも、不可逆の要点として傑出している。それは、ヒト族とその後継者を新しい方向へと向かわせたのだ。

私たちの共通の未来を見通すために、ヒト族と人類の過去についての知識を利用できるだろうか？どんな正確な方法でもそれはできない、と私は思う。しかし将来のために過去の失敗を考慮に入れての展望は、特にかつてのように――少なくともそれと同じくらい――不安定な状態の今日の世界では、時には安心できることもある。このことに関する私自身の展望は、私たちの過去についての知識が有意義な方法で未来を私たちに決めさせるのに役立つということではなく、むしろ私たちの共通の人間性を気づかせてくれるだろうということだ。そうした理解の一つの結果は、人類は民族的、人種的な不信感と憎悪という最悪の噴出を制御し、世界の十分な食料源にすべての民族に平等のアクセス権を保障するよう機能するだろうということだ。

本書の結論として最も適切なのは、人類の先史時代理解の際に生まれる主要課題の一部の要約である。私はこうした課題を誰にも満足がいくようには解決できないし、これらの課題のすべては多面的な研究分野での調査を必要とする。これらの多くの課題の答を私たちは決して知ることはできないのでは、と私は思っている。そうした状況は、論争源としてその魅力を間違いなく強める。人類の過去について私たちがすべてを知っているとすれば、好奇心は死滅し、倦怠感がこの上ないまでに支配するだろう。

最初の課題は、ヒト族とチンパンジー属との分岐にまつわる問題だ。その分岐は、どこで、どのようにして起こったのか、そしていつだったのか？　初期ヒト族化石記録を豊富に産出してきた東アフリカ大地溝帯の露頭面と南アフリカの洞窟は、その課題解決に必要な年代である五〇〇万年前から一〇〇〇万年前の包含層を含んでいない。古人類学者たちは、有望と分かっている野外遺跡に急行し、そこで大成功を収めることはできない。発見のスピードを速められるものは、何一つ無い。実際、化石の骨、つまりヒト族とチンパンジー属の完全な共通祖先の化石の決定的証拠のいかなる発見もなされないかもしれない。

第二の問題は、アフリカのどの更新世ヒト族が二五〇万～二〇〇万年前にホモ属の最初のメンバーの祖先になったかと問うものだ。古代DNAと古代蛋白質の調査は、理論上、この疑問に答えられるだろうが、元の骨が完全に鉱物化されてしまっている化石では、そこから古代DNAと古代蛋白質を抽出できる見込みはゼロである。今のところヒト族の骨から回収された最古の古代DNAは、スペイン、シマ・デ・ロス・ウエソス出土のやっと四〇万年前頃のものに過ぎない。しかし古代蛋白質記録は、今ではもっと古い時代に遡っていて、動物種の場合では一七〇万年前のドマニシまで行っている。私たちは将来の可能性を待ち、期待することしかできない。

前期更新世ホモ属がいったん出現してしまうと、その最初の革新的な活動はアフリカからの出口を探すことだった。このめでたい出来事が正確にいつ起こったかは、科学的分析から入手できたデータが、問題の石器や化石から直接に得られたものではなく、それらを包含する地層からのものなので、年代推定ができるだけである。だからここに、包含層の堆積した背景をめぐって、大きな課題が存在することになる。アフリカ外の最古のヒト族化石は、およそ一七〇万年前のジョージアのドマニシで出土したものだ。最古の石器は、中国出土の二〇〇万年前を少し超えるとされているものだ。では、これらの年代は「正確」なのか？　簡単に答えることはできないのではないか、と私は思う。

年代の問題はどうあれ、第二章で言及したヒト族の起源についてのユーラシア代替案を真剣に受け止めないのだとすれば（そして現在の証拠の点で、完全な確信をもって私はこれは受け入れられない）、アフリカからのヒト族の移住は、ホモ属の出現という進化の中で最も決定的な出来事の一つだっただろう。突如としてヒト族の活動範囲は、ほぼ三倍になった。アフリカの面積は約三〇〇〇万平方キロで、ユーラシアは約五五〇〇万平方キロである。もっとも今日でも、その多くは人間が暮らすのに容易な土地ではない。アフリカとアジアの双方でその結果起こったことは、ヒト族の種の急増だ。一部は大きな脳を持った子孫種へ進化する一方、隔離された中で小さな脳を維持した種もあった。

古人類学者により別種と認定され、命名されている更新世ヒト族のいくつもの種の、異なった繁殖集団としての本当の地位は何だったのか？　彼らには時の経過と共に少しずつ種の境界が出来るようになり、その結果、互いの間で繁殖力のある子を産めなくなったのだろうか？　進化学は、こうしたことはしばしばあり得ると示唆する。別の環境なら、彼らは、特にある種の成員たちがもう一つの種のテリトリー深くに入り込んだ時に、それが引き金になって起こる遺伝子流動を通じて、相互の繁殖可能性を維持してきたかもしれない。

化石と遺伝子からの全体像は、二つの可能性がおそらく起こったことを私たちに教えてくれる。それは、例えば次のことを意味する。ホモ・サピエンスはネアンデルタール人とデニーソヴァ人と交雑することができたが、その一方で彼らは、遺伝的起源種を共有していた時から約七〇万年後に独立の種として確立され、ネアンデルタール人とデニーソヴァ人と置換した。残念ながら、古い時代の骨からの古代DNA記録が存在しないために、そうした所見は、中期更新世と後期更新世のヒト族の存在していた時の可能性に過ぎない。

本書で提示した全体像から過去二〇〇万年間のホモ属内で起こった進化の過程は、ジョージア、中国、ジャワで見つかっている、小さな身体で小さな脳を持ったヒト族のアフリカ外への最初の拡大を示唆している。そして、その移住した子孫は、結果的にフローレス島とルソン島で遺伝的隔離という状況に入った。おそらく同じ事は、南部アフリカの一部で、ホモ・ナレディの祖先に起こっただろう。ただしこの場合、その隔離を説明するのは困難である。

一〇〇万年後、大きな脳を持った中期更新世集団の別の移住の爆発が、アフリカで、そしてユーラシアの多くで起こった。その移住の波は、先住するヒト族集団、特にホモ・エレクトスのテリトリーへ侵入して行った。三〇万年前までに、中期更新世の祖先は、アフリカでは早期ホモ・サピエンスに、ユーラシアではネアンデルタール人とデニーソヴァ人へと分化した。これら三種すべては、後者二種が後期更新世に最終的に絶滅するまで、交雑能力は維持していた。謎は深いが、現代のニューギニアとオーストラリアに暮らす集団にとって祖先のサピエンスが到達する前に、デニーソヴァ人も両地域に到達できたという可能性もわずかにある。

ここまではいい。だがその後に私たちはホモ・サピエンスの問題にたどり着く。ここで、一〇万年以上前にアフリカを出てヨーロッパと中東に入った移動を支持する古人類学記録と、この移動は七万年前以下と年代推定させる遺伝的記録の間で、明らかな矛盾が生じたために、ホモ・サピエンス移住の図式は混乱するようになった。このことは、アフリカを発った最初のサピエンス集団は、今日の現生人類集団への彼らの遺伝的寄与の点で、成功しなかったことを暗示する。この中に、ある程度の謎が潜む。たぶんネアンデルタール人は、一般大衆の間に流布しているイメージから推定されているよりも移住民に対して強い抵抗性を示したのだろう。

しかしオーストラリアとユーラシアの両大陸への定着は、初期ホモ・サピエンスについての一つの観察結果をはっきりさせる。アフリカの外で、例えばレヴァント地方とオーストラリアでホモ・サピエンス骨格化石とはっきりと共伴する最古の石器は、中部旧石器製作技術の特徴を帯びていた。このことは、少なくともその石器群に関しては「上部旧石器」という考古学的範疇がユーラシアへのサピエンスの拡散の後に発展したことを暗示している。例えば刃潰し石器（峰付き石器）や両面加工尖頭器のような上部旧石器的な石器形態が、起源となった複数の地域から広がったのかどうかは、まだ論争の最中にある。

しかしユーラシアの編年では、上部旧石器はやっと四万七〇〇〇年前以降に出現したことになっている。そしてその石器の一揃いは、より寒冷な気候での生活の要求に対する適応であったと思われる。一方で明確に五万年前より古く、南部アフリカに存在した上部旧石器的な石器器種が、ただ一つある。それは、サハラ以南のアフリカのホモ・サピエンスの遺伝的、骨格化石起源と重なり合った。上部旧石器製作技術がアフリカとユーラシアの両方に見られるのは、文化的接触を通じての結び付きなのかどうか、それは不明だ。私が思うに、大半の考古学者は、北アメリカからの証拠がさらに集まり、利用できるようになるまで、この問題に先入観を持たないようにしようとしているのではないか。

しかし私がこれまで強調してきたように、刃潰し石器と両面加工石器より、上部旧石器文化にはそれよりはるかに多くのものがある。芸術、目的意識的な埋葬、個人的な装身具（身体彩色）、陸影の見られない範囲を超えての外洋航海などは、すべてこの頃の時代の早い段階に現れた。しかしこれらが紛れもなくサピエンスだけに起因するものだったのか、例えばネアンデルタール人のような古いヒト族種の中にも存在したのかについては、論議があるところだ。

六万五〇〇〇～五万三〇〇〇年前と言われているオーストラリア北部から出土したマジェドベベの刃部磨製石斧も、いくつか謎めいた疑問を提出している。刃部磨製石斧は、そのような古い年代では世界の他のどこからも見つかっていない。この年代は正しいのだろうか？　そして正しいのなら、それは、他地域の考古学者によって定式化された中部旧石器と上部旧石器双方から石器技術の点で独立していたホモ・サピエンスのオーストラリアへの到来の先触れに当たるのだろうか？　これは、刃を磨いているが、それ以外は中部旧石器的な石核と剥片から成る、第三の流れの一種だったのか？　この可能性に関しては、私はオープンな心を保ち続けねばならない。

ホモ・サピエンスのアフリカ外への最初の拡散で何が起こっていたかはともかく、一つの結果だけは明白である。彼らは四万年前までには、交雑したのかしなかったのかはともかく、より古いヒト族をその舞台から排除しながら、人の居住できる旧世界のすべての地に定着することに成功していたのだ。その光の中でそれを見るのが賢明だとしたら、そして唯一生存できたヒト族の種として旧世界を引き継いだのだとしたら、現代人の祖先はその闘いに勝利した。そのうえ彼らは、そこでストップをしなかった。

一万五五〇〇年前頃までにカナダの西岸が、最終氷河期の氷床の後退によりそれまで覆われていた氷の呪縛から解き放たれるようになった時、アメリカ大陸は北東アジアからの活発な人々の移住下にあった。その四二五〇万平方キロもの陸地は、人類の足が通り過ぎるのをすぐに感じた。ほどなく牽引された何頭かのイヌの足も感じた。一万四五〇〇年前までに、南極から離れた地球上のすべての大陸は、人類の存在のインパクトを感じつつあったのだ。

旧石器文化について指摘しておく最後の要点がある。オーストラリア、日本、そして両米大陸に到達するために、人々は舟で旅した。だがこの件では、ルソン島とフローレス島の小さなヒト族を忘れないようにしよう。太平洋に直接に航海する技術を最終的に発展させたのは新石器人だったけれども、彼らは、外洋を渡ったのが最初のオーストラリア人や最初のアメリカ人、さらには新石器農耕民の偉業だっただけではなかったことを私たちに気づかせるのである。

食料生産はルールを変えたのか？

紀元前一万年から同二〇〇〇年まで、世界の多くの地域で様々な民族が食料生産を始め、発展させた。その結果は、人口が増加し、そのため生産性の高い耕作地と放牧地を求める願望が膨らんだ。それにより、その以前の五〇〇万年間もの長い間、ヒト族と人間の個体数を比較的低い状態に留めていた抑制の蓋が開かれたのだ。

実際、考古記録で観察されるように、こうした増加した人口は、それ自体で食料生産の成功の、有益な手がかりとなる。特に従来の植物と動物という有機物の食物の貧弱な保存しか手がかりがなかった状況では、なおさらだ。古代食料生産の在り方と成功の他の手がかりは、世界各地の初期農耕民によって話された言語の拡大の歴史と彼らにより創造された語族にある。

食料生産で、それに付随した言語と物質文化の拡大と共に、その結果として世界中の主要農耕民集団を一四九二年以前の農耕限界地までばらまくことになった移住が始まった。しかし誤解されないように言っておくが、食料生産の始まりは、一四九二年に存在していた人類集団の構造に直結したという主張はなされていない。多数の人類集団と語族の拡大は、食料生産の始まった後に起こり、人類を取り巻く古い景観は多くの機会に全面的に、もしくは部分的に消されてしまっただろう。

さらに大きな移住の波は、時には急速かつ長距離となる移住の後に、一定の休止期間を置いて、周期的に起こる傾向がある。例えばポリネシア人は、その先祖が台湾から移動を始めた三〇〇〇年後まで、東ポリネシアの広大な海域の島に定住しなかった。シナ語派の集団は、漢王朝まで中国南部に定住していなかった。この移住が起こったのは、たぶんシナ語派が黄河近くで多様に分岐し始めた四〇〇〇年後であった。アジアのチュルク語族とツングース語族の民族は、ローマ帝国支配下のヨーロッパ、ロマンス諸語の祖先話者たちもしたように、二〇〇〇年前頃に拡大を始めた。それらの言語が属したトランスユーラシア語族とインド・ヨーロッパ語族の起源の可能性のある言語の拡大の数千年後のことである。

これらの拡大はすべて、人類集団と言語のはるかに大きな系統樹の外側の分枝であった。そして時にはそうした移住は、それ以前に存在していた集団と言語をぼやけさせたり、消し去ったりもした。インド・ヨーロッパ語族の中のアナトリア語派とトカラ語の例のように、そうした人間たちを取り巻いた古い景観も、時には一緒に消え去った。そうした集団の置換は、ヨーロッパ人による植民地時代に最大規模で起こった。詳細な歴史上の文献記録があるために、この時の背景にあった原因を突き止めるのは困難ではない。

多数の考古学者は、しばしば主張されるほどには先史時代の農耕は重要ではなかったと示唆して、先史時代農耕の意義に疑問を抱いてきた。私は、彼らが本書で記録してきた人類集団と言語の広範な移動の、特に後半の意義を見逃しているのではないか、と思っている。人類は食料生産の状況に入ることによって、それと知らないままに、恵まれた狩猟採集民の自由で安逸な暮らしとは正反対の、疾病、圧制、過酷な労働を選び、現実に大きな過ちをやらかしたのだろうか？　両方の生活様式にはそれぞれ浮き沈みがあるのは明らかなので、このことについて私情を差し挟まないようにする必要がある。

私の見方から言えば、食料生産の人口学的潜在性は、現代の世界に住んでいる人間を取り巻く様相の大半の創造を駆動した。それは、世界の主要人類集団と主な語族の分布を通して私たちの目に見えていて、ホモ・サピエンスの先史時代にいかなる時代にも創造されなかった規模で存在している。少なくとも私たちの種であるサピエンスの、アフリカ内とアフリカ外への最初の拡大の時以来、食料生産の時までにはそれはなかった。

したがって全体として見れば、食料生産は成功であった。少なくとも人口という点で言えば。農耕民は、栽培植物と家畜という移動できる経済を持ち、人為的手段で生産を増やすために増強させられる経済も持つという、狩猟採集民を上回る明確な優位性を持っていた。

しかし私たちは、狩猟採集民も時には重要な移住を行うことがあることを思い出さねばならない。だがほとんど場合それは、以前に人が住んだことがないか、かつて住んだことがあっても今はほとんど撤収され無人に戻ったテリトリーへの移住である。このことは、比較的新しい時代の北米のイヌイットやアパッチ族の事例で明らかである。オーストラリアのパマ・ニュンガン語族の拡大は、この点で謎である。彼らが侵入する前にいったん先住民が撤収したという証拠も、それに結び付く重要な集団移動のあったという証拠も無いからだ。古代DNAからの十分な記録が欠如しているので、完全な説明は、まだ無い。

結論は何だろうか？ アレクサンダー大王が紀元前三二〇年より前にマケドニアからインダス川まで征服した時まで、マダガスカル島やポリネシアの東の島々のようなつい最近に人の定住した遠隔の地域を除いて、人間の「大きな」分布様相は、数千年間、続いていた。それは、一四九二年とコロンブス交換まで存在し続けた。アレクサンダーもローマ人たちも、地球全表面の民族と言語の分布という点では、多くは変えなかった。そしてモンゴル軍を率いたチンギス・カンも、変えなかった。

換言すれば、今日暮らしている私たちのすべては、先史時代の祖先、つまり文字、国家、帝国の現れるずっと前に生きていた人々、そしてほとんどの場合、大きな都市、冶金術、車輪を持った乗り物の現れるずっと前の人々によって、最も基本的な基礎のもとに創造された世界を受け継いできたのだ。これらの狩猟採集民と農耕民は、時には驚くべき不平等性という例の見受けられる親族関係を基礎とした部族社会の生活様式を備え、私たちの多くがたぶん理解している以上の現在の人間性と多様性に寄与した。

そこで、最後の疑問が出てくる。人間を取り巻く現在の状況と私たちが意のままにしている自然世界との緊張感をはらんだ関係に対して、何にもまして最も重要となりえる一つの要因が、他にあったのだろうか？　いくつかの要因は明白だ。まず人間になること、何かを感じ取れるようになること、新しい環境へと移住の仕方を学ぶこと、そして食料生産のやり方を学ぶこと、だ。しかし私から見れば、いつも他より抜きん出てきた一つの要因を思いつく。すなわち私たちの属する種の数を増やせる能力、例えばホモ・サピエンスのような大きな脳を持った種をしばしば驚くべき規模で増やせる能力、である。

あえて言わせてもらえば、一定の環境のもとで、人間は、機会があれば、私たちをいくらでも子どもを産める伝説のレポリンの友と同列に置くかのような生殖行為ができる。このことは、人類の移動が常に人口過剰の反映であったと言っているわけではない。私が思うに、古代の移住はしばしば民族のうちの小人数で始まったが、その後、こうした人々が自分たちは驚くばかりにたくさんの食料源を手にできる新しい環境に身を置いていることに気がつき、歓声を上げて生殖行動に移ったのではないか。一四九二年以来、オーストラリアと南北アメリカ大陸の集団史は、そうした能力をかなりはっきりさせている。

第二章で私は、ポール・モーランドの最近の著作『人類の潮流：いかにして人間集団は現代世界をつくったか』（邦訳名『人口で語る世界史』）に言及した。この本の裏表紙に私は、明快ではっきりした、次のような見解を見出した。「現代史は、全地球的な人類の変化の物語である」。遠い過去からの概観から、私は「全人類史は、集団の変化の物語であった」と結論づけよう。もちろん集団の変化は、一四九二年以来にあったのと異なり、いつも「全地球的」であったわけではない。だがそのメッセージは、依然として明快に伝わってくる。

私たちの世界の食料資源は、限られている。そしてその食料資源は、現在のところ窮屈な状態にある。私たちはそれらを互いにもっと平等に分配しなければならない。また人類の未来は絶え間なく続く人口増加の一つであらねばならないという、少なくとも資本主義諸国で信じられている二〇世紀の信仰からも脱しなければならない。私たちは二一世紀を歩んでいるので、全地球的な人口増加は減速することになるだろう。だが、将来の世代が私たちに敬意を表してくれることになるとすれば、まだなさねばならない多くのことが私たちには残っているのだ。

謝辞

まず私は、妻のクローディア・モリスに感謝する。彼女は本書原稿の準備段階から一貫して私の編集長であり、終わりまでずっとその役目を務めてきた。私は、様々な特定の課題について私と議論してきた以下の同僚にも謝意を表する。デビー・アーギュー、キャサリン・バロリア、マリー・コックス、ノレーン・クラモン＝タウバーデル、ノルマン・ハモンド、ポール・ヘガティ、マーク・ハドソン、フィリップ・パイパー、コジモ・ポスト、キース・プルファー、デイヴィッド・ライヒ、マーティン・ロベーツ、ポール・シドウェル、ポントゥス・スコグランド、クリス・ストリンガー、ピーター・サットン。ただし彼ら全員が必ずしも私が本書で述べていることに同意しているわけではない。さらに多くの議論を続けることを楽しみにしている。フィリップ・パイパーは原稿全部を、キャサリン・バロリアは最初の四つの章を、親切に読んでくれた。オーストラリア国立大学のマギー・オットーは、石器と頭蓋のスタジオ撮影で助手を務めてくれた。この原稿のほとんどはCOVID‐19（新型コロナ感染症）の流行時に執筆された。この間、同僚との対面での議論は困難だった。

文献チェックと迅速な事実確認で使用した各種オンライン資料源に謝意を表さないのは、不作法というものだろう。すなわちアカデミア、グーグル・スカラー（Google Scholar）、ウィキペディアは、この点で重要な役割を果たした。しかし言うまでもないことだが、私の一次調査は、私の本拠地である施設、オーストラリア国立大学の図書館から私が利用できる、これ以外の資料源を用いてきた。こうした資料源は、各章ごとの注としてリストにしてある。図の大半は、二〇一二年にオーストラリア国立大学の太平洋・アジア研究学科のカルトジーアイエス（CartoGIS）サーヴィスにより私に提供された世界の基本地図を用いて、アドビ・イラストレーター（Adobe Illustrator）2020を使って私が準備した。考古遺跡の写真は、大部分は私が撮ったものだが、それ以外は当該個所に明示した。

私は、本書を刊行までもっていってくれた合衆国の人たちのチームにも謝意を表したい。すなわち私の著作権代理人であるニューヨークのリヴァイン・グリーンバーグ・ロスタン出版エージェントのジェームズ・A・リヴァイン；プリンストン大学出版のアリソン・カレット、ハリー・シェフラー、エリザベス・バード、ディミトリ・カレトニコフ；そしてウェストチェスター出版サービスのジョン・ドナヒューとヴィッキー・ウェストの諸氏である。

訳者後書き

壮大な人類の拡散物語、人類のオデッセイである。

本書は、"The Five-Million-Year Odyssey: The Human Journey from Ape to Agriculture" by Peter Bellwood（Princeton University Press 2022）の全訳である。

古くは一一六〇万年前頃、ドイツ南部で発見された化石類人猿ダヌヴィウス・グッゲンモシ（一一六〇万年前頃）、さらにアフリカを主舞台に最古のヒト族であるチャドのサヘラントロプスと東アフリカのアルディピテクスから始まり、一四九二年のコロンブス到達の直前までのヒトの移動を、グローバルに俯瞰しながら語り継ぐ。

特に、肥沃な三日月地帯で起こった人類史の一大画期的転換点である新石器農耕革命と、そのヨーロッパ、アジア中央部までへの拡大の叙述には力が入る。

本書の記述には、これまでの類書にはなかった言語学からの知見が取り入れられ、記述に厚みをもたせ、いっそうの説得力を増している。これまでの人類の拡散物語は、事実上、人類化石と考古学証拠しか頼れなかったが、分子人類学の登場で遺伝子の証拠がそれに加わり、今、著者は言語学の記述を新たに肉付けしたのだ。もっとも言語学証拠の深度は浅く、せいぜい新石器革命直後、一万年である。だからその知見が盛り込まれるのは、新石器農耕革命以後に限られるのだが。ただ、新石器農耕革命以後、人類のオデッセイは以下のようにさらにダイナミックになるから、その説明にとって著者は有力なツールを駆使していると言える。

農耕牧畜による食料生産経済が始まると、著者の「初期農耕民拡散仮説」で指摘されたように、人類は新天地を求めて周辺に移動するようになった。そのエネルギーは凄まじく、例えば西ヨーロッパと北ヨーロッパでは、せいぜい数千年で先住の中石器人は移住の波に飲み込まれてしまった。もっとも中石器人は、解剖学的現代人（ホモ・サピエンス）が旧人ネアンデルタール人を駆逐したのと異なり、押し寄せる新石器農耕移住民に比べて二桁は人口が少なかったと思われるので、おそらくは農耕牧畜経済を受容する形で吸収・同化されたのだろう。

新石器農耕民の周辺へ広がるエネルギーの凄まじさは、東アジアでも展開された。遼河流域と黄河流域で紀元前七〇〇〇年頃にキビとアワの栽培で始まった東アジアの農耕は、栽培植物も文化も異なるのに、肥沃な三日月地帯とほとんど年代的に遅れることはなかった。ここの農耕民が、はるか西の肥沃な三日月地帯と交流のあったことは知られていない。訳者は不思議に思うのだが、アイデアの伝播もなく、ユーラシアの西と東で独自に農耕が始まったのだとすると、それは偶然の一致なのだろうか、あるいは温暖化しつつあった後氷期の気候条件もあって文化的進歩の結果としてほぼ同時期に新石器文化＝食料生産が始まったのか、それとも両地域間に未知の交流があり、農耕のアイデアがほどなく東アジアに伝わったうえで独自の植物の栽培を始めたのだろうか。

ともあれここでも、やがて農耕は洗練化を深めて、農耕民は中国北部、中部から南下し、やがて先新石器文化のホアビン文化は飲み込んだらしい。

その波の後継者たちは、やがてポリネシアに達し、そこからハワイ、イースター島、ニュージーランドにまで及んでいく。その一部が、インカ時代の南米西岸に達したという話は、航海者たちのフロンティア精神に思いをはせ、心躍るばかりだ。

さらにそれよりやや早くに、ボルネオから出発したインド洋を突破する西への移住の波はマダガスカル島に到達し、その一部はやがてアフリカ東海岸にも及んだという推定も、ドラマチックである。それが、世界史的な一大イベントであるバンツー族大移動にも影響を与えたのではないかというのだ。

普通なら、遊動する狩猟採集民と異なり、農耕民は定住民だから、どっしりと腰を据えて、他の土地には出て行かない、と思われる。しかし実態は、以上のようにエネルギッシュなまでの周辺への拡散・移住であった。それに伴い、本書によると、一部の早期新石器人集団は年率二・五％（二世代で人口は三倍以上になる）と、爆発的に人口を増やした。バルカン半島の新石器村落では、一人の母親が平均で八人も子どもを育てていたという。

新石器人が周辺の地域に拡大・移住していったのは、そうした理由もあったに違いない。ただ筆者は、未解明な部分が多く残るからだろうが、新石器人以降の移住をもたらした原因・理由を深堀していない。それが、やや物足りなさを残す。

原因・理由は、もちろん一つではなかったろう。本書でも少し触れられているが、農耕を開始した土地での増えすぎた人口による土地の酷使による地味の痩せ細り、水や周辺環境の汚染、それまでの生産性の向上で前記のように爆発的人口増があり、人口過剰になった結果の人口圧などがあったのではないだろうか。また「動かない余剰食料」の貯蔵は、周辺集団からの攻撃を誘発し、それで居住地を放棄したケースもあったかもしれない。

本書には触れられていないが、こうした現象を考える上でひときわ興味深いのは、主に紀元一〇〇〇年頃以降にポリネシアに現れた「ミステリー・アイランド」である。太平洋の小さな島々で、かつて人が住んだ痕跡が明瞭に残るが、文明社会が接触した頃には無人島となっていた島々だ。二五もの島が、かつて人の居住後に放棄されていたという（『島に住む人類』、印東道子、臨川書店、二〇一七）。石積みの神殿まで造られた島もあり、複雑な階層化社会の形成に至った島もあった。

本書でも述べられたバウンティ号の反乱者たちが植民したピトケアン島にも、彼らの植民以前に人が住んでいた。石積みのマラエが造られ、島の斜面にはテラス状に造成された畑で植物栽培もされていた。しかしバウンティ号の反乱者たちとタヒチの女たちが島に上陸した時は、島は無人島となっていた。こうしたミステリー・アイランドの特徴は小さな島で、雨量は少なく、湧き水も無いなど、生活が困難だったと推定される所ばかりだ。たぶんポリネシア人が盛んに植民を始めた頃に島に渡り、そこで定住を試み、石積み遺構を造るだけの人口を増やし、数世代を過ごしながら、環境の激変でついに島を放棄するに至った、と考えられるのだ。

肥沃な三日月地帯での衰退も、そうした側面があったのだろう。

時間的に前後するが人類の移住物語は、もちろん旧石器時代に遡る。

私見だが、ヒト族の出アフリカは、少なくとも四度あったと考えられる。最初が後述のホモ・エレクトス、二番目がホモ・ハイデルベルゲンシスの祖先（これは後期ホモ・エレクトスかもしれない）で彼らの子孫がネアンデルタール人とデニーソヴァ人になった。そしてホモ・サピエンスによる三番目、四番目の出アフリカである。この最後の出アフリカの波が、最終的にオーストラリアと南北アメリカ大陸に至る。

さて最初の出アフリカは、ホモ・エレクトスの時だった。その最古の証拠は、ジョージアのドマニシ人だが、著者はそれ以前の可能性（アウストラロピテクスなのか？）も述べる。ただ、これについては、ろくな石器も持たなかった超早期ヒト族が、いかにして肉食獣の捕食を乗り越え、また水と植物の無い砂漠を横断して、寒冷なはるか東アジアに達することができたのか、後述するように疑問なしとしない。だからこれは棚上げしても、ずっと後のホモ・サピエンスが、シベリアからベーリンジア陸橋を経て、アメリカ大陸に渡る話は、新大陸考古学の古くて新しい話題に直結する。この項について、著者は常識的な見方を採る。

著者のお膝元であるオーストラリアへの渡来となると、やや憶測を逞しくする。ニューギニア高地人やオーストラリア先住民に謎の人類デニーソヴァ人の遺伝子の一部が入っていることから、ホモ・サピエンス以前にデニーソヴァ人がオーストラリアに渡ったかもしれない可能性をほのめかす。ただデニーソヴァ人となると、ホモ・サピエンス以上にその航海手段が問題になる。彼らの時代でも、オーストラリアがアジア大陸と陸続きになった可能性は絶無だからだ。

しかしフローレス島では、中部ソア盆地のマタ・メンゲで、二〇一四年に小型ヒト族の顎骨片と歯が発見されていて、年代は七〇万年前頃である。つまりジャワ島にホモ・エレクトス（ジャワ原人）がいた時代、彼らと系統が異なるかもしれない小型ヒト族が移住していたのだ。もちろん海を渡って。それを考えれば、オーストラリアに渡った最初の人類がデニーソヴァ人だった可能性も棄却できない。

さらに、それはルソン原人、すなわちホモ・ルゾネンシスの移住にも関わってくる。

二〇一九年に発表されたホモ・ルゾネンシスも、ホモ・フロレシエンシスと同じ小型ヒト族で、発見地のカオヤ洞窟には海を渡ってくるしかなかった。当初は年代は六万年前頃と新しい値が報告されていたが、最近、年代の再測定結果が明らかになり一三万四〇〇〇年前頃と改訂された。さらに人骨こそ発見されていないが、獣骨を伴った石器から七七万一〇〇〇年前～六三万一〇〇〇年前のホモ・ルゾネンシスの存在が推定されている。

この人類が、断片的な骨しか残していないとしても、一部にアウストラロピテクス的な古代的特徴を示していることは、ホモ・エレクトス以外にも様々なヒト族が東南アジアに去来していたことを推定させる。東南アジアでのデニーソヴァ人の「影」も、その一つだったかもしれない。

さらにマタ・メンゲの例も含めて、早期のヒト族の東南アジア島嶼への進出は、この生物のあくなき探究心の発露の一つなのだろう。

本書はまた、この種の本ではこれまでほとんど視野の外に置かれていた日本についても第六章で二つの節をさいて記述している。ベーリンジアを渡っていった「最初のアメリカ人」がひょっとしたら日本発ではなかったかという話は、もしそのとおりだったとしたら心躍る話である。

ただし不遜ながら、著者の論点に疑問を感じたところがないわけではない。

例えば指摘された年代から考え、第三章に述べられた、前述のアウストラロピテクス属によると思われる最初のサハラを突破しての移住についてには、同意できない。

アルジェリアのアイン・ブシェリはまだしも、中国黄河近くの上陳を、人類の最古の出アフリカの証拠とするのは、あまりにも突飛のような気がする。原報告は見ていないが、著者によれば、二四〇万～二一〇万年前の地層からオルドワン石器が出ているという。年代は古地磁気で推定されたようだが、古地磁気年代ではカリウム・アルゴン法などの放射年代測定法のような絶対年代は出せない。また測定した地層が、上記の推定年代を出したところで、それが石器の年代と同じという保証はない。著者も、第一章で注意喚起しているように、地層中に埋まっていた遺物が本当に一次的なものなのかという問題がある。

もし年代が確かだとしても、疑問はまだある。

確かに、この頃には東アフリカの一角でホモ属も出現していたかもしれない。

例えば本書でほんのわずかに言及されているが、エチオピアのアファール地方のレディ・ゲラルで、二八〇～二七五万年前の地層からホモ的な特徴を持つ下顎骨化石ＬＤ３５０‐１が二〇一三年に発見されている。一五年三月に米科学誌『サイエンス』で発表された。

化石は、長さが八センチほどの左下顎骨破片で、五本の臼歯も完全に残っていた。その歯と顎骨の特徴から、これ以前の原始的なアウストラロピテクスの特徴とこれ以後の派生的なホモ的特徴を混在させ、歯列の特徴はホモ属に近いという。研究チームは、種名こそ未定ながら最古のホモ属、と判断した。この時は、石器は未発見だったが、二〇一九年にはレディ・ゲラルの二六〇万年前と年代測定された地層からオルドワン石器群が発見された。

それまで最古のホモ属とされた化石は、ハダールのカダ・ゴナ地区で一九九四年に発見された二三三万年前のＡＬ６６６‐１上顎骨破片だった。この化石にはオルドワン文化の石器が共伴していた。つまり現在の知見をそのまま受け入れるとすると、上陳の頃にやっと東アフリカでオルドワン石器が製作されたが、超早期のホモではまだ石器を作っていなかった可能性が高い。

上陳をアフリカ外の最古のヒトの痕跡だとすれば、オルドワン石器技術を持っていたかどうか分からないそのような超早期ホモが、最初の出アフリカをしたことになる。身を守る道具・装備も持たない超早期ホモが、獰猛な肉食獣がうろつく、あるいは砂漠のような荒野を、東アジアまで移動する——そんなことが、あり得るのだろうか。しかも途中に、アルジェリアのアイン・ブシェリ以外に遺跡を残さないで。

また上陳の「石器」と言われるものは、確かなのだろうか。確かに最近のアフリカの発見では、ケニア、ロメクウィ3遺跡の三三〇万年前のロメクウィアン石器が報告されているが、異論がないわけではなく、誰もが認める最初のオルドワン石器はエチオピア、ゴナやボコル・ドラ1、前記レディ・ゲラルのような二六〇万年前頃である。

それからたった二〇~三〇万年のうちに、アジア東端で石器が作られたのだろうか。

だから上陳に関する限り、どうしても突拍子もない「遺跡」、という印象が拭えないのである。

なお本書でたびたび言及されている謎の「ハルビン人」だが、著者同様に、古代DNA、歯、指骨、下顎骨だけで未だ素顔を見せていないデニーソヴァ人ではないか、と訳者は考える。ハルビン人の古代DNAが解析されたらはっきりするだろうが、当面はその帰属は、同じ中国のほぼ同年代に属すると見られる大茘や馬壩の古人骨と共にペンディングとしておくしかないだろう。

しかしながら訳者が一読して、疑問に思ったのは上陳の項だけで、全体の記述は膨大な資料からのエビデンスに基づいた確かなものであり、著者の博識と一書をものにしたエネルギーに深い敬意を覚えたことを付記しておく。

なお本文中の〔　〕は、訳者による注である。

二〇二四年一月

註

雑誌の略語

AAS *Archaeological and Anthropological Sciences*
AJPA *American Journal of Physical Anthropology*
JAS *Journal of Archaeological Science*
JHE *Journal of Human Evolution*
JICA *Journal of Island and Coastal Archaeology*
PNAS *Proceedings of the National Academy of Sciences of the United States of America*
PTRSB *Philosophical Transactions of the Royal Society B: Biological Sciences*
QSR *Quaternary Science Reviews*

序章

1. Clare Goff, *An Archaeologist in the Making: Six Seasons in Iran* (Constable, 1980).
2. 例えば1250年頃に「ハワイキ」〔マオリの伝説の故郷の地〕からマオリ族祖先のほとんどがやって来たことを記録したニュージーランド、マオリ族の系統樹は、現代の考古学と放射性炭素年代の推定値によって強く裏付けられている。

第1章

1. チャールズ・ダーウィン、『人間の進化と性淘汰（*The Descent of Man, and Selection in Relation to Sex*; John Murray, 1870)』、689（邦訳名『人間の由来』（長谷川眞理子訳、2016、講談社学術文庫）
2. 密接な関係にある2つの種に当てた「パニン（panin）」という用語の使用は、両種の共通の属であるパン（*Pan*）に由来する。この用語の使用は、オーストラリア国立大学の私の同僚であるキャサリン・バロリアに勧められた。
3. Jared Diamond, *The Rise and Fall of the Third Chimpanzee* (Vintage Books, 1992).
4. Simon Lewis and Mark Maslin, *The Human Planet: How We Created the Anthropocene*(Yale University Press, 2019), 3.
5. ポール・モーランド、『人口で語る世界史（*The Human Tide: How Population Shaped The Modern World;* John Murray,2019)』渡会圭子訳、文春文庫、2023

第2章

1. Sergio Almécija et al., “Fossil apes and human evolution,” *Science* 372 (2021): eabb4363.
2. Thomas Mailund et al., “A new isolation with migration model along complete genomes infers very different divergences processes among closely related great ape species,” *PloS Genetics* 8 (2012): e1003125; Yafei Mao et al., “A high-quality bonobo genome refines the analysis of human evolution,” *Nature* 594 (2021): 77–81.

3. フリードリヒ・エンゲルス、『家族・私有財産・国家の起源（*The Origin of the Family, Private Property, and the State;* 1884; repr.,Pathfinder Press, 1972 ）』戸原四郎訳、1965、岩波書店
4. Graeme Ruxton and David Wilkinson, "Avoidance of overheating and selection for both hair loss and bipedality in humans," *PNAS* 108 (2011): 20965–20969.
5. Milford Wolpoff, *Paleoanthropology*, 2nd ed. (McGraw-Hill College, 1999), 222. この話題の良い論考のイアン・タッターソル、『ヒトの起源を探して：言語能力と認知能力が現代人類を誕生させた（*Masters of the Planet: The Search for Our Human Origins;* Palgrave Macmillan, 2012）』河合信和監訳・大槻敦子訳、2016、原書房も参照。
6. Madelaine Böhme et al., "A new Miocene ape and locomotion in the ancestor of great apes and humans," *Nature* 575 (2019): 489–493.
7. Madelaine Böhme et al., *Ancient Bones: Unearthing the Astonishing New Story of How We Became Human* (Scribe, 2020).
8. Scott Williams et al., "Reevaluating bipedalism in Danuvius," *Nature* 586 (2020): E1–E3; Almécija et al., "Fossil apes." も参照。
9. Mao et al., "High-quality bonobo genome."
10. 突然変異は、複製中の DNA 複写の際のエラーで通常発生する DNA 配列に起こる変化である。基本的に淘汰は、理由が何であれ（環境、性、文化）、最も多産に子どもを産む個体の将来世代に差別的に関与する。遺伝的浮動は、ある世代から次の世代への遺伝子頻度のランダムの変異を通して起こる。
11. Trenton Holliday et al., "Right for the wrong reasons: Reflections on modern human Origins in the post-Neanderthal genome era," *Current Anthropology* 55 (2014): 696–724.
12. Mailund et al., "New isolation."
13. 最近のアフリカでなされた初期ヒト族の発見についての報告では、Lauren Schroeder, "Revolutionary fossils, ancient biomolecules," *American Anthropologist* 122 (2020): 306–320. を参照されたい。
14. As suggested by Clive Finlayson, *The Improbable Primate: How Water Shaped Human Evolution* (Oxford University Press, 2014).
15. Yohannes Haile-Selassie et al., "A 3.8-million-year-old hominin cranium from Woranso-Mille,Ethiopia," *Nature* 573 (2019): 214–219; Dean Falk, "Hominin brain evolution," in Sally Reynolds and Andrew Gallagher, eds., *African Genesis* (Cambridge University Press, 2012), 145–162.
16. Amélie Beaudet et al., "The endocast of StW 573 （'Little Foot'） and hominin brain evolution," *JHE* 126 (2019): 112–123.
17. Jeremy DeSilva et al., "One small step: A review of Plio-Pleistocene hominin foot evolution," *AJPA* 168, suppl. 67 (2019): 63–140.
18. Matthew Skinner et al., "Human-like hand use in *Australopithecus africanus*," *Science* 347 (2015): 395–399.

19. Mark Grabowski et al., "Body mass estimates of hominin fossils and the evolution of human body size," *JHE* 85 (2015): 75–93.
20. Ignacio De la Torre, "Searching for the emergence of stone tool making in eastern Africa," *PNAS* 116 (2019): 11567–11569.
21. ロカレレイについては、H. Roche et al., "Early hominid stone tool production and technical skill 2.34 mya in West Turkana, Kenya," *Nature* 399 (1999): 57–60. 教える者と教えられる者の関係については、Dietrich Stout et al., "Archaeology and the origins of human cumulative culture," *Current Anthropology* 60 (2019): 309–340. を参照。
22. Jessica Thompson et al., "Origins of the human predatory pattern," *Current Anthropology* 60 (2019): 1–23.
23. Julio Mercader et al., "4,300-year-old chimpanzee sites and the origins of percussive stone technology," *PNAS* 104 (2007): 3043–3048.
24. ケネス・オークリー、『石器時代の技術（*Man the Tool-Maker*; British Museum, 1949）』、国分直一・木村伸義訳、1971、ニュー・サイエンス社、は、このテーマの古典的教科書である。
25. Thibaut Caley et al., "A two-million-year-long hydroclimatic context for hominin evolution in southeastern Africa," *Nature* 560 (2018): 76–79.
26. Brian Villmoare, "Early *Homo* at 2.8 ma from Ledi-Geraru, Afar, Ethiopia," *Science* 347 (2015): 1352–1355.
27. Frank Brown et al., "Early *Homo erectus* skeleton from west Lake Turkana, Kenya," *Nature* 316 (1985): 788–792. ナリオコトメ・ボーイの頭蓋は、70片の破片で発見された。ボーイの死亡時の若い年齢と共に、このことが成人頭蓋容量の正確な推算を困難にしている。その骨格は、カリウム・アルゴン法で165万年前と年代測定された火山灰層の上のシルト岩層で発見された。
28. Paul Manger et al., "The mass of the human brain," in Sally Reynolds and Andrew Gallagher, eds., *African Genesis* (Cambridge University Press, 2012), 181–204.
29. Leslie Aiello and Peter Wheeler, "The expensive-tissue hypothesis," *Current Anthropology* 36 (1995): 199–223.
30. エンゲルス、*The Origin of the Family, Private Property, and the State*（『家族・私有財産・国家の起源』）、176
31. ロビン・ダンバー、『人類進化の謎を解き明かす（*Human Evolution: Our Brains and Behavior;* Pelican, 2014）』、鍛原多惠子訳、2016、インターシフト
32. ドナ・ハート、ロバート・サスマン、『ヒトは食べられて進化した（*Man the Hunted: Primates, Predators, and Human Evolution;* Westview, 2005）』、伊藤伸子訳、2007、化学同人
33. Timothy Taylor, *The Artificial Ape: How Technology Changed the Course of Human Evolution* (Palgrave Macmillan, 2010).
34. リチャード・ランガム、『火の賜物―ヒトは料理で進化した（*Catching Fire: How Cooking Made Us Human;* Profile 2009）』依田卓巳訳、NTT出版、2010。R.

Wrangham, "Control of fire in the Paleolithic," *Current Anthropology* 58, suppl. 16 (2017): S303–313. 焼けた獣骨と灰は、100万年前頃の南アフリカ、ワンダーワーク洞窟で火の使われたことを示している。これはおそらく、現時点で分かっているヒトの関与した火の最古の証拠である。

35. John Gowlett, "Deep roots of kin: Developing the evolutionary perspective from prehistory," in N. J. Allen et al., eds., *Early Human Kinship: From Sex to Social Reproduction* (Blackwell, 2008), 48.
36. Henry Bunn et al., "FxJj50: An Early Pleistocene site in northern Kenya," *World Archaeology* 12 (1980): 109–136.
37. Glynn Isaac, "Emergence of human behaviour patterns," *PTRSB* 292 (1981): 187.

第3章

1. 氷期と間氷期に起こった気候変化と海水準の変動の詳細な説明については、Kurt Lambeck et al., "Sea level and global ice volumes from the Last Glacial Maximum to the Holocene," *PNAS* 111 (2014): 15296–15303; Andrea Dutton et al., "Sea-level rise due to polar ice-sheet mass loss during warm wet periods," *Science* 349, no. 6244 (2015): aaa4019; Yusuke Yokoyama et al., "Rapid glaciation and a two-step sea level plunge into the Last Glacial Maximum," *Nature* 559 (2018): 603–607; Simon Lewis and Mark Maslin, *The Human Planet: How We Created the Anthropocene* (Yale University Press, 2019) を参照。
2. 2万年前の氷河期晩期については以下で示されている。Geoff Bailey et al., "Coastlines, submerged landscapes, and human evolution: The Red Sea Basin and the Farasan Islands," *JICA* 2 (2007): 140.
3. アフリカへの逆戻り移住については、Madelaine Böhme et al., *Ancient Bones: Unearthing the Astonishing New Story of How We Became Human* (Scribe, 2020) で力強い推定がなされている。しかしこのケースでは、アフリカよりもヨーロッパでのヒト族の実際の移住が優先されている。
4. アラビアでの過去40万年間の高降水期については Huw Groucutt et al., "Multiple hominin dispersals into Southwest Asia over the past 400,000 years," *Nature* 597 (2021): 376–380. で示されている。
5. As implied by Ofer Bar-Yosef and Miriam Belmaker, "Early and Middle Pleistocene faunal and hominin dispersals through southwestern Asia," *QSR* 30 (2011): 1318–1337; Hannah O' Regan et al., "Hominins without fellow travellers?," *QSR* 30 (2011): 1343–1352.
6. この年代推定は、古地磁気層序、電子スピン共鳴、古生物層序に基づいている。Mohamed Sahnouni et al., "1.9-million-and2.4-million-year-old artifacts and stone tool-cutmarked bones from Ain Boucherit, Algeria," *Science* 362 (2018): 1297–1301. を参照。
7. Zhaoyu Zhu et al., "Hominin occupation of the Chinese Loess Plateau since about 2.1 million years ago," *Nature* 559 (2018): 608–612.

8. Rob Hosfield, "Walking in a winter wonderland," *Current Anthropology* 57 (2016): 653–682.
9. 先入観のない動物相に関する考察は Margaret E. Lewis, "Carnivore guilds and the impact of hominin dispersals," and Robin Dennell, "Pleistocene hominin dispersals, naive faunas and social networks," in Nicole Boivin et al., eds., *Human Dispersal and Species Movement: From Prehistory to Present* (Cambridge University Press, 2017), 29–61 and 62–89. を参照。
10. Ann Gibbons, "The wanderers," *Science* 354 (2016): 959–961; David Lordkipanidze et al., "A complete skull from Dmanisi, Georgia," *Science* 342 (2013): 326–331.
11. インドネシアの更新世は、ピーター・ベルウッド *First Islanders: Prehistory and Human Migration in Island Southeast Asia* (Wiley Blackwell, 2017). で詳しく考察している。
12. Julien Louys and Patrick Roberts, "Environmental drivers of megafauna and hominin extinction in Southeast Asia," *Nature* 586 (2020): 402–406.
13. Shuji Matsu'ura et al., "Age control of the first appearance datum for Javanese Homo erectus in the Sangiran area," *Science* 367 (2020): 210–214. 本論文の著者たちは、中部ジャワのサンギランにエレクトスが到達したのは 130 万年前に過ぎないと主張している。
14. Marcia Ponce de Leon et al., "The primitive brain of early *Homo*," *Science* 372 (2021): 165–171.
15. Thomas Sutikna et al., "Revised stratigraphy and chronology for *Homo floresiensis* at Liang Bua in Indonesia," *Nature* 532 (2016): 366–369.
16. Gert van den Bergh et al., "*Homo floresiensis*-like fossils from the early Middle Pleistocene of Flores," *Nature* 534 (2016): 245–248.
17. Debbie Argue et al., "*Homo floresiensis*: A cladistic analysis," *JHE* 57 (2009): 623–629. デビー・アーグの論考 "The enigma of *Homo floresiensis,*" in Bellwood, *First Islanders*, 60–64. も参照。
18. Jeremy DeSilva et al., "One small step: A review of Plio-Pleistocene foot evolution," *AJPA* 168 (2019): S67.
19. J. Tyler Faith et al., "Plio-Pleistocene decline of African megaherbivores: No evidence for ancient hominin impacts," *Science* 362 (2018): 938–941; and Louys and Roberts, "Environmental drivers," 402–406.
20. Böhme et al., *Ancient Bones*, 221.
21. Böhme et al., *Ancient Bones*, 226 は、フロレシエンシスもルゾネンシスもアフリカが究極的な起源というよりはむしろユーラシアで形成されたと推定している。
22. Florent Détroit et al., "A new species of *Homo* from the Late Pleistocene of the Philippines," *Nature* 568 (2019): 181–186. カラオ洞窟出土の 1 本の歯は、最新のウラン系列年代推定によると 13 万年以上前である。(Rainer Grün, 2020 年 2 月にマニラで開かれたホモ・ルゾネンシスと東南アジアのヒト族の記録に関する国際会議での情報交換で).

23. Thomas Ingicco et al., "Oldest known hominin activity in the Philippines by 709,000 years ago," *Nature* 557 (2018): 232–237. 年代は、歯のエナメル質と石英の電子スピン共鳴法により推定された。
24. サピエンス以前のヒト族は、クレタ島やナクソス島のような地中海の陸橋で繋がれたことのない島々の一部に渡れた可能性もある。Andrew Lawler, "Searching for a Stone Age Odysseus," *Science* 360 (2018): 362–363. を参照。
25. A. P. Derevianko, *Three Global Human Migrations in Eurasia, vol. 2, The Original Peopling of Northern, Central and Western Central Asia* (Russian Academy of Sciences, 2017), 802.

第4章

1. 倪喜軍ら、"Massive cranium from Harbin in northeastern China," *The Innovation* 2, no. 3 (2021), 100130; Anders Bergström et al., "Origins of modern human ancestry," *Nature* 590 (2021): 229–237; Elena Zavala et al., "Pleistocene sediment DNA reveals hominin and faunal turnovers at Denisova Cave," *Nature* 595 (2021): 399–403. の系統樹を参照。
2. Alan Thorne and Milford Wolpoff, "The multiregional evolution of humans," *Scientific American* 266, no. 4 (1992): 76–79, 82–83; Milford Wolpoff, *Paleoanthropology*, 2nd ed. (McGraw-Hill College, 1999). Sang-hee Lee, *Close Encounters with Humankind: A Paleoanthropologist Investigates Our Evolving Species* (W. W. Norton, 2018). も参照。
3. Svante Paabo, "The human condition—a molecular approach," *Cell* 157 (2014): 216–226.
4. 私のような遺伝学者ではない者にとって、ミトコンドリアはエネルギー産生のための酵素を含む細胞中の微少機関と考えることができる。通常は女性だけが、ミトコンドリア DNA を男性と女性の子どもに伝える（男性による遺伝的伝達は知られてきているが非常に稀）。そしてそうした女性の娘たちが、さらにミトコンドリア DNA を伝える。時たま、ミトコンドリア DNA 遺伝子が発生中に突然変異を起こし、新しい系統を形成する（すなわちハプロタイプ）。
5. Rodrigo Lacruz et al., "The evolutionary history of the human face," *Nature Ecology and Evolution* 3 (2019): 726–736.
6. Frido Welker et al., "The dental proteome of *Homo antecessor*," *Nature* 580 (2020): 235–238.
7. José Maria Bermudez de Castro and Maria Martinon-Torres, "A new model for the evolution of the human Pleistocene populations of Europe," *Quaternary International* 295 (2013): 102–112; David Reich, *Who We Are and How We Got Here: Ancient DNA and the New Science of the Human Past* (Oxford University Press, 2018), 70. Madelaine Böhme et al., *Ancient Bones: Unearthing the Astonishing New Story of How We Became Human* (Scribe, 2020), も参照。ヒト族の進化はアフリカではなく、ユーラシアで始まったと推定している。
8. Rainer Grün et al., "Dating the skull from Broken Hill, Zambia," *Nature* 580 (2020):

372–375.
9. A. P. Derevianko, *Three Global Human Migrations in Eurasia, vol. 4, The Acheulean and Bifacial Lithic Industries* (Russian Academy of Sciences, 2019).
10. Ceri Shipton, "The unity of Acheulean culture," in Huw Groucutt, ed., *Culture History and Convergent Evolution: Can We Detect Populations in Prehistory?* (Springer, 2020), 13–28.
11. ネアンデル渓谷の現代ドイツ語のスペリング従い、「Neandertal」と綴られる時もある。
12. Chris Stringer, "Evolution of early humans," in Steve Jones et al., eds., *The Cambridge Encyclopedia of Human Evolution* (Cambridge University Press, 1992), 248.
13. Martin Petr et al., "The evolutionary history of Neanderthal and Denisovan Y chromosomes," *Science* 369 (2020): 1653–1656. シマ・デ・ロス・ウエソス人のミトコンドリアDNAの系統は、図4.1の下の図で示すように、ホモ・サピエンスとの交雑による系統により典型的ネアンデルタール人で置き換えられた。
14. Nohemi Sala et al., "Lethal interpersonal violence in the middle Pleistocene," *PLoS One* 10, no. 5 (2015): e0126589.
15. Lu Chen et al., "Identifying and interpreting apparent Neanderthal ancestry in African individuals," *Cell* 180 (2020): 677–687.
16. Bergström et al., "Origins of modern human ancestry."
17. Benjamin Vernot et al., "Excavating Neanderthal and Denisovan DNA from the genomes of Melanesian individuals," *Science* 352 (2016): 235–239; Joäo Teixeira et al., "Widespread Denisovan ancestry in Island Southeast Asia," *Nature Ecology and Evolution* 5 (2021): 616–624; Maximilian Larena et al., "Philippine Ayta possess the highest level of Denisovan ancestry in the world," *Current Biology* 31 (2021): 1–12.
18. この研究に関して最も分かりやすい報告は、以下の論文で読むことができる。Tom Higham, *The World before Us* (Viking, 2021), 技術的な細部は、以下で読むことができる。Zenobia Jacobs et al., "Timing of archaic hominin occupation of Denisova Cave in southern Siberia," *Nature* 565 (2019): 594–599; Katerina Douka et al., "Age estimates for hominin fossils and the onset of the Upper Palaeolithic at Denisova Cave," *Nature* 565 (2019): 640–644.
19. Viviane Slon et al., "The genome of the offspring of a Neanderthal mother and a Denisovan father," *Nature* 561 (2018): 113–116.
20. Fahu Chen et al., "A late Middle Pleistocene Denisovan mandible from the Tibetan Plateau," *Nature* 569 (2019): 409–412. この年代は付着していた炭酸塩基質を測定したウラン系列法による。The age comes from uranium series dating on an adhering carbonate matrix. D. Zhang et al., "Denisovan DNA in Late Pleistocene sediments from Baishiya Karst Cave," *Science* 370 (2020): 584–587. も参照。
21. Guy Jacobs et al., "Multiple deeply divergent Denisovan ancestries in Papuans," *Cell* 177 (2019): 1010–1021; Anders Bergström et al., "Insights into human genetic

variation and population history," *Science* 367 (2020): eaay5012; Diyendo Massilani et al., "Denisovan ancestry and population history of early East Asians," *Science* 370 (2020): 579–583; Larena et al., "Philippine Ayta."
22. Ni et al., "Massive cranium" ; Qiang Ji et al., "Late Middle Pleistocene Harbin cranium represents a new *Homo* species," *The Innovation* 2, no. 3 (2021): 100132.
23. Ann Gibbons, " 'Dragon Man' may be an elusive Denisovan," *Science* 373 (2021), 11–12; Bergström et al., "Origins of modern human ancestry."
24. Marie Soressi et al., "Neandertals made the first specialized bone tools in Europe," *PNAS* 110 (2013): 14186–14190; Jacques Jaubert et al., "Early Neanderthal constructions deep in Bruniquel Cave in southwestern France," *Nature* 534 (2016): 111–114; Tim Appenzeller, "Europe' s first artists were Neandertals," *Science* 359 (2018): 853–853; Clive Finlayson, *The Smart Neanderthal: Bird Catching, Cave Art, and the Cognitive Revolution* (Oxford University Press, 2019).
25. レベッカ・ウラッグ・サイクス『ネアンデルタール（*Kindred: Neanderthal Life, Love, Death and Art;* Bloomsbury, 2020）』、野中香方子訳、2022、筑摩書房
26. Emma Pomeroy et al., "New Neanderthal remains associated with the 'flower burial' at Shanidar Cave," *Antiquity* 94 (2020): 11–26; Avraham Ronen, "The oldest burials and their significance," in Sally Reynolds and Andrew Gallagher, eds., *African Genesis: Perspectives on Hominin Evolution* (Cambridge University Press, 2012), 554–570.
27. Judith Beier et al., "Similar cranial trauma prevalence among Neanderthals and Upper Palaeolithic modern humans," *Nature* 563 (2018): 686–690.
28. Michael Balter, "The killing ground," *Science* 344 (2014): 1080–1083.
29. Kumar Akhilesh et al., "Early Middle Palaeolithic culture in India around 385–172 ka reframes Out of Africa models," *Nature* 554 (2018): 97–101.
30. Yan Rizal et al., "Last appearance of *Homo erectus* at Ngandong, Java, 117,000–108,000 years ago," *Nature* 577 (2020): 381–385. これはエレクトスの絶滅した年代ではなく、ジャワでエレクトスが生きていた最も若い年代であることに注意。
31. Peter Bellwood, *First Islanders: Prehistory and Human Migration in Island Southeast Asia* (Wiley Blackwell, 2017).
32. ウラン系列法と電子スピン共鳴法による年代推定による。See Paul Dirks et al., "The age of *Homo naledi* and associated sediments in the Rising Star Cave, South Africa," *eLife* 6 (2017): e24231.
33. Lee Berger and John Hawks, *Almost Human: The Astonishing Tale of* Homo naledi *and the Discovery That Changed Our Human Story* (National Geographic, 2017).

第 5 章

1. Paul Pettitt, "The rise of modern humans," in Chris Scarre, ed., *The Human Past: World Prehistory and the Development of Human Societies*, 4th ed. (Thames and Hudson, 2018), 117; John Hoffecker, *Modern Humans: Their African Origin and*

Global Dispersal (Columbia University Press, 2017), table 4.3.

2. Carina Schlebusch et al., "Khoe-San genomes reveal unique variation and confirm the deepest population divergence in *Homo sapiens*," *Molecular Biology and Evolution* 37 (2020):2944–2954.
3. Rebecca Cann, Mark Stoneking, and Alan Wilson, "Mitochondrial DNA and human evolution," *Nature* 325 (1987): 31–36.
4. Swapan Mallick et al., "The Simons Genome Diversity Project," *Nature* 538 (2016): 201–206; David Reich, *Who We Are and How We Got Here: Ancient DNA and the New Science of the Human Past* (Oxford University Press, 2018); Schlebusch et al., "Khoe-San genomes," 2944–2954.
5. Eva Chan et al., "Human origins in a southern African palaeo-wetland and first migrations," *Nature* 575 (2019): 185–189.
6. Carina Schlebusch et al., "Human origins in southern African palaeo-wetlands? Strong claims from weak evidence," *JAS* 130 (2021): 105374.
7. Mark Lipson et al., "Ancient West African foragers in the context of African population history," *Nature* 577 (2020): 665–670. 似た年代の結論については以下を参照。 Anders Bergström et al., "Insights into human genetic variation and population history," *Science* 367 (2020): eaay5012.
8. Martin Petr et al., "The evolutionary history of Neanderthal and Denisovan Y chromosomes," *Science* 369 (2020): 1653–1656.
9. Reich, Who We Are, 52, 88. シベリア、ウスティ・イシム出土の1点のホモ・サピエンスの脚の骨は放射性炭素年代と、5万5000年前頃にサピエンスとネアンデルタール人の交雑のあったことを示す遺伝的証拠をもたらしている。Qiaomei Fu et al., "Genome sequence of a 45,000-year-old modern human from western Siberia," *Nature* 514 (2014): 445–451. を参照。
10. Katerina Harvati et al., "Apidima Cave fossils provide earliest evidence of *Homo sapiens* in Eurasia," *Nature* 571 (2019): 500–504.
11. Israel Herschkovitz et al., "The earliest modern humans outside Africa," *Science* 359 (2018): 456–459.
12. Bernard Vandermeersch and Ofer Bar-Yosef, "The Paleolithic burials at Qafzeh Cave, Israel," *Paleo* 30, no. 1 (2019): 236–275.
13. Avraham Ronen, "The oldest burials and their significance," in Sally Reynolds and Andrew Gallagher, eds., *African Genesis: Perspectives on Hominin Evolution* (Cambridge University Press, 2012), 554–570.
14. Maria Martinon-Torres et al., "Earliest known human burial in Africa," *Nature* 593 (2021): 95–100.
15. イスラエル中部ネシャー・ラムラの堆積物の積もった石灰岩陥没穴から、頭蓋化石などが出ている。それらの化石の年代は14万年前頃と推定され、骨の年代はネアンデルタール人とサピエンスのとそれと重なり合い、同じようにルヴァロワ石核とルヴァロワ剥片を伴っていたのだが、初めのうちはネアンデルタール人でもサピエ

ンスでもないと報告された。Israel Herschkovitz et al., “A Middle Pleistocene *Homo* from Nesher Ramla, Israel,” *Science* 372 (2021): 1424–1428; Yossi Zaidner et al., “Middle Pleistocene *Homo* behavior and culture at 140,000 to 120,000 years ago and interactions with *Homo sapiens*,” *Science* 372 (2021): 1429–1433. を参照。化石が紛れもないネアンデルタール人だという最近の推定は、アサフ・マロムとヨエル・ラクの以下の論評による。“A Middle Pleistocene *Homo* from Nesher Ramla, Israel,” *Science* 374, no. 6572 (2021), doi: 10.1126/science.abl14336.

16. Xue-feng Sun et al., “Ancient DNA and multimethod dating confirm the late arrival of anatomically modern humans in southern China,” *PNAS* 118 (2021): e2019158118.
17. Petr et al., “Evolutionary history,” 1653–1656.
18. Linda Schroeder, “Revolutionary fossils, ancient biomolecules,” *American Anthropologist* 122, no. 2 (2020): 306–320. 同じような見方は、オーレリアン・ムーニエとマルタ・ラーの “Deciphering African late middle Pleistocene hominin diversity and the origin of our species,” *Nature Communications* 10 (2019): 3406. によって提示されている。ライヒの *Who We Are*, chapter 9. も参照。
19. Sally McBrearty and Alison Brooks, “The revolution that wasn't: A new interpretation of the origin of modern human behavior,” *JHE* (2000) 39: 453–563; Christopher Henshilwood et al., “An abstract drawing from the 73,000-year-old levels at Blombos Cave, South Africa,” *Nature* 562 (2018): 115–118; Manuel Will et al., “Human teeth from securely stratified Middle Stone Age contexts at Sibudu, South Africa,” *AAS* 11 (2019): 3491–3501.
20. Manuel Will et al., “Timing and trajectory of cultural evolution on the African continent 200,000–30,000 years ago,” in Yonatan Sahle et al., eds., *Modern Human Origins and Dispersal* (Kerns Verlag, 2019), 25–72.
21. この主張は、ロビン・デネルの以下の著作 *From Arabia to the Pacific: How Our Species Colonised Asia* (Taylor and Francis, 2020). でもなされている。
22. Ian Gilligan, *Climate, Clothing, and Agriculture in Prehistory: Linking Evidence, Causes, and Effects* (Cambridge University Press, 2019); Peter Frost, “The original Industrial Revolution: Did cold winters select for cognitive ability?,” *Psych* 1 (2019): 161–181; Hoffecker, Modern Humans, 66–67. も参照。
23. Stanley Ambrose, “Chronological calibration of Late Pleistocene modern human dispersals, climate change and Archaeology with geochemical isochrons,” in Sahle et al., *Modern Human Origins*, 171–213.
24. 例えばユージン・スミスら “Humans thrived in South Africa through the Toba eruption about 74,000 years ago,” *Nature* 555 (2018): 511–515; Michael Petraglia and Ravi Korisettar, “The Toba volcanic super-eruption,” *Quaternary International* 258 (2012): 119–134 を参照。これら論文の著者は、トバ山爆発による人類集団が受けた影響は些細なものでしかなかったという見方を支持する。
25. Alex Mackay et al., “Coalescence and fragmentation in the Pleistocene archaeology of southernmost Africa,” *JHE* 72 (2014): 26–51.

26. Jean-Jacques Hublin et al., "Initial Upper Palaeolithic *Homo sapiens* from Bacho Kiro Cave, Bulgaria," *Nature* 581 (2020): 299–302.
27. Reich, *Who We Are*; Iñigo Olalde and Cosimo Posth, "Latest trends in archaeogenetic research of west Eurasians," *Current Research in Genetics and Development* 62 (2020): 36–43.
28. Michael Petraglia et al., "Middle Paleolithic assemblages from the Indian Subcontinent before and after the Toba eruption," *Science* 417 (2012): 114–116; Laura Lewis et al., "First technological comparison of southern African Howieson's Poort and South Asian microlithic industries," *Quaternary International* 350 (2014): 7–24.
29. Maxime Aubert et al., "Earliest hunting scene in prehistoric art," *Nature* 576 (2019): 442–445; Adam Brumm et al., "Oldest cave art found in Sulawesi," *Science Advances* 7 (2021): eabd4648.
30. Paul Mellars and Jennifer French, "Tenfold population increase in western Europe at the Neandertal-to-Modern human transition," *Science* 333 (2011): 623–637; Jennifer French, "Demography and the Palaeolithic archaeological record," *Journal of Archeological Method and Theory* 23 (2016): 150–199; M. Bolus, "The late Middle Palaeolithic and the Aurignacian of the Swabian Jura, southwestern Germany," in A. P. Derevianko and M. Shunkov, eds., *Characteristic Features of the Middle to Upper Palaeolithic Transition in Eurasia: Proceedings of the International Symposium "Characteristic Features of the Middle to Upper Paleolithic Transition in Eurasia—Development of Culture and Evolution of Homo Genus," July 4–10, 2011, Denisova Cave, Altai* (Department of the Institute of Archaeology and Ethnography [Novosibirsk], 2011), 3–10.
31. Tim Flannery, Europe: *A Natural History* (Grove, 2020).
32. Matthias Currat and Laurent Excoffier, "Strong reproductive isolation between humans and Neanderthals inferred from observed patterns of introgression," *PNAS* 108 (2011): 15129–15134. Reich, *Who We Are*, chapter 2, も参照。ネアンデルタール人と現生人類の混血の課題に、適切な説明をしている。
33. Qiaomei Fu et al., "An early modern human from Romania with a recent Neanderthal ancestor," *Nature* 524 (2014): 445–449.
34. Hugo Zeberg and Svante Pääbo, "The major genetic risk factor for severe COVID-19 is inherited from Neanderthals," *Nature* 587 (2020): 610–612.
35. Anna Goldfield et al., "Modeling the role of fire and cooking in the competitive exclusion of Neanderthals," *JHE* 124 (2018): 91–104.
36. Kay Prufer, "The complete genome sequence of a Neanderthal from the Altai Mountains," *Nature* 505 (2014): 43–49; Sriram Sankararaman, "The genomic landscape of Neanderthal ancestry in present-day humans," *Nature* 507 (2014): 354–357; L. Rios et al., "Skeletal anomalies in the Neanderthal family of El Sidron (Spain) support a role of inbreeding in Neanderthal extinction," *Scientific Reports* 9 (2019): 1697.

37. Thomas Higham et al., "The timing and spatiotemporal patterning of Neanderthal disappearance," *Nature* 512 (2014): 306–309.
38. Dennell, *From Arabia to the Pacific*, 201.
39. 東アジアの旧石器人集団についての考察については、Hirofumi Matsumura et al., "Craniometrics reveal two layers of prehistoric human dispersal in eastern Eurasia," *Scientific Reports* 9 (2019): 1451; Hirofumi Matsumura et al., "Female craniometrics support the 'two-later model' of human dispersal in eastern Eurasia," *Scientific Reports* 11 (2021): 20830; Melinda Yang et al., "Ancient DNA indicates human population shifts and admixture in northern and southern China," *Science* 369, no. 6501 (2020): 282–288; Chuan-chou Wang et al., "Genomic insights into the formation of human populations in East Asia," *Nature* 591 (2021): 413–419. を参照。
40. James O'Connell et al., "When did *Homo sapiens* first reach Southeast Asia and Sahul?," *PNAS* 115 (2018): 8482–8490.
41. Hugh Groucutt et al., "Stone tool assemblages and models for the dispersal of *Homo sapiens* out of Africa," *Quaternary International* 382 (2015): 8–30.
42. Milford Wolpoff and Sang-hee Lee, "WLH 50: How Australia informs the worldwide pattern of Pleistocene human evolution," *PaleoAnthropology* (2014): 505–564.
43. Joäo Teixeira et al., "Widespread Denisovan ancestry in Island Southeast Asia," *Nature Ecology and Evolution* 5 (2021): 616–624.
44. Chris Clarkson et al., "Human occupation of northern Australia by 65,000 years ago," *Nature* 547 (2017): 306–310.
45. O'Connell et al., "When did *Homo sapiens*."
46. Jeremy Choin et al., "Genomic insights into population history and biological adaptation in Oceania," *Nature* 592 (2021): 583–589. 彼らは、ニューギニアへの最古のホモ・サピエンスの定着した年代は4万5000年前から3万年前に過ぎなかったと推定している。
47. Nicole Pedro et al., "Papuan mitochondrial genomes and the settlement of Sahul," *Journal of Human Genetics* 65 (2020): 875–887; Gludhug Purnomo et al., "Mitogenomes reveal two major influxes of Papuan ancestry across Wallacea," *Genes* 12 (2021): 965.
48. Michael Bird et al., "Early human settlement of Sahul was not an accident," *Scientific Reports* 9 (2019): 8220.
49. Sue O'Connor et al., "Pelagic fishing at 42,000 years before the present," *Science* 334 (2011): 1117–1120; Peter Bellwood, ed., *The Spice Islands in Prehistory: Archaeology in the Northern Moluccas, Indonesia* (Australian National University Press, 2019).
50. 絶滅の人類起因説支持の論文として Frédérick Saltré et al., "Climate change not to blame for late Quaternary megafauna extinctions in Australia," *Nature Communications* 7 (2015): 10511; Susan Rule et al., "The aftermath of megafaunal extinction: Ecosystem transformation in Pleistocene Australia," *Science* 335 (2012):

1483–14867. を参照。この考えの反論としては、Julien Louys et al., “No evidence for widespread island extinctions after Pleistocene hominin arrival,” *PNAS* 118 (2021): e2023005118. を参照。

51. Tim Flannery, *The Future Eaters: An Ecological History of the Australasian Lands and People* (Grove, 2002); Raquel Lopes dos Santos et al., “Abrupt vegetation change after the Late Quaternary megafaunal extinction in southeastern Australia,” *Nature Geoscience* 6 (2013): 627–631.
52. Peter Bellwood, *First Migrants: Ancient Migration in Global Perspective* (Wiley Blackwell, 2013), 74.
53. Corey Bradshaw et al., “Minimum founding populations for the first peopling of Sahul,” *Nature Ecology and Evolution* 3 (2019): 1057–1063; Jim Allen and James O’ Connell, “A different paradigm for the initial colonization of Sahul,” *Archaeology in Oceania* 55 (2020): 1–14.
54. O’Connell et al., “When did *Homo sapiens*” ; Michael Bird et al., “Palaeogeography and voyage modeling indicates early human colonization of Australia was likely from Timor-Roti,” *QSR* 191 (2018): 431–439.
55. Norma McArthur et al., “Small population isolates: A micro-simulation study,” *Journal of the Polynesian Society* 85 (1976): 307–326.
56. ピトケアン島植民者の最初の数年で起こった流血の物語は、以下の書物 Sir John Barrow in *The Mutiny of “The Bounty”* (1831; repr., Oxford University Press, 1960). で復元された。また、以下の書も参照。John Terrell, *Prehistory in the Pacific Islands* (Cambridge University Press, 1986), 191; Bellwood, *First Migrants*, 75.
57. Joseph Birdsell, “Some population problems involving Pleistocene man,” *Cold Spring Harbor Symposium on Quantitative Biology* 22 (1957): 47–69.
58. たとえこれら初期の現生人類集団が現代人の遺伝的、文化的状況の中に生き残っているとする考えが遺伝学者に頑強に抵抗されたとしても、多くの考古学者はこの考えを強く主張している。私は、自著『*First Migrants*』でこの見方に賛意を示した。以下の諸論文も参照。 Nicole Boivin et al., “Human dispersal across diverse environments of Asia during the Upper Pleistocene,” *Quaternary International* 300 (2013): 32–47; Hugo Reyes-Centeno et al., “Genomic and cranial phenotype data support multiple modern human dispersals from Africa and a southern route into Asia,” *PNAS* 111 (2014): 7248–7253; Huw Groucutt et al., “Skhul lithic technology and the dispersal of *Homo sapiens* into Southwest Asia,” *Quaternary International* 515 (2019): 30–52; Ryan Rabett, “The success of failed *Homo sapiens* dispersals out of Africa and into Asia,” *Nature Ecology and Evolution* 2 (2018): 212–219.
59. Philip Habgood and Natalie Franklin, “The revolution that didn’t arrive: A review of Pleistocene Sahul,” *JHE* 55 (2008): 187–222; Maxime Aubert et al., “Palaeolithic cave art in Borneo,” *Nature* 564 (2018): 254–257; Michelle Langley et al., “Symbolic expression in Pleistocene Sahul, Sunda and Wallacea,” *QSR* 2019 (2019): 105883. 現在のところ、オーストラリアの最古の岩壁画は約 1 万 7000 年前である。 Damien

Finch et al., "Ages for Australia's oldest rock paintings," *Nature Human Behaviour* 5 (2021): 310–318. も参照。
60. ティンカユについては、Peter Bellwood, *First Islanders: Prehistory and Human Migration in Island Southeast Asia* (Wiley Blackwell, 2017), 143–145. で参考文献を付けて論じている。

第6章

1. Vladimir Pitulko et al., "Early human presence in the Arctic: Evidence from 45,000-year-old mammoth remains," *Science* 351 (2016): 260–263.
2. Nicolas Zwyns et al., "The northern route for human dispersal in central and northeast　Asia," *Scientific Reports* 9 (2019): 11759.
3. Yusuke Yokoyama et al., "Rapid glaciation and a two-step sea level plunge into the Last Glacial Maximum," *Nature* 559 (2018): 603–607.
4. Melinda Yang et al., "40,000-year-old individual from Asia provides insight into early population structure in Eurasia," *Current Biology* 27 (2017): 3202–3208.
5. Xiaowei Mao et al., "The deep population history of northern East Asia," *Cell* 184, no. 12 (2021): 3256–3266.e13.
6. X. Zhang et al., "The earliest human occupation of the high-altitude Tibetan Plateau 40 thousand to 30 thousand years ago," *Science* 362 (2018): 1049–1051; Emilia Huerta-Sanchez et al., "Altitude adaptation in Tibetans caused by introgression of Denisovan-like DNA," *Nature* 512 (2014): 194–197.
7. Vladimir Pitulko et al., "The oldest art of the Eurasian Arctic," *Antiquity* 86 (2012): 642–659; Pavel Nikolskiy and Vladimir Pitulko, "Evidence from the Yana Palaeolithic site, Arctic Siberia, yields clues to the riddle of mammoth hunting," *JAS* 40 (2013): 4189–4197; Martin Sikora, "The population history of northeastern Siberia since the Pleistocene," *Nature* 570 (2019): 182–188.
8. Sikora et al., "Population history of northeastern Siberia"；Naoki Osada and Yosuke Kawai, "Exploring models of human migration to the Japanese archipelago," *Anthropological Science* 129 (2021): 45–58.
9. Robin Dennell, *From Arabia to the Pacific: How Our Species Colonised Asia* (Taylor and Francis, 2020), 318.
10. John Hoffecker et al., "Beringia and the global dispersal of modern humans," *Evolutionary Anthropology* 25 (2016): 64–78. ユーコン準州、ブルーフィッシュ洞窟出土の、人類によって付けられた可能性のあるカットマーク付きのウマとカリブーの骨は2万4000年前のものである。だが他に何の人工品も見つかっていない。Lauriane Bourgeon et al., "Earliest human presence in North America dated to the Last Glacial Maximum," *PLoS One* 12 (2017): 0169486. を参照。
11. Ted Goebel and Ben Potter, "First traces: Late Pleistocene human settlement of the Arctic," in T. M. Friesen and O. Mason, eds., *The Oxford Handbook of the Prehistoric Arctic* (Oxford Handbooks Online, 2016), 223–252.

12. Michael Waters, "Late Pleistocene exploration and settlement of the Americas by modern humans," *Science* 365 (2019): eaat5447.

13. Yousuke Kaifu et al., "Palaeolithic seafaring in East Asia," *Antiquity* 93 (2019): 1424–1441; Dennis Normile, "Update: Explorers successfully voyage to Japan," *Science News*, July 20, 2019, https://www.sciencemag.org/news/2019/07/explorers-voyage-japan-primitive-boat-hopes-unlocking-ancient-mystery; Yousuke Kaifu et al., "Palaeolithic voyage for invisible islands beyond the horizon," *Scientific Reports* 10 (2020): 19785.

14. 最終氷期極大期（LGM）の寒さからLGM期避難地域の可能性としての日本とサハリンに関しては、Kelly Graf, "The good, the bad, and the ugly," *JAS* 36 (2009): 694–707; Peter Bellwood, *First Migrants: Ancient Migration in Global Perspective* (Wiley Blackwell, 2013), 81–83. を参照。

15. Kazuki Morisaki and Hiroyuki Sato, "Lithic technological and human behavioral diversity before and during the Late Glacial: A Japanese case study," *Quaternary International* 347 (2014): 200–210; Masami Izuho and Yousuke Kaifu, "The appearance and characteristics of the early Upper Paleolithic in the Japanese Archipelago," in Y. Kaifu et al., eds., *Emergence and Diversity of Modern Human Behavior in Paleolithic Asia* (Texas A&M University Press, 2015), 289–313.

16. Yousuke Kaifu et al., "Pleistocene seafaring and colonization of the Ryukyu Islands, southwestern Japan," in Kaifu et al., *Emergence and Diversity*, 345–361; Fuzuki Mizuno et al., "Population dynamics in the Japanese Archipelago since the Pleistocene," *Scientific Reports* 11 (2021): 12018.

17. Masaki Fujita et al., "Advanced maritime adaptation in the Western Pacific coastal region extends back to 35,000–30,000 years before present," *PNAS* 113 (2016): 11184–11189; Sue O' Connor, "Crossing the Wallace Line," in Kaifu et al., *Emergence and Diversity,* 214–224; Harumi Fujita, "Early Holocene pearl oyster circular fishhooks and ornaments on Espiritu Santo Island, Baja California Sur," *Monographs of the Western North American Naturalist* 7 (2014): 129–134; Matthew Des Lauriers et al., "The earliest shell fishhooks from the Americas," *American Antiquity* 82 (2017): 498–516.

18. 縄文草創期の東北で発見された8点の両面加工石器の隠し場（キャッシュ）と北米クロヴィス遺跡で見つかった類似したキャッシュとの比較については、Yoshitake Tanomata and Andrey Tabarev, "A newly discovered cache of large biface lithics from northern Honshu, Japan," *Antiquity* 94, no. 374 (2020): E8 を参照。

19. Fuzuki Mizuno et al., "Population dynamics in the Japanese Archipelago since the Pleistocene," *Scientific Reports* 11 (2021): 12018.

20. Jon Erlandson et al., "The Kelp Highway Hypothesis," *JICA* 2 (2007): 161–174.

21. Eske Willerslev and David Meltzer, "Peopling of the Americas as inferred from ancient genomics," *Nature* 594 (2021): 356–364.

22. Bastien Llamas et al., "Ancient mitochondrial DNA provides high-resolution time

scale of the peopling of the Americas," *Science Advances* 2, no. 4 (2016): e1501385.

23. Anders Bergström et al., "Insights into human genetic variation and population history," *Science* 367 (2020): eaay5012.

24. Lorena Becerra-Valdivia and Thomas Higham, "The timing and effect of the earliest human arrivals in North America," *Nature* 584 (2020): 93–97; Amy Goldberg et al., "Post-invasion demography of prehistoric humans in South America," *Nature* 532 (2016): 232–235.

25. Waters, "Late Pleistocene exploration."

26. Ciprian Ardelean et al., "Evidence of human occupation in Mexico around the Last Glacial Maximum," *Nature* 584 (2020): 87–92.

27. James Chatters et al., "Evaluating the claims of early human occupation at Chiquihuite Cave, Mexico," *PaleoAmerica* 8 (2022): 1–16; Ben Potter et al., "Current understanding of the earliest human occupations in the Americas," *PaleoAmerica* 8 (2022): 62–76.

28. デュクタイ洞窟については Yan Coutouly, "Migrations and interactions in prehistoric Beringia," *Antiquity* 90 (2016): 9–31. 参照。後期更新世の日本の石器系列についての詳しくは、Kazuki Morisaki et al., "Human adaptive responses to environmental change during the Pleistocene-Holocene transition in the Japanese archipelago," in E. Robinson and F. Sellet, eds., *Lithic Technological Organization and Paleoenvironmental Change* (Springer, 2018), 91–122. を参照。

29. 論じられた考古記録の調査については、以下を参照。 J. M. Adovasio and David Pedler, *Strangers in a New Land* (Firefly Books. 2016); David Meltzer, "The origins, antiquity, and dispersal of the first Americans," in Chris Scarre, ed., *The Human Past: World Prehistory and the Development of Human Societies*, 4th ed. (Thames and Hudson, 2018), 149–171; Waters, "Late Pleistocene exploration" ; Loren Davis et al., "Late Upper Paleolithic occupation at Cooper's Ferry, Idaho, USA ~16,000 years ago," *Science* 365 (2019): 891–897. 私も最初のアメリカ人が日本起源とする話題に関するクリス・ギラム（Chris Gillam）の考察に同意する。J. Uchiyama, et al., "Population dynamics in northern Eurasian forests," *Evolutionary Human Sciences* 2 (2020): E16. らの彼の書いた節を参照。

30. Todd Braje et al., "Fladmark + 40: What have we learned about a potential Pacific coast peopling of the Americas?," *American Antiquity* 85 (2019): 1–21.

31. Joseph Greenberg, *Language in the Americas* (Stanford University Press, 1987); Joseph Greenberg et al., "The settlement of the Americas: A comparison of the linguistic, dental, and Genetic evidence," *Current Anthropology* 27 (1986): 477–497.

32. グリーンバーグを支持するものとして、Merritt Ruhlen, *The Origin of Language: Tracing the Evolution of the Mother Tongue* (Stanford University Press, 1994). を参照。

33. Morten Rasmussen et al., "The genome of a Late Pleistocene human from a Clovis burial site in western Montana," *Nature* 506 (2014): 225–229.

34. C. Scheib et al., "Ancient human parallel lineages within North America contributed

to a coastal expansion," *Science* 360 (2018): 1024–1027; Cosimo Posth et al., "Reconstructing the deep population history of Central and South America," *Cell* 175 (2018): 1185–1197; J. Victor Moreno-Mayar et al., "Early human dispersals within the Americas," *Science* 362 (2018): eaav2621.

35. He Yu et al., "Paleolithic to Bronze Age Siberians reveal connections with First Americans and across Eurasia," *Cell* 181 (2020): 1232–1245.

36. Chao Ning et al., "The genomic formation of first American ancestors in east and North East Asia," *bioRxiv* (2020), https://doi.org/10.1101/2020.10.12.336628.

37. ベーリンジア休止仮説の遺伝学研究に関しては Maanasa Raghavan et al., "Genomic evidence for the Pleistocene and recent population history of Native Americans," *Science* 349 (2015): aab3884; Llamas et al., "Ancient mitochondrial DNA" ; J. Victor Moreno-Mayar, "Terminal Pleistocene Alaskan genome reveals first founding population of Native Americans," *Nature* 553 (2018): 203–207; Martin Sikora et al., "The population history of northeastern Siberia since the Pleistocene," *Nature* 570 (2019): 182–188. を参照。

38. ウシュキの年代に関しては Ted Goebel et al., "New dates from Ushki-1, Kamchatka," *JAS* 37 (2010): 2640–2649. を参照。

39. Noreen von Cramon-Taubadel et al., "Evolutionary population history of early Paleoamerican cranial morphology," *Science Advances* 3 (2017): e1602289.

40. Moreno-Mayar et al., "Early human dispersals" ; Ning et al., "Genomic formation."

41. André Strauss et al., "Early Holocene ritual complexity in South America: the archaeological record of Lapa do Santo," *Antiquity* 90 (2016): 1454–1473; Osamu Kondo et al., "A female human skeleton from the initial Jomon period," *Anthropological Science* 126 (2018): 151–164.

42. After Pontus Skoglund et al., "Genetic evidence for two founding populations of the Americas," *Nature* 525 (2015): 104–108; Raghavan, "Genomic evidence." も参照。Y人類集団の存在を支持する最新の遺伝学上の見解は Marcos Castro e Silva et al., "Deep genetic affinity between coastal Pacific and Amazonian natives evidenced by Australasian ancestry," *PNAS* 118 (2021): e2025739118. にある。

43. 例えばY人類集団祖先の明白な痕跡は、Daniel Fernandes, "A genetic history of the precontact Caribbean," *Nature* 590, no. 7844 (2021): 103–110. によれば、カリブ諸島には存在しないようである。

44. Melinda Yang et al., "40,000-year-old individual from Asia provides insight into early population structure in Eurasia," *Current Biology* 27 (2017): 3206.

45. Xiaoming Zhang et al., "Ancient genome of hominin cranium reveals diverse population lineages in southern East Asia during Late Paleolithic," *Cell*. に寄稿。

46. Davis et al., "Late Upper Paleolithic occupation."

47. Gustavo Politis and Luciano Prates, "Clocking the arrival of Homo sapiens in the southern cone of South America," in K. Harvati et al., eds., *New Perspectives on the Peopling of the Americas* (Kerns Verlag, 2018), 79–106.

48. Jon Erlandson et al., "Paleoindian seafaring, maritime technologies, and coastal foraging on California's Channel Islands," *Science* 331 (2011): 1181–1184.

49. Kurt Rademaker et al., "Paleoindian settlement of the high-altitude Peruvian Andes," *Science* 346 (2014): 466–469.

50. Angela Perri et al., "Dog domestication and the dual dispersal of people and dogs into the Americas," *PNAS* 118 (2021): e2010083118.

51. 北米の極北先史時代に関しては、多くの学問分野からの膨大な文献がある。Michael Fortescue and Max Friesen in P. Bellwood, ed., *The Global Prehistory of Human Migration* (Wiley, 2015), らによる論文と T. M. Friesen and O. Mason, eds., *The Oxford Handbook of the Prehistoric Arctic* (Oxford University Press, 2016). の多数の優れた論文を参照。

52. Pavel Flegontov et al., "Palaeo-Eskimo genetic ancestry and the peopling of Chukotka and North America," *Nature* 570 (2019): 236–240; Sikora et al., "Population history of northeastern Siberia."

53. Mikkel-Holger Sinding et al., "Arctic-adapted dogs emerged at the Pleistocene-Holocene transition," *Science* 368 (2020): 1495–1499.

第 7 章

1. 注：本章、及びこれ以降の章では、絶対年代で紀元前／紀元の用語の使用に切り替える。

2. Abigail Page et al., "Reproductive trade-offs in extant hunter-gatherers suggest adaptive mechanism for the Neolithic expansion," *PNAS* 113 (2016): 4694–4699.

3. Jean-Pierre Bocquet-Appel, "When the world' s population took off," *Science* 333 (2011): 560–561.

4. 狩猟採集民の出産間隔の論議については、Nicholas Blurton-Jones, "Bushman birth spacing: A test for optimal interbirth intervals," *Ecology and Sociobiology* 7 (1986): 91–105. を参照。

5. Richard Lee, *The !Kung San: Men, Women, and Work in a Foraging Society* (Cambridge University Press, 1979), 312.

6. Ian Keen, *Aboriginal Society and Economy: Australia at the Threshold of Colonisation* (Oxford University Press, 2004), 381. Fekri Hassan, *Demographic Archaeology* (Academic, 1981), 197, は、カリフォルニアのセントラル・バレーの 3.9 平方キロにつき 1 人という数字を出している。

7. Nathan Wolfe et al., "Origins of major human infectious diseases," *Nature* 447 (2007): 279–283.

8. Anders Bergström et al., "Origins and genetic legacy of prehistoric dogs," *Science* 370 (2020): 557–564.

9. Shahal Abbo and Avi Gopher, "Plant domestication in the Neolithic Near East: The humans-plants liaison," QSR 242 (2020): 106412. Shahal Abbo et al., *Plant Domestication and the Origins of Agriculture in the Ancient Near East* (Cambridge

University Press, 2022). も参照。

10. Dorian Fuller, "Contrasting patterns in crop domestication and domestication rates," *Annals of Botany* 100 (2007): 903–924; George Willcox, "Pre-domestic cultivation during the late Pleistocene and early Holocene in the northern Levant," in Paul Gepts et al., eds., *Biodiversity in Agriculture: Domestication, Evolution, and Sustainability* (Cambridge University Press, 2012), 92–109; Dorian Fuller et al., "From intermediate economies to agriculture: Trends in wild food use, domestication and cultivation among early villages in Southwest Asia," *Paléorient* 44 (2018): 59–74.
11. 例えばトルコ中部のグシル・ヒュユク遺跡で紀元前8500年頃に始まった肥沃な三日月地帯穀物とマメ類の急速な栽培化については、Ceren Kabukcu et al., "Pathways to domestication in Southeast Anatolia," *Scientific Reports* 11 (2021), Article 2112. での論考を参照。
12. M. Kat Anderson, *Tending the Wild: Native American Knowledge and the Management of California' s Natural Resources* (University of California Press, 2005); M. Kat Anderson and Eric Wohlgemuth, "California Indian proto-agriculture: Its characterization and legacy," in Gepts et al., *Biodiversity in Agriculture*, 190–224; Harry Allen, "The Bagundji of the Darling Basin: Cereal gatherers in an uncertain environment," *World Archaeology* 5 (1974): 309–322.
13. Peter Richerson et al., "Was agriculture impossible during the Pleistocene but mandatory during the Holocene?," *American Antiquity* 66 (2001): 387–411.
14. Joan Feynman and Alexander Ruzmaikin, "Climate stability and the development of agricultural societies," *Climate Change* 84 (2007): 295–311.
15. David Smith et al., "The early Holocene sea level rise," QSR 30 (2011): 1846–1860; Kurt Lambeck et al., "Sea level and global ice volumes from the Last Glacial Maximum to the Holocene," *PNAS* 111 (2014): 15296–15303; A. Dutton et al., "Sea-level rise due to polar ice-sheet mass loss during warm wet periods," *Science* 349 (2015): aaa4019.
16. Stephen Shennan, *The First Farmers of Europe: An Evolutionary Perspective* (Cambridge University Press, 2018). によって中東についても推定されている。
17. Jared Diamond, "Evolution, consequences and future of plant and animal domestication," *Nature* 418 (2002): 34–41.
18. 例えば Mark Nathan Cohen, *The Food Crisis in Prehistory: Overpopulation and the Origins of Agriculture* (Yale University Press, 1977); Allen Johnson and Timothy Earle, The Evolution of Human Societies: From Foraging Group to Agrarian State (Stanford University Press, 2000).
19. Ian Gilligan, *Climate, Clothing, and Agriculture in Prehistory: Linking Evidence, Causes, and Effects* (Cambridge University Press, 2019).

第8章

1. 作物に関しては、Ehud Weiss and Daniel Zohary, "The Neolithic Southwest Asian

founder crops," *Current Anthropology* 52, suppl. 4 (2011): 237–254; Daniel Zohary et al., *Domestication of Plants in the Old World,* 4th ed. (Oxford University Press, 2012). を参照。考古学者の中には、肥沃な三日月地帯穀物とマメ類は2カ所以上で栽培化されたと考える者もいる。例えば Eleni Asouti and Dorian Fuller, "A contextual approach to the emergence of agriculture in Southwest Asia," *Current Anthropology* 54 (2013): 299–345. を参照。家畜に関しては Melinda Zeder, "Out of the Fertile Crescent: The dispersal of domestic livestock through Europe and Africa," in Nicole Boivin et al., eds., *Human Dispersal and Species Movement: From Prehistory to Present* (Cambridge University Press, 2017), 261–303. を参照。

2. Dorian Fuller and Chris Stevens, "Between domestication and civilization," *Vegetation History and Archaeobotany* 28 (2019): 263–282.
3. W. J. Perry, *The Growth of Civilization* (1924; repr., Pelican, 1937), 46; V. Gordon Childe, *New Light on the Most Ancient East* (1928; repr., Routledge and Kegan Paul, 1958), 32.
4. Daniel Stanley and Andrew Warne, "Sea level and initiation of Predynastic culture in the Nile Delta," *Nature* 363 (1993): 425–428.
5. Robert Braidwood and Bruce Howe, *Prehistoric Investigations in Iraqi Kurdistan* (Oriental Institute of the University of Chicago, 1960), 1.
6. Amaia Arranz-Otaegui et al., "Archaeobotanical evidence reveals the origins of bread 14,400 years ago in northeastern Jordan," *PNAS* 115 (2018): 7925–7930.
7. Stephen Shennan, *The First Farmers of Europe: An Evolutionary Perspective* (Cambridge University Press, 2018). ここの推論は、測定された放射性炭素年代の測定値の数が人間活動の集中を示す代わりである可能性のあるというものだ。これは、特定の先史時代の状況では当たっているかもしれないし、そうでないかもしれない。だが過去の人口統計の一般的指標として、この技術は一定の妥当性がある。
8. Andrew Moore and Gordon Hillman, "The Pleistocene to Holocene transition and human economy in Southwest Asia," *American Antiquity* 57 (1992): 482–494. に推定されている。
9. Eleni Asouti and Dorian Fuller, "A contextual approach to the emergence of agriculture in Southwest Asia," Current Anthropology 54 (2013): 299–345; George Willcox, "Pre-domestic cultivation during the late Pleistocene and early Holocene in the northern Levant," in Paul Gepts et al., eds., *Biodiversity in Agriculture: Domestication, Evolution, and Sustainability* (Cambridge University Press, 2012), 92–109.
10. Kathleen Kenyon, *Archaeology in the Holy Land* (Benn, 1960). イェリコは、ほぼ海面下300メートルに位置する。
11. Harald Hauptmann, "Les sanctuaires mégalithiques de Haute-Mésopotamie," in Jean-Paul Demoule, ed., *La révolution néolithique dans le monde* (CNRS Editions, 2009), 359–382; Oliver Dietrich et al., "The role of cult and feasting in the emergence of Neolithic communities," *Antiquity* 86 (2012): 674–695.

12. Klaus Schmidt, *Göbekli Tepe* (Ex Oriente, 2012). 2013年に上海考古学フォーラムで故クラウス・シュミットと会い、彼とギョベクリ・テペについて意見を交わしたことを、私は光栄に思った。
13. Andrew Curry, "The ancient carb revolution," *Nature* 594 (2021): 488–491.
14. Megan Gannon, "Archaeology in a divided land," *Science* 358 (2017): 28–30.
15. Sturt Manning et al., "The earlier Neolithic in Cyprus," *Antiquity* 84 (2010): 693–706.
16. Jean-Denis Vigne et al., "The early process of mammal domestication in the Near East," *Current Anthropology* 52, suppl. 4 (2011): 255–271.
17. Leilani Lucas and Dorian Fuller, "Against the grain: Long-term patterns in agricultural production in prehistoric Cyprus," *Journal of World Prehistory* 33 (2020): 233–266.
18. Alessio Palmisano et al., "Holocene regional population dynamics and climatic trends in the Near East," *QSR* 252 (2021): 106739.
19. Ian Hodder, *Çatalhöyük: The Leopard's Tale* (Thames and Hudson, 2006). チャタルヒュユク集落の画家による素晴らしい復元画はアン・ギボンズ（Ann Gibbons）の次の記事で見ることができる。"How farming shaped Europeans' immunity," *Science* 373 (2021): 1186.
20. Alessio Palmisano et al., "Holocene landscape dynamics and long-term population trends in the Levant," *The Holocene* 29 (2019): 708–727.
21. David Friesem et al., "Lime plaster cover of the dead 12,000 years ago," *Evolutionary Human Sciences* 1 (2020): E9.
22. 中国の新石器遺跡については多くの報告があるが、最近の調査の進展については David Cohen, "The beginnings of agriculture in China," *Current Anthropology* 52, suppl. 4 (2011): 273–306; Gideon Shelach-Lavi, "Main issues in the study of the Chinese Neolithic," in P. Goldin, ed., *Routledge Handbook of Early Chinese History* (Routledge, 2018), 15–38. を参照。
23. Gideon Shelach-Lavi et al., "Sedentism and plant agriculture in northeast China emerged under affluent conditions," *PLoS One* 14, no. 7 (2019): e0218751.
24. Yunfei Zheng et al., "Rice domestication revealed," Scientific Reports 6 (2016): 28136; Xiujia Huan et al., "Spatial and temporal pattern of rice domestication during the early Holocene," *The Holocene* 31 (2021): 1366–1375.
25. Christian Peterson and Gideon Shelach, "The evolution of early Yangshao village organization," in Matthew Bandy and Jake Fox, eds., *Becoming Villagers: Comparing Early Village Societies* (University of Arizona Press, 2010), 246–275.
26. 中国でのイネ栽培史の詳細な研究については、Fabio Silva et al., "Modelling the Geographical origin of rice cultivation in Asia," *PLoS One* 10 (2015): e0137024; Dorian Fuller et al., "Pathways of rice diversification across Asia," *Archaeology International* 19 (2016): 84–96; Yongchao Ma et al., "Multiple indicators of rice remains and the process of rice domestication," *PLoS One* 13 (2018): e0208104. を参照。

27. Patrick McGovern et al., “Fermented beverages of pre-and proto-historic China,” *PNAS* 101 (2004): 17593–17598; Ningning Dong and Jing Yuan, “Rethinking pig domestication in China,” *Antiquity* 94 (2020): 864–879. 中国のブタ家畜化の遺伝的解析については、Ming Zhang et al., “Ancient DNA reveals the maternal genetic history of East Asian domestic pigs,” *Journal of Genetics and Genomics* (プレプルーフ), doi.org/10.1016/j.jgg.2021.11.014. を参照。
28. Li Liu et al., “The brewing function of the first amphorae in the Neolithic Yangshao culture, North China,” *AAS* 12 (2020): 28.
29. Bin Liu et al., “Earliest hydraulic enterprise in China, 5100 years ago,” *PNAS* 114 (2017): 13637–13642; Colin Renfrew and Bin Liu, “The emergence of complex society in China: The case of Liangzhu,” *Antiquity* 92 (2018): 975–990.
30. Yanyan Yu et al., “Spatial and temporal changes of prehistoric human land use in the Wei River valley, northern China,” *The Holocene* 26 (2016): 1788–1901.
31. Melinda Zeder, “Out of the Fertile Crescent: The dispersal of domestic livestock through Europe and Africa,” in Boivin et al., *Human Dispersal and Species Movement*, 261–303.
32. サハラの湿潤期に関しては、Rudolph Kuper and Stefan Kröper, “Climate-controlled Holocene occupation in the Sahara,” *Science* 313 (2006): 803–807; Wim van Neer et al., “Aquatic fauna from the Takarkori rock shelter,” *PLoS One* 15 (2020): e0228588. を参照。
33. Noriyuki Shirai, “Resisters, vacillators or laggards? Reconsidering the first farmer-herders in prehistoric Egypt,” *Journal of World Prehistory* 33 (2020): 457–512.
34. Marieke van de Loosdrecht et al., “Pleistocene North African genomes link Near Eastern and Sub-Saharan African human populations,” *Science* 360 (2018): 548–552.
35. Julie Dunne et al., “First dairying in green Saharan Africa in the fifth millennium BCE,” *Nature* 486 (2012): 390–394.
36. Frank Winchell et al., “On the origins and dissemination of domesticated sorghum and pearl millet across Africa and into India,” *African Archaeological Review* 35 (2018): 483–505; N. Scarcelli et al., “Yam genomics supports West Africa as a major cradle of crop domestication,” *Science Advances* 5 (2019): eaaw1947.
37. Aleese Barron et al., “Snapshots in time,” *JAS* 123 (2020): 105259; Dorian Fuller et al., “Transition from wild to domesticated pearl millet (*Pennisetum glaucum*),” *African Archaeological Review* 38 (2021): 211–230.
38. Andrea Kay et al., “Diversification, intensification and specialization: Changing land use in western Africa from 1800 BC to AD 1500,” *Journal of World Prehistory* 32 (2019): 179–228.
39. Robert Power et al., “Asian crop dispersal in Africa and late Holocene human adaptation to tropical environments,” *Journal of World Prehistory* 32 (2019): 353–392; Alison Crowther et al., “Subsistence mosaics, forager-farmer interactions, and the transition to food production in eastern Africa,” *Quaternary International* 489 (2018):

101–120.
40. Jack Golson et al., eds., *10,000 Years of Cultivation at Kuk Swamp* (Australian National University Press, 2017).
41. Tim Denham, *Tracing Early Agriculture in the Highlands of New Guinea* (Routledge, 2018).
42. Ibrar Ahmed et al., "Evolutionary origins of taro (*Colocasia esculenta*) in Southeast Asia," *Ecology and Evolution* 10, no. 23 (2020): 13530–13543.
43. Ben Shaw, "Emergence of a Neolithic in Highland New Guinea by 5000 to 4000 years ago," *Science Advances* 6 (2020): eaay4573.
44. 一例として Philip Guddemi, "When horticulturalists are like hunter-gatherers: The Sawiyano of Papua New Guinea," *Ethnology* 31 (1992): 303–314. を参照。
45. Nicole Pedro et al., "Papuan mitochondrial genomes and the settlement of Sahul," *Journal of Human Genetics* 65 (2020): 875–887.
46. Glenn Summerhayes, "Austronesian expansions and the role of mainland New Guinea," *Asian Perspectives* 58 (2019): 250–260.
47. Tim Denham et al., "Horticultural experimentation in northern Australia reconsidered," *Antiquity* 83 (2009): 634–648.
48. トウモロコシの拡大に関しては、Logan Kistler et al., "Multiproxy evidence highlights a complex evolutionary legacy of maize in South America," *Science* 362 (2018): 1309–1312. を参照。ドゥッチョ・ボナヴィアは、トウモロコシはメキシコから南米に鳥によって広げられたと考えている。*Maize: Origin, Domestication, and Its Role in the Development of Culture* (Cambridge University Press, 2013). を参照。メソアメリカとエクアドルの接触に関しては、Patricia Anawalt, "Traders of the Ecuadorian littoral," *Archaeology* 50, no. 6 (1997): 48–52. を参照。
49. James Ford, *A Comparison of Formative Cultures in the Americas: Diffusion or the Psychic Unity of Man* (Smithsonian Institution Press, 1969).
50. 先史時代の旧世界と新世界との間の接触の問題に関しては、Peter Watson, *The Great Divide: History and Human Nature in the Old World and the New* (Weidenfeld and Nicholson, 2012); Stephen Jett, Ancient Ocean Crossings: Reconsidering the Case for Contacts with the Pre-Columbian Americas (University of Alabama Press, 2017); を参照。そして *Journal of Anthropological Research* 74 (2018): 281–284. 掲載のジェッツの優れた著作についての私の書評も。
51. David Malakoff, "Great Lakes people amongst first coppersmiths," *Science* 371 (2021): 1299.
52. John Smalley and Michael Blake, "Sweet beginnings: Stalk sugar and the domestication of maize," *Current Anthropology* 44 (2003): 675–704; David Webster et al., "Backward bottlenecks," *Current Anthropology* 52 (2011): 77–104; Robert Kruger, "Getting to the grain," in Basil Reid, ed., *The Archaeology of Caribbean and Circum-Caribbean Farmers 6000 BC–AD 1500* (Routledge, 2018), 353–369; Tiffany Tung et al., "Early specialized maritime and maize economies on the North Coast of Peru,"

PNAS 117, no. 51 (2020): 32308–32319.

53. Jazmin Ramos-Madrigal et al., "Genome sequence of a 5,310-year-old maize cob provides insights into the early stages of maize domestication," *Current Biology* 26 (2016): 3195–3201; Miguel Vallebueno-Estrada et al., "The earliest maize from San Marcos Tehuacán is a partial domesticate with genomic evidence of inbreeding," *PNAS* 113 (2016): 14151–14156.
54. Douglas Kennett et al., "High-precision chronology for Central American maize diversification from El Gigante rockshelter, Honduras," *PNAS* 114 (2017): 9026–9031.
55. Douglas Kennett et al., "Early isotopic evidence for maize as a staple grain in the Americas," *Science Advances* 6 (2020): eaba3245.
56. Tom D. Dillehay, ed., *From Foraging to Farming in the Andes: New Perspectives on Food Production and Social Organization* (Cambridge University Press, 2011).
57. John Clark et al., "First towns in the Americas," in Bandy and Fox, *Becoming Villagers*, 205–245; Deborah Pearsall et al., "Food and society at Real Alto, an Early Formative community in Southwest coastal Ecuador," *Latin American Antiquity* 31 (2020): 122–142.
58. Dolores Piperno, "The origins of plant cultivation and domestication in the New World tropics," *Current Anthropology* 52, suppl. 4 (2011): 453–470. 起こり得る結果として、Kennett et al., "Early isotopic evidence," for possible consequences. も参照。
59. Tung et al., "Early specialized maritime," 32308–32319.
60. Jennifer Watling, "Direct evidence for southwestern Amazonia as an early plant domestication and food production centre," *PLoS One* 13 (2018): e0199868; S. Yoshi Maezumi et al., "The legacy of 4500 years of polyculture agroforestry in the eastern Amazon," *Nature Plants* 4 (2018): 540–547; Umberto Lombardo et al., "Early Holocene crop cultivation and landscape modification in Amazonia," *Nature* 581 (2020): 190–193; Jose Iriarte et al., "The origins of Amazonian landscapes," *QSR* 248 (2020): 106582.
61. Michael Moseley and Michael Heckenberger, "From village to empire in South America," in Chris Scarre, ed., *The Human Past: World Prehistory and the Development of Human Societies*, 4th ed. (Thames and Hudson, 2018), 636–669.
62. Mark Nathan Cohen, "Population pressure and the origins of agriculture," in C. Reed, ed., *Origins of Agriculture* (Mouton, 1977), 135–178.
63. Amy Goldberg et al., "Post-invasion demography of prehistoric humans in South America," *Nature* 532 (2016): 232–235.
64. Kistler et al., "Multiproxy evidence," 1309–1312; Keith M. Prufer et al., "Terminal Pleistocene through Middle Holocene occupations in southeastern Mesoamerica," *Ancient Mesoamerica* 32 (2021): 439–460.
65. Kent Flannery and Joyce Marcus, *The Creation of Inequality: How Our Prehistoric Ancestors Set the Stage for Monarchy, Slavery, and Empire* (Harvard University Press,

2012), 299; William Sanders and Carson Murdy, "Cultural evolution and ecological succession in the Valley of Guatemala 1500 B.C.–A.D. 1524," in Kent Flannery, ed., *Maya Subsistence: Studies in Memory of Dennis E. Puleston* (Academic Press, 1982), 19–63. Richard Lesure, "The Neolithic demographic transition in Mesoamerica," *Current Anthropology* 55 (2014): 654–664, も参照。しかし彼は、前期形成期の埋葬を考慮していない。

66. 初期農耕期のメソアメリカとアリゾナの人口増加の最新の分析については Richard Lesure et al., "Large scale patterns in the Agricultural Demographic Transition of Mesoamerica and southwestern North America," *American Antiquity* 86 (2021):593–612. を参照。

67. Bruce Smith, "The cultural context of plant domestication in eastern North America," *Current Anthropology* 52, suppl. 4 (2011): 471–484.

第9章

1. Colin Renfrew, Archaeology and Language: *The Puzzle of Indo-European Origins* (Jonathan Cape, 1987); Peter Bellwood, "The great Pacific migration," in *1984 Britannica Yearbook of Science and the Future* (Encyclopaedia Britannica, 1984), 80–93; Robert Blust, "The Austronesian homeland: A linguistic perspective," *Asian Perspectives* 26 (1984–1985): 45–67.

2. Peter Bellwood and Colin Renfrew, eds., *Examining the Farming/Language Dispersal Hypothesis* (McDonald Institute for Archaeological Research, 2002); Peter Bellwood, *First Farmers: The Origins of Agricultural Societies* (Blackwell, 2005).

3. Jared Diamond and Peter Bellwood, "Farmers and their languages: The first expansions," *Science* 300 (2003): 597–603.

4. Bellwood, *First Farmers*; Peter Bellwood, *First Migrants: Ancient Migration in Global Perspective* (Wiley Blackwell, 2013).

5. David Reich, *Who We Are and How We Got Here: Ancient DNA and the New Science of the Human Past* (Oxford University Press, 2018), xv.

6. Bellwood, *First Migrants*, 8–9. 参照。

7. チャールズ・ダーウィン、『人間の進化と性淘汰（*The Descent of Man, and Selection in Relation to Sex*; John Murray, 1870)』、(邦訳名『人間の由来』(長谷川眞理子訳、2016、講談社学術文庫）

8. Marianne Mithun, *The Native Languages of North America* (Cambridge University Press, 1999), 2.

9. アルフレッド・クロスビー、『ヨーロッパの帝国主義（*Ecological Imperialism: The Biological Expansion of Europe, 900-1900*, 1986）』（佐々木昭夫訳、2017、ちくま学芸文庫）

10. Bernal Diaz, *The Conquest of New Spain* (Penguin, 1963); ジャレド・ダイアモンド『銃・病原菌・鉄　1万3000年にわたる人類史の謎　上・下（Jared Diamond, *Guns, Germs, and Steel: The Fates of Human Societies* ; Jonathan Cape, 1997)』.

11. Alexander Koch et al., “Earth system impacts of the European arrival and Great Dying in the Americas after 1492,” *QSR* 207 (2019): 13–36; Linda Ongaro et al., “The genomic impact of European colonization of the Americas,” *Current Biology* 29 (2020): 3974–3986.
12. S. Heath and R. Laprade, “Castilian colonization and indigenous languages,” in Robert Cooper, ed., *Language Spread: Studies in Diffusion and Social Change* (Indiana University Press, 1982), 137.
13. Translator Jona Lendering, Livius .org.
14. Nicholas Ostler, *Empires of the Word: A Language History of the World* (HarperPerennial, 2005), 275, 525, 534, 536.

第 10 章

1. Kurt Gron et al., “Cattle management for dairying in Scandinavia’ s earliest Neolithic,” *PLoS One* 10, no. 7 (2015): e0131267; Laure Ségurel and Celine Bon, “On the evolution of lactase persistence in humans,” *Annual Review of Genomics and Human Genetics* 18 (2017): 297–319; Sophy Charlton et al., “Neolithic insights into milk consumption through proteomic analysis of dental calculus,” *AAS* 11 (2019): 6183–6196.
2. Maria Bodnar, “Prehistoric innovations: Wheels and wheeled vehicles,” *Acta Archaeologica Academiae Scientarum Hungaricae* 69 (2018): 271–298.
3. Kurt Lambeck et al., “Sea level and global ice volumes from the Last Glacial Maximum to the Holocene,” *PNAS* 111 (2014): 15296–15303; Stephen Shennan, *The First Farmers of Europe: An Evolutionary Perspective* (Cambridge University Press, 2018), 27–28.
4. Gary Rollefson and Ilse Kohler-Rollefson, “PPNC adaptations in the first half of the 6th millennium BC,” *Paléorient* 19 (1993): 33–42.
5. Clark Larsen et al., “Bioarchaeology of Neolithic Çatalhöyük reveals fundamental transitions in health, mobility, and lifestyle in early farmers,” *PNAS* 116 (2019): 12615–12623.
6. Nigel Goring-Morris and Anna Belfer-Cohen, “ ‘Great Expectations,’ or the inevitable collapse of the early Neolithic in the Near East,” in Matthew S. Bandy and Jake R. Fox, eds., *Becoming Villagers: Comparing Early Village Societies* (University of Arizona Press, 2010), 62–77. らに論議されている。
7. Nicolas Rascovan et al., “Emergence and spread of basal lineages of Yersinia pestis during the Neolithic decline,” *Cell* 176 (2019): 295–305. Julian Susat et al., “A 5,000-year-old hunter-gatherer already plagued by *Yersinia pestis*,” *Cell Reports 35* (2021): 1092678, などは、この病原菌の新石器時代の起源の年代を約 7000 年前としている。
8. Arkadiusz Marciniak, “Çatalhöyük and the emergence of the late Neolithic network,” in Maxime Brami and Barbara Horejs, eds., *The Central/Western Anatolian Farming*

Frontier: Proceedings of the Neolithic Workshop Held at 10th ICAANE in Vienna, April 2016 (Austrian Academy of Sciences, 2019), 127–142; Ian Hodder, 2021 年 5 月 21 日にオーストラリア国立大学でなされたセミナーで。

9. Katerina Douka et al., "Dating Knossos and the arrival of the earliest Neolithic in the southern Aegean," *Antiquity* 91 (2017): 304–321.
10. アナトリアの新石器文化の拡大に関しては、Mehmet Ozdogan, "Archaeological evidence on the westward expansion of farming communities from eastern Anatolia to the Aegean and the Balkans," *Current Anthropology* 52, suppl. 4 (2011): 397–413; Douglas Baird et al., "Agricultural origins on the Anatolian Plateau," *PNAS* 115 (2018): E3077–E3086; and the chapters in Brami and Horejs, *Central/Western Anatolian Farming Frontier* を参照。
11. Marko Porcic et al., "Expansion of the Neolithic in southeastern Europe," *AAS* 13 (2021): 77.
12. Jerome Dubouloz, "Impacts of the Neolithic demographic transition on Linear Pottery Culture settlement," in Jean-Pierre Bocquet-Appel and Ofer Bar-Yosef, eds., *The Neolithic Demographic Transition and Its Consequences* (Springer, 2008), 208. 虐殺の証拠に関しては、Mark Golitko and Lawrence Keeley, "Beating ploughshares back into swords: Warfare in the *Linearbandkeramik*," *Antiquity* 81 (2007): 332–343. を参照。
13. Stephen Shennan et al., "Regional population collapse followed initial agriculture booms in mid-Holocene Europe," *Nature Communications* 4 (2013): 2486; Andrew Bevan et al., "Holocene fluctuations in human population demonstrate repeated links to food production and climate," *PNAS* 114 (2017): E10524–10531. こうした人口の減少は Shennan, *First Farmers of Europe*. にも論じられている。
14. Wolfgang Haak et al., "Massive migration from the steppe was a source for Indo-European languages in Europe," *Nature* 522 (2015): 207–211.
15. Krisztian Oross et al., " 'It' s still the same old story' : The current southern Transdanubian approach to the Neolithisation process of central Europe," *Quaternary International* 560–561 (2020): 154–178.
16. Selina Brace et al., "Ancient genomes indicate population replacement in early Neolithic Britain," *Nature Ecology and Evolution* 3 (2019): 765–771.
17. Lia Betti et al., "Climate shaped how Neolithic farmers and European hunter-gatherers interacted," *Nature Human Behaviour* 4 (2020): 1004–1010.
18. Gulsah Kilinç et al., "The demographic development of the first farmers in Anatolia," *Current Biology* 26 (2016): 1–8; Mark Lipson et al., "Parallel palaeogenomic transects reveal complex genetic history of early European farmers," *Nature* 551 (2017): 369–372; Michal Feldman et al., "Late Pleistocene human genome suggests a local origin for the first farmers of central Anatolia," *Nature Communications* 10 (2019): 1218.
19. Iosif Lazaridis et al., "Genomic insights into the origin of farming in the ancient

Near East," *Nature* 536 (2016): 419–424.

20. Gordon Hillman, "Late Pleistocene changes in wild plant-foods available to hunter-gatherers of the northern Fertile Crescent: Possible preludes to cereal cultivation," in D. Harris, ed., *The Origins and Spread of Agriculture and Pastoralism in Eurasia* (UCL Press, 1996), 159–203.
21. 例えば、イラン、ケルマンシャー州のガンジ・ダレ遺跡で。Philip Smith, "Architectural innovation and experimentation at Ganj Dareh, Iran," *World Archaeology* 21 (1990): 323–335. を参照。
22. Jean-François Jarrige, "Mehrgarh Neolithic," *Pragdhara* (Lucknow) 18 (2007–2008): 135–154.
23. Farnaz Broushaki et al., "Early Neolithic genomes from the eastern Fertile Crescent," *Science* 353 (2016): 499–503; Iain Mathieson et al., "The genomic history of southeastern Europe," *Nature* 555 (2018): 197–203.
24. Lazaridis et al., "Genomic insights" ; C. Wang et al., "Ancient human genome-wide data from a 3000-year interval in the Caucasus," *Nature Communications* 10 (2019): 590.
25. Reyhan Yaka et al., "Variable kinship patterns in Neolithic Anatolia revealed by ancient genomes," *Current Biology* 11 (2021): 244–268.
26. Robin Coningham and Ruth Young, *The Archaeology of South Asia: From the Indus to Asoka, c. 6500 BCE–200 CE* (Cambridge University Press, 2015).
27. Dorian Fuller, "Finding plant domestication in the Indian subcontinent," *Current Anthropology* 52, suppl. 4 (2011): 347–362.
28. Vasant Shinde et al., "Ancient Harappan genome lacks ancestry from steppe pastoralists or Iranian farmers," *Cell* 179 (2019): 729–735. For Gonur, see Megan Gannon, "An oasis civilization rediscovered," *Archaeology* 74, no. 1 (2021): 40–47.
29. Gordon Childe, The Aryans (K. Paul, Trench, Trubner & Co., 1926); Marija Gimbutas, "Primary and secondary homelands of the Indo-Europeans," *Journal of Indo-European Studies* 13 (1985): 185–202; David Anthony, *The Horse, the Wheel, and Language: How Bronze-Age Riders from the Eurasian Steppes Shaped the Modern World* (Princeton University Press, 2007).
30. David Anthony, "Ancient DNA, mating networks, and the Anatolian split," in Matilde Serangeli and Thomas Olander, eds., *Dispersals and Diversification: Linguistic and Archaeological Perspectives on the Early Stages of Indo-European* (Brill, 2020), 21–53.
31. Philip L. Kohl, *The Making of Bronze Age Eurasia* (Cambridge University Press, 2007).
32. Pablo Librado et al., "The origins and spread of domestic horses from the western Eurasian steppes," *Nature* 598 (2021): 634–640.
33. Jean Manco, *Ancestral Journeys: The Peopling of Europe from the First Venturers to the Vikings* (Thames and Hudson, 2013); Kristian Kristiansen et al., "Re-theorising

mobility and the formation of culture and language among the Corded Ware culture in Europe," *Antiquity* 91 (2017): 334–347.
34. Hannes Schroeder et al., "Unravelling ancestry, kinship, and violence in a late Neolithic mass grave," *PNAS* 116 (2019): 10705–10710.
35. Iosif Lazaridis et al., "Genetic origins of the Minoans and Mycenaeans," *Nature* 548 (2017): 214–218; Mathieson et al., "Genomic history," 197–203; Florian Clemente et al., "The genomic history of the Aegean palatial civilizations," *Cell* 184, no. 10 (2021): 2565–2586.e21.
36. Cristina Valdiosera et al., "Four millennia of Iberian biomolecular prehistory," *PNAS* 115 (2018): 3428–3433; Daniel Fernandes et al., "The spread of steppe and Iranian-related ancestry in the islands of the western Mediterranean," *Nature Ecology and Evolution* 4 (2020): 334–345; Fernando Racimo et al., "The spatiotemporal spread of human migrations during the European Holocene," *PNAS* 117 (2020): 8989–9000.
37. Andaine Seguin-Orlando et al., "Heterogeneous hunter-gatherer and steppe-related ancestries in Late Neolithic and Bell Beaker genomes from present-day France," *Current Biology* 31 (2021): 1072–1083.
38. Helene Malström et al., "The genomic ancestry of the Scandinavian Battle Axe culture people," *Proceedings of the Royal Society of London, Series B: Biological Sciences* 286 (2019): 20191528.
39. Iñigo Olalde et al., "The Beaker phenomenon and the genomic transformation of northwestEurope," *Nature* 555 (2018): 190–196; Thomas Booth et al., "Tales from the supplementary information: Ancestry change in Chalcolithic–Early Bronze Age Britain was gradual with varied kinship organization," *Cambridge Archaeological Journal* 31, no. 3 (2021): 379–400.
40. Satya Pachori, *Sir William Jones: A Reader* (Oxford University Press, 1993), 175.
41. Nicholas Thomas et al., eds., *Observations Made during a Voyage around the World* (University of Hawai'i Press, 1996), 185.
42. インド・ヨーロッパ語族の全般的な説明としては Benjamin Fortson, *Indo-European Language and Culture: An Introduction* (Wiley Blackwell, 2011). を参照。
43. J. P. Mallory and Victor Mair, *The Tarim Mummies: Ancient China and the Mystery of the Earliest Peoples from the West* (Thames and Hudson, 2000).
44. Harry Hoenigswald, "Our own family of languages," in A. Hill, ed., *Linguistics* (US Information Service, 1969), 67–80.
45. これは、一部には亜族を明確化すべく言語学者たちに研究されてきたインド・ヨーロッパ語族の諸特徴が相互に関連づけられた同一の分布を持たないからである。例えば名詞のジェンダーによる区別（男性 :masculine，女性 :feminine，中性 :neuter)、動詞の時制の生成法、100 に対する単語の発音（例えばラテン語の *centum* 対古代ペルシャ語の *satem*)、様々な亜族を通じた分布上の互いに横断的な文化的語彙の固有の項目、である。それは非常に複雑なので、たとえ統計処理を用いたとしても、インド・ヨーロッパ語族の系統樹の最近のすべての分類は系統樹内部の驚くほど異なっ

た関係になる。

46. Remco Bouckaert et al., "Mapping the origins and expansion of the Indo-European language family," *Science* 337, no. 6097 (2012): 957–960（本章の図10.4も参照）. 彼らは、認知上の語彙に基づいた統計計算を用いて、アナトリア地方の原インド・ヨーロッパ語族を紀元前6500年頃に置いた。その年代は、Remco Bouckaert et al., "Corrections and clarifications," *Science* 342 (2013): 1446. で後に紀元前5500年に訂正された。
47. Colin Renfrew, *Archaeology and Language: The Puzzle of Indo-European Origins* (Jonathan Cape, 1987).
48. ヨーロッパでの基層的インド・ヨーロッパ語族を支持して、Bernard Mees, "A genealogy of stratigraphy theories from the Indo-European West," in Henning Andersen, ed., *Language Contacts in Prehistory: Language Contacts in Prehistory: Studies in Stratigraphy* (John Benjamins, 2003), 11–44. を参照。
49. こうした課題の有益な論考として、Paul Heggarty編の2つの章 "Why Indo-European?," と "Indo-European the ancient DNA revolution," in Guus Kroonen et al.,eds., *Talking Neolithic Proceedings of the Workshop on Indo-European Origins Held at the Max Planck Institute for Evolutionary Anthropology, Leipzig, December 2–3, 2013* (Institute for the Study of Man, 2018), 69–119, 120–173. を参照。ポツポツと継続的になされたというよりも、ポントス草原から中央ヨーロッパへただ1度の大規模移住がなかったという可能性を示した遺伝的シミュレーションを行った研究として、Jérémy Rio et al., "Spatially explicit paleogenomic simulations support cohabitation with limited admixture between Bronze Age Central European populations," *Communications Biology* 4 (2021): 1163. を参照。ヤムナヤ集団ではなく新石器人によってヨーロッパにB型肝炎が広げられたことを推定させるB型肝炎ウイルスの古代DNA分析の論考として、Arthur Kocher et al., "Ten millennia of hepatitis B virus evolution," *Science* 374 (2021):182–188. を参照。
50. Gimbutas, "Primary and secondary homelands."
51. Lara Cassidy et al., "A dynastic elite in monumental Neolithic society," *Nature* 582 (2020): 384–388.
52. ヤムナヤ文化期の酪農について歯石から得られた証拠に関しては、Shevan Wilkin et al., "Dairying enabled Early Bronze Age Yamnaya steppe expansions," *Nature* 598 (2021): 629–633. を参照。
53. Rascovan et al., "Emergence and spread" ; Susat et al., "5,000-year-old hunter-gatherer."
54. ウラル語族の先史学に関しては、Vaclav Blazek, "Northern Europe and Russia: Uralic linguistic history," in Peter Bellwood, ed., *The Global Prehistory of Human Migration* (Wiley-Blackwell, 2015), 178–183. を参照。
55. Thiseas Lamnidis et al., "Ancient Fennoscandian genomes reveal origin and spread of Siberian ancestry in Europe," *Nature Communications* 9 (2018), article 5018.
56. Peter Damgaard et al., "The first horse herders and the impact of early Bronze Age

steppe expansions into South Asia," *Science* 360 (2018): eaar7711; Vagheesh Narasimhan et al., "The formation of human populations in South and Central Asia," *Science* 365 (2019): eaat7487.
57. Asko Parpola, *The Roots of Hinduism: The Early Aryans and the Indus Civilization* (Oxford University Press, 2015).
58. Nils Riedel et al., "Monsoon forced evolution of savanna and the spread of agro-pastoralism in peninsular India," *Scientific Reports* 11 (2021): 9032.
59. Dorian Fuller, "South Asia: Archaeology," in Bellwood, *Global Prehistory*, 245–253.
60. Franklin Southworth and David McAlpin, "South Asia: Dravidian linguistic history," in Bellwood, *Global Prehistory*, 235–244.
61. Vishnupriya Kolipakam et al., "A Bayesian phylogenetic study of the Dravidian language family," *Royal Society Open Science* 5 (2018): 171504.
62. Franklin Southworth, *Linguistic Archaeology of South Asia* (Routledge Curzon, 2005).
63. Guillermo Algaze, *The Uruk World System: The Dynamics of Expansion of Early Mesopotamian Civilization* (University of Chicago Press, 2004).

第 11 章

1. 例えば、Tianyi Wang et al., "Human population history at the crossroads of East and Southeast Asia since 11,000 years ago," *Cell* 184 (2021): 3829–3841. によって提示された中国南部の少なくとも 3 つの別々の旧石器時代後期集団の存在を示す古代 DNA の証拠を参照。
2. Murray Cox, "The genetic history of human populations in island Southeast Asia during the Late Pleistocene and Holocene," in Peter Bellwood, *First Islanders: Prehistory and Human Migration in Island Southeast Asia*, 107–116 (Wiley Blackwell, 2017).
3. Hirofumi Matsumura et al., "Craniometrics reveal two layers of prehistoric human dispersal in eastern Eurasia," *Scientific Reports* 9 (2019): 1451; Hirofumi Matsumura et al., "Female craniometrics support the 'two layer model' of human dispersal in eastern Eurasia," *Scientific Reports* 11 (2021): 20830.
4. Hugh McColl et al., "The prehistoric peopling of Southeast Asia," *Science* 361 (2018): 88–92; Mark Lipson et al., "Ancient genomes document multiple waves of migration in Southeast Asian prehistory," *Science* 361 (2018): 92–95; Melinda Yang et al., "Ancient DNA indicates human population shifts and admixture in northern and southern China," *Science* 369, no. 6501 (2020): 282–288; Chuan-chao Wang et al., "Genomic insights into the formation of human populations in East Asia," *Nature* 591 (2021): 413–419; Selina Carlhoff et al., "Genome of a middle Holocene hunter-gatherer from Wallacea," *Nature* 596 (2021): 543–547.
5. Martine Robbeets et al., "Triangulation supports agricultural spread of the Transeurasian languages," *Nature* 599 (2021): 616–621; Peter Bellwood, "Tracking

the origin of Transeurasian languages," *Nature* 599 (2021): 557–558.

6. Chao Ning et al., "Ancient genomes from northern China," *Nature Communications* 11 (2020): 2700. この初期の遺伝的分離の状況の後に、第8章の肥沃な三日月地帯穀物に関して述べた後の遺伝的交雑の類似現象が続いた。
7. Martine Robbeets and Mark Hudson, "Archaeolinguistic evidence for the farming/language dispersal of Koreanic," *Evolutionary Human Sciences* 2 (2020): E52; Tao Li et al., "Millet agriculture dispersed from northeast China to the Russian Far East," *Archaeological Research in Asia* 22 (2020): 100177; Yating Qu et al., "Early interaction of agropastoralism in Eurasia," *AAS* 12 (2020): 195; Sarah Nelson et al., "Tracing population movements in ancient East Asia through the linguistics and archaeology of textile production," *Evolutionary Human Sciences* 2 (2020): E5.
8. Gary Crawford, "Advances in understanding early agriculture in Japan," *Current Anthropology* 52, suppl. 4 (2011): 331–345.
9. Rafal Gutaker et al., "Genomic history and ecology of the geographic spread of rice," *Nature Plants* 6 (2020): 492502.
10. Choongwon Jeong et al., "A dynamic 6,000-year genetic history of Eurasia' s eastern steppes," *Cell* 183, no. 4 (2020): 890–904. 古代モンゴル人とツングース人はアムール川流域の人類の遺伝的特徴を持っていた。 Wang et al., "Genomic insights." を参照。
11. Chuan-chao Wang and Martine Robbeets, "The homeland of Proto-Tungusic inferred from contemporary words and ancient genomes," *Evolutionary Human Sciences* 2 (2020): E8.
12. Junzo Uchiyama et al., "Population dynamics in northern Eurasian forests," *Evolutionary Human Sciences* 2 (2020): E16.
13. Dominic Hosner et al., "Spatiotemporal distribution patterns of archaeological sites in China," *The Holocene* 26 (2016): 1576–1593.
14. Menghan Zhang et al., "Phylogenetic evidence for Sino-Tibetan origin in northern China in the late Neolithic," *Nature* 569 (2019): 112–115; Laurent Sagart et al., "Dated language phylogenies shed light on the ancestry of Sino-Tibetan," *PNAS* 116 (2019): 10317–10322; Hanzhi Zhang et al., "Dated phylogeny suggests early Neolithic origins of Sino-Tibetan languages," *Scientific Reports* 10 (2020): 20792.
15. Guiyun Jin et al., "The Beixin culture," *Antiquity* 94 (2020): 1426–1443.
16. Randy LaPolla, "The role of migration and language contact in the development of the Sino-Tibetan language family," in Alexandra Aikhenvald and Robert Dixon, eds., *Areal Diffusion and Genetic Inheritance: Problems in Comparative Linguistics* (Oxford University Press, 2001), 225–254.
17. Lele Ren et al., "Foraging and farming: Archaeobotanical and zooarchaeological evidence for Neolithic exchange on the Tibetan plateau," *Antiquity* 94: 637–652 (2020).
18. Ruo Li et al., "Spatio-temporal variation of cropping patterns in relation to climate

change in Neolithic China," *Atmosphere* 11, no. 7 (2020): 677.
19. Ting Ma et al., "Holocene coastal evolution preceded the expansion of paddy field rice farming," *PNAS* 117 (2020): 24138–24143.
20. Zhang Chi and Hsiao-chun Hung, "Eastern Asia: Archaeology," in Peter Bellwood, ed., *The Global Prehistory of Human Migration* (Wiley, 2015), 209–216.
21. Matsumura et al., "Craniometrics reveal two layers."
22. Marc Oxenham et al., "Between foraging and farming," *Antiquity* 92 (2018): 940–957; Hsiao-chun Hung, "Prosperity and complexity without farming: The South China coast, c. 5000–3000 BC," *Antiquity* 93 (2019): 325–341.
23. 高廟遺跡に関しては Hirofumi Matsumura et al., "Mid-Holocene hunter-gatherers 'Gaomiao' in Hunan, China," in Philip Piper et al., eds., *New Perspectives in Southeast Asia and Pacific Prehistory* (Australian National University Press, 2017), 61–78. を参照。マン・バク遺跡に関しては Marc Oxenham et al., *Man Bac: The Excavation of a Neolithic Site in Northern Vietnam* (Australian National University Press, 2011); Lipson et al., "Ancient genomes." を参照。
24. Tim Denham et al., "Is there a centre of early agriculture and plant domestication in southern China?," *Antiquity* 92 (2018): 1165–1179.
25. Wang et al., "Human population history" ; Yang et al., "Ancient DNA."
26. Charles Higham, *Early Mainland Southeast Asia: From First Humans to Angkor* (River Books, 2014); Philip Piper et al., "The Neolithic of Vietnam," in Charles Higham and Nam Kim, eds., *The Oxford Handbook of Early Southeast Asia* (Oxford University Press, 2021), 194–215.
27. Zhenhua Deng et al., "Bridging the gap on the southward dispersal of agriculture in China," *AAS* 12 (2020): 151.
28. Ming-Shan Wang et al., "863 Genomes reveal the origin and domestication of chicken," *Cell Research* 30 (2020): 693–701.
29. Jade d'Alpoim Guedes et al., "3000 Years of farming strategies in central Thailand," *Antiquity* 94 (2020): 966–982.
30. Fiorella Rispoli, "The incised and impressed pottery of mainland Southeast Asia," *East and West* 57 (2007): 235–304. こうした種類の土器の図は Bellwood, *First Islanders* の図版 6 と 7 で見ることができる。
31. Weera Ostapirat, "Kra-Dai and Austronesian: Notes on phonological correspondences and vocabulary distribution," in Laurent Sagart et al., eds., *The Peopling of East Asia: Putting Together Archaeology, Linguistics and Genetics* (Routledge Curzon, 2005), 107–131; Jin Sun et al., "Shared paternal ancestry of Han, Tai-Kadai- speaking, and Austronesian-speaking populations," *AJPA* 174 (2020): 686–700.
32. Wang et al., "Genomic insights" ; S. Wen et al., "Y-chromosome-based genetic pattern in East Asia affected by Neolithic transition," *Quaternary International* 426 (2016): 50–55.

33. Jim Goodman, *Delta to Delta: The Vietnamese Move South* (The Gioi, 2015).
34. Felix Rau and Paul Sidwell, "The Munda maritime hypothesis," *Journal of the Linguistic Society of Southeast Asia* 12 (2019): 35–57.
35. Kai Tätte et al., "The genetic legacy of continental scale admixture in Indian Austro-Asiatic speakers," *Scientific Reports* 9 (2019): 3818.
36. 最近の概説については、Bellwood, First Islanders; Patrick Kirch, *On the Road of the Winds: An Archaeological History of the Pacific Islands before European Contact*, rev. ed. (University of California Press [Berkeley], 2017); Mike Carson, *Archaeology of Pacific Oceania: Inhabiting a Sea of Islands* (Routledge, 2018); Peter Bellwood and Peter Hiscock, "Australia and the Pacific Islands," in Chris Scarre, ed., *The Human Past: World Prehistory and the Development of Human Societies*, 5th ed. (Thames and Hudson, 2022, in production) を参照。
37. オーストロネシア語族の歴史については、Robert Blust, "The Austronesian homeland and dispersal," *Annual Review of Linguistics* 5 (2019): 417–434. を参照。
38. Kuo-Fang Chung, "Paper mulberry DNA attests Taiwan as Austronesian ancestral homeland," in *The Origins of the Austronesians* (Council of Indigenous Peoples, Taiwan, 2021), 157–197.
39. Christopher Buckley, "Looms, weaving and the Austronesian expansion," in A. Acri et al., eds., *Spirits and Ships: Cultural Transfers in Early Monsoon Asia* (Institute of Southeast Asian Studies, Singapore, 2017), 273–374.
40. Peter Bellwood, "Holocene population history in the Pacific region as a model for worldwide food producer dispersals," *Current Anthropology* 52, suppl. 4 (2011): 363–378; Peter Bellwood et al., "Are cultures inherited?," in Benjamin Roberts and Marc Vander Linden, eds., *Investigating Archaeological Cultures: Material Culture, Variability, and Transmission* (Springer, 2011), 321–354; Bellwood, *First Islanders*.
41. Victoria Chen et al., "Is Malayo-Polynesian a primary branch of Austronesian? A view from morphosyntax," *Diachronica*, 印刷中。
42. Kai Tätte et al., "The Ami and Yami aborigines of Taiwan and their genetic relationship to East Asian and Pacific populations," *European Journal of Human Genetics* 29 (2021): 1092–1102; Jeremy Choin et al., "Genomic insights into population history and biological adaptation in Oceania," *Nature* 592 (2021): 583–589.
43. Mike Carson, *Archaeology of Pacific Oceania* (Routledge, 2018); I. Pugach et al., "Ancient DNA from Guam and the peopling of the Pacific," *PNAS* 118 (2021): e2022112118.
44. Pontus Skoglund et al., "Genomic insights into the peopling of the southwest Pacific," *Nature* 538 (2016): 510–513.
45. Antoinette Schapper, "Farming and the Trans-New Guinea family," in Martine Robbeets and Alexander Savelyev, eds., *Language Dispersal beyond Farming* (John Benjamins, 2017), 155–182.
46. Mark Lipson et al., "Three phases of ancient migration shaped the ancestry of

human populations in Vanuatu," *Current Biology* 30 (2020): 4846–4856.
47. Kirch, *On the Road of the Winds*; Alexander Ioannidis et al., "Paths and timings of the peopling of Polynesia inferred from genomic records," *Nature* 597 (2021): 522–526.
48. William Wilson, "The northern outliers–East Polynesian theory expanded," *Journal of the Polynesian Society* 127 (2018): 389–423.
49. Lipson et al., "Three phases of ancient migration."
50. Alexander Ioannidis et al., "Native Native American gene flow into Polynesia predating Easter Island settlement," *Nature* 583 (2020): 572–577; トール・ヘイエルダール、『コン・ティキ号探検記（*The Kon-Tiki Expedition: By Raft across the South Seas*）』水口志計夫訳、河出文庫、2013
51. Cheng-hwa Tsang and Kuang-ti Li, *Archaeological Heritage in the Tainan Science Park of Taiwan* (National Museum of Prehistory, Taitung, 2015).
52. Zhenhua Deng et al., "Validating earliest rice farming in the Indonesian Archipelago," *Scientific Reports* 10 (2020): 10984.
53. Ornob Alam et al., "Genome analysis traces regional dispersal of rice in Taiwan and Southeast Asia," *Molecular Biology and Evolution*, 38 (2021): 4832–4846.

第 12 章

1. Roger Blench, *Archaeology, Linguistics and the African Past* (Altamira, 2006).
2. Alexander Militarev, "The prehistory of a dispersal: The Proto-Afrasian (Afro-Asiatic) farming lexicon," in Peter Bellwood and Colin Renfrew, eds., *Examining the Farming/Language Dispersal Hypothesis* (McDonald Institute, Cambridge University, 2002), 135–150.
3. Vaclav Blazek, "Levant and North Africa: Afro-Asiatic linguistic history," in Peter Bellwood, ed., *The Global Prehistory of Human Migration* (Wiley Blackwell, 2015), 125–132.
4. Aharon Dolgopolsky, "More about the Indo-European homeland problem," *Mediterranean Language Review* 6 (1993): 230–248.
5. Shyamalika Gopalan et al., "Hunter-gatherer genomes reveal diverse demographic trajectories following the rise of farming in East Africa," *bioRxiv* (2019), https://dx.doi.org/10.1101/517730(see their figure 1); Carina Schlebusch, "Population migration and adaptation during the African Holocene," in Yonatan Sahle et al., eds., *Modern Human Origins and Dispersal* (Kerns Verlag, 2019), 261–283. 現生集団の最新の遺伝的分類は、クシ語派、オモ語派、チャド語派の各話者を同時代のサハラ以南のアフリカの集団と一緒に位置づけるが、一方でベルベル人とセム人両集団は、中東とヨーロッパの各集団と一緒にまとめている。Pavel Duda and Jan Zrzavy, "Towards the global phylogeny of human populations based on genetic and linguistic data," in Sahle et al., *Modern Human Origins*, 331–359. を参照。
6. Verena Schuenemann et al., "Ancient Egyptian mummy genomes," *Nature*

Communications 8 (2017): 15694.
7. Rosa Fregel et al., "Ancient genomes from North Africa," *PNAS* 115 (2018): 6774–6779.
8. Fiona Marshall and Lior Weisbrod, "Domestication processes and morphological change: Through the lens of the donkey and African pastoralism," *Current Anthropology* 52, suppl. 4 (2011): 397–414.
9. Carina Schlebusch et al., "Khoe-San genomes reveal unique variation and confirm the deepest population divergence in *Homo sapiens*," *Molecular Biology and Evolution* 37 (2020): 2944–2954.
10. Schlebusch, "Population migration and adaptation" ; Ke Wang et al., "Ancient genomes reveal complex patterns of population movement, interaction and replacement in sub-Saharan Africa," *Science Advances* 6 (2020): eaaz0183. コイコイ人は、以前はホッテントットと呼ばれていた。
11. Christopher Ehret, "Sub-Saharan Africa: Linguistics," in Bellwood, *Global Prehistory*, 96–106.
12. Sen Li et al., "Genetic variation reveals large scale population expansion and migration during the expansion of Bantu-speaking peoples," *Proceedings of the Royal Society of London, Series B: Biological Sciences* 281 (2014): 20141448.
13. Ezequiel Koile et al., "Phylogeographic analysis of the Bantu language expansion supports a rainforest route," 近刊予定の *PNAS*. Koen Bostoen et al., "Middle to late Holocene paleoclimatic change and the early Bantu expansion," *Current Anthropology* 56 (2015): 327–353; Rebecca Grollemund et al., "Bantu expansion shows that habitat alters the route and pace of human dispersals," *PNAS* 112 (2015): 13296–13301; Etienne Patin et al., "Dispersals and genetic adaptation of Bantu-speaking populations in Africa and North America," *Science* 356 (2017): 543–546. も参照。
14. Peter Robertshaw, "Sub-Saharan Africa: Archaeology," in Bellwood, *Global Prehistory*, 107–114; Dirk Seidensticker et al., "Population collapse in Congo rainforests from 400 CE urges reassessment of the Bantu expansion," *Science Advances* 7 (2021): eabd8352.
15. Armando Semo et al., "Along the Indian Ocean coast: Genomic variation in Mozambique provides new insights into the Bantu expansion," *Molecular Evolution and Biology* 37, no. 2 (2019): 406–416; Ananyo Choudhury et al., "High-depth African genomes inform human Migration and health," *Nature* 586 (2020): 741–748.
16. James Webb, "Malaria and the peopling of early tropical Africa," *Journal of World History* 16 (2005): 269–291.
17. オーストラリア先史学については、Peter Hiscock, *Archaeology of Ancient Australia* (Routledge, 2008) を参照。トアレ文化については、Peter Bellwood, *First Islanders: Prehistory and Human Migration in Island Southeast Asia* (Wiley Blackwell, 2017), 155–159. を参照。
18. 刃潰し石器の製作と 5000 ～ 4000 年前のオーストラリア南部のエル・ニーニョ干

ぱつとの関連の推定に関しては、Peter Hiscock, "Pattern and context in the Holocene proliferation of backed artifacts in Australia," in Robert Elston and Steven Kuhn, eds.,*Thinking Small: Global Perspectives on Microlithization* (American Anthropological Association, 2002), 163–177. を参照。

19. Patrick McConvell, "Australia: Linguistic history," in Bellwood, *Global Prehistory*, 362–368; Remco Bouckaert et al., "The origin and expansion of Pama-Nyungan languages across Australia," *Nature Ecology and Evolution* 2 (2018): 741–749.
20. Peter Sutton, "Small language survival and large language expansion on a hunter-gatherer continent," in Tom Güldemann et al., eds., *The Language of Hunter-Gatherers* (Cambridge University Press, 2020), 356–391.
21. Arman Ardalan et al., "Narrow genetic basis for the Australian dingo," *Genetica* 140 (2012): 65–73. For the date of dingo arrival in Australia see Jane Balme et al., "New dates on dingo bones from Majura cave provide oldest firm evidence for arrival of the species in Australia," *Scientific Reports* 8 (2018): 9933.
22. Loukas Koungoulos and Melanie Fillios, "Hunting dogs down under?," *Journal of Anthropological Archaeology* 58 (2020): 101146.
23. Ray Wood, "*Wangga,*" *Oceania* 88 (2018): 202–231.
24. Tim Denham et al., "Horticultural experimentation in northern Australia reconsidered," *Antiquity* 83 (2009): 634–648.
25. Peter Bellwood, *First Migrants: Ancient Migration in Global Perspective* (Wiley Blackwell, 2013).
26. Ray Tobler et al., "Aboriginal mitogenomes reveal 50,000 years of regionalism in Australia," *Nature* 544 (2017): 180–184.
27. Manfred Kayser et al., "Independent histories of human Y chromosomes from Melanesia and Australia," *American Journal of Human Genetics* 68 (2001): 173–190.
28. Anna-Sapfo Malaspinas et al., "A genomic history of Aboriginal Australia," *Nature* 538 (2016): 207–214.
29. 多くのオーストラリア人読者は、オーストラリア先住民が先史時代に農耕に類似した活動を行っていたかどうかの疑問について、最近はかなりの論争が起こっていることを知っているだろう。Bill Gammage, *The Biggest Estate on Earth: How Aborigines Made Australia* (Allen & Unwin, 2011); Bruce Pascoe, *Dark Emu: Aboriginal Australia and the Birth of Agriculture* (Magabala Books, 2018); Peter Sutton and Keryn Walshe, *Farmers or Hunter-Gatherers? The Dark Emu Debat*e (Melbourne University Press, 2021). を参照。私は、本書（第7章）で用いた定義によれば、オーストラリアで食料生産の行われたことを推定させる証拠は無いと承知している。Sutton and Walshe 2021 in *Oceania* 91 (2021): 375–376. についての私の書評を参照。
30. Sutton and Walshe, *Farmers or Hunter-Gatherers?*
31. Grover Krantz, "On the nonmigration of hunting peoples," *Northwestern Anthropology Research Notes* 10 (1976): 209–216.

32. Douglas Kennett et al., "South-to-north migration preceded the advent of intensive farming in the Maya Region," *Nature Communications*, 印刷中 (2021); Keith M. Prufer et al., "Terminal Pleistocene through Middle Holocene occupations in southeastern Mesoamerica," *Ancient Mesoamerica* 32 (2021): 439–460. 調査のこの重要な一編についての論考に対してデイヴィッド・ライヒとキース・プルファーにも謝意を表する。

33. 参考文献と共に Peter Bellwood, *First Farmers: The Origins of Agricultural Societies* (Blackwell, 2005); Bellwood, *First Migrants*; and Bellwood, *Global Prehistory* の関連する節を参照。Robert Walker and Lincoln Ribeiro, "Bayesian phylogeography of the Arawak expansion in lowland South America," *Proceedings of the Royal Society of London, Series B: Biological Sciences* 278 (2011): 2562–2577; Jose Iriarte et al., "The origins of Amazonian landscapes," *QSR* 248 (2020): 106582 も参照。

34. Paul Heggarty and David Beresford-Jones, "Agriculture and language dispersals," *Current Anthropology* 51 (2010): 163–192.

35. Matthew Napolitano et al., "Reevaluating human colonization of the Caribbean," *Science Advances* 5 (2019): eaar7806; Daniel Fernandes et al., "A genetic history of the pre-contact Caribbean," *Nature* 590 (2021): 103–110.

36. Stuart Fiedel, "Are ancestors of contact period ethnic groups recognizable in the archaeological record of the Early Lake Woodland?," *Archaeology of Eastern North America* 41 (2013): 221–229.

37. Jane Hill, "Proto-Uto-Aztecan as a Mesoamerican language," *Ancient Mesoamerica* 23 (2012): 57–68.

38. Volume 23, no. 1 of Archaeology Southwest Magazine (Center for Desert Archaeology, 2009, https://www.archaeologysouthwest.org/pdf/arch-sw-v23-no1.pdf) にはこれらの発見について良好な説明がある。James Vint and Jonathan Mabry, "The Early Agricultural period," in Barbara Mills and Severin Fowles, eds., *The Oxford Handbook of Southwest Archaeology* (OxfordUniversity Press, 2017), 247–264. も参照。

39. Rute Da Fonseca et al., "The origin and evolution of maize in the Southwestern United States," *Nature Plants* 1 (2015): 14003.

40. Victor Moreno-Mayar et al., "Early human dispersals within the Americas," Science 362 (2018): eaav2621; Jane Hill, "Uto-Aztecan hunter-gatherers," in Güldemann et al., *Language of Hunter-Gatherers*, 577–604.

索引

な行

は行

ま行

や行

ら行・わ行

【著者】

ピーター・ベルウッド（Peter Bellwood）

オーストラリア国立大学名誉教授。1943年英国レスター市生まれ。80年に英・ケンブリッジ大大学院で博士号を取得。

著書に『農耕起源の人類史』（京都大学学術出版会・2008年）ほか。

2021年に「自然と人間との共生」に寄与した研究に贈られるコスモス国際賞（公益財団法人国際花と緑の博覧会記念協会主催）受賞。

【訳者】河合信和（かわい・のぶかず）
1947年、千葉県生まれ。1971年、北海道大学卒業。同年、朝日新聞社入社。2007年、定年退職。進化人類学を主な専門とする科学ジャーナリスト。旧石器考古学や民族学、生物学全般にも関心を持つ。著書に『ヒトの進化　七〇〇万年史』（筑摩書房）、翻訳書にパット・シップマン『ヒトとイヌがネアンデルタール人を絶滅させた』、ピーター・S・アンガー『人類は噛んで進化した』（共に原書房）ほか。

THE FIVE-MILLION-YEAR ODYSSEY: The Human Journey from Ape to Agriculture
by Peter Bellwood
Japanese translation published by arrangement with Princeton University Press
through The English Agency (Japan) Ltd.

500万年のオデッセイ
人類の大拡散物語

2024年2月25日　第一刷印刷
2024年3月10日　第一刷発行

著　者　ピーター・ベルウッド
訳　者　河合信和

発行者　清水一人
発行所　青土社

〒101-0051　東京都千代田区神田神保町1-29　市瀬ビル
［電話］03-3291-9831（編集）　03-3294-7829（営業）
［振替］00190-7-192955

出版協力　公益財団法人 国際花と緑の博覧会記念協会
Special Thanks EXPO'90 FOUNDATION

印刷・製本　シナノ
装丁　大倉真一郎

ISBN978-4-7917-7635-1　Printed in Japan